Britannica®

ENCICLOPEDIA UNIVERSAL ILUSTRADA

siberiano
templario

Britannica
ENCICLOPEDIA UNIVERSAL ILUSTRADA

Edición en español de BRITANNICA CONCISE ENCYCLOPEDIA

Edición promocional para América Latina desarrollada, diseñada y publicada por Sociedad Comercial y Editorial Santiago Ltda., Avda. Apoquindo 3650, Santiago, Chile.

ISBN 956-8402-79-9 (Obra completa)
ISBN 956-8402-97-7 (Volumen 18)

Impreso en Chile, Printed in Chile.
Código de barras 978 956840297 - 6

siberiano Miembro de un gran número de grupos étnicos menores que viven en SIBERIA. La mayoría de ellos se dedica a la crianza de renos o a la pesca, algunos también cazan animales valiosos por su piel, o bien subsisten de la agricultura y crianza de caballos o ganado. En el pasado, muchos tenían moradas de invierno y de verano; las invernales a menudo eran parcial o totalmente subterráneas, y las casas estivales consistían en varios tipos de tiendas. Con frecuencia practicaban el chamanismo, y la familia era la unidad básica de la sociedad. A pesar de que el gobierno soviético intentó establecer a los pueblos siberianos en granjas colectivas e introducir nuevas ocupaciones, algunos grupos, como los koryak y los nenet, continúan con sus actividades tradicionales. Entre los pueblos siberianos se cuentan también los chukchi, evenk, ket, khanty, mansi, YAKUTO y yucaguir. Ver también lenguas PALEOSIBERIANAS.

Siberut Isla de Indonesia. La más grande del grupo Mentawai, está situada frente a la costa occidental de SUMATRA, Indonesia. Tiene 40 km (25 mi) de ancho y 110 km (70 mi) de largo. La costa es baja y pantanosa; en el interior domina la sabana. La agricultura es la principal actividad económica.

Sibila Profetisa de la leyenda griega. Era una figura del pasado mítico cuyas profecías, formuladas en hexámetros griegos, se transmitían por escrito. A finales del s. IV AC, su número se multiplicó y el término *sibila* fue usado como título. Las sibilas estaban relacionadas con varios ORÁCULOS, especialmente los de APOLO, de quien se decía era su inspirador. Generalmente se les representaba como mujeres muy ancianas que vivían en grutas y profetizaban en estado de trance frenético. Una famosa recopilación de profecías, los *Libros sibilinos*, se guardaba en el templo de JÚPITER para ser consultada sólo en emergencias.

Sichuan Provincia (pob., est. 2000: 83.290.000 hab.) situada en el valle del YANGTZÉ superior (Chang Jiang), en el sudoeste de China. Limita con las provincias de QINGHAI, GANSU, SHAANXI, HUBEI, HENAN, GUIZHOU y YUNNAN, la municipalidad de CHONGQING y la región autónoma del TÍBET. Con 546.000 km^2 (210.800 mi^2), es la segunda provincia más grande de China y abarca la depresión central llamada Cuenca de Sichuan (o cuenca Roja); su capital es CHENGDU. Es una de las provincias más densamente pobladas y de mayor diversidad étnica del país. Fue una de las primeras regiones donde se asentaron los chinos en el I milenio AC. Desde la época de la dinastía ZHOU (1122–221 AC) hasta la de la dinastía SONG (960–1279 DC) estuvo administrada mediante diversas subdivisiones políticas. Alcanzó rango de provincia bajo la dinastía QING (1644–1911). Durante la guerra CHINO-JAPONESA fue la sede (en CHONGQING) del gobierno nacionalista; los japoneses nunca penetraron en la zona. Es el principal productor de arroz, maíz, batatas, ganado vacuno y porcino del país. Como la provincia más industrializada del sudoeste de China, constituye un centro de explotación de carbón, refinación de petróleo y producción de químicos. La sabrosa cocina de Sichuan es famosa en todo el mundo.

Sicilia, isla Isla de Italia. Sicilia está separada del continente por el estrecho de MESSINA. Es la isla más grande (25.460 km^2 [9.830 mi^2]) del Mediterráneo y en ella se encuentra el volcán activo más alto de Europa, el monte ETNA. Su capital es PALERMO. Por su ubicación en el centro del Mediterráneo, Sicilia siempre ha sido un lugar estratégico a lo largo de la historia. Los griegos la colonizaron en los s. VIII–VI AC, y en el s. III AC se convirtió en la primera provincia romana. Quedó bajo dominio bizantino en el s. VII DC y en 965 cayó ante los árabes del norte de África. En 1060 fue conquistada por los NORMANDOS. En los s. XII–XIII y, nuevamente, en el s. XVIII formó parte del reino de las DOS SICILIAS. Durante el s. XIX fue el núcleo de varios movimientos revolucionarios. En 1860 se liberó de los borbones y en 1861 se unió al reino de Italia. La agricultura es su principal actividad económica; también destacan varias industrias, como la petroquímica y la vinícola, la elaboración de alimentos y la construcción naval. Sicilia y las islas Egades, Lipari, Pelagias y Pantelleria forman una región autónoma de Italia (pob., est. 2001: 4.866.202 hab.).

Vista del monte Etna, volcán activo, en la costa oriental de Sicilia.
FOTOBANCO

Plátano americano (*Platanus occidentalis*), especie de sicomoro.

siciliana, escuela Grupo de poetas sicilianos, de italianos sureños y toscanos vinculados con la corte de FEDERICO II (r. 1194–1250) y su hijo MANFREDO de Sicilia (m. 1266). Establecieron la lengua vernácula italiana, en lugar del provenzal, como la lengua estándar para la lírica amorosa italiana; también son considerados los creadores de dos de las principales formas poéticas italianas, la *canzone* y el SONETO. Existen más de 125 poemas, muchos de ellos escritos en el s. XIII por Giacomo Da Lentini, el poeta de mayor antigüedad de esta escuela. El soneto se convirtió, con algunas variaciones, en la forma poética dominante de la Italia renacentista y de la Inglaterra isabelina, donde su esquema de rimas fue modificado para formar el soneto inglés o shakesperiano.

Sición Antigua ciudad del PELOPONESO septentrional, en el sur de Grecia. Situada 18 km (11 mi) al noroeste de CORINTO, Sición tuvo gran influencia en la historia griega. Alcanzó su mayor poderío en el s. VI AC durante el gobierno de Clístenes, abuelo de CLÍSTENES DE ATENAS. En el s. IV AC se dio a conocer por su escuela de pintores y escultores, entre los cuales se encontraba LISIPO. En el s. III AC adquirió importancia gracias a ARATO DE SICIÓN, quien la integró a la Liga AQUEA.

sicomoro *o* **sicómoro** Cualquiera de varios árboles distintos que llevan el mismo nombre, aun cuando pertenecen a diferentes géneros y familias. En EE.UU., el término se refiere al PLÁTANO americano o de Virginia (*Platanus occidentalis*), un robusto árbol de calle. También alude al plátano falso (*Acer pseudoplatanus*), de la familia de las ACERÁCEAS. El sicomoro bíblico, en realidad la HIGUERA silvestre o egipcia (*Ficus sycomorus*), lo usaban los antiguos egipcios para hacer ataúdes.

sida *sigla de* **síndrome de inmunodeficiencia adquirida** Enfermedad transmisible, fatal, causada por el VIH. El sida es la última etapa de la infección por VIH y se define por la aparición de infecciones oportunistas potencialmente letales. Los primeros casos se detectaron en 1981; el VIH se aisló en 1983 y las pruebas sanguíneas se desarrollaron desde 1985. En 2002 había en el mundo unas 40.000.000 de personas con VIH, y más de 25.000.000 ya habían muerto de sida. En EE.UU., unas 2.000.000 de personas se han infectado con el VIH, a 800.000 se les ha diagnosticado el sida y 450.000 han muerto. El África subsahariana sigue siendo el foco de la infección, pero el número de casos en el sur y sudeste de Asia y en otros lugares sigue aumentando también a velocidad alarmante. La enfermedad inicial aguda se resuelve por lo común en pocas semanas. Luego, transcurren unos 10 años en que las personas infectadas presentan síntomas escasos o nulos. A medida que el sistema INMUNE se deteriora, desarrollan enfermedades como NEUMONÍA por *Pneumocystis carinii*, CITOMEGALOVIRUS, LINFOMA o sarcoma de KAPOSI.

Siddons, Sarah *orig.* **Sarah Kemble** (5 jul. 1755, Brecon, Brecknockshire, Gales–8 jun. 1831, Londres, Inglaterra). Actriz británica. Actuó en la compañía itinerante de su padre y en 1773 contrajo matrimonio con el actor William Siddons. Su actuación como Isabella en *El matrimonio fatal* en el teatro DRURY LANE, en 1782, tuvo un enorme éxito y de la noche a la mañana fue aclamada como la actriz trágica más importante de su tiempo. Desde 1785 hasta su retiro en 1812 interpretó numerosos papeles shakesperianos, y se destacó en el rol de Lady Macbeth. Son famosos sus retratos pintados por THOMAS GAINSBOROUGH y JOSHUA REYNOLDS.

Sarah Siddons, dibujo al clarión de J. Downman, 1787; National Portrait Gallery, Londres.
GENTILEZA DE LA NATIONAL PORTRAIT GALLERY, LONDRES

Side Antigua ciudad del sudoeste de Anatolia. Era el puerto más importante de la antigua Panfilia y originalmente estaba situado en las costas del Mediterráneo; en la actualidad está tierra adentro. Aunque la ciudad fue fundada por griegos eolios, en ella se hablaba una lengua peculiar no griega. ALEJANDRO MAGNO la ocupó en 333 AC; el rey seléucida ANTÍOCO III fue derrotado allí por el ejército romano en 190 AC. En el s. I AC, los piratas cilicios la transformaron en su principal mercado de esclavos. Entre sus ruinas están los restos de un teatro colosal, construido sobre arcadas y considerado uno de los más bello de Anatolia.

siderita Carbonato de hierro ($FeCO_3$), un CARBONATO extensamente difundido que puede ser una mena para la extracción de hierro. El mineral aparece comúnmente en capas delgadas con esquistos, arcilla o filones de carbón (en forma de depósitos sedimentarios) y en vetas metálicas hidrotermales (como ganga o material estéril).

Sidgwick, Henry (31 may. 1838, Skipton, Yorkshire, Inglaterra–29 ago. 1900, Cambridge, Cambridgeshire). Filósofo británico. Educado en Cambridge, donde permaneció como catedrático asociado (desde 1859) y profesor (desde 1883). Su libro *Los métodos de la ética* (1874) es considerado por algunos el más importante tratado de ética escrito en inglés del s. XIX. Sobre la base del UTILITARISMO de JOHN STUART MILL y el IMPERATIVO CATEGÓRICO de IMMANUEL KANT, propuso un sistema de "hedonismo universalista" que eliminaría el manifiesto conflicto existente entre el placer propio y el placer de los demás. Entre sus otros escritos figuran los *Principios de economía política* (1883) y *Elementos de política* (1891). También fue cofundador de la Sociedad para la investigación psíquica (1882) y contribuyó a fundar el primer *college* de mujeres de Cambridge.

Henry Sidgwick.
BBC HULTON PICTURE LIBRARY

Sidney, Sir Philip (30 nov. 1554, Penshurst, Kent, Inglaterra–17 oct. 1586, Arnhem, Holanda). Cortesano, estadista, soldado y poeta inglés. Nació en el seno de una familia aristocrática y fue educado para ser un estadista y soldado; Sidney sirvió en puestos oficiales menores para luego dedicarse a la literatura, la que utilizó como vía para encauzar sus energías. *Astrofel y Stella* (1591), obra que representa el ideal femenino renacentista, es considerada como la mejor secuencia de SONETOS isabelinos luego de los de WILLIAM SHAKESPEARE. *La defensa de la poesía* (1595), donde aboga con elocuencia y mesura por una literatura imaginativa, introdujo las ideas críticas de los teóricos del Renacimiento en Inglaterra. Su romance heroico *Arcadia*, a pesar de que quedó inconcluso, es la obra de ficción en prosa más importante que se escribió en la Inglaterra del s. XVI. Ninguna de sus obras fue publicada en vida. Murió a causa de una infección, luego de ser herido en acción mientras se encontraba en campaña en Holanda. Su muerte fue lamentada por el pueblo inglés que lo consideraba como el caballero ideal de su época.

Ruinas de una antigua fortificación fenicia en el puerto de Sidón, Líbano
FOTOBANCO

Sidón *árabe* **Saydā** Ciudad portuaria (pob., úlima est.: 140.000 hab.) del sudoeste de Líbano. Situada en un asentamiento fundado en el tercer milenio AC, fue a partir del segundo milenio AC una de las principales ciudades de FENICIA y precursora de TIRO. En la antigüedad estuvo gobernada sucesivamente por asirios, babilonios y persas; fue conquistada por ALEJANDRO MAGNO (c. 330 AC). Bajo dominio romano en el s. I AC, fue un importante centro de elaboración de vidrio y púrpura. Durante las CRUZADAS cambió varias veces de manos y en 1291 cayó en poder de los musulmanes. Después de 1517 prosperó por un tiempo bajo el gobierno otomano.

sidra Zumo de MANZANAS que se obtiene moliendo la fruta para formar una fina pulpa que luego se exprime. La sidra alcohólica se fermenta en cubas hasta por tres meses antes de ser filtrada y envejecida (ver FERMENTACIÓN). La sidra dulce no es fermentada, y puede ser bebida ya sea fresca (como en EE.UU.) o madurada primero en tanques a presión (particularmente en Europa). La mayor parte de la sidra en EE.UU. es ahora pasteurizada. El jugo se pasteuriza y trata con preservante y a menudo se aclara antes de ser sellado en forma hermética en latas o botellas, para ser comercializado como zumo de manzanas.

siembra directa *o* **labranza cero** Técnica de cultivo en la que se altera el suelo solamente a lo largo del surco o agujero en el que se colocan las semillas. Los detritos reservados de cultivos anteriores cubren y protegen el plantío. Los beneficios primordiales son la disminución de la tasa de erosión del suelo, como también la reducción de demanda de equipo, combustible, fertilizante, y considerablemente el tiempo requerido para atender los cultivos. El método también mejora las condiciones edafológicas, como la formación del agregado del suelo, la actividad microbiana, la infiltración y almacenamiento del agua. La labranza convencional controla el crecimiento de la maleza por medio de araduras y cultivo, en tanto la siembra directa utiliza selectivamente HERBICIDAS para eliminar la maleza y los remanentes del cultivo anterior. Esta técnica de cultivo es uno de los variados métodos de labranza primitivos que resurgieron como medidas conservacionistas en el s. XX.

Siemens AG Empresa alemana fabricante de equipos eléctricos. La primera compañía fue Siemens & Halske, fundada en Berlín en 1847 para construir instalaciones telegráficas. Luego se amplió durante la gestión de Werner Siemens (n. 1816–m. 1892) y sus tres hermanos (entre ellos, William Siemens) y empezó a fabricar dinamos, cables, teléfonos y sistemas de energía e iluminación eléctrica. En 1903, Siemens & Halske transfirió sus actividades de ingeniería eléctrica a la nueva empresa Siemens-Schuckertwerke GmbH, y en 1932 se constituyó Siemens-Reiniger-Werke AG para fabricar equipos médicos. Las empresas lograron una gran expansión durante el Tercer Reich. Después de la segunda guerra mundial sus ejecutivos fueron acusados por recurrir a los trabajos forzados y participar en la construcción y operación de los campos de concentración de AUSCHWITZ y BUCHENWALD. Las empresas Siemens florecieron nuevamente en la década de 1950 y en 1966, cuando las tres firmas independientes se fusionaron y constituyeron Siemens AG, estaban entre las empresas proveedoras de artículos eléctricos más grandes del mundo. Entre sus productos se encuentran componentes eléctricos, sistemas computacionales, aparatos de microondas y equipos médicos.

Siemens, Sir (Charles) William *orig.* **Karl Wilhelm von Siemens** (4 abr. 1823, Lenthe, Prusia–19 nov. 1883, Londres, Inglaterra). Ingeniero e inventor británico de origen alemán. Emigró a Gran Bretaña en 1844. En 1861 patentó el horno Siemens-Martin u horno de solera abierta (ver proceso del horno SIEMENS-MARTIN), el cual pronto se usó ampliamente en la elaboración de acero reemplazando al proceso BESSEMER. También adquirió fama y fortuna con las industrias de cables de acero y TELÉGRAFO y fue director de la compañía que tendió el primer cable telegráfico transatlántico exitoso (1866). Sus tres hermanos también fueron ingenieros e industriales destacados. (ver SIEMENS AG).

Sir William Siemens, grabado inspirado en un retrato de Rudolf Lehmann.

GENTILEZA DEL DIRECTORIO DEL MUSEO BRITÁNICO; FOTOGRAFÍA, J.R. FREEMAN & CO. LTD.

Siemens-Martin, proceso del horno Técnica siderúrgica que produjo la mayor parte del ACERO elaborado en el mundo durante el s. XX. En 1867, WILLIAM SIEMENS fabricó acero a partir de arrabio en un horno de reverbero de su propio diseño. El mismo año, el fabricante francés Pierre-Émile Martin (n. 1824–m. 1915) usó la idea de producir acero fundiendo hierro forjado y chatarra de acero. Siemens usó el calor residual despedido por el horno; dirigió los gases del horno a través de una estructura de ladrillos para calentarlo a alta temperatura y luego le introdujo aire a través de la misma. El aire precalentado aumentaba en forma significativa la temperatura de la llama. El proceso Siemens-Martin o de solera abierta (que reemplazó al proceso BESSEMER) fue sustituido a su vez en la mayoría de los países industrializados por el proceso básico al OXÍGENO y por el HORNO ELÉCTRICO. Ver también HORNO DE REVERBERO.

siempreverde Cualquier planta que conserva sus hojas durante el invierno y hasta entrado el verano siguiente o durante varios años. Muchas especies tropicales de ANGIOSPERMAS de hojas anchas son siempreverdes, pero en las zonas templadas frías y árticas las siempreverdes comúnmente son arbustos o árboles con conos (CONÍFERAS), como PINOS y ABETOS. Las hojas de las siempreverdes suelen ser más gruesas y más coriáceas que las de los ÁRBOLES DECIDUOS, y a menudo son aciculares o escamosas en árboles coníferos. Una hoja (o aguja) puede permanecer en un árbol siempreverde durante dos o más años y caerá durante cualquier estación del año.

siempreviva Cualquiera de varias plantas que conservan su forma y color cuando se secan y que se usan en buqués secos y arreglos florales. Las siemprevivas populares comprenden varias especies de la familia de las COMPUESTAS, especialmente las siemprevivas genuinas o inmortales, especies del género *Helichrysum*, originarias de África del norte, Creta y el Mediterráneo oriental, y cultivadas en muchas partes de Europa. Una de las siemprevivas mejor conocidas es la perpetua (*H. bracteatum*) de Australia. Varias HIERBAS con vistosas inflorescencias plumosas o espigas se clasifican como siemprevivas.

Fachada de la catedral de Siena.

ANGELO CAVALLI/THE IMAGE BANK/GETTY IMAGES

Siena *antig.* **Saena Julia** Ciudad (pob., 2001: 54.366 hab.) del oeste de Italia. Situada al sur de FLORENCIA, fue fundada por los ETRUSCOS y más tarde pasó a manos de los romanos y los lombardos y, en el s. XII, se convirtió en una comunidad independiente. Producto de su rivalidad con Florencia, Siena se convirtió en el centro gibelino proimperialista de TOSCANA. En 1270, la conquistó CARLOS I (Carlos de Anjou), rey de Nápoles y Sicilia, y se unió a la confederación güelfa (ver GÜELFOS Y GIBELINOS). Fue un importante centro financiero y comercial hasta ser superada por Florencia en los s. XIII–XIV. Conquistada por el emperador CARLOS V del Sacro Imperio romano en 1555, fue cedida a Florencia, en 1557. Actualmente, Siena es una ciudad comercial y turística. Entre sus sitios de interés histórico destacan la catedral gótico-románica, la Universidad de Siena (fundada en 1240) y la plaza del Campo donde todavía se realiza El Palio, una carrera ecuestre cuyo origen se remonta al medievo.

Sienkiewicz, Henryk (Adam Alexander Pius) (5 may. 1846, Wola Okrzejska, Polonia–15 nov. 1916, Vevey, Suiza). Novelista polaco. En 1869 comenzó a publicar obras de crítica literaria marcadas por la influencia del POSITIVISMO. Trabajó como reportero y publicó cuentos que tuvieron mucho éxito antes de producir la gran trilogía de novelas formada por *A sangre y fuego* (1884), *El diluvio* (1886) y *Pan Wolodyjowski* (1887–88). En ellas describe las luchas de los polacos contra los cosacos, tártaros, suecos y turcos, subrayando el heroísmo de los polacos en un estilo narrativo vivaz y de una claridad y simplicidad épicas. Su novela *Quo Vadis?* (1896) ambientada en la Roma de Nerón fue traducida a varios idiomas, y sirvió para consolidar su reputación en el extranjero. Recibió el Premio Nobel de Literatura en 1905.

sierra HERRAMIENTA para cortar materiales sólidos en formas y largos prescritos. Por lo general consiste en una hoja metálica delgada con un borde dentado o en un disco metálico delgado con todo su perímetro dentado. Los dientes suelen estar inclinados a uno y otro lado del plano de la sierra, de modo que el corte (surco) hecho por esta resulta ser más ancho que su espesor; la hoja de la sierra puede así desplazarse libremente en el surco sin atascarse. La sierra se utiliza de diversas maneras en operaciones manuales y también mecánicas; la sierra circular o de disco siempre se impulsa mediante una máquina (ver MÁQUINA HERRAMIENTA; SIERRA MECÁNICA).

Sierra Club Organización estadounidense para la conservación de los recursos naturales, con sede en San Francisco, Cal. Fue fundada en 1892 por un grupo de ciudadanos californianos –entre ellos JOHN MUIR, su primer presidente– quienes deseaban promover excursiones a zonas vírgenes en las regiones montañosas de la costa del Pacífico. Muir inició la participación del club en acciones políticas en pro de la conservación de la naturaleza. Con sucursales en los 50 estados de EE.UU., su cometido es educar al público acerca de cuestiones ambientales y hacer *lobby* en organismos locales, estatales y federales para promover la legislación ambientalista.

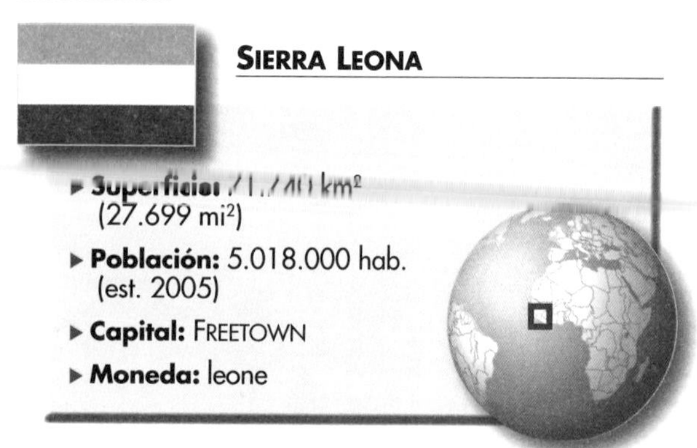

SIERRA LEONA

- **Superficie:** 71.740 km² (27.699 mi²)
- **Población:** 5.018.000 hab. (est. 2005)
- **Capital:** FREETOWN
- **Moneda:** leone

Sierra Leona *inglés* **Sierra Leone** *ofic.* **República de Sierra Leona** País de África occidental. Viven en el país unos 18 grupos étnicos, de los cuales los mende y los temne son los mayoritarios. Idiomas: inglés (oficial) y krio (derivado del inglés y de varias lenguas africanas). Religiones: Islam, creencias tradicionales, cristianismo. El país tiene cuatro regiones geográficas: la zona pantanosa costera; la península de Sierra Leona, con colinas densamente boscosas que se levantan desde la zona pantanosa; las llanuras interiores, compuestas de pastizales y una zona de colinas cubiertas de bosques; y la meseta oriental, rodeada de montañas. Más de 25% del territorio está cubierto de bosques. La fauna salvaje comprende chimpancés, tigres, cocodrilos y numerosas especies de aves. La economía se basa principalmente en la agricultura y minería; los principales cultivos son arroz, mandioca, café, cacao y aceite de palma, y entre los minerales explotados destacan diamante, hierro y bauxita. El presidente es el jefe de Estado y de gobierno. Los primeros habitantes fueron probablemente los bulom; los pueblos mende y temne llegaron en el s. XV. Los portugueses arribaron a la zona costera en el s. XV, y en 1495 se construyó un fuerte portugués en el emplazamiento de la actual Freetown. La costa fue periódicamente visitada por buques europeos para comerciar con esclavos y marfil, y en el s. XVII los ingleses establecieron factorías en las islas situadas frente a la costa. En 1787, un grupo de abolicionistas y filántropos británicos fundaron Freetown en forma privada para acoger a esclavos libertos y fugitivos. En 1808, el asentamiento costero pasó a ser colonia británica, y en 1896 la región se convirtió en protectorado británico. Logró su independencia en 1961 y se transformó en república en 1971. Desde su independencia, Sierra Leona ha vivido en una situación inestable a causa de una serie de golpes militares. En la década de 1990 una guerra civil marcada por horribles atrocidades devastó aún más el país.

Sierra Madre Principal sistema montañoso de México. Abarca la Sierra Madre occidental, la Sierra Madre oriental y la Sierra Madre del Sur, todas con una orientación general de noroeste a sudeste. La Sierra Madre occidental se extiende unos 1.200 km (700 mi) en forma paralela al golfo de California y al océano Pacífico; sus cumbres se elevan a más de 1.800 m (6.000 pies), con algunas que exceden los 3.000 m (10.000 pies). La Sierra Madre oriental se origina por el norte en los áridos cerros del río BRAVO y se extiende casi en forma paralela al golfo de México a lo largo de unos 1.120 km (700 mi); tiene una altura media de 2.150 m (7.000 pies) y su cumbre más alta es la Peña Nevada (3.660 m [12.008 pies]). La Sierra Madre meridional está escasamente poblada y se extiende a través de los estados sureños de GUERRERO y OAXACA, con una altura media cercana a 2.000 m (6.500 pies) y unas pocas cumbres de más de 3.000 m (10.000 pies).

sierra mecánica MÁQUINA HERRAMIENTA para dividir barras o para recortar formas en planchas de algún material. Las herramientas de corte (SIERRAS) pueden ser discos metálicos delgados con bordes dentados, hojas metálicas delgadas o cintas flexibles con uno de sus bordes dentados, o ruedas delgadas con bordes abrasivos. Este tipo de herramientas puede efectuar cualquiera de tres acciones: corte propiamente tal, esmerilado, o fusión creada por fricción.

Sierra Nevada Cadena montañosa en la parte oriental del estado de California en EE.UU. La Sierra Nevada se extiende por más de 400 km (250 mi) entre el desierto de MOJAVE y la cordillera de las CASCADAS, y tiene una anchura media de unos 80 km (50 mi). Sus picos tienen 3.350–4.270 m (11.000–14.000 pies) de altura. El monte WHITNEY es la cumbre más alta. Es un centro recreacional que funciona todo el año y es de fácil acceso desde las zonas urbanas importantes del estado.

sierra uajú *o* **peto** Especie (*Acanthocybium solanderi*) de pez comestible y de pesca deportiva, poderoso, veloz y predador, presente en todo el mundo, especialmente en aguas tropicales. Es estilizado, con mandíbulas picudas de dientes afilados y cuerpo ahusado que termina en una cola ahorquillada. Es azul gris en el dorso y más claro en el vientre, con una serie de franjas verticales y, como su pariente el ATÚN, tiene una hilera de aletillas detrás de las aletas dorsal y anal. Puede llegar a medir 1,8 m (6 pies) de largo y pesar más de 55 kg (120 lb).

Sierra uajú o peto (*Acanthocybium solanderi*).

Siete Años, guerra de los (1756–63). Gran conflicto europeo entre Austria y sus aliados Francia, Sajonia, Suecia y Rusia, por un lado, contra Prusia y sus aliados Hannover y Gran Bretaña, por el otro. La guerra surgió del intento de Austria de recuperar la rica provincia de SILESIA, conquistada por Prusia en la guerra de sucesión AUSTRÍACA. Las primeras victorias de FEDERICO II en Sajonia y Bohemia (1756–58) fueron compensadas por una decisiva derrota prusiana a manos de Austria y Rusia cerca de Francfort (1759). Después de combates no decisivos en 1760–61, Federico acordó la paz con Rusia (1762) y expulsó a los austríacos de Silesia. La guerra también implicó las luchas coloniales de ultramar entre Gran Bretaña y Francia en América del Norte (ver guerra FRANCESA E INDIA) y en India. El conflicto europeo fue resuelto por el tratado de HUBERTUSBURG, mediante el cual Federico consolidó la posición de Prusia como gran potencia europea.

Siete Días, batallas de los (25 jun.–1 jul. 1862). Batallas de la guerra de SECESIÓN que impidieron la captura de Richmond, Va., por las fuerzas unionistas. En una serie de ataques y contraataques por ambos lados, el ejército de la Confederación, al mando de ROBERT E. LEE, obligó a los soldados de la Unión, a las órdenes de GEORGE B. MCCLELLAN, a retirarse de una posición a 6 km (4 mi) al este de la capital confederada hasta una nueva base junto al río James. El fracaso de la Unión en la toma de Richmond y la retirada del ejército del Potomac pusieron fin a la campaña peninsular. Las bajas fueron estimadas en 16.000 para la Unión y 20.000 para la Confederación.

Siete, grupo de los Grupo de artistas canadienses, con centro en Toronto, dedicados a la pintura de paisaje (especialmente de temas del norte de Ontario) y a la creación de un estilo nacional. En 1913, se juntaron varios futuros miembros que se desempeñaban como artistas comerciales en Toronto. El grupo adoptó su nombre de la exposición colectiva que realizaron en 1920. Entre los miembros originales figuran J.E.H. MacDonald, Lawren S. Harris, Arthur Lismer, F.H. Varley, Franklin Carmichael, Frank H. Johnston y ALEXANDER YOUNG JACKSON. El grupo fue particularmente influyente en las décadas de 1920–30. En 1933, pasó a llamarse Grupo canadiense de pintores.

siete maravillas del mundo, Las Logros arquitectónicos y esculturales más extraordinarios de la antigüedad, según listas hechas por varios observadores grecorromanos. Figuran en la lista más famosa las pirámides de GIZA (las más antiguas y las únicas que han sobrevivido hasta nuestros días); los jardines colgantes de Babilonia (serie de terrazas con jardines en la azotea de un ZIGURAT, atribuidas ya sea a NABUCODONOSOR II o a la semilegendaria reina Amyitis); la estatua de Zeus en Olimpia (un gran figura del dios en su trono de oro y marfil, hecha por FIDIAS); el templo de Artemisa en Éfeso (construido en 356 AC, famoso por su tamaño imponente y las obras de arte que lo decoraban); el mausoleo de HALICARNASO; el coloso de RODAS, y el faro de Alejandría (construido c. 280 AC en la isla de Faros frente a la costa de Alejandría, supuestamente de más de 110 m o 350 pies de altura). Estas maravillas inspiraron la compilación por generaciones posteriores de muchas otras listas de siete atracciones o "maravillas".

"El faro de Alejandría", una de Las siete maravillas del mundo; ilustración de Maerten van Heemskerck.

FOTOBANCO

Siete Semanas, guerra de las *o* **guerra austro-prusiana** (junio–agosto 1866). Conflicto entre Prusia por un lado y Austria, Baviera, Sajonia, Hannover y estados alemanes menores por el otro. Una disputa urdida por OTTO VON BISMARCK de Prusia por la cuestión de SCHLESWIG-HOLSTEIN desembocó en junio de 1866 en el ataque prusiano a las fuerzas austríacas en Bohemia. El ejército prusiano, modernizado y reorganizado por Albrecht Theodor Emil, conde von ROON, y HELMUTH VON MOLTKE derrotó a Austria en forma decisiva en la batalla de KÖNIGGRÄTZ y otros lugares. En agosto, la guerra fue concluida oficialmente por el tratado de Praga, el que entregó Schleswig-Holstein y otros territorios a Prusia. Como consecuencia de la guerra, Austria quedó excluida de la Confederación de Alemania del Norte.

Sieyès, Emmanuel-Joseph (3 may. 1748, Fréjus, Francia–20 jun. 1836, París). Teórico político francés. Sacerdote católico, ascendió hasta convertirse en vicario general de la diócesis de Chartres en 1788. Simpatizante del movimiento reformista antes de la Revolución francesa, ganó gran popularidad con su panfleto *¿Qué es el tercer estado?* (1789) y fue elegido para representar al tercer estado en los Estados Generales. Encabezó el movimiento para establecer la ASAMBLEA NACIONAL y luego participó en la Convención Nacional hasta que los jacobinos radicales tomaron el control (1793). Durante el DIRECTORIO, fue miembro del Consejo de los quinientos (1795–99) y del propio Directorio (1799). Ayudó a organizar el golpe de Estado del 18–19 de BRUMARIO, que derrocó el Directorio y llevó a NAPOLEÓN I al poder. Después de la restauración de la monarquía (1815), vivió exiliado en Bélgica hasta 1830.

sífilis Enfermedad de TRANSMISIÓN SEXUAL (ETS) causada por la ESPIROQUETA *Treponema pallidum*. Sin tratamiento puede evolucionar en tres etapas: primaria, caracterizada por un CHANCRO y fiebre baja; secundaria (semanas o meses después; sólo la mitad de los infectados manifiesta síntomas), con una erupción de la piel y las mucosas, tumefacción de los GANGLIOS LINFÁTICOS y compromiso óseo, articular, ocular y del sistema nervioso; y terciaria. La etapa terciaria sigue a un período de latencia que puede durar años y sólo 25% de los infectados desarrolla síntomas que pueden ser benignos o incapacitantes e incluso fatales; casi cualquier parte del cuerpo es vulnerable. La sífilis puede propagarse al feto desde la madre infectada. Otras especies de *Treponema* causan formas similares de sífilis, pero más suaves y que no se transmiten sexualmente (ver PIAN). Existen varias pruebas sanguíneas para detectar la sífilis, aun durante los períodos de latencia. El tratamiento con antibióticos es efectivo.

SIG *sigla de* **Sistema de Información Geográfica** Sistema computarizado que relaciona y presenta en forma de mapa datos obtenidos de una entidad geográfica. La capacidad de un SIG (GIS, por su sigla en inglés) para superponer datos existentes con nueva información y desplegarla en colores en una pantalla de computadora es usada principalmente para realizar análisis y tomar decisiones relacionadas con el ámbito de la geología, ecología, uso del suelo, demografía, transporte, entre otras, la mayoría de las cuales están relacionadas con el uso del medio ambiente por el hombre. A través del proceso de geocodificación, los datos geográficos de una base de datos son convertidos en imágenes cartográficas.

Sigeberto I (535–¿nov.? 575, Vitry, cerca de Arras). Rey franco de la dinastía MEROVINGIA. A la muerte de su padre, CLOTARIO I, se convirtió en rey de Austrasia y amplió su territorio a la muerte de su hermano Chariberto I (c. 567). Rechazó ataques de los ÁVAROS (562, c. 568) y se casó con BRUNILDA, hija del rey visigodo. La hermana de Brunilda, que se había desposado con su hermano CHILPERICO I, fue asesinada por este. Para vengar la muerte de su cuñada, Sigeberto inició una guerra contra Chilperico; lo derrotó y se apoderó de gran parte de su territorio. Los súbditos de su hermano lo proclamaron rey, pero inmediatamente después fue muerto por asesinos al servicio de FREDEGUNDA, la segunda esposa de Chilperico.

Siger de Brabante (1240, ducado de Brabante–entre 1281 y 1284, Orvieto, Toscana). Filósofo francés. Enseñó en la Universidad de París y fue uno de los principales representantes de la escuela del aristotelismo radical. Desde 1260, él y otros dieron clases sobre la obra de filósofos griegos, árabes y medievales sin tomar en consideración la doctrina de la Iglesia, que había combinado el aristotelismo con la fe cristiana. Algunas de sus enseñanzas fueron condenadas en 1270 por el obispo de París, que en 1277 extendió su condena a muchas otras de las tesis de Siger. Cuando fue requerido por la INQUISICIÓN (1276), huyó a Italia. DANTE, en *La divina comedia*, situó a Siger en el Cielo de la Luz.

Sigfrido *o* **Sigurd** Héroe de la mitología germánica y escandinava, conocido por su extraordinaria fuerza y coraje. Es uno de los héroes de la EDDA *poética* y el Cantar de los NIBELUNGOS, y figura en varias leyendas diferentes, a veces contradictorias entre sí. En las historias más antiguas, Sigfrido se presenta como un joven de noble linaje que creció sin padres; sin embargo, otras narran en gran detalle acerca de una crianza cortesana. Una leyenda cuenta su batalla con un dragón, mientras que otra habla de cómo adquirió sus tesoros. También es parte de la historia de BRUNILDA, en la que encuentra la muerte. Es el héroe de la tetralogía operática de RICHARD WAGNER, *El anillo del nibelungo*. Ver también CRIMILDA.

Signac, Paul (11 nov. 1863, París, Francia–15 ago. 1935, París). Pintor francés. A los 18 años de edad abandonó la arquitectura en pos de la pintura a la manera IMPRESIONISTA. En 1884 fundó el SALÓN DE LOS INDEPENDIENTES. Junto con GEORGES SEURAT desarrolló un sistema matemático exacto para aplicar puntos de color, al que llamaron puntillismo (ver NEOIMPRESIONISMO). Viajó extensamente a lo largo de la costa europea pintando paisajes y marinas. En sus últimos años pintó escenas urbanas de París y otras ciudades. Fue un maestro de la acuarela, en la que logró notable brillantez de color y un estilo libre y espontáneo. Su obra ejerció gran influencia en HENRI MATISSE.

significado En filosofía y lingüística, el sentido de una expresión lingüística, entendido a veces en contraste con su referente. Por ejemplo, las expresiones "la estrella de la mañana" y "la estrella de la tarde" tienen diferente significado, aunque su referente (Venus) es el mismo. Algunas expresiones tienen significado, pero no referente ("el actual rey de Francia") o referentes, pero no significados ("eso"). El significado literal o convencional de una expresión puede diferir de lo que un hablante que usa esa expresión quiere decir al proferirla en una ocasión particular; tal es el caso de los símiles, de los enunciados expresados irónicamente, y de los enunciados que transmiten variadas "implicaciones conversacionales", como en los ejemplos siguientes: "Ella entró en la casa y le disparó" implica que le disparó en la casa después de haber entrado en esta, aunque ello no forma parte del significado literal de la oración; "Juan tiene tres hijos" implica que Juan no tiene más que tres hijos, aunque nuevamente la oración no dice literalmente eso. Hay también otros aspectos no literales del significado, como la capacidad de llevar a cabo diversos "actos verbales" (ver TEORÍA DEL ACTO VERBAL); p. ej., expresada en las circunstancias apropiadas, la oración "Te bautizo José Stalin" constituye el acto de dar nombre a un barco, y la oración "Tengo frío" constituye una petición de cerrar la ventana. Ver también PRAGMÁTICA; SEMÁNTICA.

Signorelli, Luca (d'Egidio di Ventura de) *o* **Luca da Cortona** (1445/50, Cortona, República de Florencia–16 oct. 1523, Cortona). Pintor italiano. Muy influenciado por los artistas florentinos, fue probablemente discípulo de PIERO DELLA FRANCESCA. Viajó a Roma c. 1483, donde pintó el fresco *Testamento de Moisés* en la capilla Sixtina. La acción dramática y la representación del gran esfuerzo muscular, tanto en esta como en otras obras renacentistas similares, lo distinguen esencialmente como un naturalista florentino. Su obra maestra, los frescos *El fin del mundo* y *El Juicio Final*, en la catedral de Orvieto, con sus numerosas figuras y detalles anatómicos realistas, ejercieron gran influencia sobre MIGUEL ÁNGEL.

"El Juicio Final", fresco de Luca Signorelli, 1500–02; capilla de San Bricio, catedral de Orvieto, Italia.

SCALA—ART RESOURCE/EB INC.

sijismo Religión monoteísta india fundada a fines del s. XV por el GURÚ NANAK. La mayoría de sus 18 millones de seguidores, llamados sijs, viven en el PANJAB, sede de su santuario más sagrado, el TEMPLO DORADO y el centro de la autoridad sij, el AKAL TAKHT. El ADI GRANTH es la ESCRITURA aceptada del sijismo. Su teología se basa en un Dios supremo que gobierna con justicia y gracia. Todos los seres humanos, sin importar su CASTA o género, tienen la oportunidad de volverse uno con Dios. El defecto humano básico de la egolatría puede superarse mediante la veneración a Dios, el compromiso de trabajar duro, el servicio a la humanidad y el compartir los frutos del trabajo propio. Los sijs se consideran discípulos de los diez Gurús. Aceptan las ideas hindúes de SAMSARA y KARMA y se ven a sí mismos como los khalsa, una raza escogida de soldados-santos comprometidos con un código de conducta espartano y una cruzada de rectitud. Los emblemas de los khalsa, llamados las cinco K, son: *kes* (no cortarse el pelo), *kangha* (peine), *kachha* (pantalones cortos), *kirpan* (sable) y *karka* (brazalete de acero).

sijs, guerras (1845–46, 1848–49). Dos guerras libradas entre sijs y británicos. En la primera, los sijs invadieron la India británica con el pretexto de prevenir un ataque británico contra el estado sij en PANJAB (ver RANJIT SINGH). Al ser derrotados, los británicos anexaron algunos de sus territorios; sus tropas y un residente británico se establecieron en Lahore. La segunda guerra fue una revuelta nacional de los sijs que terminó en una victoria británica y la anexión del Panjab.

sikhara *o* **shikhara** Torre característica de los templos hindúes del norte de India. El *sikhara* sobre el santuario de un templo a menudo es ahusado en forma convexa, y está hecho de tejas superpuestas que van disminuyendo en tamaño. La superficie está cubierta con tracería *candrashala* (arco conopial) que simula una enredadera; en la parte superior hay un disco ranurado en forma de cojín (*amalaka*) y sobre eso una maceta coronada por un pináculo. El *sikhara* se desarrolló durante el período Gupta (s. IV–VI DC) y se fue haciendo cada vez más alto y más elaborado, como en la elevada torre del templo Lingaraja del s. XI en BHUBANESHWAR. Una variación de la forma básica es la adición de agujas a cada lado de la *sikhara*; los templos Laksmana del s. X y Kandarya Mahadeva del s. XI en Khajuraho, Madhya Pradesh, son excelentes ejemplos. Además de la *sikhara* convexa, existe un tipo rectilíneo más pequeño, frecuentemente utilizado sobre los *mandapas* (salones) de los templos.

Sikhara del tipo bhūmija, templo Udayeśvara, Udayapur, Madhya Pradesh, India, 1059–82.

P. CHANDRA

Sikkim Estado (pob., est. 2001: 540.773 hab.) del nordeste de India. El monte KANCHENJUNGA, el tercero más alto del mundo, perteneciente a los HIMALAYA orientales, constituye su límite occidental con NEPAL. También limita con BUTÁN y el estado de BENGALA OCCIDENTAL; cubre una superficie de 7.096 km^2 (2.740 mi^2); la capital, GANGTOK, es el único centro urbano. Como estado independiente libró largas guerras contra Bután y Nepal en los s. XVIII–XIX. En 1817 quedó por primera vez bajo influencia británica, aunque se mantuvo como una barrera independiente entre la India británica y el Tíbet. En 1950 pasó a ser un protectorado indio y, en 1975, un estado de India. Uno de los estados más pequeños del país, exporta productos agrícolas y es uno de los principales productores de cardamomo del mundo. Entre sus recursos minerales destacan cobre, plomo, cinc, carbón, hierro y granate.

Sikorski, Igor (Iván) (25 may. 1889, Kíev, Imperio ruso–26 oct. 1972, Easton, Conn., EE.UU.). Ingeniero aeronáutico estadounidense de origen ruso. Después de estudiar ingeniería en Kíev, montó su propio taller para desarrollar el HELICÓPTERO. En 1910, luego de fracasar en el intento de construir un modelo operacional, se volcó hacia el diseño de aeroplanos de alas fijas, y en 1913 construyó su primer cuatrimotor con una innovadora cabina incorporada. Emigró a EE.UU. en 1919. En 1931 creó el avión bimotor anfibio que se convirtió en modelo para el "Clipper" de la PAN AMERICAN WORLD AIRWAYS, INC. En 1939 finalmente logró diseñar un helicóptero viable. Dirigió su empresa, una división de la United Aircraft Corporation, desde 1929 hasta 1957.

Igor Sikorski.
GENTILEZA DE SIKORSKI AIRCRAFT

Sikorski, Wladyslav (Eugeniusz) (20 may. 1881, Tuszów Narodowy, Polonia, Austria-Hungría–4 jul. 1943, Gibraltar). General y político polaco. Sirvió en el ejército austríaco y en la primera guerra mundial fue jefe de la legión polaca, que se unió a Austria contra Rusia. Fue primer ministro de Polonia (1923–24) y ministro de asuntos militares (1924–25). A partir de 1928 se unió a las filas de la oposición al gobierno controlado por JOZEF PILSUDSKI. Después de la invasión alemana a Polonia (1939), se convirtió en primer ministro del gobierno polaco en el exilio. Cuando pidió a STALIN autorizar a la Cruz Roja que investigara la matanza de KATIN, Stalin rompió el contacto diplomático entre ambas naciones. Sikorski murió en un accidente de aviación varios meses más tarde.

Sila, Lucio Cornelio (c. 138–79 AC, Puteoli, cerca de Nápoles). Triunfador en la guerra civil romana (88–82) y DICTADOR (82–79). Combatió junto a CAYO MARIO contra YUGURTA. Gracias a un ardid, Sila capturó a Yugurta, hecho que inició su enemistad con Mario. Después de ser nombrado CÓNSUL, se le dio el mando en la guerra contra MITRÍDATES VI EUPÁTOR; cuando Mario fue nombrado para reemplazarlo, marchó sobre Roma y lo obligó a huir. Aunque consiguió someter a Mitrídates, el partido popular, entonces en el gobierno, lo declaró enemigo público. Partiendo del sur de Italia, marchó, otra vez con éxito, sobre Roma (83). Proclamado dictador por tiempo indefinido (momento en que adoptó el nombre de Félix, "afortunado"), restableció el poder del SENADO, aumentó el número de cortes criminales y promulgó nuevas leyes contra la traición y de protección de los ciudadanos, pero se hizo conocido principalmente por su crueldad. Renunció en 79 y murió ese mismo año.

Sila, busto de mármol; Museos y Galerías del Vaticano.
ALINARI/ART RESOURCE, NUEVA YORK

sílaba Segmento del habla que por lo general consiste en una VOCAL con o sin una CONSONANTE que la acompañe (p. ej., *a*, *y*, *al*, *tu*, *sal*, *tres*, *chal*). Una consonante silábica, como la *n* final en las palabras inglesas *button* y *widen*, o la *l* final en palabras de origen amerindio empleadas en español, como náhuatl, quetzalcóatl, Popocatépetl, también constituye una sílaba. Las sílabas cerradas terminan en una consonante, y las sílabas abiertas, en una vocal. Las sílabas desempeñan un papel importante en el estudio del HABLA, la FONÉTICA y la FONOLOGÍA.

silano *o* **hidruro de silicio** Cualquiera de una serie de compuestos inorgánicos de SILICIO e hidrógeno con ENLACES COVALENTES y de fórmula química general $Si_nH_{(2n+2)}$. Los silanos son análogos estructurales de los hidrocarburos saturados (ver SATURACIÓN; ALCANO), pero son mucho menos estables. Todos arden o explotan cuando se les expone al aire y reaccionan fácilmente con HALÓGENOS o con haluros de hidrógeno para formar silanos halogenados, y con OLEFINAS para formar alquilsilanos, que son productos utilizados como hidrorrepelentes y como materia prima para SILICONAS.

sildenafil ver VIAGRA

sileno ver SÁTIRO Y SILENO

Silesia *polaco* **Śląsk** *alemán* **Schlesien** Región histórica, en el centro-este de Europa. En la actualidad, la mayor parte de la región se encuentra en el sudoeste de Polonia y algunas zonas de Alemania y la República Checa. En sus orígenes fue una provincia polaca que pasó a manos de la corona de Bohemia en 1335 y, por lo tanto, pasó a formar parte del SACRO IMPERIO ROMANO. Producto de disputas por la sucesión y la prosperidad de la zona, a fines del s. XV ya existían al menos 16 principados silesios. En 1526, Silesia quedó en poder de la dinastía austriaca de los HABSBURGO y en 1742 fue conquistada por Prusia. Después de la primera guerra mundial, se dividió entre Polonia, Checoslovaquia y Alemania. Durante la segunda guerra mundial, los alemanes invadieron el lado polaco de Silesia, zona donde primero los nazis y después las fuerzas soviéticas, cometieron las peores atrocidades en contra de la población. En 1945, las potencias aliadas asignaron casi toda la región a Polonia. Actualmente, casi el 25% de la población del país vive en las cuatro provincias polacas.

sílex ver PEDERNAL

Silhak ver ESCUELA DE ENSEÑANZA PRÁCTICA

silicato, mineral de Cualquiera de un gran grupo de compuestos de silicio-oxígeno que están extensamente distribuidos a través de la mayor parte del sistema solar. Los silicatos constituyen alrededor del 95% de la corteza y manto superior de la Tierra, presentándose como los principales constituyentes de la mayoría de las ROCAS ÍGNEAS y en cantidades apreciables en ROCAS SEDIMENTARIAS y METAMÓRFICAS. También son importantes constituyentes de muestras lunares, como meteoritos y la mayoría de los asteroides. Además, sondas planetarias los han detectado en la superficie de Mercurio, Venus y Marte. De los aprox. 600 minerales de silicato conocidos, sólo son significativos en la formación de rocas FELDESPATOS, ANFÍBOLES, PIROXENOS, MICAS, OLIVINOS, FELDESPATOIDEOS y ZEOLITAS.

sílice Cualquiera de las formas del dióxido de silicio (SiO_2), incluyendo las formas CUARZO, tridimita, cristobalita, coesita, stishovita, melanoflogita, lechatelierita y calcedonia. Varios tipos de minerales de sílice han sido producidos sintéticamente.

silicio ELEMENTO QUÍMICO, entre no metálico y semimetálico, de símbolo químico Si y número atómico 14. Es el segundo en abundancia en la corteza terrestre, después del oxígeno; nunca se presenta en forma libre pero se encuentra en la mayoría de las rocas y en arena, arcilla y suelos, combinado con oxígeno como sílice (dióxido de silicio, SiO_2) o con oxígeno y metales como minerales de SILICATO. Está presente en muchas plantas y en algunos animales. El silicio puro es un sólido duro, gris oscuro, con un brillo metálico y la misma estructura cristalina (ver CRISTAL) que el DIAMANTE. Es un SEMICONDUCTOR importantísimo; dopado (ver DOPANTE) con boro, fósforo o arsénico, es empleado en diversos dispositivos de circuitos y conmutadores electrónicos, como CHIPS DE COMPUTADORAS, TRANSISTORES y DIODOS. El silicio es también utilizado en metalurgia como agente reductor (ver REDUCCIÓN) y como aditivo en acero, latón y bronce. Su VALENCIA habitual en compuestos es 4. La sílice es usada en forma de arena y arcilla para muchos propósitos; como CUARZO, puede ser calentado para formar VIDRIOS especiales. Los silicatos son utilizados para fabricar vidrio, esmaltes y cerámicas; los silicatos sódicos (vidrio soluble) se emplean en jabones, tratamiento de madera, cementos y teñidos. Ver también SILANO; SILICONA.

Silicon Valley Zona industrial en el centro-oeste del estado de California, se ubica entre SAN JOSÉ y Palo Alto, en los valles de San José y Santa Clara. Debe su nombre (no oficial) al SILICIO que utilizan en forma primordial las industrias electrónicas en la región. El gobierno estadounidense realizó una gran inversión en la industria de la región después de la segunda guerra mundial. Más tarde experimentó un segundo repunte económico con la proliferación de las COMPUTADORAS PERSONALES en la década de 1980 y un tercero con el crecimiento de INTERNET en la década de 1990.

silicona *o* **polisiloxano** Cualquiera de una diversificada clase de POLÍMEROS, fabricados como fluidos, RESINAS o elastómeros. Son compuestos parcialmente orgánicos, pero, a diferencia de la mayoría de los polímeros, tienen un esqueleto que no contiene carbono, en lugar de ello está compuesto por átomos alternados de SILICIO y OXÍGENO. En la mayoría de las siliconas, dos grupos orgánicos (ver GRUPO FUNCIONAL), por lo general metilo o fenilo, están unidos a cada átomo de silicio. En general las siliconas son excepcionalmente estables e inertes. Las siliconas líquidas son utilizadas en fluidos hidráulicos, en mezclas para romper emulsiones, en implantes mamarios y como adhesivos, lubricantes, hidrorrepelentes y recubrimientos protectores. El caucho de silicona es empleado como aislante encapsulado, en recubrimientos y barnices; como empaquetaduras y material de sellado en tubería especializada, como componentes del motor de automóvil, como ventanas flexibles en mascarillas y esclusas neumáticas, para laminar tela de vidrio, y como membranas e implantes quirúrgicos.

silicosis Tipo común de NEUMOCONIOSIS producida por la inhalación prolongada de polvo de SÍLICE. Conocida desde el s. XVIII, sucede habitualmente después de un período de 10–20 años de exposición en trabajos como la minería y en el corte, pulverización y pulido de piedras. Las partículas más pequeñas son las más nocivas porque destruyen los macrófagos (ver sistema RETICULOENDOTELIAL) que las engloban en los alvéolos pulmonares. Las células muertas se acumulan formando masas fibrosas que reducen la elasticidad de los PULMONES. La disminución del volumen pulmonar y el intercambio gaseoso deficiente producen disnea y luego tos, dificultad respiratoria y debilidad. Los pacientes son vulnerables a la TUBERCULOSIS, ENFISEMA PULMONAR y NEUMONÍA. A falta de una terapia efectiva, el control de la silicosis depende de su prevención con mascarillas, ventilación adecuada y control radiológico de los pulmones de los trabajadores.

Siljan, lago Lago en el centro de Suecia. Cubre 290 km^2 (112 mi^2) de superficie y es el tercer lago más grande del país. Lo alimenta el río Österdal y se extiende irregularmente. Sus riberas boscosas se entremezclan con praderas y pueblos pintorescos, lo que lo convierte en un atractivo destino turístico.

silla Asiento con respaldo, generalmente con cuatro patas, destinado para el uso de una sola persona. Es una de las formas más antiguas de mobiliario, y data de la tercera dinastía egipcia (c. 2650–2575 AC). Se desarrollaron numerosos estilos en toda Europa. En el s. XVI, muchas sillas comenzaron a ser cubiertas con tapices que se ponían sobre rellenos y a ser decoradas con elaborados tallados en madera. En EE.UU. las sillas fueron adaptadas de versiones de estilos ingleses desde fines del s. XVII.

Silla Reino de la antigua Corea que en 668 DC se fusionó con otros estados de la península coreana bajo la dinastía unificada de Silla (668–935). Según la tradición habría sido fundada por Hyŏkkŏse en 57 AC. Silla surgió como reino consolidado en el s. VI. Durante el reinado de Chinhŭng (540–576), se organizó un cuerpo militar único en su género, el *hwarang*; aliándose con la dinastía TANG de China, derrotó al estado coreano de PAEKCHE en 660 y de KOGURYŎ en 668, luego expulsó a las fuerzas Tang para crear un estado coreano unificado e independiente. Aunque adoptó una estructura burocrática de estilo chino, su aristocracia nunca fue sustituida por una clase burocrática basada en sus capacidades. El arte de Silla anterior a la unificación mostraba una tendencia hacia la abstracción, en tanto, el arte posterior refleja el naturalismo de los Tang.

Frans Eemil Sillanpää.
GENTILEZA DE KUSTANNUSOSAKEYHTIÖ ÖTAVA

Sillanpää, Frans Eemil (16 sep. 1888, Hämeenkyrö, Finlandia, Imperio ruso–3 jun. 1964, Helsinki, Finlandia). Novelista finlandés. Hijo de un granjero, estudió ciencias naturales, pero regresó al campo para dedicarse a escribir. Consternado por la guerra civil finlandesa de 1918, produjo su obra capital, *Santa miseria* (1919). En ella relata cómo un humilde aldeano logra llegar a formar parte de la Guardia Roja. Después de escribir varios libros de cuentos hacia fines de la década de 1920, publicó su trabajo más conocido, *Silja* (1931), en que se narra la historia de una antigua familia de campesinos. *Hombres en la noche estival* (1934) es su novela más poética y acabada. En 1939 se convirtió en el primer escritor finlandés en recibir el Premio Nobel de Literatura.

sillimanita *o* **fibrolita** Mineral de SILICATO de color marrón, verde pálido o blanco vidrioso que a menudo se presenta como cristales largos, espigados y en forma de aguja, que se encuentran con frecuencia en conjuntos fibrosos. Es un silicato de aluminio, Al_2OSiO_4; ocurre por un metamorfismo regional en rocas ricas en arcilla (p. ej., ESQUISTOS y GNEIS). La sillimanita se encuentra en muchas localidades en Francia, Madagascar y el este de EE.UU.; una variedad azul zafiro pálido aparece en las gravas de Sri Lanka.

Sillitoe, Alan (n. 4 mar. 1928, Nottingham, Nottinghamshire, Inglaterra). Escritor inglés. Hijo de un empleado de una curtiembre, trabajó desde los 14 años de edad. Muchas de sus últimas novelas y cuentos son crudos y destemplados recuentos de la vida de la clase obrera, comenzando con su exitosa primera novela *Sábado por la noche y domingo por la mañana* (1958; película, 1960). Tal vez su trabajo más conocido sea el relato que da título a la colección de cuentos *La soledad del corredor de fondo* (1959; película, 1962). Entre sus obras se incluyen también las novelas *La muerte de William Posters* (1965), *El hijo del viudo* (1976), *The Open Door* (1989) y los volúmenes de cuentos *La hija del trapero* (1963; película, 1974) y *La segunda oportunidad* (1981).

Alan Sillitoe, 1968.
HORST TAPPE DE CAMERA PRESS

Sills, Beverly *orig.* **Belle Silverman** (n. 25 may. 1929, Nueva York, EE.UU.). Soprano estadounidense. Desde su niñez cantó en la radio y en 1946 debutó en la ópera. A partir de 1955 cantó con la Ópera de Nueva York. Después de concitar gran atención por su actuación como soprano coloratura en *Julius Caesar* (1966), se convirtió en una de las estrellas más famosas del mundo. Después de 25 años de cantar con la compañía, trabajó como su directora (1979–89). Cantó también con la compañía del Metropolitan Opera (1975–80), aunque sus mejores tiempos ya habían pasado. De una personalidad apasionada, presentó la transmisión de conciertos e interpretaciones de ópera y se hizo popular entre un amplio público.

Siloe, Diego de (c. 1495, Burgos, España–22 oct. 1563, Granada). Escultor y arquitecto español. Hijo del escultor Gil de Siloe (¿m. 1501?), probablemente estudió escultura en Italia. Sus obras se consideran entre las más notables del Renacimiento español. Su estilo escultórico es plateresco, mezcla de los estilos del Renacimiento italiano, el gótico y el mudéjar. Su principal obra arquitectónica, la catedral de Granada (iniciada en 1528), combina las mejores características de dichos estilos.

"Escalera dorada", catedral de Burgos, España, de Diego de Siloe, 1519–23.

A. GUTIÉRREZ–OSTMAN AGENCY

silogismo Forma de razonamiento que, en sus modalidades más comúnmente analizadas, tiene dos PROPOSICIONES CATEGÓRICAS como premisas y una como conclusión. Ejemplo de silogismo es el siguiente razonamiento: Todo hombre es mortal (todo M es P); todo filósofo es hombre (todo S es M); en consecuencia, todo filósofo es mortal (todo S es P). Tales razonamientos tienen exactamente tres términos (hombre, filósofo, mortal). Aquí, el razonamiento está compuesto de tres proposiciones categóricas (que se oponen a las proposiciones hipotéticas), por lo que se trata de un silogismo categórico. En un silogismo categórico, el término que se presenta en ambas premisas pero no en la conclusión (hombre) es el término medio; término predicado en la conclusión se llama término mayor; el sujeto, el término menor. El modelo según el cual están dispuestos los términos S, M y P (menor, medio, mayor) se llama figura del silogismo. En este ejemplo, el silogismo pertenece a la primera figura, puesto que el término mayor aparece como predicado en la primera premisa y el término menor como sujeto de la segunda.

silogística Análisis formal del SILOGISMO. Desarrollada en su forma original por ARISTÓTELES en sus *Primeros analíticos* c. 350 AC, la silogística representa la rama más temprana de la lógica formal. La silogística abarca dos dominios de investigación. La silogística categórica se limita a las proposiciones categóricas y a sus variaciones con respecto a las modalidades. La silogística no categórica es una forma de inferencia lógica que utiliza como unidades proposiciones completas, enfoque que ya se podía encontrar en los estoicos, pero que sólo fue plenamente desarrollado por John Neville Keynes (n. 1852–m. 1949).

Silone, Ignazio *orig.* **Secondo Tranquilli** (1 may. 1900, Pescina dei Marsi, Italia–22 ago. 1978, Ginebra, Suiza). Novelista, cuentista y líder político italiano. Fue fundador del Partido Comunista italiano en 1921 y se mantuvo como miembro activo del partido hasta que los fascistas lo forzaron a exiliarse. En 1930 se estableció en Suiza, donde se desilusionó de las ideas comunistas y comenzó a escribir obras de tono antifascista. Se hizo conocido internacionalmente con su primera novela, *Fontamara* (1930), a la que siguieron *Pan y vino* (1937) y *La semilla bajo la nieve* (1940), además de la sátira *Escuela de los dictadores* (1938). Después de la segunda guerra mundial se reintegró en el mundo político italiano antes de retirarse para escribir obras como *Un puñado de moras* (1952).

silueta Contorno de una imagen o diseño realizado en un solo color, sólido y plano, que asemeja la sombra proyectada por una figura sólida. El término suele aplicarse a los retratos de perfil en negro sobre fondo blanco (o viceversa), ya sea pintados o recortados de papel, que fueron especialmente populares c. 1750–1850, como el medio más barato para hacer retratos. El nombre deriva de Étienne de Silhouette, ministro de finanzas de Luis XV, quien se destacó por su frugalidad y su pasatiempo de hacer retratos de sombras con papel recortado. En la Europa del s. XVII, los retratos y las escenas de sombras se hacían dibujando el contorno que proyectaba la figura contra la luz de vela o de farol. Desde que el papel se hizo ampliamente disponible, fue costumbre recortarlos a mano directamente del natural. Con la aparición de la fotografía, las siluetas quedaron obsoletas, y se convirtieron en un tipo de arte tradicional practicado por artistas y caricaturistas itinerantes.

silúrico Tiempo geológico comprendido en 443–417 millones de años atrás. Fue el tercer período del PALEOZOICO, sigue al ORDOVÍCICO y precede al DEVÓNICO. Marca la primera aparición de las plantas terrestres y de los peces con mandíbulas. Los continentes estaban distribuidos como sigue: la zona ártica de Canadá, Escandinavia y Australia probablemente se ubicaban en los trópicos; Japón y Filipinas pueden haber estado en el círculo polar ártico; Sudamérica y África probablemente cerca del Polo Sur, con el actual Brasil o la zona occidental de África en el lugar del polo. La tierra firme estaba cubierta por una capa de hielo, posiblemente tan gruesa como la que hoy cubre la Antártida.

Silva, Luíz Inácio da *llamado* **Lula da Silva** (n. 6 oct. 1945, Garanhuns, estado de Pernambuco, Brasil). Líder del Partido de los Trabajadores, de izquierda, de Brasil. Antiguo obrero de fábrica, ayudó a convertir un movimiento sindical en un importante partido político. En 1988 su partido obtuvo una abrumadora victoria en las elecciones municipales de São Paulo y de otras ciudades importantes. Destacado candidato presidencial en 1989, 1995 y 1998, proponía políticas para ayudar a la clase trabajadora de Brasil, pero en cada oportunidad perdió contra candidatos más conservadores. Sin embargo, en 2002 logró llegar a la presidencia. Ver también FERNANDO COLLOR DE MELLO.

Silvassa Ciudad (pob., est. 2001: 21.890 hab.), capital del territorio asociado de DADRA Y NAGAR HAVELI en India occidental. Ubicado a orillas del río Daman Ganga, a unos 25 km (15 mi) del mar de Arabia, es el centro económico del territorio y produce arroz, legumbres y frutas.

Silver, Horace (n. 2 sep. 1928, Norwalk, Conn., EE.UU.). Pianista, compositor y líder de grupos de JAZZ estadounidense. En 1950–51 actuó con STAN GETZ antes de dirigir su propio trío en 1952. Junto con ART BLAKEY dirigió los Jazz Messengers a partir de 1954 y luego formó su propio quinteto en 1956, interpretando sus propias composiciones con arreglos que fijaron el formato para gran parte del *hard bop* (ver BEBOP) de las décadas de 1950 y 1960. Bajo la influencia de BUD POWELL y THELONIOUS MONK, Silver combinó la sofisticación del bebop con el desenfado del BLUES en composiciones como "The Preacher", "Opus de Funk" y "Sister Sadie".

Silvers, Phil *orig.* **Philip Silversmith** (11 may. 1912, Brooklyn, N.Y., EE.UU.–1 nov. 1985, Los Ángeles, Cal.). Actor y comediante estadounidense. Comenzó su carrera a la edad de 11 años como cantante en el vodevil y posteriormente fue comediante en el burlesque. Después de debutar en el cine en 1940, interpretó al personaje cómico que descomprime las situaciones tensas (esparcimiento cómico) en numerosos largometrajes. Después actuó en Broadway en la comedia musical *High Button Shoes* (1947–50) y protagonizó *Top Banana* (1951–52, premio Tony; película, 1954). Es reconocido por su papel como el sargento Bilko en la serie de televisión *The Phil Silvers* Show (1955–59; originalmente conocida como *You'll Never Get Rich*), por la cual recibió numerosos premios Emmy. Más tarde actuó en la versión cinematográfica de *Golfus de Roma* (1966) y en su reestreno en Broadway (1972, premio Tony). Su popularidad se debió en parte a su muy reconocible sonrisa, sus lentes de grueso marco y sus cómicas frases pegajosas.

Silverstein, Shel(by) (25 sep. 1932, Chicago, Ill., EE.UU.–10 may. 1999, Key West, Fla.). Caricaturista, escritor infantil, poeta, compositor de canciones y dramaturgo estadounidense. Suele comparársele con Dr. Seuss (ver THEODOR GEISEL), y es sobre todo conocido por sus cuentos infantiles y poemas. Entre sus personajes más memorables se encuentran, tanto el protagonista de *La historia de Lafcadio, el león que devolvió el disparo* (1963), el niño-hombre y el árbol, en *El árbol generoso* (1964), así como el círculo incompleto, en *El pedazo faltante*. Se le reconoce el haber contribuido a desarrollar el aprecio por la poesía en los lectores jóvenes. Sus versos más serios revelan su comprensión de las ansiedades y deseos propios de la niñez.

Silvestre II *orig.* **Gerberto de Aurillac** (c. 945, cerca de Aurillac, Auvernia, Francia–12 may. 1003, Roma). Primer papa francés (999–1003). Célebre por sus conocimientos de lógica y matemática, se convirtió en arzobispo de Reims (991) y de Ravena (c. 998). Nombrado papa por su ex pupilo, OTÓN III, trabajó en estrecho contacto con este para fortalecer la autoridad papal en estados distantes como Kíev y Noruega, así como en Italia. Denunció la SIMONÍA, exigió el celibato del clero y limitó el poder de los obispos. Escribió libros de texto sobre matemática, ciencias y música y la obra filosófica *De rationali et de ratione uti* [Sobre lo racional y el uso de la razón]. Según las leyendas que surgieron poco después de su muerte, sus grandes conocimientos eran fruto de las artes mágicas o de las enseñanzas del diablo.

silvicultura En cultivo de BOSQUES, manejo del terreno forestal, junto con las aguas y eriales asociados, primordialmente para talar madera, pero también con fines de CONSERVACIÓN y recreación. La ciencia de la silvicultura se basa en el principio de la explotación de tierras de uso múltiple, aun cuando la tala y replante de árboles maderables son las actividades principales. El objetivo primordial es mantener una provisión continua de árboles maderables por medio de una tala y reemplazo cuidadosamente planificados. El silvicultor también es responsable de la aplicación de otros controles del terreno, como la protección de la vida silvestre y la implementación de programas para proteger el bosque de malezas, insectos, enfermedades micóticas (ver HONGO), EROSIÓN e incendios. El manejo planificado de los bosques se originó en la temprana Europa medieval, donde había leyes que regulaban la tala de árboles maderables y el uso de bosques para la cacería. En el s. XIX se establecieron escuelas europeas privadas de silvicultura y, en 1891 en el Nuevo Mundo, el gobierno estadounidense autorizó las primeras reservas de terrenos forestales. Durante el s. XX muchas naciones emprendieron programas de reforestación o repoblación forestal.

Silvio, Francisco *orig.* **Franz de le Boë** *francés* **François du Bois** (15 mar. 1614, Hanau, Alemania–15 nov. 1672, Leiden, Países Bajos). Médico, fisiólogo, anatomista y químico holandés de origen alemán. Basó su sistema médico en el descubrimiento de la circulación sanguínea de WILLIAM HARVEY y creía que los procesos vitales más importantes, normales y patológicos sucedían en la sangre. Propuso que los desequilibrios químicos consistían en excesos de ácidos o álcalis en la sangre e ideó medicamentos para contrarrestarlos. Considerado un profesor sobresaliente, hizo que los alumnos se instruyeran en las salas de hospital. Fue el primero en distinguir las glándulas constituidas por unidades más pequeñas con conductos convergentes de aquellas que forman una masa redondeada. Numerosas estructuras anatómicas fueron designadas con su nombre.

Francisco Silvio.
BBC HULTON PICTURE LIBRARY

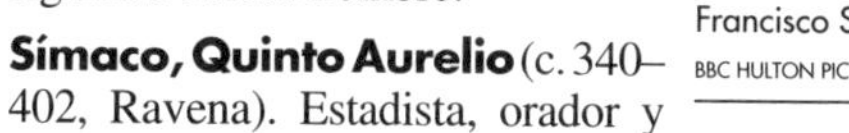

Símaco, Quinto Aurelio (c. 340–402, Ravena). Estadista, orador y escritor romano. Uno de los principales adversarios del cristianismo, se enfrentó a san AMBROSIO para influir sobre los emperadores GRACIANO (r. 367–383) y Valentiniano II (r. 375–392), cada vez más proclives al cristianismo, para que toleraran el paganismo. Como líder del SENADO en 387, celebró al nuevo emperador, Magno Máximo, por haber expulsado a Valentiniano. Cuando TEODOSIO I reconquistó Italia a favor de Valentiniano (388), Símaco fue perdonado y nombrado CÓNSUL (391).

simbiosis Cualquier asociación de subsistencia entre miembros de dos especies diferentes, a saber, comensalismo, mutualismo y PARASITISMO. Las especies implicadas se denominan simbiontes. En el comensalismo, una especie (el comensal) obtiene nutrientes, protección, apoyo o transporte de la especie huésped, la que básicamente no se afecta (p. ej., las RÉMORAS obtienen transporte y alimento de los tiburones). En el mutualismo, ambas especies obtienen provecho. Muchas relaciones de mutualismo son ligadas; ninguna de las especies puede vivir sin la otra (p. ej., los protozoos en el intestino de los TERMES digieren la madera que estos últimos ingieren).

simbolismo En arte, más que un movimiento delimitado, tipo de pintura o corriente pictórica que floreció entre 1880 y 1890, estrechamente vinculado con el movimiento SIMBOLISTA en literatura. Como reacción contra el REALISMO y el IMPRESIONISMO, los pintores simbolistas dieron realce a las funciones subjetivas, simbólicas y decorativas del arte, y se volcaron hacia lo místico y lo oculto, en un intento por evocar estados de conciencia subjetivos a través de medios visuales. Si bien aparecen ciertos aspectos del simbolismo en las obras de PAUL GAUGUIN, VINCENT VAN GOGH y del grupo NABIS, sus principales exponentes fueron GUSTAVE MOREAU, ODILON REDON y PIERRE PUVIS DE CHAVANNES. Aunque principalmente se relaciona con Francia, este movimiento prosperó en toda Europa, tuvo gran impacto internacional y ejerció influencia sobre el arte y la literatura del s. XX.

simbolista, movimiento Movimiento literario que tuvo su origen en un grupo de poetas franceses de fines del s. XIX, para luego difundirse en la pintura y el teatro. Tuvo gran influencia sobre las diversas artes en Rusia, Europa e Hispanoamérica durante el s. XX. En reacción contra las rígidas convenciones de la poesía francesa tradicional, a las que se ceñían las precisas descripciones que cultivaban los PARNASIANOS, los poetas simbolistas intentaban transmitir las experiencias emocionales del individuo por medio del uso sutil y sugerente de un lenguaje rico en metáforas. El misterioso e indirecto significado del símbolo se evoca en su arte como una manera de sustituir el sentido cada vez más atenuado de los significados colectivos y universales. Entre los principales poetas simbolistas se cuentan los franceses STÉPHANE MALLARMÉ, PAUL VERLAINE y ARTHUR RIMBAUD, y el belga ÉMILE VERHAEREN. Muchos simbolistas han sido vinculados además con el decadentismo (ver DECADENTISTAS). Los pintores simbolistas daban preferencia a la fantasía y a la imaginación por sobre la representación concreta, en tanto que los dramaturgos simbolistas utilizaban el mito, el estado de ánimo y la atmósfera para revelar sólo indirectamente las verdades más profundas de la existencia.

símbolo Elemento de comunicación cuyo propósito es significar o representar una persona, objeto, grupo, proceso o idea. Los símbolos pueden presentarse de manera gráfica (p. ej., la cruz roja y la luna creciente para la organización humanitaria mundial, [Federación de sociedades de la Cruz roja y de la Media Luna roja]) o como representación (p. ej., un león representa la valentía). Pueden involucrar letras que se les asocian (por ej., C para el elemento químico carbono) o pueden ser asignados arbitrariamente (por ej., el símbolo matemático ∞ para infinito). Los símbolos son artificios por medio de los cuales las personas que comparten una CULTURA se transmiten ideas. Cada sociedad ha desarrollado un sistema de símbolos que refleja una lógica cultural específica, y todo simbolismo sirve para que los miembros de la cultura intercambien información, casi de la misma manera, aunque con mayor sutileza, en que lo hace la lengua convencional. Los símbolos tienden a aparecer agrupados y a depender unos de otros para el acrecentamiento de su significado y valor. Ver también SEMIÓTICA.

símbolo químico Notación de una o dos letras derivadas de los nombres científicos de los ELEMENTOS QUÍMICOS (p. ej., S para azufre, Cl para cloro, Zn para cinc). Algunos se remontan a los nombres latinos: Au (*aurum*) para oro, Pb (*plumbum*) para plomo. Otros reciben nombres de personas o lugares (p. ej., einstenio, Es, por Einstein). Los símbolos actuales expresan el sistema establecido por la teoría atómica de la materia. JOHN DALTON fue el primero que usó símbolos para designar los átomos individuales de los elementos, no cantidades indefinidas de la sustancia, y JÖNS JACOB BERZELIUS impartió muchos de los nombres actuales. Las fórmulas químicas de los COMPUESTOS se escriben como combinaciones de los símbolos de los elementos, con números que indican sus proporciones atómicas, utilizando diversas convenciones para ordenar y agrupar. Así, el cloruro de sodio se escribe NaCl, y el ácido sulfúrico, H_2SO_4.

Simcoe, John Graves (25 feb. 1752, Cotterstock, Northamptonshire, Inglaterra–26 oct. 1806, Exeter, Devonshire). Militar británico y administrador colonial en Canadá. Prestó servicios en la guerra de la independencia de los EE.UU. como comandante de los Queen's Rangers (1777–79). Cayó prisionero (1779), pero luego quedó en libertad (1781) y fue enviado de regreso a Inglaterra dado de baja por invalidez. Cuando se aprobó la ley constitucional, fue el primer vicegobernador del Alto Canadá (hoy Ontario), de 1792 a 1796. Impulsó la inmigración y la agricultura, y apoyó la defensa y la construcción de caminos.

Georges Simenon.
© JERRY BAUER

Simenon, Georges (-Joseph-Christian) (13 feb. 1903, Lieja, Bélgica–4 sep. 1989, Lausana, Suiza). Novelista francés de origen belga. Durante 1923–33 escribió más de 200 libros de literatura barata que publicó con un seudónimo. La primera novela que firmó con su propio nombre fue *Pietr, el letón* (1931), en la cual introduce a uno de los personajes más conocidos de la literatura detectivesca, el inspector de policía parisiense Maigret. Escribió más de 80 novelas protagonizadas por Maigret y casi 130 novelas psicológicas, así como numerosos relatos y obras autobiográficas que lo transformaron en uno de los autores más prolíficos y mundialmente celebrados del s. XX. El tema central de las novelas de Simenon es la profunda humanidad que se encuentra presente incluso en los personajes más enajenados y anormales, así como la aflicción arraigada en la condición humana. Con un estilo de rigurosa simplicidad y admirable economía narrativa logra evocar una atmósfera marcada por las tensiones neuróticas de sus personajes.

Simeón I *llamado* **Simeón el Grande** (864/865–27 may. 927). Zar del primer Imperio búlgaro (925–927). Hijo de BORIS I, sucedió a su padre en 893 tras el breve reinado intermedio (889–893) de su disoluto hermano mayor, Vladimir. Con la esperanza de obtener el trono imperial, libró cinco guerras contra el Imperio bizantino entre 894 y 923. En 925 adoptó el título de "Zar de todos los búlgaros". Extendió su poder sobre el sur de Macedonia, Albania y Serbia, pero probablemente perdió los dominios búlgaros situados al norte del Danubio.

Simeón Estilita, san *o* **Simeón el Viejo** (c. 390, Sisan, Cilicia–459, Telanissus, Siria). Asceta sirio. Pastor que habiendo ingresado a una comunidad monástica, fue expulsado por su excesiva austeridad y devino en ermitaño. Su supuesto trabajo milagroso atrajo tales muchedumbres que optó por vivir en lo alto de una columna (del griego *stylos*) de 2 m (6 pies) de alto c. 420, convirtiéndose en el primero de los estilitas (ermitaños de pilares). Permaneció en la cima de una segunda columna de 15 m (50 pies) de altura hasta su muerte. Una baranda lo protegía de posibles caídas y sus discípulos le traían alimentos. Fue fuente de inspiración para otros ascetas y se le llama Simeón el Viejo para diferenciarlo de un estilita del s. VI del mismo nombre. Existen antecedentes sobre los estilitas hasta el s. XIX en Rusia.

simetría En geometría, propiedad por la cual los lados de una figura u objeto se reflejan respecto a una recta (eje de simetría) o a una superficie; en biología, la repetición ordenada de partes de un animal o planta; en química, una propiedad fundamental de disposición ordenada de átomos, en moléculas o CRISTALES; en física, un concepto de equilibrio, ilustrado por leyes fundamentales, como la tercera ley entre las leyes del movimiento de NEWTON. La simetría en la naturaleza se encuentra subyacente en uno de los conceptos más fundamentales de belleza. Implica equilibrio, orden, y así, para algunos, cierto tipo de principio divino.

símil FIGURA RETÓRICA que consiste en una comparación entre dos entidades distintas. En un símil, a diferencia de una METÁFORA, la relación está indicada por la palabra "como". Los símiles propios del habla cotidiana incluyen comparaciones simples, como las expresiones "él come como un pájaro" o "ella es lenta como una tortuga". Los símiles en literatura pueden ser específicos y directos o extensos y complejos. El símil homérico, o épico, que se utiliza por lo general en la poesía épica, suele extenderse por varios versos.

Similaun, hombre de Restos de un hombre encontrado en 1991, en medio del glaciar de Similaun en los Alpes tiroleses, datado en 3300 AC. Ha revelado importantes detalles de la vida cotidiana del período NEOLÍTICO. El hombre de Similaun (llamado también Ötzi, por el nombre del valle) tenía diversos tatuajes y llevaba el pelo corto; antes de encontrarlo se pensaba que estas costumbres se habían iniciado mucho más tarde en Europa. Vestía ropa de piel de ciervo hábilmente cosida, una capa de juncos tejidos y zapatos de

Reconstrucción del hombre de Similaun.
FOTOBANCO

cuero rellenos de paja como aislamiento. Llevaba dos hongos en un morral de cuero, probablemente con fines medicinales, y una caja de corteza de abedul con víveres. Estaba equipado también con un hacha de cobre, una daga de sílex, un arco de tejo y un carcaj de piel de ciervo que contenía flechas cuidadosamente acabadas. Aunque en un principio se pensó que había muerto de congelación, un examen de rayos X realizado en 2001 mostró que tenía una punta de flecha alojada en el hombro izquierdo, lo que sugiere que murió desangrado después de haber sido alcanzado por la flecha.

similor Aleación de color dorado hecha de cobre, cinc y a veces de estaño, en variadas proporciones, que generalmente contiene al menos un 50% de cobre. Se emplea en molduras (ornamentaciones en bordes y cantos y como protectores de ángulos) para mobiliario u otros propósitos decorativos. Luego de que la aleación fundida se vierte en un molde y se deja enfriar, se dora con oro en polvo mezclado con mercurio. Enseguida se calienta a una temperatura que evapora el mercurio, dejando una superficie dorada. El similor se fabricó por primera vez en Francia a mediados del s. XVII, y desde entonces el país galo ha sido el principal centro de producción.

Secreter francés decorado con chapas de similor, marquetería y taracea, c. 1770; Wallace Collection, Londres.

GENTILEZA DEL DIRECTORIO DE LA WALLACE COLLECTION, LONDRES

simio Cualquiera de los PRIMATES antropoides, acaudados, de dos familias: Hylobatidae (simios menores: GIBONES y siamangs) y Pongidae (grandes simios: CHIMPANCÉS, BONOBOS, ORANGUTANES y GORILAS). Los simios viven en los bosques tropicales de Asia meridional y de África occidental y central. Se distinguen de los monos porque carecen de cola, y tienen un apéndice y un cerebro más complejo. En general, se desplazan balanceándose y tienden a permanecer erguidos, caminando a veces como bípedos. Son animales muy inteligentes y están más emparentados con los humanos que cualquier otro primate vivo. Debido a la destrucción del hábitat y la caza, se considera que todos los simios están en peligro de extinción.

Simla Ciudad (pob., est. 2001: 142.161 hab.), capital del estado de HIMACHAL PRADESH en el noroeste de India. Fue construida por los británicos después de la guerra de los gurjas (1814–16) sobre una loma de los faldeos del Himalaya, a unos 2.200 m (7.100 pies) de altura. Sirvió como capital de verano británica (1865–1939) y como cuartel general del PANJAB (1947–53). Debido a su clima fresco y a sus paisajes, es uno de los centros turísticos de montaña más populares de India.

Simmel, Georg (1 mar. 1858, Berlín, Alemania–26 sep. 1918, Estrasburgo). Sociólogo y filósofo alemán. Desde su posición de académico en las universidades de Berlín (1885–1914) y de Estrasburgo (1914–18), contribuyó de manera importante a instituir la sociología como ciencia social básica en Alemania. Intentó aislar las formas generales (o regularidades recurrentes) de la interacción social del contenido específico de determinadas actividades, como las políticas, económicas o estéticas. Prestó especial atención al problema de la autoridad y la obediencia. Sus obras ejercieron influencia en EE.UU. mediante los trabajos de ROBERT E. PARK, Albion Small y Ernest Burgess. Ver también INTERACCIONISMO.

Simon, Claude (-Eugène-Henri) (10 oct. 1913, Antananarivo, Madagascar–6 jul. 2005, París, Francia). Escritor francés. Durante la segunda guerra mundial fue capturado por los alemanes, pero logró escapar y se unió a la resistencia francesa. Terminó su primera novela durante la guerra. Representativas del *nouveau roman* (“nueva novela”), o ANTINOVELA francesa, que surgió en la década de 1950, sus obras combinan las técnicas narrativas convencionales con el flujo de CONCIENCIA y articulan una prosa densa y de compleja estructura. Tal vez su obra más importante sea el ciclo de novelas integrado por *La hierba* (1958), *La ruta de Flandes* (1960), *El palace* (1962) e *Historia* (1967), con sus personajes y acontecimientos que se repiten. Entre sus otras novelas destacan *El viento* (1957), *Tríptico* (1973) y *La acacia* (1989). Recibió el Premio Nobel de Literatura en 1985.

Simon (de Stackpole Elidor), John Allsebrook Simon, 1er vizconde (28 feb. 1873, Manchester, Inglaterra–11 ene. 1954, Londres). Político británico. Destacado jurista, fue miembro de la Cámara de los Comunes (1906–18, 1922–40). En la década de 1930 dirigió el Partido Nacional Liberal y fue sucesivamente ministro de asuntos exteriores (1931–35), secretario (ministro) del interior (1935–37) y canciller del Exchequer (ministro de hacienda) (1937–40). Partidario del acercamiento con Alemania, apoyó la política de apaciguamiento de NEVILLE CHAMBERLAIN y el acuerdo de MUNICH. En 1940 fue nombrado lord canciller en el gabinete de coalición de tiempo de guerra de WINSTON CHURCHILL y fue nombrado vizconde.

Simon, Herbert (Alexander) (15 jun. 1916, Milwaukee, Wis., EE.UU.–9 feb. 2001, Pittsburgh, Pa.). Cientista social estadounidense. Obtuvo su Ph.D. en la Universidad de Chicago en 1943. Fue profesor de psicología y luego de ciencias de la computación en la Universidad Carnegie-Mellon (desde 1949). En su libro *El comportamiento administrativo* (1947) planteaba que se debía reconocer una multiplicidad de factores (incluidos los psicológicos) en la toma de decisiones corporativas en lugar de poner énfasis en la maximización de las utilidades como motivación primordial. Fue galardonado con el Premio Nobel de Economía en 1978. Posteriormente trabajó en el campo de la INTELIGENCIA ARTIFICIAL (IA) mediante el uso de tecnología computacional.

Simon, (Marvin) Neil (n. 4 jul. 1927, Nueva York, N.Y., EE.UU.). Dramaturgo estadounidense. Después de estudiar en la Universidad de Nueva York, trabajó como escritor de comedias para SID CAESAR en la década de 1950. Su obra autobiográfica *Come Blow Your Horn* (1961) fue la primera de una serie de exitosas comedias, entre las que se cuentan *Descalzos en el parque* (1963; película, 1967), *La extraña pareja* (1965; película, 1968) y *Plaza suite* (1968; película, 1971). Algunas de sus posteriores obras son la trilogía autobiográfica compuesta por *Brighton Beach Memoirs* (1983), *Biloxi Blues* (1985, premio Tony) y *Broadway Bound* (1986). Su trabajo teatral refleja de manera humorística los dilemas cotidianos de la clase media y frecuentemente se sitúan en Nueva York. Por su obra *Lost in Yonkers* (1991), recibió un premio Tony además del Pulitzer.

Simon, Paul (Frederic) (n. 13 oct. 1941, Newark, N.J., EE.UU.). Cantautor estadounidense de música popular. En la década de 1950 comenzó a presentarse con Art Garfunkel (n. 1941), bajo el nombre de Tom y Jerry. Después de una ruptura, ambos volvieron a unirse en 1964 como Simon y Garfunkel. Su primer sencillo exitoso fue “Sounds of Silence” (1966). Otros éxitos en los siguientes seis años fueron “Mrs. Robinson” (para el filme *El graduado*) y “Bridge over Troubled Water”. Tras disolverse el dúo, Simon lanzó varios álbumes exitosos, entre ellos *Still Crazy After All These Years* (1975). Su álbum *Graceland* (1986), grabado con músicos africanos, se convirtió en el más exitoso e influyente del nuevo género de la WORLD

MUSIC. Tanto la música africana como la brasileña conformaron su álbum *The Rhythm of the Saints* (1990). Junto con el poeta antillano DEREK WALCOTT compuso la comedia musical de Broadway *The Capeman* (1998).

Simon & Schuster Casa editorial estadounidense. Fue fundada en 1924 por Richard L. Simon (n. 1899–m. 1960) y M. Lincoln Schuster (n. 1897–m. 1970). El proyecto inicial de la compañía, el primer libro de crucigramas, fue un éxito de ventas. Entre sus otras innovaciones cabe mencionar la creación de la colección de "libros de bolsillo", la primera línea de libros de edición rústica en EE.UU., lanzada en 1939. La compañía llegó a publicar una gran variedad de libros, entre ellos numerosos éxitos de venta además de varias obras premiadas. En 1975, la editorial fue vendida a Gulf & Western Inc. Rebautizada como Paramount Communications en 1989, fue adquirida a su vez por Viacom Inc. en 1994. Con la venta en 1998 de sus divisiones de libros educacionales, profesionales, internacionales y de referencia, Simon & Schuster se volvió a enfocar en la edición de libros de ficción y ensayo para el lector común.

Simón IV el Fuerte ver Simón de MONTFORT

simonía Compra o venta de funciones o facultades de la Iglesia. El nombre viene de Simón el Mago (Hechos 8:18), quien intentó comprar el poder de conferir los dones del ESPÍRITU SANTO. La simonía se habría generalizado en Europa durante los s. X–XI, en la medida en que monarcas y nobles otorgaban ascensos al sacerdocio o al episcopado, a menudo a cambio de votos de lealtad. Cambios en la comprensión de la índole de la simonía y la relación entre las órdenes laicas y religiosas contribuyeron a la percepción de crecimiento de la simonía, sin perjuicio de la existencia de prácticas corruptas. Combatida con rigurosidad por el papa GREGORIO VII y su movimiento reformista, la práctica recrudeció en el s. XV, pero después del s. XVI desaparecieron sus manifestaciones más flagrantes.

simplex, método Técnica estándar en PROGRAMACIÓN LINEAL para resolver un problema de OPTIMIZACIÓN, comúnmente uno que involucra una FUNCIÓN y varias restricciones expresadas como desigualdades. Estas últimas definen una región poligonal (ver POLÍGONO), y la solución está con frecuencia en uno de los vértices. El método simplex es un procedimiento sistemático para probar cada uno de los vértices como posibles soluciones.

Simplon Paso y túnel alpino en el sur de Suiza. Está situado entre los ALPES LEPONTINOS y Peninos, a 2.006 m (6.581 pies) de altura. Desde mediados del s. XIII, esta importante ruta alpina se convirtió en un vínculo fundamental entre el centro y el sur de Europa, cuando NAPOLEÓN I hizo construir en él una carretera (1800–07). Cerca de la cumbre se encuentra un hospicio, edificado en 1235 y habitado por los AGUSTINOS. En invierno, cuando el paso se cierra para el tránsito vehicular, los automóviles viajan en tren a través de un túnel ferroviario de 20 km (12,5 mi) que comunica Brigue (Suiza) con Iselle (Italia).

Viaducto en el paso Simplon que comunica Brigue (Suiza) con Iselle (Italia).
FOTOBANCO

simposio En la antigua Grecia, banquete aristocrático en el cual los hombres se reunían para discutir sobre asuntos filosóficos y políticos y recitar poemas. Comenzó como una festividad guerrera. Había aposentos especialmente destinados a estos encuentros. Los participantes, todos varones aristócratas, usaban guirnaldas y, apoyados en el codo izquierdo, se reclinaban sobre divanes; había mucho vino, servido por niños esclavos. Las plegarias abrían y cerraban las reuniones que a veces terminaban con una procesión por las calles. En la famosa obra de PLATÓN, *El simposio* (o *El banquete*), SÓCRATES, ARISTÓFANES y ALCIBÍADES, entre otros, se trenzan en un diálogo imaginario sobre el amor. ARISTÓTELES, JENOFONTE y EPICURO escribieron literatura de simposio sobre otros temas.

Simpson, George Gaylord (16 jun. 1902, Chicago, Ill., EE.UU.–6 oct. 1984, Tucson, Ariz.). Paleontólogo estadounidense. Doctorado en la Universidad de Yale, sus contribuciones a la teoría de la evolución incluyen una clasificación detallada de los mamíferos, basada en sus estudios de la evolución de estos animales, la cual se encuentra aún vigente. También se lo conoce por sus estudios de migración intercontinental de especies animales, especialmente mamíferos de Sudamérica, en el pasado geológico. Sus libros comprenden *Tempo and Mode in Evolution* [Tiempo y ritmo en la evolución] (1944; 1984), *The Meaning of Evolution* [El significado de la evolución] (1949), *The Major Features of Evolution* [Los rasgos principales de la evolución] (1953) y *The Principles of Animal Taxonomy* [Principios de taxonomía animal] (1961).

Simpson, O(renthal) J(ames) (n. 9 jul. 1947, San Francisco, Cal., EE.UU.). Jugador estadounidense de fútbol americano. En la Universidad de California del Sur (USC), jugó de *running back* (1965–68) y estableció récords de acarreo, razón por la cual fue nombrado All-American (selección de los mejores del país) y ganó el trofeo Heisman (1968). En 1969 fue contratado por los Buffalo Bills, donde siguió rompiendo marcas y atrajo numeroso público. En 1978, debido a lesiones en sus rodillas, fue transferido a los San Francisco 49ers. Se retiró al terminar la temporada 1979. Buen mozo y jovial, se convirtió después en un popular actor de cine y televisión. En 1994 se lo acusó del asesinato de su mujer, de quien estaba separado y de un amigo de ella. El juicio y la posterior absolución de Simpson dieron origen a una cobertura de los medios de comunicación y a un debate público sin precedentes. En un juicio civil entablado en 1997, Simpson recibió un fallo adverso de muerte culposa.

Simpson, Sir James Young (7 jun. 1811, Bathgate, Linlithgowshire, Escocia–6 may. 1870, Londres, Inglaterra). Médico obstetra escocés. Se tituló de médico en la Universidad de Edimburgo, donde llegó a ser profesor de obstetricia. Cuando se supo en Escocia que en Boston se empleaba éter en la cirugía, Simpson lo aplicó en obstetricia para aliviar los dolores de parto (1847) y más tarde lo sustituyó por cloroformo, el que siguió usando a pesar de la oposición de los obstetras y el clero. También introdujo el uso de las suturas de alambre de acero, la aplicación de presión para detener el sangramiento y los fórceps de Simpson (con mango en forma de cruz).

Sims, William Sowden (15 oct. 1858, Port Hope, Ontario, Canadá–28 sep. 1936, Boston, Mass., EE.UU.). Oficial de marina estadounidense. Egresó de la Academia Naval y escribió un texto de navegación que tuvo amplia difusión. Como agregado naval de las embajadas de EE.UU. en París y San Petersburgo, observó la superioridad de las armadas extranjeras. En su cargo de inspector de ejercicios navales de tiro (1902–09), revolucionó la artillería naval estadounidense. En la primera guerra mundial estuvo al mando de la flota de

EE.UU. en Europa y colaboró en la formulación del sistema de convoy para proteger los buques aliados contra los ataques de los submarinos alemanes. Fue presidente de la Academia Naval de Guerra (1917–18, 1919–22).

simulación computacional Uso de un sistema generado en computadora para representar las respuestas y comportamientos dinámicos de un sistema real o supuesto. Una descripción matemática de un sistema se desarrolla como un programa computacional que usa ecuaciones para representar las relaciones funcionales dentro del sistema. Cuando se corre el programa, la dinámica matemática resultante forma una analogía, con frecuencia representada gráficamente, del comportamiento del sistema modelado. Las variables en el programa pueden ser ajustadas para simular condiciones variables en el sistema. Las simulaciones computacionales son usadas para estudiar el comportamiento de objetos o sistemas que no pueden ser probados con facilidad o seguridad en la vida real, como patrones meteorológicos o una explosión nuclear. Simulaciones sencillas ejecutadas por una Computadora personal son modelos de negocios y modelos geométricos. Ver también Visualización científica.

Sin *sumerio* **Nanna** En las religiones mesopotámicas, el dios de la Luna. Era el padre de Shamash y, según algunos mitos, de Ishtar. Se creía que confería fertilidad y prosperidad a los vaqueros, pues controlaba el caudal de las aguas y el crecimiento de los juncos, especialmente en los pantanos del bajo Éufrates, donde se originó su culto. En el s. VI AC se intentó que Sin fuera la deidad suprema del panteón babilónico.

sinagoga En el judaísmo, residencia comunitaria de culto que también sirve como lugar de reunión y estudio. Aunque sus orígenes exactos son inciertos, las sinagogas se desarrollaron a la par del antiguo culto del templo de Jerusalén; existían mucho antes de que Tito pusiera fin al sacrificio y al sacerdocio judío establecido con la destrucción del segundo templo (70 DC). Desde entonces las sinagogas cobraron aun mayor importancia, constituyéndose en el punto focal incuestionable de la vida judía. No existe una arquitectura de sinagoga estándar, sin embargo, una típica contiene un arca (donde se guardan los rollos de la Ley), una "luz eterna" ardiendo ante el arca, dos candelabros, bancos, una bema y a veces una pila ritual (*mikvah*).

Sinaí, monte *o* **monte Horeb** Pico situado en el centro-sur de la península del Sinaí, en Egipto. De 2.285 m (7.497 pies) de altura, tiene especial renombre en las tradiciones judía, cristiana e islámica como el lugar donde Moisés recibió los Diez Mandamientos. Aunque no ha sido identificado positivamente como el lugar a que se refieren los textos bíblicos, es un importante sitio de peregrinación. El monasterio cristiano de Santa Catalina, fundado en 527 y considerado el más antiguo del mundo, ha estado habitado en forma permanente y se levanta al pie del monte.

Sinaí, península del Península del nordeste de Egipto. Ubicada entre los golfos de Suez y de Aqaba, en el extremo norte del mar Rojo, tiene cerca de 61.000 km² (23.500 m²). Su región meridional es montañosa y en ella se levanta el monte Sinaí, mientras que los dos tercios septentrionales son una meseta árida conocida como desierto del Sinaí. Habitada desde tiempos prehistóricos, es famosa por ser la presunta ruta del Éxodo israelita de Egipto. Su costa septentrional ha sido durante siglos la principal ruta de comercio entre Egipto y Palestina. Desde el s. I DC hasta el surgimiento del Islam en el s. VII, formó parte del Imperio romano y de su sucesor, el Imperio bizantino. Estuvo gobernada por varias dinastías islámicas hasta el s. XVI, época en que pasó a formar parte del Imperio otomano. Fue traspasada a Egipto en 1918, al término de la primera guerra mundial, y posteriormente fue escenario de cruentos combates durante la crisis del canal de Suez (1956), la guerra de los Seis Días (1967) y la guerra del Yom Kippur (1973); Israel la ocupó desde 1967 hasta 1982, año en que fue devuelta a Egipto. Ver guerras árabe-israelíes.

Sinaloa Estado (pob., 2000: 2.536.844 hab.) del noroeste de México. Tiene una superficie de 58.328 km² (22.521 mi²); su capital es Culiacán. Convertido en estado en 1830, abarca una llanura costera tropical a lo largo del golfo de California que se eleva hacia el interior hasta la Sierra Madre occidental. La popular ciudad turística de Mazatlán se encuentra en sus costas. Es principalmente una región agrícola, que produce trigo, algodón, tabaco y caña de azúcar. También se extraen sal, grafito, manganeso y oro.

sinapsis Sitio de la transmisión de los impulsos nerviosos eléctricos entre dos células nerviosas o entre una célula nerviosa y una célula ganglionar o muscular. En las sinapsis químicas, los impulsos se transmiten a través de espacios microscópicos mediante sustancias químicas llamadas neurotransmisores. En las sinapsis eléctricas es posible la comunicación directa entre las células nerviosas cuyas membranas están fusionadas, porque los iones fluyen entre las células a través de canales. Las sinapsis eléctricas se encuentran principalmente en los invertebrados y vertebrados inferiores; transmiten los mensajes más rápido que las sinapsis químicas. La transmisión química parece haber evolucionado en los sistemas nerviosos mayores y complejos de los vertebrados, en los cuales deben transmitirse múltiples mensajes a largas distancias.

Frank Sinatra, 1962.
FOTOBANCO

Sinatra, Frank *orig.* **Francis Albert Sinatra** (12 dic. 1915, Hoboken, N.J., EE.UU.–14 may. 1998, Los Ángeles, Cal.). Cantante y actor estadounidense. Comenzó su carrera como cantante a mediados de la década de 1930 y fue "descubierto" por el trompetista Harry James, quien lo contrató al instante. Sinatra alcanzó una arrolladora popularidad en EE.UU. entre 1940 y 1942 en presentaciones con la orquesta de Tommy Dorsey. Cantó en el programa radial *Your Hit Parade* (1943–45), al tiempo que se convertía en artista favorito de teatros y clubes nocturnos. En la década de 1940 fue coprotagonista de un gran número de filmes musicales, junto al bailarín Gene Kelly. Su popularidad disminuyó súbitamente alrededor de 1948, pero su actuación en *De aquí a la eternidad* (1953, premio de la Academia) revivió su alicaída carrera y más tarde fue la estrella de muchos otros aplaudidos largometrajes, entre ellos, musicales como *Guys and Dolls* (1955) y dramas como *El mensajero del miedo* (1962). Después de 1953 realizó presentaciones y grabaciones usando arreglos de Nelson Riddle, Billy May y Gordon Jenkins, que alcanzaron su mayor éxito con álbumes como *Only the Lonely* (1958). En 1961 fundó el sello Reprise Records. Sus magistrales presentaciones, donde alternaba la alegría del swing con un sentimentalismo melancólico, le brindaron un éxito sin paralelo en la historia de la música popular estadounidense.

Upton Sinclair.
© ENCYCLOPÆDIA BRITANNICA, INC.

Sinclair, Upton (Beall) (20 sep. 1878, Baltimore, Md., EE.UU.–25 nov. 1968, Bound Brook, N.J.). Novelista estadounidense. Mientras se ganaba la vida como periodista, se le encargó hacer un reportaje que lo llevó a escribir *La jungla* (1906), novela sensacionalista en que denuncia las condiciones imperantes en los mataderos de Chicago. La obra se transformó en un hito entre las novelas naturalistas sobre la clase proletaria y causó tal revuelo e indignación pública que al poco tiempo de su publicación se aprobó el U.S. Pure Food and Drug Act (Ley de alimentos y fármacos puros de EE.UU.). Le siguieron varias novelas temáticas, así como la aclamada serie de novelas de historia contemporánea protagonizadas por el antifascista Lanny Budd, que comienza con *El fin del mundo* (1940) e incluye la celebrada *Los dientes del dragón* (1942, Premio Pulitzer). En la década de 1930 Sinclair organizó el movimiento de reforma socialista y fue candidato demócrata a la gobernación de California.

síncope Efecto del trastorno transitorio de la circulación sanguínea en una parte del cuerpo. A menudo se usa como sinónimo de desmayo, que es una pérdida de conciencia debido al inadecuado flujo de sangre al cerebro. Por lo general va precedido de palidez, náuseas, sudoración y luego dilatación pupilar, bostezos, respiración rápida y profunda, y aceleración de los latidos cardíacos. Dura desde menos de uno hasta varios minutos y puede ir seguido de dolor de cabeza, confusión y sensación de debilidad. La causa puede ser física (p. ej., INSUFICIENCIA CARDÍACA, hipoglucemia), o emocional (p. ej., miedo, ansiedad). Una respuesta anormal del nervio vago o autonómico puede causar desmayos (sin síntomas previos), desencadenados por actividades ordinarias como orinar, tragar, toser o ponerse de pie, o bien por compresión del seno carotídeo en el cuello. Un síncope local es el enfriamiento y adormecimiento de una zona pequeña, especialmente de los dedos, por disminución del flujo sanguíneo.

sincronismo Movimiento artístico centrado en el uso puramente abstracto del color. Fundado en París en 1912–13 por los artistas estadounidenses Stanton Macdonald-Wright y Morgan Russell, el sincronismo ("colores juntos") se basó en teorías del color y sus analogías con patrones musicales. Tiene gran afinidad con el ORFISMO de ROBERT DELAUNAY. La primera obra sincronista, *Sincronía en verde* (1913), de Russell, fue exhibida en el SALÓN DE LOS INDEPENDIENTES en 1913. El sincronismo atrajo por un breve tiempo a diversos artistas estadounidenses, entre ellos, THOMAS HART BENTON.

sincronizado, nado ver NADO SINCRONIZADO

sincrotrón ACELERADOR DE PARTÍCULAS cíclico, en el cual la partícula queda confinada a su órbita por un CAMPO MAGNÉTICO. La intensidad del campo magnético aumenta a medida que el MOMENTO de la partícula aumenta. Un CAMPO ELÉCTRICO alterno en sincronía con la frecuencia orbital de la partícula produce su aceleración. Los sincrotrones reciben su nombre de acuerdo con las partículas que aceleran. El tevatrón, sincrotrón de protones del Fermi National Accelerator Laboratory en Illinois, EE.UU., acelera dichas partículas a las energías más altas alcanzadas hasta ahora.

Sind Provincia (pob., 1998: 29.991.000 hab.) del sudeste de Pakistán. Limita al sur con el mar de Arabia. Su capital es KARACHI. Fue el centro de una antigua civilización del valle del INDO, y en el s. VI AC fue anexada al Imperio aqueménida de Persia. En 325 AC la conquistó ALEJANDRO MAGNO, y en el s. III AC formó parte del Imperio MAURYA. Cayó en poder de los árabes c. 711 DC. En los s. XVI–XVII estuvo gobernada por los MOGOLES. En 1843 quedó bajo control británico. Después de la independencia de Pakistán, Sind fue integrada a la provincia de Pakistán Occidental, pero en 1970 se le restituyó el rango de provincia. El territorio es árido, a excepción del valle del INDO, donde el riego permite cultivar algodón, trigo y arroz y donde también se concentra la mayoría de la población.

Antigua necrópolis musulmana de Chaukundi, s. XV–XVIII, Sind, Pakistán.
ROBERT HARDING/ROBERT HARDING WORLD/GETTY IMAGES

sindicalismo Movimiento revolucionario que propugna la acción directa de la clase trabajadora para abolir el orden capitalista, incluido el Estado, y reemplazarlo por un orden social basado en el *syndicat* (francés, consorcio), asociación libre de productores que se autogobiernan. Desarrollado como doctrina por cabecillas del movimiento sindical francés a fines del s. XIX, el sindicalismo fue influido fuertemente por el ANARQUISMO tradicional y el antiparlamentarismo de la clase trabajadora francesa. Los sindicalistas aspiraban a la victoria en una guerra de clases, tras la cual la sociedad se organizaría en torno a los *syndicats*. Estos cuerpos coordinarían sus actividades por medio de una bolsa de trabajo, que funcionaría como una agencia de empleo y de planificación económica. En el momento más alto de su influencia, antes de la primera guerra mundial, el movimiento tenía más de un millón de miembros en Europa, América Latina y EE.UU. Después de la guerra, el movimiento tendió a derivar hacia el modelo soviético de COMUNISMO o a ser seducidos por los beneficios ostensibles ofrecidos por los SINDICATOS y las reformas democráticas. Ver también CORPORATIVISMO.

sindicato Asociación de trabajadores de una profesión, industria o planta en particular que se constituye a fin de obtener mejores remuneraciones, prestaciones y condiciones laborales mediante la acción colectiva. Las primeras hermandades y asociaciones de ayuda mutua de los trabajadores surgieron en Gran Bretaña en el s. XVIII, y la era de los sindicatos modernos se inició en el s. XIX en Gran Bretaña, Europa y EE.UU. El movimiento laboral se enfrentó a la hostilidad de empleadores y gobiernos y normalmente sus dirigentes eran sometidos a proceso. El sindicalismo británico logró cimentarse legalmente mediante la ley de Sindicatos de 1871, pero en EE.UU. se vivió un proceso más lento para llegar a un resultado similar mediante una serie de fallos que fueron eliminando la aplicación de acciones judiciales y de las leyes de conspiración en contra de los sindicatos. La fundación de la American Federation of Labor (Federación estadounidense del trabajo) (AFL) en 1886 marcó el comienzo de un exitoso movimiento laboral a gran escala en EE.UU. Los sindicatos afiliados a la AFL eran sindicatos de trabajadores especializados en un oficio o actividad en particular. Sólo algunos de los primeros dirigentes sindicales abogaban por sindicatos industriales que representaran a todos los trabajadores de un sector en particular, con o sin calificación. El Congreso de Organizaciones Industriales, fundado por los sindicatos expulsados de la AFL por intentar organizar a los trabajadores no calificados, logró en 1941 que prosperaran los sindicatos de los sectores industriales al organizar a las industrias del acero y del automóvil (ver AFL-CIO). La NEGOCIACIÓN COLECTIVA como medio para convenir salarios y condiciones laborales y zanjar disputas es una norma en todos los países industrializados no comunistas, aun cuando las organizaciones sindicales son distintas de un país a otro. En Gran Bretaña, los sindicatos mostraron una fuerte iniciación a las actividades políticas, lo que culminó con la creación del PARTIDO LABORISTA en 1906. En Francia, los principales sindicatos también estaban altamente politizados. Por ejemplo, la Confédération Générale du Travail (creada en 1895) estuvo aliada con el Partido Comunista durante muchos años, en tanto que la Confédération Française Démocratique du Travail es más moderada políticamente. Japón desarrolló una forma de organización sindical, conocida como sindicalismo de empresa, que representa a los trabajadores de una planta o de una empresa con diversas plantas, y no a los trabajadores de un mismo oficio o sector industrial.

síndrome alcohólico fetal (SAF) Presencia de varios TRASTORNOS CONGÉNITOS en un recién nacido, debido a la ingesta excesiva de alcohol por la madre en torno al período de la concepción o durante el embarazo. Los síntomas principales son retardo del crecimiento, anomalías del sistema NERVIOSO central y ciertas anomalías faciales y cefálicas. El niño puede tener retardo mental. A veces los únicos síntomas evidentes son problemas conductuales (p. ej., poca concentración, impulsividad). El síndrome es frecuente en los bebés nacidos de alcohólicas crónicas, pero incluso un consumo moderado de alcohol durante el embarazo también puede causar síntomas leves. Otros trastornos se han relacionado con la presencia de alcohol en la leche materna.

síndrome de Down Ver síndrome de DOWN

síndrome de fatiga crónica (SFC) Fatiga debilitante de comienzo súbito y causa desconocida. Puede ocurrir después de una enfermedad inespecífica con fiebre baja, ganglios linfáticos sensibles, dolor de garganta, cefaleas, debilidad, dolor muscular y articular, y confusión o dificultad para concentrarse. Para cumplir con los criterios del SFC, el síndrome debe presentarse por primera vez, con un claro momento de comienzo y persistir más de seis meses. Antes considerado imaginario, el síndrome sigue siendo controversial. Muchas autoridades dudan de que se trate de un trastorno específico, pues hay una considerable superposición con otras afecciones como la fibromialgia y el síndrome de la guerra del Golfo. No existe una prueba diagnóstica. Aunque se han propuesto varias teorías sobre la causa del SFC, ninguna se ha verificado. No se ha encontrado tratamiento para esta dolencia, pero la mayoría de los pacientes mejora gradualmente.

síndrome de inmunodeficiencia adquirida ver SIDA

síndrome de insuficiencia respiratoria *o* **enfermedad de la membrana hialina** Complicación frecuente en los recién nacidos, especialmente en los NACIMIENTOS PREMATUROS. Los síntomas comprenden respiración muy laboriosa, tinte azuloso de la piel y bajas concentraciones de oxígeno en la sangre. Debido a una disponibilidad insuficiente de surfactante (compuesto que reduce la tensión superficial), se eleva la tensión superficial en los ALVÉOLOS PULMONARES, lo que dificulta la expansión de los pulmones. Los alvéolos colapsan (ver ATELECTASIA), y en los conductos alveolares y en los alvéolos se forma una membrana "translúcida" (hialina). Antiguamente era la primera causa de muerte en prematuros, pero hoy se trata por lo general con administración de surfactante sintético directamente en la vía respiratoria y con ventilador mecánico durante algunos días (ver TERAPIA RESPIRATORIA), sin efectos posteriores. También puede ocurrir un síndrome de insuficiencia respiratoria en adultos (SIRA), como consecuencia de lesiones pulmonares.

síndrome de la mujer golpeada Patrón psicológico y conductual que despliegan las mujeres que son víctimas de violencia doméstica. Entre las explicaciones aducidas desde fines de la década de 1970 se cuenta la DESESPERANZA APRENDIDA, una teoría del "ciclo de la violencia" y una forma del trastorno por ESTRÉS POSTRAUMÁTICO. El término es un concepto legal más que un diagnóstico psiquiátrico, y carece de criterios bien definidos. Se ha empleado para apoyar argumentos legales de LEGÍTIMA DEFENSA, RESPONSABILIDAD ATENUADA, O DEMENCIA en casos de mujeres acusadas de asesinar o atacar a su agresor, cometer un delito bajo coerción de este o provocar la conducta por la que se juzga a su agresor. Los críticos señalan que el término crea una imagen estereotipada que es inadecuada para describir experiencias individuales.

síndrome del choque tóxico Enfermedad BACTERIANA causada por una TOXINA producida por la bacteria *Staphylococcus aureus*. Fue detectada inicialmente en 1978, en mujeres que empleaban tampones superabsorbentes. Se presenta con fiebre alta, diarrea, vómitos y una erupción cutánea, síntomas que pueden progresar a sensibilidad abdominal, caída de la PRESIÓN SANGUÍNEA, CHOQUE, insuficiencia respiratoria e insuficiencia RENAL. El síndrome también tiene otras causas, entre ellas las infecciones postoperatorias. Los ANTIBIÓTICOS no son efectivos. La mayoría de los pacientes se recupera en 7–10 días con cuidados intensivos, pero un 10–15% muere. Muchos pacientes sufren una recaída más suave en el transcurso de los ocho meses siguientes.

síndrome premenstrual (SPM) Conjuntos de síntomas variables que se presentan antes de la MENSTRUACIÓN en el 40% de las mujeres, y es intenso en un 10% de estas. Entre los síntomas físicos puede haber dolor de cabeza, retortijones, flatulencia y estreñimiento o diarrea. Los síntomas emocionales abarcan desde irritabilidad, letargo y cambios de ánimo hasta hostilidad, confusión y depresión. Las teorías sobre su causa se centran en las hormonas, la nutrición y el estrés (es sabido que este último afecta su intensidad). El tratamiento sintomático puede consistir en ejercicios, control del estrés, terapia dietética o medicamentos. Las medidas dietéticas incluyen la ingestión de alimentos pobres en sodio, ricos en proteínas y carbohidratos complejos, y evitar las xantinas (como té, café y cacao). Se ha señalado que el aumento del contenido de calcio en la dieta previene o disminuye los retortijones, para los cuales el ibuprofeno es un medicamento efectivo.

síndrome respiratorio agudo severo ver SARS

sinfonía Composición musical de larga duración para orquesta, articulada por lo general en varios movimientos. El término, que proviene del griego, significa "sonar juntos", se usaba habitualmente para designar los episodios instrumentales en los albores de la ópera italiana, especialmente la obertura. La obertura de la ópera napolitana de fines del s. XVII o *symphonia*, tal como fue establecida especialmente por ALESSANDRO SCARLATTI c. 1780, tenía tres movimientos y sus tempos eran rápido-lento-rápido. Pronto dichas oberturas comenzaron a ejecutarse independientemente en el ámbito del concierto, al igual que el CONCERTO GROSSO, otro precursor de la sinfonía. Ambos confluyeron a comienzos del s. XVIII en las sinfonías de Giovanni Battista Sammartini (n. 1700/01–m. 1775). Hacia 1750, los compositores alemanes y vieneses empezaron a agregar un movimiento de MINUÉ. JOSEPH HAYDN, considerado el "padre de la sinfonía", escribió más de 100 sinfonías de notable originalidad, intensidad y brillantez entre 1755 y 1795. A partir de Haydn, la sinfonía ha sido considerada el género orquestal más importante. WOLFGANG AMADEUS MOZART escribió cerca de 35 sinfonías originales. Las nueve sinfonías de LUDWIG VAN BEETHOVEN otorgaron un enorme peso y ambición al género. Compositores de sinfonías posteriores son FRANZ SCHUBERT, FELIX MENDELSSOHN, ROBERT SCHUMANN, ANTON BRUCKNER, JOHANNES BRAHMS, ANTONÍN DVOŘÁK, PIOTR ILICH CHAIKOVSKI y GUSTAV MAHLER; entre sus sucesores del s. XX se destacan RALPH VAUGHAN WILLIAMS, JEAN SIBELIUS, DMITRI SHOSTAKÓVICH y WITOLD LUTOSŁAWSKI.

Singapur *inglés* **Singapore** *ofic.* **República de Singapur** País insular del Sudeste asiático. Situado frente al extremo meridional de la península de MALACA, está constituido por la isla de Singapur y 60 islotes. El 75% de los habitantes son de origen chino; el resto son principalmente de origen malayo e indio. Idiomas: inglés, chino (mandarín), malayo, tamil (todos oficiales). Religiones: principalmente confucianismo, budismo y taoísmo; también Islam, cristianismo e hinduismo. Cerca de 65% del accidentado paisaje de la isla está a menos de 15 m (50 pies) sobre el nivel del mar; el clima es húmedo y cálido. Aunque sólo un 2% del territorio es cultivable, es uno de los suelos más productivos del mundo para el cultivo de frutas y hortalizas. La economía se basa principalmente en el comercio y las finanzas internacionales. Singapur alberga más de 100 bancos comerciales, en su mayoría extranjeros, así como la sede del mercado del dólar asiático. El puerto es uno de los más grandes del mundo, y el país uno de los principales refinadores de petróleo del mundo. Tiene el ingreso per cápita más alto de los países del Sudeste asiático. Es una república unicameral; el jefe de Estado es el presidente y el jefe de Gobierno, el primer ministro. Poblada desde hace largo tiempo por pescadores y piratas, la isla constituyó una avanzada del Imperio Srivijaya de Sumatra hasta el s. XIV, después de lo cual pasó primero a manos de JAVA y luego de Siam. En el s. XV formó parte del sultanato de MALACA. Un siglo después los portugueses controlaron la región, seguidos por los holandeses en el s. XVII. En 1819 fue cedida a la COMPAÑÍA INGLESA DE LAS INDIAS ORIENTALES, convirtiéndose en parte de los Establecimientos de los ESTRECHOS y en el centro de la actividad colonial británica en el Sudeste asiático. Durante la segunda guerra mundial, los japoneses ocuparon la isla (1942–45). En 1946 se convirtió en colonia británica. Obtuvo plena autonomía interna en 1959, pasó a formar parte de Malasia en 1963 y logró su independencia en 1965. Singapur es un miembro influyente en los asuntos de la ASEAN. LEE KUAN YEW fue durante los 30 años que siguieron a la independencia la figura política dominante del país. La economía se vio afectada durante la crisis asiática que comenzó a mediados de la década de 1990, pero se recuperó con mayor facilidad que la de muchos de sus vecinos.

Edificio de la Oversea-Chinese Banking Corporation Limited, Singapur.
E. STREICHAN—SHOSTAL ASSOCIATES

Singapur Ciudad (pob., est. 2002: 4.204.000 hab.), capital de la República de Singapur. Es un puerto libre situado en la costa meridional de la isla de Singapur, y ejerce un dominio tal sobre la isla que la república es considerada en la actualidad una ciudad-estado. Llamada la Ciudad Jardín por sus parques y calles flanqueadas de árboles, muestra aspectos de las diversas culturas que incorporaron los inmigrantes desde todos los rincones de Asia. Según sostiene la tradición, la fundó un príncipe srivijaya; en el s. XIII era una importante ciudad malaya. Destruida por los javaneses en el s. XIV, fue refundada en 1819 por STAMFORD RAFFLES, de la COMPAÑÍA INGLESA DE LAS INDIAS ORIENTALES. En 1833 pasó a ser la capital de los Establecimientos de los ESTRECHOS y se desarrolló como puerto y base naval; hoy es uno de los grandes centros comerciales del mundo. Sus pujantes empresas bancarias, de seguros e inmobiliarias hacen de ella el principal centro financiero y comercial del Sudeste asiático. Es sede de la Universidad Nacional de Singapur (1980).

Singer, Isaac Bashevis *yiddish* **Yitskhok Bashevis Zinger** (¿14? jul. 1904, Radzymin, Polonia, Imperio ruso–24 jul. 1991, Surfside, Fla., EE.UU.). Novelista, cuentista y ensayista estadounidense de origen polaco. Recibió una educación judía tradicional en el Seminario Rabínico de Varsovia. Luego de publicar su primera novela, *Satán en Goray* (1932), se trasladó en 1935 a EE.UU., donde escribió para el *Jewish Daily Forward*, periódico judío neoyorquino. A pesar de que siguió escribiendo gran parte de su obra en yiddish, se encargó personalmente de supervisar las traducciones de sus trabajos al inglés. Sus obras retratan la vida de los judíos en Polonia y EE.UU. y ofrecen una mezcla de ironía, ingenio y sabiduría, salpicada de marcados elementos ocultistas y grotescos. Entre sus obras se cuentan las novelas *La familia Moskat* (1950), *El mago de Lublin* (1960) y *Enemigos: una historia de amor* (1972; película, 1989); los volúmenes de cuentos *Gimpel, el tonto* (1957), *The Spinoza of Market Street* (1961) y *A Crown of Feathers* [Una corona de plumas] (1973, National Book Award); y la obra de teatro *Yentl* (1974; película, 1983). Recibió el Premio Nobel de Literatura en 1978.

Singer, Isaac Merritt (27 oct. 1811, Pittstown, N.Y., EE.UU.–23 jul. 1875, Torquay, Devon, Inglaterra). Inventor y fabricante estadounidense. Fue aprendiz de maquinista a los 19 años de edad. Patentó una máquina perforadora (1839) y una talladora de metal y madera (1849), antes de producir una versión perfeccionada de la máquina de COSER de ELIAS HOWE en 1851; poco tiempo después fundó I.M. Singer & Co. (ver SINGER NV) para su fabricación. El juicio exitoso que Howe entabló contra Singer en 1854 por violación de patente no impidió a Singer fabricar su propia máquina y su empresa fue pronto la mayor productora de máquinas de coser del mundo. Patentó numerosas otras mejoras en la tecnología, y fue pionero en la implementación de planes de crédito en cuotas.

Singer NV Empresa estadounidense fabricante de máquinas de coser. Se inició en 1851, cuando ISAAC MERRITT SINGER patentó la primera máquina de coser funcional para uso doméstico. En 1860, I.M. Singer & Co. era la mayor empresa fabricante de máquinas de coser del mundo y en 1863 fue absorbida por la Singer Manufacturing Co. que recién se había constituido. En 1910, la empresa comenzó a fabricar en serie máquinas eléctricas de uso doméstico e introdujo innovaciones en la comercialización, como los planes en cuotas. Posteriormente se expandió y empezó a fabricar herramientas eléctricas, productos para el cuidado del piso, muebles y artículos electrónicos. Adoptó la razón social Singer Co. en 1963. En 1986, la empresa se dividió y se constituyó la sociedad SSMC Inc. que se hizo cargo de las operaciones relacionadas con las máquinas de coser y muebles. Dos años más tarde fue objeto de una compra agresiva por el inversionista Paul Bilzerian, quien en 1989 vendió los activos de Singer a Semi-Tech, una empresa de Hong Kong controlada por el inversionista James Henry Ting. Aún era una de las empresas fabricantes de máquinas de coser más grandes del mundo cuando se declaró en quiebra en 1999. Fue reorganizada en 2000 bajo la razón social Singer NV.

Singitikós Kólpos, golfo de Ensenada del mar EGEO en el nordeste de Grecia. Es el más grande y profundo de dos golfos (el otro es el golfo de Ierisoú) que se adentran en la península de Macedonia, región histórica de Grecia. Aún quedan restos de un canal, construido por JERJES I, en 480 AC para unir ambos golfos. Los turistas que recorren el monte ATHOS se detienen en la ciudad principal del golfo, Ouranópolis.

Singspiel (alemán: "canto-juego"). Tipo de ópera del s. XVIII en idioma alemán que contiene diálogo y normalmente tiene un carácter cómico. Los primeros *Singspiel* fueron obras livianas en las que se intercalaban canciones populares entre los diálogos. En Viena, la forma tuvo un florecimiento fugaz pero intenso que dio como resultado dos obras clásicas de WOLFGANG AMADEUS MOZART: *El rapto en el serrallo* (1782) y *La flauta mágica* (1791). El *Singspiel* evolucionó hacia obras de transición, como *Fidelio* (1805) de LUDWIG VAN BEETHOVEN, de las que finalmente surgió la ópera romántica alemana. Ver también MUSICAL; OPERETA; ZARZUELA.

siníticas, lenguas ver lenguas CHINAS

Sinkiang ver XINJIANG

Sinn Féin (irlandés: "nosotros solos"). Partido político nacionalista de Irlanda. Fue fundado por ARTHUR GRIFFITH y otros en 1902, cuya política implicó la resistencia pasiva a los británicos, la suspensión del pago de impuestos y el establecimiento de un consejo de gobierno irlandés. El partido tuvo poco impacto hasta después del levantamiento de PASCUA, cuando la exigencia de su líder EAMON DE VALERA en favor de una Irlanda republicana unida hizo que el partido ganara 73 de los 105 escaños en la elección de 1918. Su poder disminuyó después de 1926, cuando De Valera fundó FIANNA FÁIL, que absorbió la mayor parte de la militancia del Sinn Féin. El partido continuó como brazo político del EJÉRCITO REPÚBLICANO IRLANDÉS (IRA) y apoyó activamente la unificación de Irlanda. Bajo el liderazgo de GERRY ADAMS a fines del s. XX y principios del s. XXI, el Sinn Féin participó en las negociaciones de paz en Irlanda del Norte y se convirtió en uno de los principales partidos católicos en el Ulster.

sinotibetanas, lenguas ver lenguas CHINOTIBETANAS

sinsonte Cualquiera de varias aves del Nuevo Mundo de una familia (Mimidae) conocida por la imitación que hace del CANTO de otros pájaros. El sinsonte común o norteño (*Mimus polyglottos*) puede imitar los cantos de más de 20 especies en 10 minutos. Mide unos 27 cm (10 pulg.) de largo, de color gris, con alas y cola más oscuras y manchadas de blanco. Se extiende desde el norte de EE.UU. hasta Brasil; se ha aclimatado en Hawai y medra en las zonas suburbanas. Canta posado, incluso de noche, y defiende con denuedo su territorio. Otras especies de *Mimus* se extienden desde Centroamérica hasta la Patagonia, y el sinsonte azul (género *Melanotis*) habita buena parte de México. Varias subespecies del sinsonte de las Galápagos (género *Nesomimus*) habitan el archipiélago.

Sinsonte azul (*Melanotis caerulescens*).
DRAWING BY H. JON JANOSIK

Sint Jans, Geertgen tot ver GEERTGEN TOT SINT JANS

sintaxis Disposición de las palabras en oraciones, cláusulas y frases, y estudio de la formación de las oraciones y de la relación entre sus componentes. En algunas lenguas, como el inglés, un recurso importante para mostrar esta relación es el orden de las palabras, que es más bien rígido. En las lenguas romances, sobre todo el español, el orden de las palabras en la oración es mucho más flexible.

sinterización SOLDADURA AUTÓGENA de pequeñas partículas de METAL mediante la aplicación de calor a temperaturas inferiores al punto de fusión. El proceso se usa para crear formas complejas, para producir aleaciones y para trabajar metales con puntos de fusión muy elevados. La sinterización también se emplea en el moldeo preliminar de polvos CERÁMICOS o de VIDRIO para obtener formas que luego se podrán fijar permanentemente mediante cocción. Ver también PULVIMETALURGIA.

síntesis asimétrica REACCIÓN QUÍMICA por la cual se forman dos productos ISÓMEROS en cantidades desiguales. Normalmente no es posible sintetizar a partir de materiales que no tienen ACTIVIDAD ÓPTICA (i.e., que son no quirales) un estereoisómero de un compuesto quiral sin que aparezca también el no quiral, pero el uso de un quiral auxiliar, como una ENZIMA u otro catalizador, un SOLVENTE o un intermediario, puede forzar la reacción para producir predominantemente un isómero o sólo uno de ellos. Las síntesis asimétricas son a menudo llamadas estereoselectivas; si se forma un producto único, es estereoespecífica.

síntesis de voz Generación de voz por medios artificiales, usualmente por una COMPUTADORA. La producción de sonido para simular la voz humana es llamada síntesis de bajo nivel. La síntesis de alto nivel trata de la conversión de texto o símbolos escritos en una representación abstracta de las señales acústicas deseadas, adecuadas para manejar un sistema de síntesis de bajo nivel. Entre otras aplicaciones, esta tecnología ayuda a expresarse a las personas con discapacidad en el habla o visual.

sintetizador Instrumento musical que genera y modifica electrónicamente los sonidos, en combinación frecuente con un computador digital y que se emplea en la composición de música electrónica y en las interpretaciones en vivo. El sintetizador genera formas de onda y después las somete a alteraciones de intensidad, duración, frecuencia y timbre. Puede usar síntesis por sustracción (eliminación de los componentes no deseados de una señal que contiene el tono fundamental y todos sus armónicos), síntesis por adición (creación de tonos a partir de ondas sinusoidales puras) u otras técnicas, de las que la más importante es el sampleo de sonidos completos (grabación digital de sonidos, normalmente de instrumentos acústicos). El primer sintetizador fue creado c. 1955 por la RCA. En la década de 1960, Robert Moog (n. 1934–m. 2005) y Donald Buchla (n. 1937), entre otros, construyeron sintetizadores compactos y aptos para la comercialización, por lo general con teclados como el del piano. Gracias a la tecnología de los transistores, pronto estos instrumentos se volvieron portátiles y lo suficientemente baratos para ser utilizados en la interpretación musical y se hicieron regulares en los grupos de rock; a menudo desplazaron al piano y al órgano electrónico. Ver también MIDI.

sintoísmo Religión nacional de Japón, basada en el culto a los espíritus de los antepasados, conocidos como *kami*. El nombre Sinto ("camino de los *kami*") se usó para distinguir las creencias japonesas autóctonas del budismo, que había sido introducido en el país en el s. VI. El sintoísmo no tiene fundador ni escritura (ver ESCRITURAS) oficial, aunque su mitología ha sido recopilada en el *Kojiki* ("registro de asuntos antiguos") y en el *Nihon shoki* ("Crónicas de Japón"), escritos en el s. VIII. Tiene como elemento central la creencia en el misterioso poder creador y armonizador de los *kami*. Según mitos sintoístas, en el comienzo un número de *kami* simplemente emergió y un par de ellos, IZANAGI E IZANAMI, dieron origen a las islas japonesas, como así también a los *kami* que se convirtieron en ancestros de los diferentes clanes. Se supone que la familia imperial japonesa desciende de la hija de Izanagi, la diosa del Sol AMATERASU. Se dice que los *kami* cooperan entre sí y que la vida llevada conforme a su voluntad genera un poder místico que la hace merecedora de su protección, colaboración y aprobación. Mediante la veneración y observancia de los rituales prescritos en los santuarios (p. ej., la pureza ritual), los seguidores del sintoísmo pueden llegar a entender la voluntad divina y vivir de acuerdo a ella. Ver también SHINBUTSU SHŪGŌ.

Indio sioux luciendo un penacho tradicional, Canadá.
FOTOBANCO

sinusitis INFLAMACIÓN de los SENOS PARANASALES. La sinusitis aguda, que se debe por lo general a infecciones como el RESFRÍO COMÚN, provoca dolor y sensibilidad local, obstrucción y descarga nasal de secreciones y malestar. Las gotas nasales o las inhalaciones con medicamentos que contraen los vasos sanguíneos facilitan el drenaje de los senos. En las infecciones bacterianas se emplean antibióticos. La sinusitis aguda reiterada o no tratada, particularmente si afecta la respiración y el drenaje de los senos, puede evolucionar hacia la sinusitis crónica, con resfríos frecuentes, pus, obstrucción de la vía respiratoria, pérdida del olfato y a veces dolor de cabeza. Si el tratamiento con antibióticos o lavados repetidos no resulta, habrá que recurrir al drenaje quirúrgico.

Sión La más oriental de dos colinas del antiguo JERUSALÉN, donde DAVID estableció su capital real. En el ANTIGUO TESTAMENTO, el nombre Sión se refiere a menudo a Jerusalén en su conjunto; es esencialmente una designación poética y profética. El monte Sión es el lugar donde reside Yahvé (Dios) y el escenario de su salvación mesiánica. El nombre llegó a significar la patria judía, símbolo del judaísmo o de las aspiraciones nacionalistas judías y es por lo mismo el origen del término SIONISMO. Aunque rara vez aparece en el NUEVO TESTAMENTO, el nombre ha sido empleado con frecuencia en literatura e himnos cristianos como denominación de la ciudad celestial o de la ciudad terrenal de la fe y fraternidad cristianas.

Sión, Iglesia de Cualquiera de diversos grupos constituidos por profetas de sanación en África meridional, surgidos a principios del s. XX a partir de la fusión de la cultura africana con el mensaje cristiano traído por misioneros protestantes estadounidenses. Sus características comunes son: su origen en un mandato recibido por un PROFETA a través de un sueño o una visión; tener un líder-cacique sucedido por su hijo y a veces considerado como MESÍAS; la sanación por medio de la CONFESIÓN, la repetición del BAUTISMO, los ritos de purificación y el EXORCISMO; la revelación y poder del ESPÍRITU SANTO mediante recitaciones proféticas y fenómenos pentecostales; un ritual africanizado caracterizado por cánticos, bailes, batir de palmas y sones de tambor, y el repudio de la magia, medicamentos, ADIVINACIÓN y cultos de ancestros tradicionales, aunque a menudo estos son reemplazados por sus equivalentes cristianizados.

sionismo Movimiento nacionalista judío cuyo objetivo era el establecimiento de un estado judío en Palestina. En los s. XVI y XVII, una serie de "mesías" intentaron persuadir a los judíos de retornar a Palestina, pero hacia fines del s. XVIII este interés había decaído en gran medida. Los POGROMS en Europa oriental llevaron a la formación de los "Amantes de Sión", quienes promovieron el establecimiento de granjeros y artesanos judíos en Palestina. Ante el persistente antisemitismo, THEODOR HERZL preconizó un estado judío en Palestina. Organizó el primer Congreso sionista en Basilea, en 1897. Después de la primera guerra mundial, el movimiento se intensificó a raíz de la Declaración BALFOUR. La población judía en Palestina aumentó de 90.000 personas en 1914 a 238.000 en 1933. La población árabe opuso resistencia al sionismo y los británicos intentaron infructuosamente conciliar las exigencias judías y árabes. El sionismo consiguió su objetivo con la creación del Estado de Israel en 1948. Ver también ALLIANCE ISRAÉLITE UNIVERSELLE, DAVID BEN GURIÓN, HAGANÁ, VLADIMIR JABOTINSKY, IRGÚN TZEVAÍ LEUMÍ.

sioux *o* **siux** Uno de los varios pueblos de indios de las LLANURAS de América del Norte que habitan mayoritariamente en las Dakotas, Montana y Nebraska, EE.UU. Incluyen a las tribus santee (sioux del este), yankton y teton (sioux del oeste), cada una de las cuales tiene a su vez divisiones menores (p. ej., PIES NEGROS, oglala). Hablan lenguas pertenecientes al grupo lingüístico siouan. El nombre sioux es una derivación francesa de la palabra ojibwa que significa "enemigo" o "serpiente". Se llaman a sí mismos dakota, que significa "amigo". En el s. XVII se asentaron alrededor del lago Superior, pero los ataques de los OJIBWAS los obligaron a desplazarse hacia el oeste hasta adentrarse en Minnesota. Adoptaron un estilo de vida propio de las llanuras, cazando búfalos, viviendo en TIPIS, haciendo hincapié en el valor en la guerra y practicando la DANZA DEL SOL. Las mujeres eran diestras en el bordado de cuentas con púas de puercoespín. Se resistieron tenazmente a las incursiones de los blancos. En 1862, las violaciones de los tratados por los blancos condujeron a que los santees organizaran un sangriento levantamiento bajo el mando de Little Crow. Tras su derrota, fueron obligados a instalarse en reservas en Dakota del Sur y Nebraska. Los intensos combates entre tropas estadounidenses y los sioux yankton y teton durante las décadas de 1860–70 culminaron en la batalla de LITTLE BIGHORN en 1876, gran victoria indígena. Sin embargo, se rindieron finalmente y fueron confinados a reservas. En 1890, el culto de la danza de los espíritus inspiró a muchos sioux a tomar las armas, lo que condujo a la masacre de WOUNDED KNEE. En la actualidad ascienden a unas 75.000 personas. Ver también TORO SENTADO.

Sioux Falls Ciudad (pob., 2000: 123.975 hab.) en el sudeste del estado de Dakota del Sur, EE.UU. Fundada en 1857, la ciudad fue abandonada en 1862 después de un levantamiento indio. En 1865, con el establecimiento de Fort en su lugar, los colonizadores retornaron en forma gradual. Sioux Falls es la ciudad más grande del estado y constituye además un centro comercial y financiero de una región agropecuaria, con uno de los mercados ganaderos más importantes de EE.UU. A poca distancia se emplazó una de las primeras centrales nucleares del mundo, la que se desmanteló en 1967. En la ciudad se encuentra también el centro EROS, que administra datos obtenidos por los satélites Landsat.

sioux, lenguas *o* **lenguas siux** Familia de lenguas indígenas de América del Norte habladas principalmente en regiones al oeste del Mississippi en los s. XVII–XVIII. Las principales lenguas y grupos lingüísticos en ese tiempo eran el winnebago en Wisconsin, el chiwere (iowa, oto y missouri) en Iowa y el norte de Missouri, el dhegiha (ponca, omaha, kansa, osage, quapaw) en una zona que se extiende desde el este de Nebraska hasta Arkansas, el sioux o dakota (gama de dialectos que incluye el santee o dakota propiamente tal en Minnesota, el teton o lakota en Dakota del Norte y del Sur y el assiniboine en Canadá), el hidatsa y el mandan en el curso medio del río Missouri, y el crow en Wyoming y Montana. Separados del tronco principal de las lenguas sioux estaban los ahora extintos tufelo y biloxi, cerca del golfo de México, y el catawba, que alguna vez fue hablado en Carolina del Sur, con el que había una relación más distante. En la actualidad, las lenguas sioux que sobreviven son habladas de preferencia o solamente por adultos mayores.

Sipka, paso de Paso de los montes BALCANES en el centro de Bulgaria. El paso está a 1.334 m (4.376 pies) de altura. Esta ruta, la principal entre Bulgaria y Turquía, fue escenario de violentos enfrentamientos durante las guerras RUSO-TURCAS. En una batalla (1878), los turcos perdieron tantos hombres, que su líder Solimán se ganó el apodo de "carnicero de Sipka".

Sippar Antigua ciudad de BABILONIA. Estaba ubicada al sudoeste de la actual Bagdad, a orillas del ÉUFRATES. A partir del tercer milenio AC fue un centro de adoración del dios sol sumerio SHAMASH. Estuvo bajo el dominio de la I dinastía de Babilonia, pero poco más se sabe de ella hasta 1174 AC, año en que fue saqueada por los elamitas. Aunque se recuperó de esa derrota, fue capturada después por los asirios. En excavaciones iniciadas en 1882 se han descubierto los restos de un gran templo y miles de tablillas de arcilla con inscripciones religiosas e históricas.

Siqueiros, David Alfaro (29 dic. 1896, Chihuahua, México–6 ene. 1974, Cuernavaca). Pintor mexicano. Activista del marxismo desde joven, luchó en la Revolución mexicana junto con VENUSTIANO CARRANZA, quien le premió financiando sus estudios en Europa. De regreso en México (1922), inició su obra de toda la vida, orientada a la decoración de edificios públicos con murales y a la organización de sindicatos de artistas y trabajadores. Junto con DIEGO RIVERA y JOSÉ CLEMENTE OROZCO, cofundó la renombrada escuela muralista mexicana. Su carrera se vio interrumpida por el activismo en varias oportunidades: fue encarcelado, optó por el autoexilio y luchó en la guerra civil española. Sus murales se destacan por un gran dinamismo, tamaño monumental y vigor, además de un rango de color limitado y subordinado a los efectos intensos de luz y sombra. Sus pinturas de caballete (p. ej., *Eco por un grito*, 1937) contribuyeron a consolidar su fama internacional. En 1968 se convirtió en el primer presidente de la Academia Mexicana de Artes.

Sir Dariá ver SYR DARYÁ

Siracusa *antig.* **Syracusae** Ciudad portuaria (pob., est. 2001: 121.000 hab.) en la costa oriental de Sicilia, Italia. Fundada en 734 AC por los griegos de CORINTO, fue conquistada por Hipócrates de Gela en 485 AC y gobernada por tiranos hasta c. 465 AC, tiempo en que una revolución culminó con la instauración de un gobierno democrático. En 413 AC, durante la guerra del PELOPONESO, Siracusa derrotó a un ejército invasor ateniense. Durante el reinado de DIONISIO I el Viejo (405–367 AC), se convirtió en la ciudad griega más poderosa y se enfrentó en tres guerras a su rival, CARTAGO. Siracusa cayó en manos de Roma en 211 AC. Fue saqueada por invasores francos en 280 DC y conquistada por los árabes en 878. Su importancia decayó durante la Edad Media. Actualmente, es el centro comercial de una provincia agrícola, donde también destacan la industria pesquera y el turismo. Posee varios ejemplos de edificaciones medievales y renacentistas, al igual que ruinas griegas y romanas. Es la cuna de TEÓCRITO y de ARQUÍMEDES.

Ruinas del teatro griego de Hierón II, en Siracusa, Italia.
DAVID J. FORBERT/SHOSTAL ASSOC.

Sīrāz Ciudad industrial y comercial (pob., 1996: 1.053.025 hab.) del centro-sur de Irán. Fue importante durante los períodos seléucida (312–175 AC), parto (247 AC–224 DC) y sasánida (c. 224–651), pero alcanzó su apogeo económico y cultural en los s. X–XI, durante el período islámico. Sīrāz fue ocupada por TAMERLÁN en el s. XIV, que en esa época había llegado a ser un centro musulmán rival de BAGDAD. En 1724 fue saqueada por invasores afganos y más tarde se convirtió en capital de la dinastía persa Zand (1750–94). Famosa por sus alfombras, vinos, jardines, santuarios y mezquitas, fue la cuna de los poetas persas Sa'dī y ḤĀFIẒ, que son iconos locales y cuyas tumbas se encuentran allí.

sirena En la mitología GRIEGA, criatura mitad ave y mitad mujer, que atrae a los marineros a su perdición con su dulce canto. HOMERO las situaba cerca de las rocas de Scylla; en La *Odisea*, Odiseo ordena a sus hombres taparse los oídos con cera, y él mismo se hace amarrar al mástil de su embarcación para así oír el canto de las sirenas sin correr riesgos. En un cuento de JASÓN y los ARGONAUTAS, ORFEO canta tan dulcemente que la tripulación no escucha a las sirenas. Según una leyenda posterior, las sirenas se quitaron la vida después de uno u otro de estos fracasos.

Sirhindi, Ahmad (¿1564?, Sirhind, Patiala, India–1624, Sirhind). Místico y teólogo indio responsable del resurgimiento del islamismo sunní en India. Decía descender de UMAR IBN AL-JATTAB. Después de recibir una educación musulmana tradicional, ingresó a una importante orden sufí y se dedicó a predicar contra las tendencias de AKBAR y de su sucesor, Jahangir, hacia el PANTEÍSMO y el islamismo CHIITA. Sus pensamientos están contenidos en su obra más famosa, *maktubat*, compilación epistolar. Su tumba en Sirhind es lugar de peregrinación.

SIRIA

- **Superficie:** 185.180 km² (71.498 mi²)
- **Población:** 17.794.000 hab. (est. 2005)
- **Capital:** DAMASCO
- **Moneda:** libra siria

Siria *ofic.* **República Árabe Siria** País del Medio Oriente, situado junto a la costa oriental del Mediterráneo. Los árabes son el principal grupo étnico y los kurdos, la minoría más numerosa. Idiomas: árabe (oficial), francés, kurdo, armenio e inglés. Religiones: Islam (sunní, ʿalawi), religión drusa y cristianismo. El territorio está compuesto por una zona costera con abundante suministro de agua, una zona montañosa que incluye la cordillera del ANTILÍBANO, y una parte del desierto de SIRIA. El ÉUFRATES es su principal fuente hídrica y el único río navegable. Tiene una economía mixta basada en la agricultura, comercio, minería y manufactura. Los principales productos agropecuarios son algodón, cereales, frutas, tabaco y ganado y entre los recursos minerales destacan

As Suroj, poblado rural con viviendas en forma de colmena, norte de Siria.
MARK DAFFEY/LONELY PLANET IMAGES/GETTY IMAGES

petróleo, gas natural y hierro. Los productos manufacturados más importantes son textiles, cemento y calzado. Es una república unicameral; el jefe de Estado y de Gobierno es el presidente, y por ley debe ser musulmán. El sistema legal está basado principalmente en la ley islámica. La región que abarca la Siria actual ha sido habitada desde la antigüedad. A partir del III milenio AC estuvo en diversos momentos bajo el control de sumerios, acadios, amorritas, egipcios, hititas, asirios y babilonios. En el s. VI AC formó parte del imperio de la dinastía AQUEMÉNIDA de Persia, que en 330 AC cayó ante ALEJANDRO MAGNO. Después fue gobernada por la dinastía SELÉUCIDA (301–c. 164 AC); más tarde, partos y árabes nabateos se repartieron la región. Floreció como provincia romana (64 AC–300 DC) y como parte del Imperio BIZANTINO (300–634), hasta que los árabes musulmanes la invadieron e impusieron su control. A partir de entonces la región estuvo gobernada por varias dinastías musulmanas. En 1516 cayó bajo el dominio del Imperio OTOMANO, que la retuvo durante varios siglos, salvo por breves períodos, hasta que los británicos la invadieron en el curso de la primera guerra mundial (1914–18). Después de la guerra se convirtió en mandato francés, y en 1944 obtuvo su independencia. En 1958–61 se unió a Egipto bajo la República Árabe Unida. Durante la guerra de los SEIS DÍAS (1967) perdió los Altos del GOLÁN frente a Israel. En las décadas de 1980–90 las tropas sirias se enfrentaron frecuentemente con las fuerzas israelíes en el Líbano. El prolongado régimen de ḤĀFIẒ AL-ASSAD estuvo marcado también por el antagonismo hacia Turquía e Irak, países vecinos de Siria.

Siria, desierto de Región árida del Medio Oriente. Abarca gran parte del norte de Arabia Saudita, el este de Jordania, el sur de Siria y el oeste de Irak. Prácticamente cubierto por flujos de lava, constituyó hasta la época moderna una barrera casi impenetrable entre las zonas pobladas del LEVANTE y MESOPOTAMIA; en la actualidad oleoductos y varias carreteras importantes atraviesan el desierto de Siria.

siringa *o* **flauta de Pan** Instrumento de viento compuesto por tubos de diferente longitud hechos de caña (o, con menos frecuencia, de madera, arcilla o metal) ordenados en una fila. Se sopla por el borde superior y cada tubo produce una nota diferente. La siringa data de c. 2000 AC y se halla extendida por todo el mundo, especialmente en África oriental, América del Sur y Melanesia.

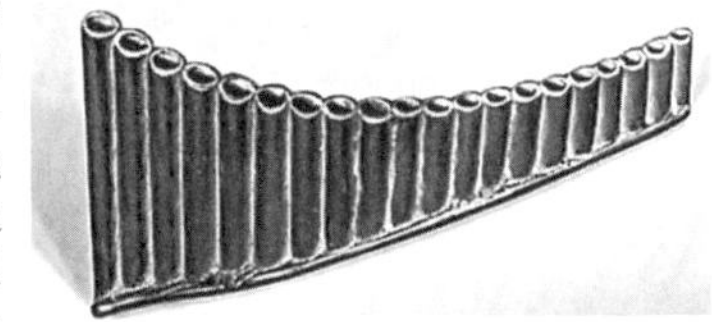

Siringa o flauta de Pan rumana; Horniman Museum, Londres.
GENTILEZA DEL HORNIMAN MUSEUM, LONDRES

siringomielia Enfermedad producida por la entrada de LÍQUIDO CEFALORRAQUÍDEO a la MÉDULA ESPINAL, donde forma una cavidad (siringe). Esta puede expandirse y elongarse con el tiempo, lo que destruye el centro de la médula espinal y produce síntomas que varían según su tamaño y localización. Se relaciona a menudo con una malformación congénita del cerebelo, denominada malformación de Chiari, pero también puede surgir como complicación de un traumatismo espinal, meningitis, tumor u otras afecciones. Sus síntomas son pérdida de la sensibilidad, especialmente a la temperatura, debilidad muscular y espasticidad, cefalea y dolor crónico. El diagnóstico de la siringomielia puede hacerse con IMÁGENES POR RESONANCIA MAGNÉTICA. La salud del paciente se puede estabilizar o mejorar con cirugía.

Sirio *o* **estrella can** Estrella más brillante del cielo nocturno (con una MAGNITUD aparente de –1,44). Es una ESTRELLA BINARIA ubicada a unos 8,6 años-luz del Sol en la constelación de Can Mayor. La componente brillante de la binaria es una estrella azul-blanca 23 veces más luminosa que el Sol, cerca del doble de su tamaño y considerablemente más caliente; su compañera fue la primera ESTRELLA ENANA BLANCA que se descubrió. Es probable que su nombre derive de la palabra griega, que significa "centelleante" o "quemante". Los antiguos egipcios se regían por su salida, poco antes del amanecer, para predecir la inundación anual del Nilo. Los antiguos romanos asociaban la salida de Sirio, al amanecer, con el período más cálido del año, llamado "la canícula" (de can, perro).

Sirk, Douglas *orig.* **Claus Detlef Sierck** (26 abr. 1900, Hamburgo, Alemania–14 ene. 1987, Lugano, Suiza). Director de cine estadounidense de origen alemán. Se desempeñó como director teatral en Bremen (1923–29) y Leipzig (1929–36), Alemania, y realizó numerosas películas antes de huir del país en 1937. Arribó a Hollywood en 1939, y en 1943 dirigió su primera película estadounidense, *Hitler's Madman*. En 1950 ingresó a la Universal Pictures, donde dirigió comedias, *westerns* y películas bélicas; sin embargo, es reconocido por sus populares melodramas como *Obsesión* (1954), *Siempre hay un mañana* (1956), *Escrito sobre el viento* (1956) y *Ángeles sin alas* (1957), en la que muestra los terribles conflictos emocionales que acechaban el aparente bienestar de la clase media acomodada estadounidense. Se retiró a Europa después de dirigir su mayor éxito, *Imitación a la vida* (1959).

siroco Viento seco y cálido originado en el norte de África. Se produce en los centros de baja presión que se desplazan en dirección este por el Mediterráneo meridional; al pasar sobre el mar, el siroco se humedece produciendo niebla y lluvia en el sur de Europa.

sirope *o* **jarabe de maíz** Endulzante líquido producido al hidrolizar el almidón de MAÍZ. El sirope de maíz contiene dextrinas, maltosa y dextrosa, y es usado como endulzante en productos horneados, JALEAS Y MERMELADAS, y CARAMELOS. El sirope de maíz de alto contenido de fructosa es también utilizado para endulzar bebidas refrescantes, como GASEOSAS, y otros alimentos porque es de menor costo que la SACAROSA.

Sirte, golfo de la Gran ver golfo de la GRAN SIRTE

sisal Planta (*Agave sisalana*) de la familia de las AGAVÁCEAS y la fibra de sus hojas. Con la fibra se fabrican sogas y cordeles con fines náuticos, agrícolas e industriales en general, como asimismo esteras, alfombras, sombreros y cepillos. Aun cuando a veces se le llama cáñamo sisal, no está emparentada con el CÁÑAMO genuino. El tallo, que crece 1 m (3 pies) aprox. de alto y 38 cm (15 pulg.) aprox. de diámetro, tiene hojas lanceoladas, carnosas, rígidas y de color gris a verde oscuro, dispuestas en una roseta densa. Tanzania y Brasil son los principales productores de sisal.

Sísifo En la mitología GRIEGA, rey de Corinto que fue castigado a empujar eternamente, ladera arriba de una colina del Hades, una enorme roca. Era hijo de EOLO y padre de GLAUCO. Cuando la Muerte (ver TÁNATOS) vino a buscarlo, Sísifo la hizo encadenar y de esta manera nadie murió hasta que ARES vino a liberarla. Antes de ser llevado a los infiernos, Sísifo pidió a su esposa que dejara su cuerpo insepulto. Al llegar al Hades, este le permitió volver a la Tierra para castigar a su esposa, y vivió hasta la ancianidad antes de morir por segunda vez. Su engaño fue la causa de su castigo en el Hades.

Siskind, Aaron (4 dic. 1903, Nueva York, N.Y., EE.UU.–8 feb. 1991, Providence, R.I.). Fotógrafo, profesor y editor estadounidense. Comenzó a fotografiar en 1932 mientras enseñaba inglés en una escuela pública. En su trabajo de documentar la gran depresión, prestó gran atención tanto al diseño puro como a sus temas. En la década de 1940, fotografió diseños y texturas de motivos como cuerdas enrolladas, pisadas en la arena, pavimentos y carteles dañados por la intemperie. Aunque no fue aceptada inmediatamente por los fotógrafos, su obra abstracta fue admirada por los pintores WILLEM DE KOONING y FRANZ KLINE, con quienes expuso sus obras posteriormente. Fue muy influyente como profesor de fotografía y coeditor de la revista *Choice*.

"El puente de Moret", paisaje impresionista, de Alfred Sisley.
FOTOBANCO

Sisley, Alfred (30 oct. 1839, París, Francia–29 ene. 1899, Moret-sur-Loing). Paisajista francés de origen británico. Hijo de padres ingleses, nació en París y comenzó a pintar como aficionado. Su estilo inicial estuvo muy influenciado por CAMILLE COROT. Se vinculó con CLAUDE MONET y PIERRE-AUGUSTE RENOIR, y con ellos se convirtió en uno de los fundadores del IMPRESIONISMO. Sus obras, en su mayoría paisajes, se distinguen de las de sus colegas por sus tonos suavemente armónicos. Su familia quedó en la ruina a causa de la guerra franco-prusiana, por lo que su vida se transformó en una constante lucha contra la pobreza. No fue hasta después de su muerte que su talento comenzó a ser ampliamente reconocido.

sismo *o* **seísmo** *o* **terremoto** Perturbación repentina al interior de la Tierra que se manifiesta en la corteza terrestre por sacudidas del terreno causadas por ONDAS SÍSMICAS. El origen y distribución de la mayoría de los sismos puede explicarse en función de las FALLAS y de la teoría de la TECTÓNICA DE PLACAS. La magnitud de un sismo (medida de la amplitud y la energía liberada) suele expresarse cuantitativamente en función de la escala de RICHTER. En lenguaje corriente es usual llamar terremotos a los sismos de gran magnitud y temblores a los de menor magnitud. La intensidad sísmica (medida del grado de severidad del movimiento en un lugar dado) usualmente se estima mediante la escala de Mercalli, basada en una medida cualitativa (p. ej., "apenas perceptible" o "destrucción catastrófica") del daño que sufre el terreno y las estructuras en un lugar dado. En general, la intensidad de un sismo decrece con la distancia desde su EPICENTRO, pero otros factores, como la geología de la superficie, pueden determinar sus efectos significativamente. Ver también SISMOLOGÍA.

sismología Disciplina científica que estudia los SISMOS y la propagación de las ONDAS SÍSMICAS. Como rama de la GEOFÍSICA ha proporcionado mucha información acerca de la composición y estado del interior de la Tierra. Trabajos recientes se han enfocado en la predicción de los sismos con la esperanza de minimizar el riesgo para la humanidad. En un esfuerzo por encontrar maneras de controlar los sismos, los especialistas también han estudiado los terremotos inducidos por actividades humanas, como la acumulación de agua en represas altas, la inyección de fluidos en pozos profundos y la detonación de explosiones nucleares subterráneas.

Sismondi, J(ean-) C(harles-) L(éonard) Simonde de (9 may. 1773, Ginebra, Suiza–25 jun. 1842, Chêne, cerca de Ginebra). Economista e historiador suizo. Trabajó en un banco francés a partir de 1789 y luego se trasladó a la Toscana en 1794 con su familia para dedicarse a la agricultura. Desde 1800 vivió en su nativa Ginebra, donde escribió su *Historia de las repúblicas italianas en la Edad Media* (1809–18), que inspiró a los líderes del RISORGIMENTO. En su influyente obra *Nuevos principios de economía política* (1819) criticó el capitalismo y argumentó en favor de la regulación de la competencia económica y del equilibrio entre la producción y el consumo. Abogó por reformas sociales para mejorar las condiciones de vida de la clase trabajadora. Sus teorías influyeron en economistas posteriores como KARL MARX y JOHN MAYNARD KEYNES.

Sistán *o* **Seistan** Extensa región fronteriza del este de Irán y el sudoeste de Afganistán. La mayoría de sus escasos habitantes y cerca del 40% de su superficie se encuentra en Irán. Comprende una gran depresión pantanosa con un clima completamente desértico. Es, según se dice, el lugar de origen de la legendaria dinastía kayaní de Persia. La región desempeñó un importante papel en la historia persa, especialmente durante la dinastía SAFAWÍ (1502–1736). En el s. XIX fue el centro de una disputa entre Persia y Afganistán que condujo al establecimiento del límite actual entre ambos países.

sistema copernicano ver sistema de COPÉRNICO

Sistema de Información Geográfica ver SIG

sistema de posicionamiento global ver GPS

sistema de referencia *o* **marco de referencia** Sistema de coordenadas que permite la descripción del tiempo y posición de puntos relativos a un cuerpo. Este sistema se define a través de ejes, o rectas, que emanan de una posición llamada origen. A medida que un punto se mueve, su VELOCIDAD puede ser descrita en términos de cambios de desplazamiento y dirección. Los sistemas de referencia son arbitrarios y se pueden elegir libremente. Por ejemplo, si una persona está sentada en un tren en movimiento, la descripción del movimiento de la persona depende del sistema de referencia elegido. Si este sistema es el tren, la persona se considera en reposo relativo al tren; si el sistema es la Tierra, la persona está en movimiento relativo a la Tierra.

sistema experto En informática, sistema diseñado para responder tal y como una persona experta en un campo determinado. Estos sistemas son construidos con el conocimiento obtenido de personas expertas, similares a una BASE DE DATOS, pero contienen reglas que pueden ser aplicadas a la solución de un problema específico. Una interfaz permite al usuario especificar síntomas y clarificar un problema respondiendo a las preguntas formuladas por el sistema. Existen herramientas de *software* para ayudar a los diseñadores a construir un sistema experto de propósito particular con un esfuerzo mínimo. Como consecuencia del trabajo en INTELIGENCIA ARTIFICIAL, los sistemas expertos prometen un rango creciente de aplicaciones. En la actualidad existen sistemas expertos usados ampliamente en los campos de la medicina, selección de personal y en el área educacional.

Sistema Internacional de unidades *o* **sistema SI** *francés* **Système International d'Unités** Sistema decimal internacional de pesos y medidas derivado del sistema MÉTRICO de unidades y que es una extensión del mismo. Adoptado por la XI Conferencia General de Pesos y Medidas en 1960, fue desarrollado para eliminar la superposición de diferentes sistemas de unidades de medida fomentados por el rápido avance en ciencia y tecnología en los s. XIX–XX. Sus unidades fundamentales son el metro (m) para longitud, el kilogramo (kg) para masa y el segundo (s) para tiempo. Algunas unidades derivadas son aquellas para fuerza (newton, N), energía (joule, J) y potencia (watt, W).

sistema métrico ver sistema MÉTRICO

sistema numérico ver sistema NUMÉRICO

sistema operativo (SO) SOFTWARE que controla las operaciones de una COMPUTADORA, dirige las entradas y salidas de datos, hace el seguimiento de los archivos y controla el procesamiento de los PROGRAMA COMPUTACIONALES. Sus roles comprenden el manejo del funcionamiento del HARDWARE de la computadora, la ejecución de los programas de aplicación, servir como una interfaz entre la computadora y el usuario, y asignar recursos de la computadora a funciones diversas. Cuando varios trabajos residen a la vez en la computadora y comparten recursos (MULTITAREA), el SO asigna cantidades fijas de tiempo de CPU y de MEMORIA por turnos o permite a un trabajo leer datos mientras otro escribe en una impresora y un tercero ejecuta cálculos. A través de un proceso llamado tiempo compartido, una computadora grande puede manejar interacciones con cientos de usuarios simultáneamente, dándole a cada uno la percepción de ser el único usuario. Los sistemas operativos computacionales modernos han llegado a ser independientes de la máquina en forma creciente, capaces

Sistema Internacional de unidades*
(unidades básicas)

LONGITUD

Unidad	*Abreviación*	*Metros*	*Equivalente aproximado en EE.UU.*
kilómetro	km	1.000	0,62 milla
hectómetro	hm	100	328,08 pies
decámetro	dam	10	32,81 pies
metro	m	1	39,37 pulgadas
decímetro	dm	0,1	3,94 pulgadas
centímetro	cm	0,01	0,39 pulgada
milímetro	mm	0,001	0,039 pulgada
micrómetro	µm	0,000001	0,000039 pulgada

SUPERFICIE

Unidad	*Abreviación*	*Metros cuadrados*	*Equivalente aproximado en EE.UU.*
kilómetro cuadrado	km^2	1.000.000	0,3861 milla cuadrada
hectárea	ha	10.000	2,47 acres
área	a	100	119,60 yardas cuadradas
centímetro cuadrado	cm^2	0,0001	0,155 pulgada cuadrada

VOLUMEN

Unidad	*Abreviación*	*Metros cúbicos*	*Equivalente aproximado en EE.UU.*
metro cúbico	m^3	1	1,307 yardas cúbicas
decímetro cúbico	dm^3	0,001	61,023 pulgadas cúbicas
centímetro cúbico	cm^3 o cc	0,000001	0,061 pulgada cúbica

CAPACIDAD

Unidad	*Abreviación*	*Litros*	*Equivalente aproximado en EE.UU.*		
			cúbico	*árido*	*líquido*
kilolitro	kl	1.000	1,31 yardas cúbicas		
hectolitro	hl	100	3,53 pies cúbicos	2,84 bushels	
decalitro	dal	10	0,35 pie cúbico	1,14 pecks	2,64 galones
litro	l	1	61,02 pulgadas cúbicas	0,908 cuarto	1,057 cuartos
decímetro cúbico	dm^3	1	61,02 pulgadas cúbicas	0,908 cuarto	1,057 cuartos
decilitro	dl	0,10	6,1 pulgadas cúbicas	0,18 pinta	0,21 pinta
centilitro	cl	0,01	0,61 pulgada cúbica		0,338 onza líquida
mililitro	ml	0,001	0,061 pulgada cúbica		0,27 dracma líquida
microlitro	µl	0,000001	0,000061 pulgada cúbica		0,00027 dracma líquida

MASA Y PESO

Unidad	*Abreviación*	*Gramos*	*Equivalente aproximado en EE.UU.*
tonelada métrica	Tm	1.000.000	1,102 toneladas cortas
kilogramo	kg	1.000	2,2046 libras
hectogramo	hg	100	3,527 onzas
decagramo	dag	10	0,353 onzas
gramo	g	1	0,035 onzas
decigramo	dg	0,10	1,543 granos
centigramo	cg	0,01	0,154 grano
miligramo	mg	0,001	0,015 grano
microgramo	µg	0,000001	0,000015 grano

*Para equivalentes métricos de unidades de EE.UU., ver tabla de PESOS Y MEDIDAS (T. 15, pág. 2069).

de correr en cualquier plataforma de *hardware*; un sistema operativo independiente de la plataforma muy usado hoy en las MACROCOMPUTADORAS es UNIX. La mayoría de las COMPUTADORAS PERSONALES corren bajo el sistema operativo WINDOWS de Microsoft, el cual nació del MS-DOS y terminó reemplazándolo. Ver también LINUX.

sistema solar ver sistema SOLAR

sistemas, análisis de En PROCESAMIENTO DE INFORMACIÓN, fase de la ingeniería de SISTEMAS. El principal objetivo de la fase de análisis de sistemas es especificar qué debe hacer el sistema para satisfacer las necesidades de los usuarios finales. En la fase de diseño de sistemas, tales especificaciones se convierten en una jerarquía de diagramas que definen los datos requeridos y los procesos que habrán de realizarse con dichos datos, de manera que puedan expresarse como instrucciones de un programa computacional. Muchos sistemas de información se implementan con *softwares* genéricos en lugar de programas elaborados a medida.

sistemas, ingeniería de Técnica que utiliza el conocimiento de varias ramas de la ingeniería y la ciencia para introducir innovaciones tecnológicas en las etapas de planificación y desarrollo de un sistema. La ingeniería de sistemas se aplicó por primera vez a la organización de los sistemas telefónicos comerciales en las décadas de 1920–30. Muchas técnicas de la ingeniería de sistemas se desarrollaron durante la segunda guerra mundial a fin de desplegar equipos militares de manera más eficiente. El crecimiento de posguerra en este campo fue estimulado por los avances en los sistemas electrónicos y el desarrollo de las computadoras y de la teoría de la información. Normalmente, la ingeniería de sistemas implica incorporar nueva tecnología a complejos sistemas artificiales, en que un cambio en una parte afecta a muchas otras. Una herramienta que utilizan los ingenieros de sistemas es el DIAGRAMA DE FLUJO, que muestra el sistema en forma gráfica, con figuras geométricas que representan diversos subsistemas y flechas que representan sus interacciones. Otras herramientas son los modelos matemáticos, la teoría de las probabilidades, el análisis estadístico y las simulaciones computacionales.

Sita, pintura mogol, c. 1600; colección del Bharat Kala Bhavan, Vārānasi, India.
PRAMOD CHANDRA

Sita En la mitología hindú, esposa de RAMA. Emergió de un surco cuando el rey Janaka araba su campo, y Rama la obtuvo como novia al doblar el arco de SHIVA. Su rapto por el rey demonio RAVANA y rescate posterior se describen en el RAMAYANA. Se mantuvo casta durante su largo encarcelamiento y al regresar demostró su pureza sometiéndose a una ordalía de fuego. Es una de las figuras más veneradas del panteón hindú, como símbolo de los sufrimientos y fortalezas de la mujer.

sitar Instrumento de CUERDA de mástil largo, típico del norte de la India y dominante en la música indostana. Se usa en conjuntos y como instrumento solista junto a la *tamboura* (laúd con notas pedales) y la TABLA de armonía. El sitar evolucionó a partir del *tanbur* de Medio Oriente. Tiene un cuerpo piriforme, profundo, hecho de calabaza, cuerdas de metal, clavijas de afinación al frente y a los lados, un mástil amplio y trastes movibles. Cuenta normalmente con cuatro o cinco cuerdas, que se pulsan con un plectro adosado al dedo índice para ejecutar las melodías; varias cuerdas usadas para emitir notas de duración continua y numerosas cuerdas simpáticas (cuerdas cuya vibración es provocada por las vibraciones de las otras cuerdas). Un resonador de calabaza se adosa en el extremo superior del mástil.

sitio web Colección de archivos y recursos relacionados accesible a través de la WWW y organizado bajo un nombre de DOMINIO particular. Los archivos típicos encontrados en un sitio web son documentos HTML con sus archivos asociados de imágenes gráficas (GIF, JPEG, etc.), programas escritos (en PERL, CGI, JAVA, etc.) y recursos similares. Por lo general se accede a los archivos del sitio a través del HIPERTEXTO o hiperenlaces insertos en otros archivos. Un sitio web puede consistir en un solo archivo HTML, o puede constar de cientos o miles de archivos relacionados. El punto de inicio usual o página de presentación de un sitio web, llamada página de inicio, funciona por lo general como una tabla de contenido o índice, con enlaces a otras secciones del sitio. Los sitios web están contenidos en uno o más SERVIDORES web, los cuales transfieren archivos a las computadoras clientes o a otros servidores que los solicitan usando el protocolo HTTP. Aunque el término "sitio" implica un emplazamiento físico único, los archivos y recursos del sitio web pueden estar distribuidos entre varios servidores en diferentes lugares geográficos. El archivo particular deseado por un cliente se especifica escribiendo la dirección URL directamente en el NAVEGADOR o se accede seleccionando un hiperenlace.

Sitka, parque histórico nacional de Parque en el sudeste del estado de Alaska, EE.UU. Se encuentra en la isla Baranof, en el golfo de ALASKA, y fue declarado monumento nacional en 1910; es parque nacional desde 1972. Ocupa una superficie de 43 ha (107 acres). Contiene las ruinas de una fortaleza indígena, donde los indios TLINGITS opusieron resistencia por última vez a colonizadores rusos en 1804. Posee también una serie de tótems antiguos de los indios HAIDA y la edificación rusa más antigua erigida en América del Norte, que se encuentra intacta.

Sittang, río Río del centro-este de Myanmar (Birmania). Nace en el borde de la meseta de Shan y fluye 420 km (260 mi) hacia el sur hasta desembocar en el golfo de Martabán, en el mar de ANDAMÁN. Aunque es navegable sólo en un corto trecho, se emplea para transportar madera (particularmente teca) a flote hacia el sur para su exportación. Fue escenario de cruentos combates durante la segunda guerra mundial.

Sitwell, familia Familia británica de escritores. Edith Sitwell (n. 1887–m. 1964) concitó la atención cuando se unió a sus hermanos en una revuelta contra la poesía GEORGIANA. Su obra temprana, en la que recalca el carácter musical del poema, incluye *Clowns' Houses* (1918) y *Façade* (1923), adaptado musicalmente por WILLIAM WALTON. Desde *Costumbres de la costa de oro* (1929), su estilo se volvió menos artificioso y experimental, y ya durante la segunda guerra mundial comenzó a hacer poesía con mayor profundidad emocional. Su obra tardía tiene sus raíces en el simbolismo religioso, como es el caso de *Gardeners and Astronomers* (1953) y *The Outcasts* (1962). Se la recuerda especialmente por su formidable personalidad, su indumentaria isabelina y sus excéntricas opiniones. Su hermano Osbert (n. 1892–m. 1969) se hizo famoso, al igual que el resto de sus hermanos, como un agitador dentro de los círculos tradicionales de la literatura y las artes. Sus libros más conocidos son sus memorias, entre las que destacan *Left Hand! Right Hand!* (1944) y *Noble Essences* (1950), obras en las que con una autoconsciente nostalgia retrata una era aristocrática que ha quedado atrás. Otro de sus hermanos, Sacheverell (n. 1897–m. 1988) es conocido por sus libros sobre arte, arquitectura y viajes. Su *Southern Baroque Art* (1924) fue una obra pionera que abrió la brecha a muchas obras de investigación posteriores. Su poesía, género en el que se destacan *The People's Palace* (1918) y *The Rio Grande*, fue escrita en gran parte en formas métricas tradicionales, que revela, en su afectado estilo, su interés por disciplinas como el arte y la música.

Siun-tse ver XUNZI

siux ver SIOUX

siux, lenguas ver lenguas SIOUX

Sivaji Bhonsle (abr. 1627 o 19 feb. 1630, Shivner, Pune, India–3 abr. 1680, Rajgarh). Rey indio (r. 1674–80), fundador del reino mahratta de la India. Devoto hindú, creció en una época en que la India era gobernada por los musulmanes y consideró intolerable su persecución religiosa. Al mando de un grupo de seguidores, comenzó c. 1655 a apoderarse de puestos fronterizos mal defendidos del sultán de Bijapur. En 1659 tendió una trampa al ejército del sultán y lo destruyó; luego se apoderó de sus caballos y armamentos y se convirtió rápidamente en un temible jefe militar. El emperador mogol AURANGZEB envió a su general más destacado y a un ejército de 100.000 hombres para capturarlo, pero Sivaji, mediante una maniobra audaz, se escapó. Se fortaleció aún más y sumó una fuerza naval a su poderío militar. En 1674 se proclamó soberano independiente. Forjó una alianza con los sultanes del sur, impidiendo así la expansión del dominio mogol. Su gobierno se destacó por su tolerancia religiosa. Ver también Confederación MAHRATTA.

Sīwa *ant.* **Ammonium** Oasis (pob., última est.: 7.000 hab.) en el oeste de Egipto. Situado cerca del límite actual entre Egipto y Libia, tiene 10 km (6 mi) de largo, 6–8 km (4–5 mi) de ancho y unas 200 vertientes. Extremadamente fértil, sustenta miles de palmas datileras y olivos. En él se levantaba el templo del oráculo de AMÓN, del que subsisten algunos restos fragmentarios con inscripciones que datan del s. IV AC, junto a numerosos vestigios arqueológicos romanos.

Six, Les (francés: "Los Seis"). Grupo de jóvenes compositores franceses de la década de 1920. Denominado así por el crítico Henri Collet (n. 1885–m. 1951), el grupo estaba constituido por ARTHUR HONEGGER, DARIUS MILHAUD, FRANCIS POULENC, Georges Auric (n. 1899–m. 1983), Louis Durey (n. 1888–m. 1979) y Germaine Tailleferre (n. 1892–m. 1983). Su música representó una fuerte reacción contra el romanticismo alemán, así como contra el exuberante estilo a veces denominado impresionismo, ejemplificado por la obra de CLAUDE DEBUSSY. La mayor parte de Les Six fue influida por la música iconoclasta de ERIK SATIE, y se valieron del estímulo aportado por JEAN COCTEAU. Se mantuvieron activos como grupo solamente unos pocos años.

Sixtina, capilla Capilla papal ubicada en los PALACIOS DEL VATICANO, Roma, construida en 1473–81 por Giovanni dei Dolci para el papa SIXTO IV (a quien debe su nombre). En ella tienen lugar las principales ceremonias encabezadas por los papas. Su exterior es monótono y sin adornos, pero sus muros interiores y su bóveda están decorados con frescos realizados por maestros del Renacimiento florentino, como PERUGINO, PINTURICCHIO, SANDRO BOTTICELLI, DOMENICO GHIRLANDAIO y LUCA SIGNORELLI. Ciertos sectores de los muros estuvieron alguna vez cubiertos con tapices diseñados por RAFAEL (1515–19). Las obras más importantes son los frescos de MIGUEL ÁNGEL en la bóveda y en el muro oeste, detrás del altar, considerados entre los logros más importantes de la pintura occidental. Los frescos de la bóveda que representan escenas del Antiguo Testamento, fueron encargados por el papa JULIO II y pintados entre 1508 y 1512; el fresco *El Juicio Final* del muro oeste fue pintado entre 1536 y 1541 para el papa Paulo III. En 1989 se completó un controvertido proceso de limpieza y restauración de la bóveda que duró diez años, y en 1994 el del muro de *El Juicio Final*.

Sixto IV *orig.* **Francesco della Rovere** (21 jul. 1414, Cella Ligure, cerca de Savona, República de Génova–12 ago. 1484, Roma). Papa (1471–84). FRANCISCANO de Génova, enriqueció a su familia y a los Estados Pontificios por medio de la SIMONÍA y la aplicación de elevados impuestos. La PRAGMÁTICA SANCIÓN DE BOURGES puso en tensión sus relaciones con Francia y, pese a su empeño, no pudo unificar las Iglesias rusa y romana. Respaldó la conspiración de los PAZZI, pero no al intento de asesinar a LORENZO DE MÉDICIS. También incitó a Venecia a atacar Ferrara; luego, en un brusco cambio de posición, declaró a Venecia bajo interdicción (1483) por ser rival de los Estados Pontificios. Benefactor de las artes y las letras, mandó a construir la capilla SIXTINA, que debe a él su nombre.

Sixto IV, medallón conmemorativo de Andrea Guacialoti.

GENTILEZA DE LA NATIONAL GALLERY OF ART, WASHINGTON, D.C., SAMUEL H. KRESS COLLECTION

Sixto V *orig.* **Felice Peretti** (13 dic. 1520, Grottammare, Ancona, Estados Pontificios–27 ago. 1590, Roma). Papa (1585–90). FRANCISCANO devoto e inquisidor general de Venecia en dos ocasiones, fue elegido papa en un momento en que los Estados Pontificios estaban sumidos en el caos. Reprimió el bandolerismo e impuso el orden aplicando duras medidas que le valieron numerosos enemigos. Recaudó grandes sumas de dinero por medio de préstamos, impuestos y venta de cargos y llevó a cabo un extenso programa de construcción en Roma. Definió la composición del Sacro Colegio de Cardenales (1586), limitando a 70 el número de CARDENALES, y en 1588 introdujo reformas en la CURIA ROMANA que perduraron hasta el concilio VATICANO II. Enérgico partidario del concilio de TRENTO, cuyas decisiones puso en práctica, es reconocido como uno de los fundadores de la CONTRARREFORMA. Su política exterior tenía por meta combatir el protestantismo; excomulgó, por su condición de protestante, a Enrique de Navarra (más tarde, ENRIQUE IV de Francia) y prometió apoyo económico a cambio de una invasión española a Inglaterra. Respaldó a otros gobernantes católicos de Europa y moderó su posición hacia Enrique cuando se volvió evidente que el futuro rey se convertiría al cristianismo.

Siyad Barre, Mohamed (c. 1919, Ganane, Somalia Italiana–2 ene. 1995, Lagos, Nigeria). Presidente de Somalia (1969–91). Asistió a una escuela militar en Italia y cuando su país obtuvo la independencia en 1960, fue nombrado coronel del ejército. Tomó el poder mediante un golpe de Estado incruento después del asesinato del presidente (1969). Bajo su mandato, las fuerzas somalíes invadieron en 1977 una región disputada del sudeste de Etiopía, pero más tarde fueron rechazadas. Su gobierno fue acusado de violaciones generalizadas de los derechos humanos, y a partir de 1988 las fuerzas gubernamentales se enfrentaron repetidamente con grupos rebeldes. Con Somalia en un estado de guerra civil y al borde de la hambruna, en 1991 huyó del país y se refugió en Nigeria.

Sjælland *alemán* **Seeland** Isla en Dinamarca. Situada entre el estrecho de Cattegat y el mar BÁLTICO, constituye la isla más grande (7.031 km² [2.715 mi²]) y poblada (pob., est. 1990: 1.972.711 hab.) de Dinamarca. COPENHAGUE es su principal ciudad. Dos fiordos interrumpen la accidentada línea costera de la isla, y en su costa septentrional abundan hermosas playas. Posee restos de la edad de piedra y de los vikingos, entre los que se cuenta el fuerte de Trælleborg (c. 1000), así como iglesias, castillos y casas solariegas medievales. Entre sus principales actividades económicas destacan la agricultura, ganadería, pesca y turismo.

Sjahrir, Sutan (5 mar. 1909, Padangpandjang, Sumatra, Indias Orientales Holandesas–9 abr. 1966, Zurich, Suiza). Primer ministro y nacionalista indonesio. Educado en los Países Bajos, regresó a Indonesia, donde ayudó a fundar un partido nacionalista en la década de 1930. Su partido, que propiciaba la adopción de la democracia constitucional occidental, se opuso al de SUKARNO. Nombrado primer ministro después de la segunda guerra mundial, despojó del poder a Sukarno, entonces presidente, pues temía que su colaboración con los japoneses pudiese dañar el prestigio internacional de la república. Negoció un acuerdo con los neerlandeses que estableció la autoridad de Indonesia sobre Sumatra y Java. Obligado a renunciar en dos ocasiones (1946, 1947), formó más tarde un partido socialista (1948) que no concitó apoyo popular. Sukarno lo proscribió en 1960 y Sjahrir fue arrestado y encarcelado; se le permitió viajar a Suiza poco antes de su muerte.

Victor Sjöström en *Fresas salvajes*, 1957.
GENTILEZA DEL FILM STILLS ARCHIVE, MUSEO DE ARTE MODERNO DE NUEVA YORK

Sjöström, Victor *o* **Victor Seastrom** (20 sep. 1879, Silbodal, Suecia–3 ene. 1960, Estocolmo). Director de cine y actor sueco. Aprendió el oficio teatral actuando en diversos grupos, y en 1912 dirigió y protagonizó su primera película, *El jardinero*. Sus notables largometrajes, como *Ingeborg Holm* (1913), *Los proscritos* (1918) y *La carreta fantasma* (1921), establecieron la excelencia artística del cine mudo sueco en la era posterior a la primera guerra mundial. En 1923 se mudó a Hollywood, donde dirigió filmes como *La mujer marcada* (1926) y *El viento* (1928). Regresó a Suecia en 1930 y actuó en numerosas películas, entre las que se destaca *Fresas salvajes* (1957) de INGMAR BERGMAN. Los largometrajes de Sjöström son manifestaciones de gran belleza lírica sobre la relación de los seres humanos respecto de la naturaleza y la sociedad.

skanda *pali* **khandha** En el BUDISMO, cualquiera de los cinco elementos que constituyen la existencia mental y física de una persona. Ellos son: *rupa* (materia física), *vedana* (sensación), *samjna* (percepción; pali *sanna*), *samskara* (formaciones mentales; pali *sankhara*) y *vijnana* (conciencia; pali *vinnana*). Los cuatro agregados mentales son percibidos por la personalidad o ego, pero de hecho son sólo procesos en un estado de cambio continuo, sujeto a los efectos del KARMA. Al momento de la muerte, los *skandas* mentales se separan del *rupa* y encuentran una nueva base física, lo que resulta en un nuevo nacimiento.

Skara Brae, aldea del neolítico tardío.
J. ALLAN CASH

Skara Brae *o* **Skerrabra** Aldea del neolítico tardío situada en la costa de la bahía de Skaill, en las islas Orcadas, Escocia. Fue construida c. 3200–2200 AC. Cubierta por dunas, es una de las aldeas prehistóricas de Europa mejor conservadas. Su excavación, iniciada en la década de 1860, puso al descubierto cabañas hechas de bloques de piedra desnuda y sin argamasa, que contenían muebles de piedra. Estaban conectadas por callejones pavimentados; algunos habían sido cubiertos con una mezcla de arena, ceniza de turba y desechos, transformándose así en túneles con techo de piedra. Una alcantarilla drenaba el conjunto. La población subsistía de la agricultura, pesca y ganadería; probablemente se vestían con pieles. Utilizaban como herramientas piedras, guijarros y huesos de animales. Llevaban consigo pendientes y cuentas coloreadas de médula de oveja, dientes de vaca y ballena asesina, y colmillos de jabalí. Dibujaban losanges y formas rectilíneas similares en los muros de las cabañas y a lo largo de los callejones. Las vasijas de cerámica exhiben diseños grabados y en relieve, entre ellos, el único ejemplo conocido de una verdadera espiral proveniente de la Britania prehistórica.

skarn En geología, zona metamórfica desarrollada en la región de contacto alrededor de intrusiones de ROCA ÍGNEA, cuando elementos químicos que se originan en la masa contigua de roca ígnea, invaden y reemplazan a ROCAS SEDIMENTARIAS carbonatadas. Los *skarns* contienen también minerales explotables; se han encontrado en *skarns* yacimientos productivos de cobre u otros metales básicos, y también en zonas adyacentes a ellos. La roca típica de un *skarn* es corneana, i.e., roca de grano fino, como pedernal, producida por el calor y las soluciones liberadas por el magma intrusivo.

skate board (inglés: "tabla para patinar"). Actividad recreativa, popular entre la juventud; la persona va de pie sobre una pequeña tabla con ruedas para deslizarse, tratando de mantener el equilibrio. El *skate board* apareció en EE.UU. a principios de la década de 1960 en zonas pavimentadas de las playas de California, como diversión improvisada de los surfistas cuando el mar estaba sin olas. En la década siguiente se desarrollaron ruedas de poliuretano, más rápidas que las anteriores. Pronto se construyeron parques especiales para la práctica del *skate board*, con gran variedad de pendientes y peraltes que permitía giros súbitos y llamativas piruetas. El furor causado por el *skate board* contribuyó al surgimiento del SNOWBOARD como deporte invernal de la juventud.

Skeena, río Río en el oeste de la Columbia Británica, Canadá. Nace en el norte de la provincia y corre por 580 km (360 mi) aprox. antes de desembocar en el estrecho de Chatham, en el océano Pacífico. Es un curso fluvial importante para la pesca de salmón y posee varias fábricas de conservas cerca de la desembocadura.

skeleton Deporte invernal parecido al LUGE, en el que un corredor desciende por una pendiente en un pequeño trineo acostado boca abajo con la cabeza adelante. El skeleton se desarrolló en la década de 1880 en la afamada Cresta Run en Saint Moritz, Suiza. El deporte recibió su nombre por la apariencia de "esqueleto" de los primeros trineos. Los competidores alcanzan velocidades superiores a 129 km/h (80 mi/h). La primera competición en los JUEGOS OLÍMPICOS ocurrió en 1928.

Skelton, John (c. 1460–21 jun. 1529, Londres, Inglaterra). Poeta inglés. Nombrado poeta de la corte por Enrique VII en 1489, fue preceptor y, posteriormente, consejero de Enrique VIII. En 1498 tomó votos religiosos. Escribió sátiras políticas y religiosas en un estilo poético personal, de versos rimados de arte menor, que se conocen hoy como "Skeltonics". Entre sus poemas se destacan *Bowge of Courte*, que satiriza la vida cortesana; *Phyllyp Sparowe*, en el que se burla de los oficios litúrgicos para difuntos; y *Ware the Hawke*, en el que

John Skelton, detalle del frontispicio de *The Garlande of Laurelle*, impreso por Richard Faukes, 1523; Museo Británico.
REPRODUCCIÓN GENTILEZA DEL DIRECTORIO DEL MUSEO BRITÁNICO

ataca a un irreverente sacerdote. En 1516 escribió la primera de sus MORALIDADES en inglés, *Magnyfycence*. Las sátiras *Speke, Parrot* (escrita en 1521), *Collyn Clout* (1522) y *Why Come Ye Nat to Courte?* (1522) fueron dirigidas contra el cardenal THOMAS WOLSEY y contra la erudición humanista.

skene En el teatro griego antiguo, construcción posterior al área de actuación. En un comienzo era un cobertizo donde los actores se cambiaban de máscaras y vestuario, pero con el tiempo llegó a ser el telón de fondo de la representación. El *skene* se usó por primera vez c. 465 AC, cuando no era más que una pequeña estructura de madera frente al proscenio. Se transformó en un edificio de dos pisos decorado con columnas y con tres puertas. Estaba flanqueado por dos alas (*paraskēnia*). Hacia fines del s. V AC, el *skene* de madera fue reemplazado por una estructura permanente de piedra. En el teatro romano era una elaborada fachada de edificio.

Skinner, B(urrhus) F(rederic) (20 mar. 1904, Susquehanna, Pa., EE.UU.–18 ago. 1990, Cambridge, Mass.). Psicólogo y teórico estadounidense del CONDUCTISMO. Obtuvo un Ph.D. en la Universidad de Harvard y se destacó inicialmente con *La conducta de los organismos* (1938). A mediados de la década de 1940 presentó su "cuna de aire", caja a prueba de ruidos, libre de gérmenes y con aire acondicionado que debía servir como ambiente óptimo para niños en sus dos primeros años de vida. En *Walden dos* (1948), trabajo controvertido pero popular, describió una utopía basada en la ingeniería conductual. Gran parte de su carrera docente transcurrió en Harvard (1948–74). Entre sus otros trabajos se cuentan *Ciencia y conducta humana* (1953) *Comportamiento verbal* (1957), *Más allá de la libertad y la dignidad* (1971) y una autobiografía (3 vol., 1976–83). Obtuvo la National Medal of Science en 1968.

Skinner, Cornelia Otis (30 may. 1901, Chicago, Ill., EE.UU.–9 jul. 1979, Nueva York, N.Y.). Actriz y escritora estadounidense. Debutó en el teatro con *Sangre y arena* (1921) junto a su padre, el actor Otis Skinner, quien además colaboró en la creación de su primera obra, *Captain Fury* (1925). En la década de 1930 escribió y llevó a escena obras unipersonales como *The Wives of Henry VIII* y *The Loves of Charles II*. Fue aclamada en las obras *Cándida* (1939), *El abanico de Lady Windermere* (1946) y *The Pleasure of His Company* (1958), cuyo coautor fue Samuel Taylor. También fue coautora de la exitosa *Our Hearts Were Young and Gay* (1942).

skittles ver BOLOS INGLESES

Skopje *serbio* **Skoplje** Ciudad (pob., 1994: 444.299 hab.), capital de la ex República Yugoslava de Macedonia. La ciudad antigua está situada a orillas del río Vardar, dominada por una antigua fortaleza al norte, de la cual existe un acueducto romano. Skopje fue una importante ciudad de la provincia romana de Mesia Superior y la capital de Serbia durante la Edad Media. Estuvo bajo dominio turco desde 1392 hasta 1913 y luego se incorporó a Serbia. Después del terremoto que destruyó el 80% de la ciudad en 1963, 78 países enviaron ayuda para reconstruirla. Actualmente, es un centro industrial, comercial, educacional y administrativo.

Alexandr Skriabin.
AGENCIA NOVOSTI

Skriabin, Alexandr (Nikoláievich) (6 ene. 1872, Moscú, Rusia–27 abr. 1915, Moscú). Compositor y pianista ruso. Estudió piano y composición en el conservatorio de Moscú y luego emprendió una exitosa carrera como pianista de concierto. Sus primeras obras fueron en su mayor parte para piano (entre ellas estudios, preludios y sonatas), pero también compuso dos sinfonías y un concierto para piano. Después de 1900 se interesó más por el misticismo y comenzó a usar armonías inusuales, escribió una tercera sinfonía y el *Poema divino* (1904). Influido por la teosofía, esta le proporcionó la base para las obras orquestales *El poema del éxtasis* (1908) y *Prometeo* o *Poema del fuego* (1910); este último requería una proyección de colores sobre una pantalla durante la interpretación. Con la idea de ir más allá de la música, hizo bosquejos para un enorme ritual operístico, *Mysterium*, que nunca fue compuesto.

Skylab Primera ESTACIÓN ESPACIAL estadounidense. Puesta en órbita terrestre en 1973 mediante un cohete SATURNO V, usó como su principal hábitat la tercera etapa del cohete, que había sido equipado como un taller. Entre sus instrumentos figuraban un potente telescopio solar y equipos para la investigación de ciencias de la Tierra y de los materiales, y para estudiar la adaptación del cuerpo humano a situaciones de ingravidez. Tres tripulaciones sucesivas de astronautas realizaron investigaciones a bordo del Skylab, durante un total de 171 días en 1973–74. Debido a que su blindaje térmico fue dañado durante el lanzamiento, su primera tripulación instaló un parasol improvisado para impedir que la estación se calentara en exceso. Aunque los planes iniciales eran que la Skylab fuera utilizada en varias misiones, la excesiva actividad solar a que estuvo expuesta provocó que su órbita se degradara más rápido de lo esperado. En 1979 reingresó a la atmósfera terrestre y se desintegró, dejando restos esparcidos sobre el sudeste del océano Índico y la escasamente poblada zona de Australia Occidental.

Skylab, primera estación espacial estadounidense puesta en órbita terrestre en 1973–74.
ARCHIVO EDIT. SANTIAGO

slalom *o* **eslalon** Disciplina del ESQUÍ ALPINO en que los competidores descienden, uno a la vez, por una pista sinuosa o en zigzag a través de una serie de marcadores o postes coronados de banderines, llamados puertas. La cancha está diseñada cuidadosamente para poner a prueba la habilidad, sincronización y buen juicio del esquiador. Si un esquiador no pasa por una de las puertas, se lo descalifica, a menos que retorne y la pase por el lado correcto. En las competencias masculinas se disponen entre 55 y 75 puertas y en las femeninas, entre 45 y 65. El slalom gigante combina características del slalom y el descenso; las puertas son más anchas, están más separadas y la pista es más larga que la del slalom. El slalom súper gigante ("súper G") se parece más al descenso; la pista es más escarpada y recta que las de las otras competencias de slalom, con giros más largos y más amplios tomados a mayor velocidad.

Slater, Samuel (9 jun. 1768, Belper, Derbyshire, Inglaterra–21 abr. 1835, Webster, Mass., EE.UU.). Industrial estadounidense de origen inglés. Inicialmente se desempeñó como aprendiz de un socio de RICHARD ARKWRIGHT, para después emigrar a EE.UU. (1789), donde reprodujo de memoria versiones de las hiladoras y CARDAS de Arkwright. En 1793 estableció la primera hilandería estadounidense de ALGODÓN exitosa en Pawtucket, R.I. Fundó la ciudad de Slatersville y se lo considera el fundador de la industria textil algodonera de EE.UU.

Slidell, John (1793, Nueva York, N.Y., EE.UU.–29 jul. 1871, Londres, Inglaterra). Diplomático estadounidense y de la Confederación. Ejerció como abogado en Nueva Orleans a partir de 1819, luego se desempeñó en la Cámara de Representantes (1843–45) y en el Senado (1853–61). En la guerra de Secesión ingresó al servicio exterior confederado. Cuando se dirigía a Francia, a bordo del buque británico *Trent*, a buscar apoyo para la Confederación, fue apresado, junto con JAMES MURRAY MASON, por un buque de la Unión, (ver caso TRENT).

Slim, William (Joseph), 1er vizconde Slim (de Yarralumla y Bishopston) (6 ago. 1891, Bristol, Gloucestershire, Inglaterra–14 dic. 1970, Londres). General británico. Sirvió en el ejército británico durante la primera guerra mundial y en el ejército indio a partir de 1920. En la segunda guerra mundial comandó tropas indias en África oriental y el Medio Oriente (1940–41). Como comandante del 1er cuerpo de Birmania (1942), dirigió una retirada por 1.450 km (900 mi) desde Birmania hasta la India ante fuerzas japonesas superiores. En 1944 condujo fuerzas para rechazar una invasión japonesa en el norte de la India; en 1945 reconquistó Birmania, en manos de los japoneses. Ascendido a mariscal (1948), fue jefe de estado mayor imperial (1948–52) y luego gobernador general de Australia (1953–60).

Plato de *slipware* inglés, de Thomas Toft, North Staffordshire, c. 1680; Museo Victoria y Alberto, Londres.
GENTILEZA DEL MUSEO VICTORIA Y ALBERTO, LONDRES

slipware ALFARERÍA tratada con arcilla semilíquida o engobe. La técnica fue empleada originalmente para cubrir defectos en el color original de la pasta, pero más tarde evolucionó hacia técnicas decorativas como esgrafiado, tallado, pintura, trazado con dispensadores especiales, marmoración y taracea. En el esgrafiado, el diseño se realiza por incisión a través del engobe, para así revelar el otro color. Los alfareros de Staffordshire en la Gran Bretaña del s. XVII se hicieron famosos por las figuras decorativas, flores y diseños que crearon con trazas y puntos de engobe, dibujados por medio de dispensadores especiales.

Sloan, Alfred P(ritchard), Jr. (23 may. 1875, New Haven, Conn., EE.UU.–17 feb. 1966, Nueva York, N.Y.). Ejecutivo empresarial estadounidense. Inició su carrera profesional en la empresa Hyatt Roller Bearing Co. en Nueva Jersey y se convirtió en su presidente a la edad de 26 años. Posteriormente, la empresa fue adquirida por GENERAL MOTORS CORP. (GM) y Sloan fue escalando posiciones hasta convertirse en presidente y gerente general de GM en 1923. Durante su gestión la empresa logró sobrepasar en ventas a FORD MOTOR CO. y se transformó en la sociedad más grande del mundo. Fue presidente del directorio desde 1937 hasta su jubilación en 1956. Sloan fue además un destacado filántropo. Financió la Fundación Alfred P. Sloan y realizó aportes al Sloan-Kettering Cancer Center en Nueva York y a la escuela de administración del Instituto Tecnológico de Massachusetts.

Sloan, John (French) (2 ago. 1871, Lock Haven, Pa., EE.UU.–7 sep. 1951, Hanover, N.H.). Artista estadounidense. Trabajó como ilustrador de periódicos en Filadelfia, donde estudió con ROBERT HENRI, a quien siguió a la ciudad de Nueva York. En 1908, él y otros seis creadores montaron una

"Wake of the Ferry", óleo sobre tela de John Sloan, 1907; Phillips Collection, Washington, D.C.
GENTILEZA DE LA PHILLIPS COLLECTION, WASHINGTON, D.C.; FOTOGRAFÍA, HENRY BEVILLE

exposición bajo el nombre de los OCHO, en dicha ciudad. Las pinturas urbanas realistas de Sloan dieron origen a la escuela ASH-CAN. Obras como *Domingo, mujeres secándose el pelo* (1912) y *Patio interior del Greenwich Village* (1914) constituyen compasivos retratos de hombres y mujeres trabajadores. Ocasionalmente, evocaba estados de ánimo de romántica melancolía.

Slonimsky, Nicolas (27 abr. 1894, San Petersburgo, Rusia–25 dic. 1995, Los Ángeles, Cal., EE.UU.). Musicólogo, director de orquesta y compositor estadounidense de origen ruso. Abandonó la Unión Soviética después de estudiar en el conservatorio de San Petersburgo y en 1923 se radicó en EE.UU. En la década de 1930 dirigió los estrenos de obras de CHARLES IVES, EDGARD VARÈSE y otros. En *Music Since 1900* (1937) realizó una crónica de la vida musical del siglo día tras día. En su *Lexicon of Musical Invective* (1952) recopiló ejemplos de equivocaciones de la crítica musical. Su *Thesaurus of Scales and Melodic Patterns* (1947) fue una fuente de inspiración para numerosos compositores. Editó cuatro ediciones del *Baker's Dictionary of Music and Musicians* (1958–92). Realizó su oportuna labor académica con entusiasmo y humor, y hacia el final de su larga vida fue elogiado por FRANK ZAPPA y otros músicos.

Sluter, Claus (c. 1340/50, ¿Haarlem?, Holanda–entre 24 sep. 1405 y 30 ene. 1406, Dijon, Borgoña). Escultor borgoñón de origen flamenco. Ingresó al servicio de FELIPE II el Atrevido en 1385, y en 1389 se convirtió en su principal escultor. Todas las esculturas de su autoría que aún se conservan fueron hechas para el monasterio cartujo de Champmol, en Dijon, fundado por Felipe. Sluter fue más allá del gusto francés en boga por las figuras agraciadas, el movimiento delicado y las fluidas caídas del drapeado, para adentrarse en formas naturalistas marcadamente individuales. Sus obras conjugan realismo y espiritualidad, así como grandeza monumental. Ejerció gran influencia tanto en pintores como en escultores de la Europa septentrional del s. XV.

Zacarías, Daniel e Isaías en el "Pozo de Moisés", escultura en mármol de Claus Sluter, 1395–1404/05; claustro de la cartuja de Champmol, Dijon, Francia.
FOTO MARBURG/ART RESOURCE, NUEVA YORK

Smarta Secta ortodoxa hindú compuesta por miembros de CASTAS superiores que veneran a todos los dioses del panteón hindú y adhieren a las reglas de rito y conducta establecidas en los antiguos SUTRAS. La secta fue fundada por SANKARA. El superior del monasterio que estableció en Sringeri es la autoridad espiritual de los smartas y uno de los principales personajes religiosos de la India. Los smartas consideran a cinco dioses como primarios: SHIVA, VISNÚ, Sakti (ver SAKTI), SURYA y GANESA. Activos en todas las ramas del saber, se han ganado el título honorario de *sastri* (en sánscrito "hombres doctos").

Smeaton, John (8 jun. 1724, Austhorpe, Yorkshire, Inglaterra–28 oct. 1792, Austhorpe). Ingeniero civil británico. Entre 1756 y 1759 reconstruyó el faro de Eddystone (frente a Plymouth), período en que redescubrió el cemento hidráulico (que se había perdido desde la caída de Roma) como el mejor mortero para la construcción bajo el agua. Construyó el gran canal de Forth y Clyde en Escocia, los puentes en Perth, Banff y Coldstream, y terminó el puerto en Ramsgate, Kent. Fue pionero en la transición de la energía eólica e hidráulica a la energía del vapor; con sus mejoras, la máquina de VAPOR sin condensación de THOMAS NEWCOMEN logró su rendimiento máximo. Diseñó bombas atmosféricas de agotamiento para minas de carbón, minas en general y muelles. En 1771 fundó la Sociedad británica de ingenieros civiles (actual Smeatonian Society). Se lo considera el fundador de la disciplina de la INGENIERÍA CIVIL en Gran Bretaña.

Smetana, Bedřich (2 mar. 1824, Litomyšl, Bohemia, Imperio austríaco–12 may. 1884, Praga). Compositor checo (bohemio). Decidido a convertirse en pianista, su primer concierto (1847) acabó con sus esperanzas. Desde entonces se dedicó a la enseñanza y abrió dos escuelas de música. En la década de 1860 se volcó hacia la ópera, convirtiéndose en 1866 en director del teatro nacional. Su segunda ópera fue *La novia vendida* (1866), que logró un éxito perdurable después de varias revisiones. Le siguió *Dalibor* (1868), que también se hizo popular, y compuso cinco óperas más. Aunque en 1874 fue atacado por una sordera derivada de la sífilis, en su última década de vida compuso una parte muy apreciada de su música, como lo es el ciclo *Mi patria* (1874–79), del que forma parte el famoso poema sinfónico *El moldava*, y el cuarteto *De mi vida* (1876). En 1883 perdió la razón y falleció en un asilo. El carácter fuertemente nacionalista de su música hizo de Smetana el compositor checo más importante.

Smilax Género compuesto por unas 300 especies de plantas trepadoras leñosas o herbáceas, conocidas como ZARZAPARRILLAS (familia Smilacaceae), originarias de regiones tropicales y templadas. Los tallos de muchas especies están cubiertos de espinas, las hojas inferiores son escamosas y las superiores coriáceas tienen láminas no dentadas con tres a nueve venas grandes. Las flores blancas o verde amarillas están acompañadas por racimos de bayas de color rojo o negro azulino. Las especies *S. rotundifolia* y *S. herbacea* del este de América del Norte se cultivan a veces para formar espesuras impenetrables.

Zarzaparrilla (*Smilax rotundifolia*).
RUNK/SCHOENBERGER–GRANT HEILMAN PHOTOGRAPHY, INC.

Smith, Adam (bautizado el 5 jun. 1723, Kirkcaldy, Fife, Escocia–17 jul. 1790, Edimburgo). Economista político y filósofo social escocés. Hijo de un funcionario de aduanas, estudió en las universidades de Glasgow y Oxford. A raíz de una serie de conferencias públicas en Edimburgo (desde 1748) entabló una amistad de por vida con DAVID HUME y fue nombrado profesor de la Universidad de Glasgow en 1751. Después de publicar *Teoría de los sentimientos morales* (1759) se convirtió en preceptor del futuro duque de Buccleuch (1763–66), con quien viajó a Francia, donde tuvo la oportunidad de compartir con otros eminentes pensadores. En 1776, tras nueve años de trabajo, publicó *Investigación sobre la naturaleza y causas de la riqueza de las naciones*, el primer sistema integral de economía política, donde planteaba que un sistema económico basado en los intereses individuales conduciría, como guiado por una "mano invisible", a la realización del interés general, y que la DIVISIÓN DEL TRABAJO era el factor clave del crecimiento económico. Fue una reacción contra el MERCANTILISMO entonces imperante y constituye el comienzo de la ECONOMÍA CLÁSICA. Su obra *La riqueza de las naciones* le brindó con el tiempo una enorme reputación y se convertiría prácticamente en la obra de economía más influyente que se haya publicado. Aunque a menudo es considerada la biblia del CAPITALISMO, critica duramente las deficiencias de la libre empresa sin restricciones y los monopolios. En 1777, Smith fue nombrado director de aduanas de Escocia y, en 1787, rector de la Universidad de Glasgow.

Smith, Alfred E(manuel) (30 dic. 1873, Nueva York, N.Y., EE.UU.–4 oct. 1944, Nueva York). Político estadounidense. Después de trabajar en un negocio de venta de pescados para ayudar a mantener a su familia, inició su carrera política con un puesto que le ofreció TAMMANY HALL (1895). En la asamblea del estado (1903–15) ascendió a presidente, luego ocupó cargos políticos municipales. Como gobernador de Nueva York (1919–20, 1923–28) trabajó por el mejoramiento de viviendas, la protección de la infancia y un gobierno eficiente. En 1928 ganó la candidatura presidencial del Partido Demócrata, primer postulante católico en aspirar al cargo, pero HERBERT HOOVER lo derrotó con facilidad. Más tarde se opuso a los programas del NEW DEAL de FRANKLIN D. ROOSEVELT y en 1936 y 1940 apoyó a los candidatos presidenciales republicanos.

Smith, Bessie *orig.* **Elizabeth Smith** (15 abr. ¿1898?, Chattanooga, Tenn., EE.UU.–26 sep. 1937, Clarksdale, Miss.). Cantante estadounidense de BLUES y JAZZ. Cantaba tanto canciones populares como blues en los *minstrel shows* y en espectáculos de vodevil. En 1923 comenzó a grabar discos y apareció en el filme *St. Louis Blues* (1929). Sus interpretaciones representan la etapa cúlmine de la transición del blues, desde la tradición folclórica rural hacia su estructura y expresividad urbanas. Artista atrevida y sumamente segura, de voz potente y dicción precisa, se hizo conocida como la "emperatriz del blues". Smith fue la artista afroamericana más exitosa de su tiempo. Murió a consecuencia de las lesiones recibidas en un accidente automovilístico y se dice que, de haber sido blanca, habría recibido tratamiento médico con mayor prontitud y podría haber sobrevivido. Las circunstancias reales del tratamiento que recibió no están claras.

Smith College Colegio universitario privado de artes liberales para estudiantes de sexo femenino, ubicado en Northampton, Mass., EE.UU. Fue fundado en 1871 gracias al legado de Sophia Smith (n. 1796–m. 1870). Ofrece licenciaturas en la mayoría de los principales campos académicos, como asimismo grados de magíster en biología, danza, educación, música, religión, trabajo social y teatro. La escuela de trabajo social otorga también grados académicos de Ph.D. El Smith College forma parte de un consorcio educacional juntamente con AMHERST COLLEGE, Hampshire College, MOUNT HOLYOKE COLLEGE y la Universidad de MASSACHUSETTS en Amherst.

Smith, Cyril Stanley (4 oct. 1903, Birmingham, Warwickshire, Inglaterra–25 ago. 1992, Cambridge, Mass., EE.UU.). Ingeniero metalúrgico estadounidense de origen inglés. Trabajó como investigador en el Instituto Tecnológico de Massachusetts (MIT) y en la empresa American Brass Co., antes de ingresar al proyecto MANHATTAN, en el que enunció las propiedades y tecnología del PLUTONIO y URANIO, materiales esenciales de la BOMBA ATÓMICA. Más tarde enseñó en la Universidad de Chicago (1946–61) y en el MIT (1961–69). Publicó muchos libros sobre la historia de la metalurgia, como *A History of Metallography* (1960).

Smith, Dame Maggie *orig.* **Margaret Natalie Smith** (n. 28 dic. 1934, Ilford, Essex, Inglaterra). Actriz británica. Ganó reconocimiento por primera vez en Broadway con su actuación en *New Faces of 1956* y, después de ser aclamada por sus interpretaciones en *The Rehearsal* (1961) y *Mary, Mary* (1963), se incorporó al National Theatre Company de Gran Bretaña, donde fue protagonista de *Otelo* (1964; película, 1965) junto a LAURENCE OLIVIER. Entre sus siguientes películas se cuentan *Los mejores años de Miss Brodie* (1969, premio de la Academia), *Viajes con mi tía* (1972), *California Suite* (1978, premio de la Academia) y *La solitaria pasión de Judith Hearne* (1987). Se destacó por su nerviosa intensidad, su ácido ingenio e impecable ritmo escénico, y se lució en magníficas actuaciones teatrales, como en las obras *Así va el mundo* (1985) y *Lettice and Lovage* (1990, premio Tony).

Smith, David (Roland) (9 mar. 1906, Decatur, Ind., EE.UU.–23 may. 1965, Albany, N.Y.). Escultor estadounidense. Aprendió metalurgia cuando trabajaba en una planta automotriz. En 1926 se trasladó a Nueva York y tomó varios empleos mientras estudiaba pintura en la Art Students League. Sus esculturas surgieron de sus pinturas abstractas, a las que adhirió tal cantidad de fragmentos de madera, metal y objetos encontrados, que se convirtieron en verdaderas bases para superestructuras escultóricas. Fue el primer artista estadounidense en hacer esculturas con metal soldado. En 1940 se dirigió a Bolton Landing, N.Y., donde realizó sus grandes y aparentemente ingrávidas esculturas metálicas en las que trabajó hasta su muerte, ocurrida en un accidente automovilístico. Sus formas abstractas biomorfas y geométricas destacan por su errática inventiva, diversidad estilística y gran calidad estética. Su obra ejerció fuerte influencia sobre la escultura minimalista (ver MINIMALISMO) de la década de 1960.

Smith, estrecho de Canal entre la isla de ELLESMERE en Canadá y el noroeste de GROENLANDIA. Con un ancho de 48–72 km (30–45 mi) aprox., se extiende hacia el norte por 88 km (55 mi) desde la bahía de BAFFIN hasta la cuenca Kane. William Baffin lo descubrió en 1616 y lo bautizó en honor de Thomas Smythe (Smith), quien había promovido una serie de viajes en busca del paso del NOROESTE.

Smith, Frederick Edwin ver conde de BIRKENHEAD

Smith, George (19 mar. 1824, Londres, Inglaterra–6 abr. 1901, Byfleet, cerca de Weybridge, Surrey). Editor inglés. Heredó la editorial y librería de su padre en 1846. Bajo su tutela, la compañía editó libros de destacados escritores de la era victoriana, como JOHN RUSKIN, las HERMANAS BRONTË, CHARLES DARWIN, WILLIAM THACKERAY, ELIZABETH BARRETT BROWNING, WILKIE COLLINS, MATTHEW ARNOLD, HARRIET MARTINEAU y ANTHONY TROLLOPE. La obra más relevante que publicó fue la primera edición del *Dictionary of National Biography*, 66 vol. (1885–1901), que después fue continuada por la Oxford University Press. También fundó la revista literaria ilustrada *Cornhill Magazine* (1860) y la *Pall Mall Gazette* (1865), otra publicación dedicada a la literatura.

Smith, Gerrit (6 mar. 1797, Utica, N.Y., EE.UU.–28 dic. 1874, Nueva York, N.Y.). Reformador y filántropo estadounidense. De familia acaudalada, participó activamente en el movimiento contra el alcoholismo (1828) y construyó uno de los primeros hoteles del país donde no se consumía alcohol, en Peterboro, N.Y. A partir de 1835 fue un abolicionista activo y convirtió su hotel en una estación del UNDERGROUND RAILROAD (red clandestina). Colaboró en la formación del Partido de la Libertad y fue su candidato presidencial, sin éxito, en 1848 y 1852. Pagó los gastos judiciales de muchos esclavos detenidos en virtud de las leyes de los ESCLAVOS FUGITIVOS. Regaló una granja a su amigo JOHN BROWN y financió algunas de sus actividades.

Smith, Hamilton O(thanel) (n. 23 ago. 1931, Nueva York, N.Y., EE.UU.). Microbiólogo estadounidense. Se tituló de médico en la Universidad Johns Hopkins. Mientras estudiaban el mecanismo por el cual la bacteria *Haemophilus influenzae* incorpora ADN de un determinado bacteriófago, Smith, WERNER ARBER y DANIEL NATHANS descubrieron la primera de las que se denominarían enzimas de restricción del tipo II. Mientras que las enzimas de restricción estudiadas previamente cortaban el ADN en puntos impredecibles, la predictibilidad de las del tipo II permitió a los científicos cortar el ADN en un punto determinado. Estas enzimas se han convertido en valiosas herramientas para estudiar la estructura del ADN y en la tecnología del ADN recombinante. En 1978, los tres compartieron el Premio Nobel.

Smith, Hoke (2 sep. 1855, Newton, N.C., EE.UU.–27 nov. 1931, Atlanta, Ga.). Político estadounidense. Fue el editor del *Atlanta Journal* (1887–1900) y lo utilizó como vehículo para promover medidas progresistas (excepto los derechos civiles para los afroamericanos). Ocupó el cargo de ministro del interior (1893–96). Como gobernador de Georgia (1907–09, 1911), mejoró la educación, el transporte y las condiciones de vida en las cárceles. En el Senado (1911–21) apoyó leyes progresistas, pero se opuso al ingreso de EE.UU. a la Sociedad de Naciones.

Ian Smith.
MARION KAPLAN

Smith, Ian (Douglas) (n. 8 abr. 1919, Selukwe, Rhodesia). Primer ministro rodesiano de la colonia británica de Rhodesia del Sur (1964–79). Ardiente defensor del gobierno blanco, en 1965 declaró unilateralmente la independencia de Rhodesia y el retiro de la Commonwealth. Enfrentó los ataques de la guerrilla de ROBERT MUGABE y JOSHUA NKOMO durante gran parte de la década de 1970. En 1977 fue obligado finalmente a negociar la transferencia del poder a la mayoría negra, proceso que se completó dos años más tarde. Continuó en el parlamento hasta 1987.

Smith, John (bautizado 6 ene. 1580, Willoughby, Lincolnshire, Inglaterra–jun. 1631, Londres). Explorador inglés. Pasó un tiempo como aventurero militar, para luego incorporarse a un grupo inglés que se preparó para establecer una colonia en América del Norte. Cuando la LONDON COMPANY recibió su escritura de constitución, el grupo zarpó y llegó a la bahía de Chesapeake (1607), donde estableció el primer asentamiento inglés en América del Norte, en JAMESTOWN, del cual fue su líder. Mientras navegaba por el río para explorar la región circundante, los indios de la Confederación POWHATAN lo capturaron y POCAHONTAS le salvó la vida. En calidad de presidente de la colonia de Jamestown vigiló su desarrollo. Una lesión lo obligó a regresar a Inglaterra en 1609. Deseoso de seguir explorando, se comunicó con la PLYMOUTH COMPANY y zarpó en 1614 hacia la zona que denominó Nueva Inglaterra. Realizó cartografías de la costa y descripciones de Virginia y Nueva Inglaterra que animaron a otros a colonizar.

Joseph Smith, detalle de una pintura al óleo de un artista desconocido; Heritage Hall Museum, Auditorium, Independence, Missouri, EE.UU.
GENTILEZA DE LA IGLESIA REORGANIZADA DE JESUCRISTO DE LOS SANTOS DE LOS ÚLTIMOS DÍAS, INDEPENDENCE, MISSOURI

Smith, Joseph (23 dic. 1805, Sharon, Vt., EE.UU.–27 jun. 1844, Carthage, Ill.). Fundador de la Iglesia de Jesucristo de los Santos de los Últimos Días (ver MORMÓN). Comenzó a experimentar visiones cuando era adolescente en Palmyra, N.Y. En 1827 sostuvo que un ángel le había guiado hacia donde estaban enterradas unas placas de oro que contenían las revelaciones de Dios, las que tradujo en el *Libro del mormón* (1830). Condujo a sus seguidores a Ohio, Missouri e Illinois, donde fundó el pueblo de Nauvoo (1839), que rápidamente se convirtió en el más grande del estado. Arrestado por traición después de que sus intentos por silenciar a disidentes mormones originaron desórdenes callejeros, fue linchado por una muchedumbre enfurecida que atacó la prisión donde estaba encarcelado. Su obra fue continuada por BRIGHAM YOUNG.

Smith, Kate *orig.* **Kathryn Elizabeth Smith** (1 may. 1909, Greenville, Va., EE.UU. –17 jun. 1986, Raleigh, N.C.). Cantante estadounidense, conocida por mucho tiempo como la "primera dama de la radio". Estudió enfermería antes de trasladarse a Nueva York, donde en Broadway obtuvo el papel de una niña con sobrepeso que era objeto de bromas. En 1931 comenzó su espectáculo de radio *Kate Smith Sings*; fue tan popular que se mantuvo 16 años al aire. Su canción característica, "When the Moon Comes over the Mountain", se hizo familiar para millones de auditores. En 1938 creó el programa de noticias y chismes *Kate Smith Speaks* y presentó la canción de IRVING BERLIN "God Bless America". En la década de 1950 fue anfitriona de varios programas de televisión. En 1982 recibió la Medalla presidencial de la libertad de EE.UU.

Smith, Margaret Chase *orig.* **Margaret Madeline Chase** (14 dic. 1897, Skowhegan, Maine, EE.UU.–29 may. 1995, Skowhegan). Política estadounidense. Fue secretaria de su marido, Clyde Smith, cuando este fue elegido para integrar la Cámara de Representantes, como republicano, en 1936. En 1940, Smith sufrió un ataque cardíaco y pidió a los votantes que la eligieran a ella en su reemplazo. Fue la primera mujer que ganó una elección tanto en la Cámara (1940–49) como en el Senado (1949–73). Aunque anticomunista convencida, fue la primera de los senadores republicanos en oponerse a la táctica de Joseph McCarthy y en 1950 pronunció un memorable discurso de "Declaración de conciencia" en la sala del Senado. Su opinión de que el pdte. JOHN F. KENNEDY debía usar armas nucleares contra la Unión Soviética motivó al líder soviético NIKITA JRUSCHOV a apodarla "el demonio disfrazado de mujer". Después de su derrota en 1972, se retiró de la política. En 1989 recibió la Medalla presidencial de la libertad de EE.UU.

Margaret Chase Smith.
BIBLIOTECA DEL CONGRESO, WASHINGTON, D.C.; NEG. NO. LC USZ 62 42661

Smith, Red *orig.* **Walter Wellesley Smith** (25 sep. 1905, Green Bay, Wis., EE.UU.–15 ene. 1982, Stamford, Conn.). Columnista deportivo estadounidense. Trabajó para varios periódicos antes de que su columna "Views of Sport" apareciera en el *New York Herald Tribune* en 1945. A partir de entonces, esta empezó a figurar en varios periódicos. En 1971 se integró a *The New York Times*. En sus columnas, enfocadas sobre todo en deportes de alta convocatoria, evitaba el uso de la jerga deportiva y hacía gala de su oficio literario, humor irónico y profundos conocimientos. Obtuvo el Premio Pulitzer en 1976. Sus columnas fueron recogidas en cinco volúmenes, entre los que se destacan *Out of the Red* (1950) y *Strawberries in the Wintertime* (1974).

Smith, Samuel (27 jul. 1752, Carlisle, Pa.–22 abr. 1839, Baltimore, Md., EE.UU.). Político estadounidense. Fue comerciante en Baltimore y combatió en la guerra de la independencia de los EE.UU. Se desempeñó en la Cámara de Representantes (1793–1803, 1816–22) y en el Senado (1803–15, 1822–33). Con el grado de general de brigada de la milicia de Maryland, estuvo al mando de las tropas de EE.UU. que defendieron Baltimore contra los británicos en la guerra de 1812. A los 83 años de edad, y luego de dirigir la milicia contra unos alborotadores, fue elegido alcalde de Baltimore (1835–38).

Smith, Stevie *orig.* **Florence Margaret Smith** (20 sep. 1902, Hull, Yorkshire, Inglaterra–7 mar. 1971, Londres). Poetisa inglesa. Vivió gran parte de su vida con una tía en un suburbio londinense y trabajó durante muchos años como secretaria. Su poesía, una combinación nada sentimental entre lo absurdo y lo patético, revela una personalidad original y visionaria. En la década de 1960 sus lecturas poéticas se hicieron muy populares, al punto que llegó a hacer varias transmisiones y grabaciones para la radio. Sus *Collected Poems* (1975) están ilustrados con sus propios dibujos, que remedan el estilo de JAMES THURBER. Este volumen incluye su primer libro, *A Good Time Was Had by All* (1937) y *Not Waving but Drowning* (1957), cuyo poema homónimo aparece en varias antologías.

Smith, Theobald (31 jul. 1859, Albany, N.Y., EE.UU.–10 dic. 1934, Nueva York). Microbiólogo y patólogo estadounidense. Se tituló de médico en la Universidad Cornell. Descubrió que la inyección de cultivos inactivados por calor de los microorganismos causantes de ciertas enfermedades podía inmunizar a los animales contra la enfermedad correspondiente. Al descubrir que la fiebre de Texas del ganado era producida por un parásito transmitido por garrapatas (primera demostración clara del papel de los artrópodos en la diseminación de enfermedades), contribuyó a que la comunidad científica aceptara el rol de los mosquitos en el PALUDISMO y en la FIEBRE AMARILLA. Smith fue el primero en diferenciar entre las bacterias que causan la tuberculosis del ganado y la de los humanos, y uno de los primeros en percatarse de la anafilaxis. También mejoró la producción de VACUNAS en laboratorio.

Smith & Wesson Empresa estadounidense fabricante de armas. Tiene sus orígenes en la sociedad creada en 1852 por Horace Smith (n. 1808–m. 1893) y Daniel B. Wesson (n. 1825–m. 1906), quienes diseñaron y comercializaron una pistola de repetición con cargador. La empresa enfrentó dificultades financieras y se vieron forzados a venderla. Sin embargo, una segunda sociedad, creada en 1856, que fabricaba un nuevo revólver (hoy conocido como revólver calibre .22) fue más exitosa. Como resultado de la guerra de Secesión, Smith & Wesson se convirtió en una empresa líder en la fabricación de armas de fuego. En 1867 inició ventas en Europa y fue proveedora de los británicos y aliados durante la primera y segunda guerra mundial. En 1965, la familia Wesson vendió la compañía y, desde entonces, ha cambiado varias veces de propiedad.

Smith, William (23 mar. 1769, Churchill, Oxfordshire, Inglaterra–28 ago. 1839, Northampton, Northamptonshire). Ingeniero y geólogo inglés, conocido como el fundador de la ciencia de la ESTRATIGRAFÍA. Hijo de un herrero, fue un autodidacta. Levantó el primer mapa geológico de Inglaterra y Gales (1815), estableciendo las coordenadas que seguirían los mapas geológicos modernos, además de una serie de mapas geológicos de los condados ingleses. Introdujo varias técnicas aún en uso, como la utilización de fósiles para la datación de estratos. Los actuales mapas geológicos de Inglaterra difieren de los suyos, principalmente en el nivel de detalle, pero aún se mantienen muchos de los pintorescos nombres que aplicó a los estratos.

Smith, W(illiam) Eugene (20 dic. 1918, Wichita, Kan., EE.UU.–15 oct. 1978, Tucson, Ariz.). Reportero gráfico estadounidense. Se desempeñó como fotógrafo en periódicos locales, para luego trasladarse a Nueva York y trabajar para varias revistas. En 1943–44, como corresponsal de guerra para la revista *Life*, cubrió muchas de las batallas importantes en la zona del Pacífico. Realizó numerosos ensayos fotográficos para *Life*, como *Spanish Village* (1951), un estudio sobre la lucha diaria de los aldeanos por explotar la tierra agotada. Su foto más famosa, *The Walk to Paradise Garden* (1947), que mostraba a sus propios hijos entrando al claro de un bosque, terminó con la memorable exhibición fotográfica *The Family of Man*. Su obra de mayor renombre se titula *Minamata* (1975), un estudio sobre los efectos devastadores del envenenamiento por mercurio ocurrido en una aldea de pescadores en Japón.

"The Walk to Paradise Garden", fotografía de W. Eugene Smith, 1947.

W. EUGENE SMITH

Smithsoniano, Instituto *inglés* **Smithsonian Institute** Instituto de investigación estadounidense. Creado gracias al legado del químico inglés James Smithson (n. 1765–m. 1829), se fundó en Washington, D.C. en 1846 por una ley del congreso. Esta institución administra diversas entidades: la Galería de Arte Freer, el Centro John F. Kennedy de las Artes de la Representación, el Museo Nacional del Aire y el Espacio, la Galería Nacional de Arte, el Museo Nacional de Historia y Tecnología, el Museo Nacional de Historia Natural, el Parque Zoológico Nacional y el Observatorio Astrofísico Smithsoniano.

smog Tipo de contaminación atmosférica que afecta a ciertas urbes. El término, combinación de los vocablos en inglés *smoke* (humo) y *fog* (niebla), se popularizó a comienzos del s. XX, y con él hoy se alude comúnmente al manto de niebla con partículas de humo de las emisiones industriales y de escapes de vehículos que cubre algunas urbes. El smog sulfuroso resulta del uso de combustibles fósiles con azufre, particularmente carbón, y se agrava por la humedad. El *smog* fotoquímico no requiere de humo ni niebla. En presencia de la luz solar, los óxidos nitrosos y vapores de hidrocarburos emitidos por los automóviles y otras fuentes, sufren reacciones que producen una coloración marrón claro de la atmósfera, visibilidad reducida, daño a la vegetación, irritación de los ojos y afecciones respiratorias.

Smolensk *o* **Smolensko** *o* **Smoliensk** Ciudad (pob., est. 1999: 355.700 hab.) de Rusia occidental. Una de las ciudades más antiguas y de mayor importancia histórica de Rusia, ya en el s. IX constituía una fortaleza clave a orillas del DNIÉPER, con el tiempo se transformó en un centro comercial en la ruta entre el mar BÁLTICO y el Imperio BIZANTINO. Saqueada por los TÁRTAROS c. 1240, cayó más tarde en poder de Lituania. Moscú la capturó en 1340 después de someterla a prolongados sitios, y Lituania la recuperó en 1408. Ambos lucharon varias veces por el control, hasta que finalmente quedó en poder de Rusia en 1654. Fue incendiada durante la invasión de NAPOLEÓN I en 1812. Escenario de cruentos combates durante la segunda guerra mundial, fue ocupada por los alemanes de 1941 a 1943. Es un centro educacional y de industria ligera.

Smollett, Tobias (George) (bautizado 19 mar. 1721, Cardross, Dumbartonshire, Escocia–17 sep. 1771, cerca de Livorno, Toscana). Novelista satírico inglés. Durante toda su vida combinó su vocación de médico y escritor. Se lo recuerda especialmente por sus novelas, entre las que se cuentan las NOVELAS PICARESCAS *Roderick Random* (1748), vívido retrato de la vida naval británica, y *Peregrine Pickle* (1751), crudo y cómico retrato de la sociedad inglesa del s. XVIII. También tuvo una activa carrera en el mundo editorial, en el que realizó traducciones, escribió *Complete History of England* (1757–58), editó publicaciones periódicas, como *The Critical Review*, y compiló los 58 volúmenes de la obra *Universal History*. A mediados de la década de 1760, gravemente enfermo de tuberculosis, se retiró a Francia. En 1766 publicó su irascible crónica *Viajes por Francia e Italia*, único de sus ensayos vigente en la actualidad. Su mejor obra es *Humphry Clinker* (1771), una divertida NOVELA EPISTOLAR.

Smoot-Hawley, ley de aranceles (1930). Ley estadounidense que elevó los derechos de importación hasta en un 50%, índice que agregó mucha tensión al ambiente económico mundial de la GRAN DEPRESIÓN. Pese a la petición de 1.000 economistas que instaban al pdte. HERBERT HOOVER a vetar la ley, esta se aprobó como una medida protectora para la industria nacional. La medida determinó una temprana pérdida de confianza en Wall Street y anunció el aislacionismo de EE.UU. Otros países reaccionaron con aranceles de protección igualmente elevados y los bancos extranjeros comenzaron a desplomarse. En 1934, el pdte. FRANKLIN D. ROOSEVELT firmó la ley de tratados comerciales, que redujo dichos aranceles.

smriti Clase de literatura sagrada hindú basada en la memoria humana, en contraste con los VEDAS, que se consideran revelaciones divinas. Smriti sirve para elaborar, interpretar y codificar la literatura védica. Se la considera menos fidedigna que la literatura védica, aunque tiende a ser más conocida. El término ha llegado a referirse especialmente a textos sobre leyes y conductas sociales, como los *Kalpa-sutras*, los PURANAS, el BHAGAVADGITA, el RAMAYANA y el MAHABHARATA.

Smuts, Jan (Christiaan) (24 may. 1870, Bovenplaats, cerca de West Riebeeck, Colonia de El Cabo–1 sep. 1950, Irene, cerca de Pretoria, Sudáfrica). Estadista, militar y primer ministro sudafricano (1919–24, 1939–48). De origen AFRIKÁNER, estudió derecho en la Universidad de Cambridge. Regresó a Sudáfrica y en 1897, el presidente PAULUS KRUGER lo nombró fiscal estatal en Pretoria. Combatió contra los británicos en la guerra de los BÓERS y se unió a LOUIS BOTHA para impedir que ALFRED MILNER aplicara los términos de paz. En 1905 se reconcilió con el control británico y procuró mantener a Sudáfrica dentro de la Commonwealth. En la primera guerra mundial se unió nuevamente a Botha para reprimir la rebelión, conquistar África del Sudoeste y emprender una campaña en África oriental. Participó en la conferencia de paz de Versalles y contribuyó a promover la SOCIEDAD DE NACIONES. Cuando murió Botha, Smuts pasó a ser primer ministro. Fue derrotado en 1924 por una coalición del PARTIDO NACIONAL. En 1933 ayudó a J.B.M. HERTZOG a forzar la salida del gobierno de los ultranacionalistas, y en 1939 reemplazó a Hertzog como primer ministro. Bajo su liderazgo, Sudáfrica contribuyó a evitar la conquista de África septentrional por Alemania e Italia. En 1948 fue derrotado por los nacionalistas de DANIEL F. MALAN. En sus últimos años fue rector de la Universidad de Cambridge.

Smyth, Dame Ethel (Mary) (22 abr. 1858, Londres, Inglaterra–9 may. 1944, Woking, Surrey). Compositora británica. Nacida en el seno de una familia de militares, estudió en el conservatorio de Leipzig y recibió el estímulo de JOHANNES BRAHMS y ANTONÍN DVOŘÁK. Ganó reconocimiento por primera vez con su grandiosa *Misa en re* (1893). Su obra más conocida es *The Wreckers* (1906), la ópera inglesa más admirada en su tiempo. Su *March of the Women* (1911) fue un reflejo de su fuerte compromiso con el movimiento sufragista (ver SUFRAGIO FEMENINO). Su ópera cómica *The Boatswain's Mate* (1916) gozó de un éxito considerable. La obra de Smyth es notablemente ecléctica y abarca de lo convencional a lo experimental. Escribió una autobiografía de varios volúmenes titulada *Impressions That Remained* (1919–40).

Snake, río Río en el noroeste de EE.UU. Es el afluente más extenso del río COLUMBIA y uno de los cursos fluviales más importantes del Pacífico noroccidental. Nace en las montañas del parque nacional YELLOWSTONE, en el estado de Wyoming, y discurre hacia el sur, cruzando Idaho a lo largo de 1.670 km

(1.040 mi) hasta desembocar en el río Columbia, en el sudeste del estado de Washington. El curso inferior del Snake atraviesa HELLS CANYON, el desfiladero más profundo de América del Norte.

Snell, ley de Relación entre la trayectoria seguida por un rayo de luz antes y después de cruzar la frontera (o superficie límite) entre dos medios y sus respectivos índices de refracción. Descubierta en 1621 por Willebrord Snell (n. 1580–m. 1626), esta ley permaneció inédita hasta ser mencionada por CHRISTIAAN HUYGENS. Si n_1 y n_2 representan los índices de refracción de dos medios, y θ_1 y θ_2 son los ángulos de incidencia y REFRACCIÓN que un rayo de luz forma con la perpendicular a la frontera (la normal), la ley de Snell establece que n_1/n_2 = sen θ_2/sen θ_1. Debido a que la razón n_1/n_2 es una constante para medios y longitud de onda dados, la razón entre los dos senos también es una constante para cualquier ángulo.

snooker *o* **billar inglés** Variación del BILLAR inglés. Se juega con 15 bolas rojas y seis de distintos colores. El *snooker* nació probablemente en la India en la década de 1870, como una forma de entretención de los soldados. Los jugadores tratan de embocar primero las bolas rojas y después las otras. Anotan un punto por cada bola roja y tantos puntos como correspondan al número marcado en cada una de las otras bolas. El término *snooker* se refiere a la posición en que queda la bola blanca cuando no puede darle a la bola que corresponde golpear.

Snorri Sturluson (1179, Islandia–22 sep. 1241, Reykjaholt). Poeta, cronista y jefe tribal islandés. Nacido en el seno de una influyente familia, se convirtió en el "vocero de la ley" o presidente del tribunal supremo islandés y en vasallo del rey HAAKON IV de Noruega. Fue al autor de la EDDA *en prosa* (o *Edda menor*) y de *Heimskringla* o *La saga de los reyes de Noruega*, historia de los reyes de Noruega. Sus escritos sobresalen por su alcance histórico y aplomo formal, mientras que el poder de su genio radica en su capacidad para presentar todo lo que percibía como cronista con la impactante inmediatez de una obra dramática. Sus relaciones con Haakon se deterioraron, y fue asesinado por orden del rey.

Snow, C(harles) P(ercy) *post.* **barón Snow (de Leicester)** (15 oct. 1905, Leicester, Leicestershire, Inglaterra–1 jul. 1980, Londres). Novelista, científico y funcionario de gobierno británico. Se desempeñó como físico molecular en la Universidad de Cambridge durante 20 años y fue consejero científico del gobierno. *Extraños y hermanos* (1940–70), serie de once novelas, retrata a los burócratas y el carácter corruptor del poder. La serie incluye *Los Amos* (1951), *El hombre nuevo* (1954) y *Pasillos de poder* (1964). En *Las dos culturas y un segundo enfoque* (1959), así como en otros ensayos, medita sobre la separación cultural entre quienes practican la ciencia y la literatura.

C.P. Snow.
CAMERA PRESS–PICTORIAL PARADE/EB INC.

snowboard (inglés: "tabla para la nieve"). Deporte que consiste en deslizarse por la nieve, montaña abajo, en una tabla, esquí ancho en que se adopta una posición de surf. Derivado del SURF e influenciado también por el SKATE BOARD y el esquí, el *snowboard* comenzó a hacerse popular entre la juventud estadounidense a mediados de la década de 1980. La primera competencia olímpica se llevó a cabo en los Juegos de Invierno de 1998. Sus dos principales pruebas son el slalom gigante (similar al SLALOM gigante del esquí alpino) y el *halfpipe*, en que los competidores se deslizan sobre una pista de leve pendiente con nieve acondicionada en forma de semitubo con marcada inclinación en sus flancos para lanzarse repetidamente por el aire y hacer diversas acrobacias.

Prueba de slalom gigante de *snowboard* en damas, Juegos de Invierno (2006).
FOTOBANCO

Snowden (de Ickornshaw), Philip Snowden, vizconde (18 jul. 1864, Ickornshaw, Yorkshire, Inglaterra–15 may. 1937, Tilford, Surrey). Político británico. Desde 1893 fue conferencista y procurador del Partido Laborista Independiente (ILP), de tendencia socialista, del cual luego fue su líder (1903–06). En la Cámara de los Comunes (1906–18, 1922–31) se destacó en debates sobre cuestiones sociales y económicas. Fue canciller del Exchequer (ministro de hacienda) en los gobiernos de RAMSAY MACDONALD (1924, 1929–31) y en 1931 consiguió que Gran Bretaña abandonara el patrón oro.

Snowdonia, parque nacional de Parque de Gales septentrional. Establecido como tal en 1951, ocupa 2.171 km^2 (838 mi^2) de superficie. Destaca por sus montañas, compuestas principalmente de roca volcánica y erosionadas por valles que se formaron por acción glaciar. El monte Snowdon, de 1.805 m (3.560 pies), es la cumbre más alta de Inglaterra y Gales.

Snyder, Gary (Sherman) (n. 8 may. 1930, San Francisco, Cal., EE.UU.). Poeta estadounidense. Trabajó como guardabosques, leñador y marinero, además de estudiar el budismo zen en Japón (1958–66). Su poesía, identificada desde el comienzo con el movimiento BEAT, tiene sus raíces en la experiencia de lo mítico, ancestral y natural. Inicialmente su obra contenía imágenes inspiradas en sus experiencias en los distintos oficios que había ejercido al aire libre en la costa noroccidental de EE.UU., pero con el tiempo su poesía comenzó a reflejar un profundo interés en las filosofías orientales. Destacan sus poemarios *Turtle Island* (1974, Premio Pulitzer) y *Mountains and Rivers Without End* (1996). Desde fines de la década de 1960 ha sido un importante líder y vocero del movimiento ecologista y la vida en comunidades.

Soane, Sir John (10 sep. 1753, Goring, Oxfordshire, Inglaterra–20 ene. 1837, Londres). Arquitecto británico. En 1788 fue nombrado arquitecto del Banco de Inglaterra. Le siguieron muchos nombramientos gubernamentales, y en 1806 sucedió a su mentor, George Dance (n. 1741–m. 1837), como profesor de arquitectura en la Royal Academy. Su obra se caracteriza por la tendencia a reducir los elementos clásicos a su esencia estructural, a usar ornamentación lineal en vez de modelada y a preferir cúpulas bajas y luz cenital, así también como por su talento para manejar los espacios interiores de manera ingeniosa.

Sobat, río Río del centro-este de África. Formado por la confluencia de los ríos Baro y Pibor en la frontera etíope, se une con el río BAḤR AL-YABAL en Sudán para formar el Nilo

Blanco. De 740 km (460 mi) de longitud, es el principal tributario del NILO.

soberanía En teoría política, autoridad máxima en el proceso de toma de decisiones del Estado y en la mantención del orden. En el s. XVI, el francés JEAN BODIN aplicó el concepto de soberanía para reforzar el poder del rey sobre sus señores feudales, anunciando así la transición del FEUDALISMO al NACIONALISMO. Hacia fines del s. XVIII, el concepto de CONTRATO SOCIAL condujo a la idea de soberanía popular, o soberanía del pueblo, por intermedio de un gobierno organizado. La convención de LA HAYA, la convención de GINEBRA y las NACIONES UNIDAS han restringido la actuación de los países soberanos en la arena internacional, así como también lo ha hecho el DERECHO INTERNACIONAL.

soborno Delito que consiste en entregar un beneficio (p. ej., dinero) para influir en la opinión o conducta de una persona que ocupa un cargo de confianza (p. ej., un funcionario público o un testigo). Aceptar un soborno también constituye delito. Por lo general, el soborno se castiga como delito grave (ver DELITO Y FALTA). Toda acusación de soborno debe probar o contener implícitamente un elemento de "intención venal". En consecuencia, si el derecho escrito no prohíbe otorgar favores a un funcionario público, los obsequios no constituyen soborno, a menos que sean otorgados con la intención de influir en el comportamiento del funcionario que los recibe. Ver también EXTORSIÓN.

sobrealimentador COMPRESOR de aire o ventilador que se usa en MOTORES DE COMBUSTIÓN INTERNA de pistones para aumentar la cantidad de aire que entra a los cilindros mediante el movimiento de pistones en cada tiempo de admisión. Con el aire adicional se quema más combustible, y se aumenta la potencia del motor. En los motores de aviones, la sobrealimentación compensa la baja presión atmosférica a grandes altitudes. El desarrollo de la TURBINA de gas, la cual requiere un flujo constante de aire y combustible, condujo al turbosobrealimentador, un ventilador centrífugo accionado por una pequeña turbina de gas movida por los gases de escape de los cilindros del motor.

Sobukwe, Robert (Mangaliso) (5 dic. 1924, Graaff-Reinet, Colonia de El Cabo–27 feb. 1978, Kimberley, Sudáfrica). Líder nacionalista sudafricano. Insistió en que el país fuera devuelto a su población nativa ("África para los africanos"). Convencido de que el CONGRESO NACIONAL AFRICANO estaba contaminado por influencias no africanas, fundó en 1959 el Congreso Panafricanista y se convirtió en líder del movimiento PANAFRICANO. Encarcelado en 1960, pasó el resto de su vida en prisión o bajo arresto domiciliario.

Social Gospel (inglés: "Evangelio social"). Movimiento religioso de reforma social en EE.UU. que fue relevante c. 1870 y 1920 entre los grupos protestantes liberales. El movimiento promovía la aplicación de principios morales al mejoramiento de la sociedad industrializada, en particular a reformas como la abolición del trabajo infantil, una semana laboral más corta y la reglamentación en las fábricas. Muchos de sus fines se cumplieron con el surgimiento de las organizaciones laborales y las leyes del NEW DEAL.

social, guerra *o* **guerra itálica** *o* **guerra mársica** (90–89 AC) Rebelión de los aliados itálicos (latín, *socii*) de la antigua Roma. Los aliados del sur y del norte de Italia habían colaborado con Roma en sus guerras, pero se les habían negado los privilegios de la ciudadanía romana. Los pueblos de las montañas de Italia central –los marsi en el norte y los samnitas en el sur– organizaron una confederación e iniciaron un levantamiento para independizarse, logrando vencer a los ejércitos romanos en el norte y el sur. Cuando Roma otorgó la ciudadanía a aquellos que no se habían rebelado y a los que depusieron inmediatamente las armas, declinó el interés por la rebelión. SILA derrotó a los debilitados rebeldes en el sur, y se promulgó una legislación para unificar la península al sur del río Po.

socialdemocracia Ideología política que propugna una transición pacífica y evolutiva de la sociedad desde el CAPITALISMO hacia el SOCIALISMO, mediante procesos políticos establecidos. Rechaza la defensa marxista (ver MARXISMO) de la revolución social. La socialdemocracia comenzó como movimiento político en Alemania en la década de 1870. EDUARD BERNSTEIN sostenía (1899) que el capitalismo se estaba sobreponiendo a muchas de las deficiencias que KARL MARX veía en él (como el desempleo y la sobreproducción) y que el sufragio universal conduciría pacíficamente al gobierno socialista. Después de 1945 detentaron el poder gobiernos socialdemócratas en Alemania Federal (ver PARTIDO SOCIALDEMÓCRATA DE ALEMANIA), Suecia y Gran Bretaña (bajo el PARTIDO LABORISTA). El pensamiento socialdemócrata gradualmente llegó a considerar la regulación estatal (sin propiedad estatal) suficiente para asegurar el crecimiento económico y una distribución justa del ingreso.

sociales, ciencias ver CIENCIAS SOCIALES

socialismo Sistema de organización social en el cual la propiedad privada y la distribución del ingreso están sometidos a control social; también, movimientos políticos que apuntan a poner dicho sistema en práctica. Debido a que el "control social" puede entenderse de maneras muy divergentes entre sí, el socialismo varía de estatista a libertario, como de marxista a liberal. El término se usó por primera vez para describir las doctrinas de CHARLES FOURIER, HENRI DE SAINT-SIMON y ROBERT OWEN, quienes hicieron hincapié en comunidades no coercitivas de personas que trabajaran en forma no competitiva para el bienestar físico y espiritual de todos (ver SOCIALISMO UTÓPICO). KARL MARX y FRIEDRICH ENGELS, viendo el socialismo como un estado de transición entre CAPITALISMO y COMUNISMO, se apropiaron de cuanto consideraron útil en los movimientos socialistas para desarrollar su "socialismo científico". En el s. XX, la Unión Soviética fue el principal modelo de socialismo estrictamente centralizado, en tanto que Suecia y Dinamarca fueron reconocidos por su socialismo no comunista. Ver también COLECTIVISMO; COMUNITARISMO; SOCIALDEMOCRACIA.

socialismo cristiano Movimiento social y político que se originó a mediados del s. XIX en Europa. Los socialistas cristianos o socialcristianos intentaron combinar los objetivos fundamentales del socialismo con las convicciones religiosas y éticas del cristianismo, y promovieron la cooperación por sobre la competencia como medio para ayudar a los pobres. El término fue acuñado en Gran Bretaña en 1848 después del fracaso del movimiento de reforma, conocido como CARTISMO. El socialismo cristiano encontró seguidores en Francia y Alemania, aunque el grupo alemán, dirigido por Adolf Stoecker, combinaba sus actividades con un violento ANTISEMITISMO. Si bien el movimiento desapareció en EE.UU. a principios del s. XX, mantiene importantes seguidores en Europa y América Latina.

socialismo gremial Movimiento que abogó por el control de la industria a manos de los trabajadores a través de un sistema de gremios nacionales, organizados internamente según principios democráticos, y de la propiedad estatal de la industria. Comenzó en Inglaterra en 1906 con la publicación de *The Restoration of the Gild System* [El restablecimiento del gremialismo] de Arthur J. Penty y se organizó en 1915 como Liga de gremios nacionales. Alcanzó su apogeo con el movimiento de los representantes sindicales de fábricas o talleres, de tendencia izquierdista, durante la primera guerra mundial y, después de la guerra, con los gremios de los constructores de viviendas para el Estado. Ambos movimientos colapsaron después de la crisis económica de 1921 y la liga fue disuelta en 1925.

socialismo utópico Pensamiento social y político de mediados del s. XIX. Adaptado a partir de reformadores como ROBERT OWEN y CHARLES FOURIER, el socialismo utópico se inspiró en las primeras ideas comunistas y socialistas. Entre sus defensores estuvieron LOUIS BLANC, célebre por su teoría de "talleres sociales" controlados por los trabajadores, y JOHN HUMPHREY NOYES, fundador de la comunidad Oneida en EE.UU. Algunos grupos religiosos también intentaron establecer comunidades utópicas, como los MENONITAS, shakers y MORMONES. Ver también BROOK FARM.

Sociedad contra la esclavitud *inglés* **American Anti-Slavery Society** Rama activista principal del movimiento abolicionista en EE.UU., que aspiraba a poner fin inmediato a la esclavitud en el país (ver ABOLICIONISMO). Fundada conjuntamente en 1833 por William Lloyd Garrison y Arthur Tappan, promovía la formación de auxiliares estatales y municipales que impulsaran el abolicionismo. Pese a una violenta oposición, en 1840 el grupo ya contaba con 2.000 auxiliares y más de 150.000 miembros, entre ellos THEODORE WELD y WENDELL PHILLIPS. En sus concentraciones públicas más efectivas, antiguos esclavos, como FREDERICK DOUGLASS y WILLIAM WELLS BROWN, entregaban sus testimonios. En 1839 se dividió en dos facciones: una radical, dirigida por Garrison, que acusaba a la constitución de apoyar la esclavitud; y otra, moderada, dirigida por Tappan, que condujo a la creación del PARTIDO DE LA LIBERTAD.

sociedad conyugal, régimen de Sistema patrimonial en que los BIENES pertenecen en común a ambos cónyuges. En los estados en que rige el sistema de sociedad conyugal, los bienes adquiridos por uno de los cónyuges durante el matrimonio pertenecen a cada uno de ellos como intereses proindiviso. Algunos bienes (p. ej., los obsequios hechos a uno de los cónyuges) pueden considerarse bienes propios, pero en caso de litigio respecto de su clasificación, se presume que pertenecen a la sociedad conyugal. Algunas legislaciones amplían el alcance de las disposiciones sobre sociedad conyugal a las uniones del mismo sexo.

sociedad de cartera *o* **sociedad de inversiones** *o* **sociedad holding** Sociedad que posee un número suficiente de ACCIONES con derecho a voto en una o más sociedades para poder controlarlas. Una sociedad de cartera permite concentrar el control de varias compañías con un mínimo de inversión; otros medios de obtener el control, como las FUSIONES o consolidaciones, son legalmente más complicados y onerosos. Una sociedad de cartera puede cosechar los beneficios que le reporta el prestigio y la plusvalía mercantil de una filial, en tanto que sus obligaciones se limitan a la proporción de las acciones que posee de esa filial. En un conglomerado de empresas, la sociedad matriz es normalmente una sociedad de cartera.

sociedad de cazadores y recolectores ver sociedad de CAZADORES Y RECOLECTORES

Sociedad de los Amigos *llamados* **cuáqueros** Comunidad protestante que surgió en Inglaterra a mediados del s. XVII. El movimiento comenzó con puritanos radicales ingleses llamados *seekers* (buscadores), quienes rechazaban la Iglesia anglicana y otras sectas protestantes. Inspiraron su fe en predicadores itinerantes como GEORGE FOX, quien hizo énfasis en la "luz interior" o comprensión interna de Dios, como la fuente de autoridad religiosa. Las reuniones de cuáqueros se caracterizaban por el paciente silencio en que los miembros esperaban la inspiración para hablar. El movimiento creció rápidamente después de 1650 (cuando un juez les dio su nombre, "quakers", porque "invitaban a la gente a temblar ante la palabra de Dios"), pero sus miembros fueron a menudo perseguidos o encarcelados por rechazar la Iglesia oficial y negarse a pagar diezmos o hacer juramentos. Algunos emigraron a América, donde fueron perseguidos en Massachusetts Bay Colony, pero tolerados en Rhode Island y en la colonia cuáquera de Pensilvania, que fue privilegiada por Carlos II bajo el patrocinio de WILLIAM PENN en 1681. Otros sellos característicos del cuaquerismo fueron la vestimenta y el hablar sencillos, el pacifismo y la oposición a la esclavitud. El grupo también puso el acento en la filantropía, sobre todo en la ayuda a refugiados y víctimas de la hambruna; el American Friends Service y el (británico) Friends Service Council compartieron el Premio Nobel de la Paz en 1947.

Sociedad de Naciones Organización para la cooperación internacional establecida por las POTENCIAS ALIADAS al final de la primera GUERRA MUNDIAL. La idea de una sociedad creada por un acuerdo que encarnara los principios de seguridad colectiva y sustentada por una asamblea, un consejo y una secretaría, se formuló en la conferencia de paz de PARÍS (1919) y formó parte del tratado de VERSALLES. El acuerdo también instituyó un sistema de mandatos coloniales. Con su sede en Ginebra, la Sociedad de Naciones fue debilitada por la decisión de EE.UU., que no había ratificado el tratado de Versalles, de no integrarse a la organización. Desacreditada por no haber logrado impedir la expansión japonesa en Manchuria y China, la conquista italiana de Etiopía y la ocupación alemana de Austria, cesó sus actividades durante la segunda guerra mundial. Fue reemplazada en 1946 por las NACIONES UNIDAS.

sociedad de personas Asociación de dos o más personas o entidades que llevan a cabo un negocio en beneficio de sus copropietarios. Salvo el caso de las sociedades de RESPONSABILIDAD LIMITADA que –al igual que las sociedades anónimas se consideran como una sola entidad en que la responsabilidad individual de los miembros es limitada–, como su nombre lo indica, la sociedad de personas es una asociación de personas y no una entidad que tiene existencia separada e independiente. Las sociedades de personas no se prolongan más allá de la vida de sus socios. Estos tributan como personas y son individualmente responsables de las RESPONSABILIDADES EXTRACONTRACTUALES y de las obligaciones contractuales. Cada uno de ellos se considera mandatario de los demás y por lo general son solidariamente responsables de los actos dolosos o culpables de los demás socios.

sociedad de socorro mutuo Organización de ayuda mutua constituida voluntariamente por personas naturales con el objeto de proteger a sus miembros de las deudas en que podrían incurrir debido a enfermedad, muerte o vejez. Las sociedades de socorro mutuo surgieron en Europa e Inglaterra en los s. XVII–XVIII y llegaron a ser muy numerosas en el s. XIX. Sus orígenes se remontan a las sociedades funerarias de los artesanos griegos y romanos y a los GREMIOS de la Europa medieval. Para definir la magnitud del riesgo que cubrían y determinar el aporte que debían hacer los miembros a fin de poder enfrentar ese riesgo, las sociedades de socorros mutuos utilizaban lo que hoy es el principio básico de los SEGUROS.

Sociedad, islas de la Archipiélago (pob., 1996: 189.522 hab.) de la POLINESIA FRANCESA occidental. Su isla principal es TAHITÍ. Está compuesto por dos grupos: las islas de Barlovento y las islas de Sotavento. Son montañosas y de origen volcánico. Gran Bretaña reclamó soberanía sobre ellas en 1767, y en 1769 las visitó el capitán JAMES COOK con una expedición científica de la Royal Society (de ahí su nombre). Francia reclamó soberanía en 1768, y pasaron a constituir un protectorado francés en 1842, colonia francesa en 1881 y parte de la Oceanía francesa en 1903. Sus principales productos son la copra y las perlas.

Sociedad Real de Londres ver ROYAL SOCIETY

sociedad secreta Asociación consagrada por juramento a la fraternidad, la disciplina moral y la asistencia mutua. Este tipo de sociedades suelen celebrar ritos de iniciación para instruir a los nuevos miembros en las normas del grupo (ver RITO DE PASO). Las religiones MISTÉRICAS de griegos y romanos tenían su equivalente secular en las organizaciones sociales clandestinas, algunas de las cuales sirvieron de plataforma para la disensión política. En África occidental, las sociedades secretas como las poro (para hombres) y las sandé (para mujeres) permiten obtener autoridad política a partir de leves ventajas basadas en la riqueza y el prestigio. En algunas zonas de Nueva Guinea, las sociedades secretas para hombres son depositarias del conocimiento de la tribu. Ciertas fraternidades, entre ellas la de los masones (ver MASONERÍA), pueden considerarse sociedades secretas, como también organizaciones criminales como la MAFIA y las TRÍADAS chinas, y grupos racistas como el KU KLUX KLAN.

Société Générale Banco comercial francés con oficinas centrales en París. Fue fundado en 1864 con el objeto de ofrecer servicios bancarios y de inversiones, y nacionalizado en 1946 junto con otros grandes bancos franceses. Tiene filiales y sucursales en todo el mundo y presta servicios bancarios generales, asesoría de inversiones, colocación de valores, cambio de divisas y servicios computacionales.

sociobiología Estudio sistemático de los fundamentos biológicos de la conducta social. El concepto fue divulgado por EDWARD O. WILSON en su libro *Sociobiología* (1975) y por Richard Dawkins (n. 1941) en *El gen egoísta* (1976). La sociobiología intenta comprender y explicar la conducta social animal (y humana) a la luz de la SELECCIÓN NATURAL y otros procesos biológicos. Según uno de sus principios centrales, lo que motiva a los animales en la lucha por la supervivencia es fundamentalmente el afán de transmitir sus GENES por medio de la reproducción y, por lo tanto, su comportamiento se orientará a maximizar las posibilidades de transmitir estos genes a las generaciones posteriores. Aunque la sociobiología ha arrojado luces acerca de la conducta animal (como el altruismo entre los insectos sociales y las diferencias entre los sexos en ciertas especies), su aplicación a la conducta social humana sigue siendo fuente de controversias. Ver también ETOLOGÍA.

sociocultural, evolución ver EVOLUCIÓN SOCIOCULTURAL

sociolingüística Disciplina que estudia los diferentes aspectos sociológicos del lenguaje, como la identidad lingüística de los grupos sociales, las actitudes sociales para con el lenguaje, las variedades estándar y no estándar de una LENGUA, las variedades y niveles sociales del lenguaje y las bases sociales del multilingüismo. Se preocupa de precisar los rasgos lingüísticos que se usan en determinadas situaciones, que marcan las diversas relaciones sociales existentes entre los hablantes de la lengua y los elementos significativos de estas situaciones. Los factores que influyen en la elección de los sonidos, recursos gramaticales y vocabulario pueden ser la edad, género, educación, ocupación, identidad étnica o grupal. Para algunos especialistas, el estudio de los DIALECTOS cae dentro de los dominios de la sociolingüística y, para otros, se trata de una disciplina separada, con el nombre de dialectología, especialmente cuando se centra en el estudio de los dialectos regionales. Ver también INTERACCIONISMO; LINGÜÍSTICA; PRAGMÁTICA; SEMIÓTICA

sociología Ciencia que se ocupa del estudio de la sociedad, las instituciones y las relaciones sociales y, específicamente, del estudio sistemático del desarrollo, estructura, interacción y comportamiento colectivo de los grupos humanos organizados. Surgió a fines del s. XIX gracias al trabajo de ÉMILE DURKHEIM en Francia, MAX WEBER y GEORG SIMMEL en Alemania, y ROBERT E. PARK y Albion Small en EE.UU. Los sociólogos emplean técnicas de observación, encuestas y entrevistas, análisis estadístico, experimentos controlados y otros métodos para estudiar materias relativas a la FAMILIA, las relaciones étnicas, la escolaridad, el ESTATUS SOCIAL, la CLASE SOCIAL, la BUROCRACIA, los movimientos religiosos, las desviaciones, la ancianidad y el cambio social, entre otros.

sockeye, salmón ver SALMÓN ROJO

socorro Ayuda pública o privada a personas necesitadas económicamente debido a desastres naturales, guerras, crisis económicas, desempleo crónico u otras condiciones que impiden la autosuficiencia. Cabe distinguir entre el socorro destinado a desastres naturales o crisis y el socorro por concepto de condiciones sociales crónicas, que hoy se conoce comúnmente como BIENESTAR SOCIAL. Por ejemplo, durante el s. XVII el gobierno chino mantenía GRANEROS IMPERIALES para usarlos en casos de hambruna. A lo largo del s. XIX, en Europa el socorro en caso de desastre consistía principalmente en donaciones urgentes de alimentos, ropas y atención médica que se canalizaban a través de comités locales organizados con premura. En el s. XX, este tipo de socorro llegó a constituir una de las actividades centrales de la CRUZ ROJA Internacional y de otras organizaciones internacionales. Sin embargo, la asistencia con fondos públicos a los necesitados ha estado estrictamente normada o delimitada. Por ejemplo, en Inglaterra, la Reforma a la ley de los pobres de 1834 exigió que toda persona en condiciones de trabajar necesitada de asistencia pública debía ingresar a un hospicio para recibir dicha ayuda. El gobierno de EE.UU. respondió a la gran depresión con el NEW DEAL, el cual enfatizaba la importancia de programas de trabajo para cesantes como la Works Progress Administration. En las postrimerías del s. XX, el requisito laboral fue abandonado en la mayoría de los países, de manera que los necesitados recibían pagos directos en efectivo. Sin embargo, el movimiento de reforma de la seguridad social en EE.UU. logró que en 1996 se aprobaran leyes "de asistencia laboral" que quitaba todo auxilio a la mayoría de los beneficiarios de la asistencia social que, estando físicamente aptos, no encontraban trabajo o no realizaban servicios comunitarios.

Socotora, isla *o* **isla Socotra** Isla de Yemen situada en el océano Índico. Ubicada a unos 340 km (210 mi) al sudeste de la península ARÁBIGA, tiene cerca de 3.600 km² (1.400 mi²) de superficie. El interior, montañoso, alberga diversas especies, como la sangre de dragón y árboles de donde se obtiene incienso y mirra. La isla, que se menciona en varias leyendas, estuvo gobernada largo tiempo por los sultanes Mahra del sudeste de Yemen, excepto por un breve período de ocupación portuguesa (1507–11). En 1886 quedó bajo control británico y en 1967 pasó a formar parte de la república independiente de Yemen. Su ciudad principal es Hadīboh.

Sócrates (c. 470, Atenas–399 AC, Atenas). Filósofo griego cuyo modo de vida, carácter y pensamiento ejercieron profunda influencia en la filosofía antigua y moderna. Sócrates no dejó ningún escrito, por lo cual la información acerca de su personalidad y doctrina derivan principalmente de la reproducción de sus conversaciones y otros antecedentes contenidos en los diálogos de PLATÓN, en los *Recuerdos* de JENOFONTE y en varios escritos de ARISTÓTELES. Luchó con valentía en la GUERRA DEL PELOPONESO y después formó parte de la bulé (asamblea) ateniense. Consideraba que era un deber religioso incitar a sus conciudadanos a examinar su vida, para lo cual entablaba con ellos una conversación filosófica. Su participación en esos diálogos consistía por lo general en plantear una serie de preguntas exploratorias que revelaban, por acumulación, la completa ignorancia de su interlocutor con respecto al asunto en discusión; tal interrogatorio, empleado como técnica pedagógica, ha recibido el nombre de "método socrático". Aunque Sócrates, de manera característica declaraba su ignorancia respecto de muchos de los asuntos (principalmente éticos) que investigaba (p. ej., la naturaleza de la piedad), sostuvo con firmeza ciertas convicciones, entre ellas: (1) la sabiduría humana comienza con el reconocimiento de la propia ignorancia; (2) la vida sin examen no es digna de ser vivida; (3) la virtud ética es lo único que importa; y (4) una persona buena nunca puede resultar perjudicada, porque, sea cual fuere el infortunio que pudiera sufrir, su virtud permanecerá intacta. Entre sus estudiantes, discípulos y admiradores estaban, además de Platón, ALCIBÍADES, que traicionó a Atenas en la guerra del Peloponeso, y Critias (n. circa 480–m. 403 AC), que fue uno de los TREINTA TIRANOS impuestos a Atenas después de su derrota por Esparta. Debido a su conexión con estos dos hombres, pero también a que su costumbre de exponer la ignorancia de sus conciudadanos lo había hecho vastamente odiado y temido, Sócrates fue juzgado bajo los cargos de impiedad hacia los dioses y de corromper a la juventud; en 399 AC fue condenado a beber la cicuta, acatando la sentencia. La *Apología* de Platón representa el discurso que pronunció Sócrates en su defensa. Como se describe en la *Apología*, el juicio y la muerte de Sócrates hicieron surgir preguntas vitales acerca de la naturaleza de la democracia, el valor de la libertad de expresión y el conflicto potencial entre el deber moral y religioso y las leyes del Estado.

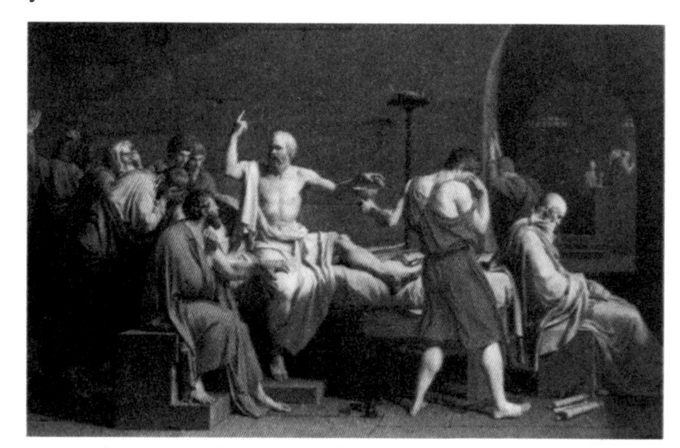

"Muerte de Sócrates", óleo sobre tela de Jacques-Louis David, 1787; Museo Metropolitano de Arte de Nueva York, EE.UU.
FOTOBANCO

soda cáustica HIDRÓXIDO de SODIO (NaOH), un compuesto inorgánico. Los ÁLCALIS llamados soda cáustica y potasa cáustica (hidróxido de POTASIO) son productos químicos industriales muy importantes, utilizados en la fabricación de jabones, vidrio y numerosos otros productos. Desde la antigüedad ha sido fácil extraerlos remojando en agua cenizas de madera (ver LEJÍA). Los métodos industriales de producción de soda cáustica desarrollados en el s. XVIII (proceso Leblanc) y en el s. XIX (proceso Solvay o amoníaco-soda) han sido en gran medida desplazados por la ELECTRÓLISIS.

soda para hornear ver BICARBONATO DE SODIO

Soddy, Frederick (2 sep. 1877, Eastbourne, Sussex, Inglaterra–22 sep. 1956, Brighton, Sussex). Químico británico. Trabajó con ERNEST RUTHERFORD en el desarrollo de una teoría de la desintegración de elementos radiactivos. En 1912 fue uno de los primeros en concluir que los elementos podrían existir en formas (isótopos) de diferentes PESOS ATÓMICOS, pero indistinguibles químicamente. En su libro *Science and Life* [Ciencia y vida] (1920) destacó el valor de los isótopos para determinar la edad geológica (ver DATACIÓN POR CARBONO 14). En 1921 recibió el Premio Nobel por sus investigaciones acerca de radiactividad e isótopos.

sodio ELEMENTO QUÍMICO, uno de los METALES ALCALINOS, de símbolo químico Na y número atómico 11. Es un METAL muy blando, blanco plateado, el sexto elemento más abundante en la Tierra, se encuentra principalmente como HALITA, nunca libre. Muy reactivo, es utilizado como un reactivo químico y como materia prima; en metalurgia, como intercambiador de calor (en generadores de ENERGÍA NUCLEAR y en ciertos tipos de motores), y en lámparas de vapor de sodio (ver LÁMPARA DE DESCARGA ELÉCTRICA). El sodio es esencial para la vida, pero rara vez es deficitario en las dietas; la ingesta elevada está relacionada con la HIPERTENSIÓN. En compuestos el sodio tiene VALENCIA 1, muchos de los cuales son de gran importancia industrial (como el BICARBONATO DE SODIO, SODA CÁUSTICA, NITRATO de sodio [SALITRE chileno] y CLORURO DE SODIO). El CARBONATO sódico, uno de los cuatro productos químicos básicos más importantes, es utilizado en la fabricación de vidrio, detergentes y limpiadores. El hipoclorito sódico, conocido como BLANQUEADOR doméstico, también se emplea para blanquear la pasta de papel y textiles, para clorar el agua y en algunos medicamentos. El SULFATO es utilizado en el proceso KRAFT y también para hacer cartones, vidrio y detergentes. El tiosulfato (hiposulfito o "hipo") se usa en el revelado de fotografías.

Sodoma y Gomorra Ciudades legendarias de la antigua Palestina. De acuerdo con el libro del Génesis del Antiguo Testamento, las ciudades –tristemente célebres– fueron destruidas por "azufre y fuego" a causa de su perversidad. aunque se desconoce la ubicación de las ciudades, pueden haber estado en una zona que hoy se halla bajo las aguas del mar MUERTO. Los indicios arqueológicos muestran que la región pudo haber sido fértil en algún momento y pudo haber atraído al personaje bíblico LOT para apacentar allí a su rebaño. La legendaria perversión de las ciudades ha inspirado a numerosos escritores, entre ellos JEAN GIRAUDOUX y NÍKOS KAZANTZÁKIS.

sodomía Cópula carnal no coital. En algunas legislaciones la sodomía es un delito. Algunas leyes sobre sodomía, especialmente en el Medio Oriente y los países que observan la SHARI'A, castigan las relaciones homosexuales con penas tan severas como la cadena perpetua, aunque tengan lugar entre adultos que consientan en ellas. Otras prohíben una serie de otras formas de contacto sexual y se aplican incluso a las parejas casadas. Los nuevos códigos de Dinamarca, Francia, Italia, Suecia, Países Bajos o Suiza, entre otros países, no contemplan esta clase de normas. El comité Wolfenden en Inglaterra y el American Law Institute han recomendado abolir las sanciones penales para la sodomía, salvo que involucre violencia, niños, o instigación pública a la prostitución. Este criterio fue adoptado en Inglaterra en 1967 y ha sido aprobado en numerosos estados de EE.UU.

sofer En el JUDAÍSMO, erudito y docente de los s. V–II AC que transcribía, editaba e interpretaba la BIBLIA. El primer *sofer* fue ESDRAS, quien, junto con sus discípulos, inició la tradición de erudición rabínica que continúa siendo fundamental en el judaísmo. Esta tradición surgió para satisfacer la necesidad específica de aplicar las aspiraciones idealistas de la TORÁ y las tradiciones orales a la vida cotidiana, y de esta manera, codifica de hecho la ley mosaica. Los *soferim* fueron importantes históricamente por haber fijado el canon de las Escrituras hebreas. Con posterioridad, el término *sofer* se usó para referirse al que enseñaba la Biblia a los niños o el que estaba calificado para escribir rollos de la Torá.

Sofía *antig.* **Serdica** Ciudad (pob., 2001: 1.096.389 hab.), capital de Bulgaria. Este asentamiento tracio de circa s. VIII AC prosperó bajo el dominio romano. Saqueada por los hunos en el s. V DC, fue reconstruida durante el Imperio bizantino. En 809 se transformó en una ciudad búlgara, pero cayó nuevamente en manos del gobierno bizantino, de 1018 a 1185, año en que surgió el segundo Imperio búlgaro. Estuvo en poder de los turcos desde 1382 hasta ser liberada por los rusos en 1878. En 1879, se convirtió en la capital de Bulgaria. Es el principal centro cultural y de transporte del país, destacando también por sus numerosas industrias. Entre sus planteles de educación superior, se encuentra la Universidad de Sofía (1888), la más antigua de Bulgaria. Uno de sus monumentos históricos es la iglesia de Santa Sofía, que data del s. VI.

Sofía Alexéievna (27 sep. 1657, Moscú, Rusia–14 jul. 1704, Moscú). Regente de Rusia (1682–89). Hija del zar ALEJO, objetó la sucesión de su medio hermano PEDRO I (el Grande) como zar (1682) e instigó una sublevación de los *STRELTSÍ* (guardia real). Logró que su hermano IVÁN V fuese proclamado cogobernante junto a Pedro y asumió el papel de regente. Con ayuda de su principal consejero y amante, VASILI GOLITSIN, fomentó el desarrollo de la industria y firmó tratados de paz con Polonia (1686) y China (1689). Después de patrocinar dos desastrosas campañas militares contra los tártaros de Crimea (1687, 1689), intentó recuperar su influencia incitando a los *streltsí* a expulsar a Pedro y a sus consejeros. En vez de ello, fue derrocada por este en 1689 y obligada a entrar en un convento.

sofistas Grupo de maestros, oradores y escritores profesionales itinerantes que florecieron en Grecia a fines del s. V AC. El movimiento sofista surgió en una época en que la naturaleza absoluta de los valores y modos de vida conocidos estaba sometida a un fuerte cuestionamiento. Como consecuencia de ello, se planteó una contraposición entre naturaleza y costumbre, tradición y ley, en la cual la costumbre podía considerarse como una traba artificial a la libertad del estado natural, o como una restricción benéfica y civilizadora de la anarquía natural. Ambas perspectivas estaban representadas entre los sofistas, aunque la primera fue la más común. Su primer y más destacado representante fue PROTÁGORAS; otros sofistas destacados fueron Gorgias de Leontinos, Pródico, Hipias, Antifonte, Trasímaco y Critias. En el s. II DC se desarrolló una "segunda escuela sofística".

Sófocles (c. 496, Colono, cerca de Atenas–406 AC, Atenas). Dramaturgo griego. Uno de los tres grandes dramaturgos trágicos de la Atenas clásica junto a ESQUILO y EURÍPIDES. Se distinguió como figura pública en Atenas, al desempeñar en forma sucesiva los cargos de administrador del tesoro, estratega y comisario. Participó en las competiciones teatrales, y en 468 AC logró su primer triunfo al vencer a Esquilo. Continuó logrando éxitos sin paralelo, escribió 123 obras para las competiciones en honor a Dioniso y obtuvo más de 20 triunfos, pero sólo perduran siete tragedias completas: *Antígona*, *Áyax*, *Electra*, *Las traquinias*, *Filoctetes*, *Edipo en Colono* y su obra más conocida, *Edipo Rey*. Fue el primero en introducir un tercer actor en escena y aumentó el tamaño del CORO. Sus trabajos son considerados el epítome del teatro griego, por su lenguaje flexible, sus caracterizaciones vívidas y su perfección en la construcción dramática.

Sofonías (vivió s. VII AC). Uno de los 12 profetas menores de las Escrituras hebreas, autor tradicional del libro de Sofonías. (La obra es parte de un libro mayor, Los Doce, en el canon judío). Profetizó en el reino de JOSÍAS, denunciando la adoración de dioses foráneos, lo que sugiere que predicó antes de las reformas instituidas por aquel. Su tema dominante es el "día del Señor", que ha de venir, el momento del juicio de Dios a los pecados de Judá.

sóftbol Juego similar al BÉISBOL, pero practicado en un diamante más pequeño, con una pelota más grande (30,5 cm de circunferencia [12 pulg.]), que se lanza sin levantar el brazo por encima del hombro. El juego ha sido popular en EE.UU., como deporte *amateur*, desde que se publicaron las primeras reglas, en la década de 1920, y a partir de 1960 su difusión ha traspasado las fronteras de América del Norte. En las escuelas secundarias y universidades estadounidenses es un deporte muy popular en damas. La competencia femenina de sóftbol fue incluida en los Juegos Olímpicos de 1996.

software Instrucciones que indican a la COMPUTADORA lo que debe hacer. El *software* es el conjunto de programas, procedimientos y rutinas asociadas con la operación de un sistema computacional, incluyendo el SISTEMA OPERATIVO. Con estas características, el término se diferencia del HARDWARE, correspondientes a los componentes físicos de un sistema computacional. Los dos tipos principales de *software* son el de sistemas, que controla el funcionamiento interno de la computadora, y el *software* de aplicación, el que dirige a la computadora en la ejecución de comandos que solucionan problemas prácticos. Una tercera categoría es el *software* de red, el cual coordina la comunicación entre computadoras enlazadas en una red. El *software* es escrito por programadores en LENGUAJES DE PROGRAMACIÓN. Esta información, el código fuente, debe luego ser traducida mediante un COMPILADOR en un LENGUAJE DE MÁQUINA, el cual puede ser entendido por la computadora y actuar sobre él.

Soga, familia Importante familia aristocrática japonesa del s. VII que tuvo un papel decisivo en la introducción del budismo en Japón. Soga Umako (m. 626) venció a los poderosos clanes Mononobe y Nakatomi, quienes apoyaban la religión local sintoísta por sobre el budismo, y urdió un plan para proclamar a su sobrina como emperatriz, eligiendo a uno de sus sobrinos como su regente (ver SHŌTOKU). La generación siguiente se enemistó con otras familias aristocráticas debido a sus actitudes despóticas, y tras muchas intrigas y asesinatos el poderío de los Soga fue aplastado en 645 por el príncipe Nakano Ōe, quien se convirtió en el emperador Tenji, apoyado por Fujiwara Kamatari, fundador de la familia FUJIWARA. Ver también período de NARA.

Sogdiana Provincia de la antigua Persia. Tenía su centro en el fértil valle del río Zeravshan, en el actual Uzbekistán. En el s. VI AC, durante el reinado de DARIO I, fue una satrapía de la dinastía AQUEMÉNIDA, y fue conquistada por ALEJANDRO MAGNO en el s. IV. Asentó su independencia de la dinastía SELÉUCIDA c. 250 AC como parte del reino bactriano (ver BACTRIANA), y en el s. II AC cayó en poder de tribus invasoras provenientes del norte. Prosperó como centro de la civilización islámica, en especial bajo la dinastía samánida (s. IX–X DC), hasta la invasión mongola del s. XIII. Ver también BUJARÁ.

Sōgi (1421, Japón–1 sep. 1502, Hakone). Poeta japonés. Sōgi fue monje zen en Kioto antes de transformarse, a los 30 años de edad, en poeta de RENGA (versos ligados). Se lo considera el máximo exponente de *renga* gracias a dos secuencias, *Minase sangin* (1488; "Tres poetas en Minase") y *Yuyama sangin* (1491; "Tres poetas en Yuyama"). En ellas, un grupo de poetas, liderados por Sōgi, se turnaban para componer versos breves (enlaces) con los que formaban un solo poema con varios cambios de tono y sentido. Fue el más grande poeta de su época, y dejó más de 90 obras, entre las que se incluyen antologías, diarios, crítica de poesía y manuales.

Sognefjord Fiordo, el más largo y profundo de Noruega. Se extiende 204 km (127 mi) tierra adentro desde el mar de Noruega y tiene 1.308 m (4.291 pies) de profundidad máxima. El fiordo y sus brazos proporcionan algunos de los escenarios más pintorescos de Noruega.

sogún *o* **shogun** (japonés: "generalísimo que sofoca a los bárbaros"). En la historia de Japón, gobernante militar. El título fue usado por primera vez durante el período HEIAN, cuando se le confería ocasionalmente a un general luego de una campaña exitosa. En 1185, MINAMOTO YORITOMO consiguió el control militar de Japón; siete años más tarde adoptó el título de sogún y formó el primer *bakufu*, o sogunado (ver período KAMAKURA). Más tarde los sogunes Kamakura perdieron el poder real a manos de la familia HOJO y permanecieron como gobernantes nominales. Ashikaga Takauji recibió el título de sogún en 1338 y estableció el sogunado Ashikaga (ver período MUROMACHI), pero sus sucesores tuvieron incluso menor control sobre Japón que los sogunes Kamakura, y el país gradualmente cayó en una guerra civil (ver guerra ONIN). El sogunado de TOKUGAWA IEYASU (ver período de los TOKUGAWA) demostró ser el más perdurable, pero prevaleció la inclinación de los japoneses por gobernantes nominales, y con el tiempo un consejo de ancianos de las principales ramas del clan Tokugawa gobernó entre bastidores. Dado que el título de sogún provenía en último término del emperador, este se convirtió en punto de encuentro para todos aquellos que derribaron el sogunado en la restauración MEIJI.

soja *o* **soya** LEGUMINOSA anual (*Glycine max* o *G. soja*) de la familia de las Papilionáceas y su semilla comestible. La planta de la soja tiene un tallo erguido, ramificado, flores blancas a purpúreas y una a cuatro semillas por vaina. Probablemente provino de una planta silvestre de Asia oriental, donde ha sido cultivada por unos 5.000 años. Introducida en EE.UU. en 1804, comenzó a ser un cultivo extensivo de forraje en la década

Soja (*Glycine max*).

de 1930; ahora este país es el principal productor de soja del mundo. Siendo el FRIJOL económicamente más importante a nivel mundial, la soja proporciona proteína vegetal a millones de personas e ingredientes para centenares de productos químicos, como pinturas, adhesivos, fertilizantes, insecticidas en aerosol y fluidos de extintores. Como la soja no contiene almidón, es una buena fuente de proteína para diabéticos. En la industria alimentaria, el aceite de soja se usa para elaborar margarina, manteca para masas, quesos y carne vegetal. La harina de soja, rica en proteína, sirve como sucedáneo de la carne en muchos productos alimentarios, incluso en alimentos para bebés. Otros productos derivados son la leche de soja, el TOFU, los brotes de ensalada y la salsa de soja.

Soka-gakkai Grupo laico, religioso y político asociado con la secta budista Nichiren-sho-shu (ver BUDISMO NICHIREN). El más logrado de los nuevos movimientos religiosos de Japón del s. XX, se inspira en las enseñanzas de NICHIREN del s. XIII. Tal como otros movimientos del budismo Nichiren, toma el SUTRA DEL LOTO como escritura principal. Fundado en 1930, Soka-gakkai alcanzó prominencia a finales del s. XX, llegando a tener más de seis millones de afiliados. En 1964 estableció el Komeito (Partido del Gobierno Limpio), que para la década de 1980 era el tercer partido político más grande de Japón. También realiza actividades educacionales y culturales.

Sokolow, Anna (9 feb. 1910, Hartford, Conn., EE.UU.–29 mar. 2000, Nueva York, N.Y.). Bailarina, coreógrafa y profesora de danza moderna estadounidense. Estudió con MARTHA GRAHAM y bailó en su compañía (1930–38). A comienzos de la década de 1930 formó su propia compañía de danza, la Dance Unit. Entre 1939 y 1949 se desempeñó parte de cada año como profesora y coreógrafa en Ciudad de México, donde formó el primer grupo de danza moderna mexicano. A través de su carrera y hasta la década de 1990 formó varias compañías, para las que a menudo componía la coreografía de obras basadas en temas de interés social.

Sokoto Ciudad (pob., est. 1996: 204.900 hab.) del noroeste de Nigeria. Está ubicada a orillas del río Sokoto, en una ruta tradicional de caravanas que lleva al norte a través del SAHARA. Fue la capital del Imperio FULANI. La actual Sokoto es un importante mercado de productos agrícolas y artesanías en cuero. Es un centro de peregrinación que alberga mezquitas, el palacio de un sultán y numerosos santuarios, entre ellos la tumba de USMAN DAN FODIO. La Universidad Usman dan Fodio fue fundada en 1975.

Sol En la religión ROMANA, nombre de dos dioses distintos en Roma. El Sol original, o Sol Indiges, tenía su sacrificio anual y sus altares en el Quirinal y el Circo Máximo. Después de la introducción de varios cultos solares sirios, HELIOGÁBALO construyó un templo al dios solar Baal en el Palatino e intentó hacer de su culto la religión principal de Roma. Tiempo después, AURELIANO restableció el culto a Sol y le levantó un templo en el Campus Agripa. La adoración a Sol se mantuvo como principal culto imperial hasta el surgimiento del CRISTIANISMO.

Sol ESTRELLA en torno a la cual giran los componentes del sistema SOLAR. Tiene una edad de cinco mil millones de años y es el cuerpo dominante del sistema, con más del 99% de su masa total. Convierte cinco millones de toneladas de materia en energía cada segundo por medio de reacciones de FUSIÓN NUCLEAR en su núcleo, produciendo NEUTRINOS (ver problema del NEUTRINO SOLAR) y radiación solar. La pequeña cantidad de esta energía que penetra la ATMÓSFERA terrestre proporciona la luz y el calor que hacen posible la vida sobre el planeta. El Sol es una esfera luminosa de gas con un diámetro de 1.392.000 km (864.950 mi), y con una masa de 330.000 veces la de la Tierra. La temperatura en el núcleo es cercana a 15 millones de ºC (27 millones de ºF) y su temperatura superficial es de 6.000 ºC (10.000 ºF) aprox. El Sol, una estrella de tipo espectral G (amarilla), tiene las características promedio de una estrella en la secuencia principal del diagrama de HERTZSPRUNG-RUSSELL. Su velocidad de rotación depende de la latitud; una rotación toma 36 días en los polos, pero sólo 25 días en el ecuador. La superficie visible, o FOTOSFERA, está en constante movimiento, con numerosas MANCHAS SOLARES, cuya posición cambia según un CICLO SOLAR regular. El Sol presenta muchos fenómenos externos, como su actividad magnética, que se extiende hasta su CROMOSFERA y su CORONA, las LLAMARADAS SOLARES, las PROTUBERANCIAS SOLARES y el VIENTO SOLAR. Estos fenómenos tienen efectos sobre la Tierra, como las AURORAS y las perturbaciones sobre las comunicaciones de radio y las líneas de alta tensión. A pesar de su constante actividad, el Sol parece haberse mantenido sin cambios por miles de millones de años. Ver también ECLIPSE; HELIOPAUSA.

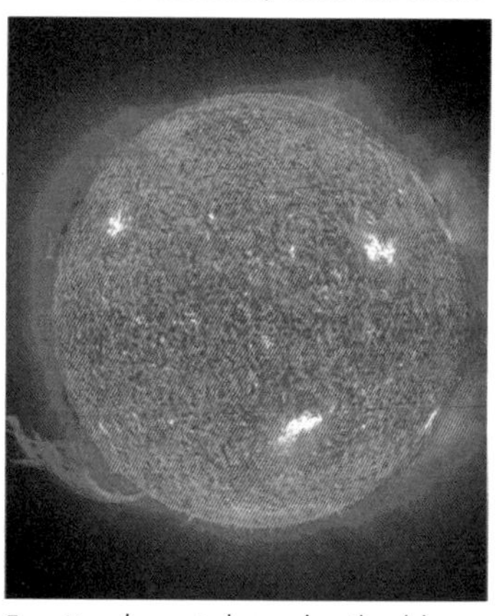
Erupción solar captada por el satélite del SOHO (Solar and Heliospheric Observatory).

Sol, adoración del Veneración del Sol, o de su representación, como deidad. Aparece en varias culturas primitivas, particularmente en el antiguo Egipto, Indo-Europa y América, donde las civilizaciones urbanas se conjugaban con una fuerte ideología de reinado sagrado, en las que los monarcas gobernaban por el poder del Sol, de quien decían descender. Predominaba la imagen del Sol como soberano de las regiones etéreas y de la Tierra que visita diariamente. Los héroes y dioses solares figuran en muchas mitologías, entre ellas la indoiraní, grecorromana y escandinava. En la historia romana tardía, el culto al Sol era de tal importancia que más tarde fue llamado "monoteísmo solar". Ver también AMATERASU; RA; SHAMASH; SOL; SURYA; TONATIUH.

Solanáceas Familia que se compone de a lo menos 2.400 especies de plantas florales repartidas en unos 95 géneros. Aun cuando se encuentran en todo el mundo, las Solanáceas son más abundantes en América tropical. Muchas son económicamente importantes como plantas alimentarias y medicinales. Entre las más difundidas figuran la PATATA, BERENJENA, TOMATE, PIMIENTO de jardín, TABACO y muchas plantas ornamentales, como la PETUNIA. Las Solanáceas de importancia medicinal son fuentes poderosas de ALCALOIDES como la NICOTINA, atropina y escopolamina; incluyen la BELLADONA, estramonio (*Datura stramonium*), BELEÑO NEGRO y MANDRÁGORA. El género *Solanum* contiene casi la mitad de las especies de la familia. La especie que se suele llamar matagallinas en América del Norte e Inglaterra es *S. dulcamara*, también llamada DULCAMARA.

Solanum dulcamara, familia de las Solanáceas.

solar, sistema Conjunto de cuerpos celestes compuesto por el SOL, sus PLANETAS, cuerpos más pequeños (ver ASTEROIDE, objeto del tipo CENTAURO, COMETA, cinturón de KUIPER, METEORITO y nube de OORT), polvo interplanetario y gas, todos bajo la atracción gravitacional del Sol. Otro componente del sistema solar es el VIENTO SOLAR. El Sol contiene más del 99% de la masa del sistema solar; la mayor parte del 1% restante está distribuida en los nueve planetas, con JÚPITER aportando el 70%. De acuerdo con la teoría más aceptada, el sistema solar se originó de una NEBULOSA SOLAR. Ver también MARTE; MERCURIO; NEPTUNO; PLUTÓN; SATURNO; TIERRA; URANO; VENUS.

soldadura autógena Técnica para unir piezas metálicas, en general mediante la aplicación de calor. Descubierta en el primer milenio DC al intentar manipular el HIERRO para darle forma, la técnica produjo una hoja tenaz y resistente. La soldadura autógena implicaba a menudo intercalar entre capas de hierro relativamente blando y tenaz un material rico en carbono, seguido de un FORJADO con martillo. Los procesos modernos de soldadura autógena comprenden soldadura por gas, soldadura por arco y soldadura por resistencia. Más recientemente se han desarrollado diversos tipos de soldadura: por haz electrónico, por láser y diversos procesos de fase sólida, como la unión por difusión, la soldadura por fricción y la unión ultrasónica. Ver también SOLDADURA BLANDA; SOLDADURA FUERTE.

soldadura blanda Proceso que utiliza ALEACIONES de METALES de bajo punto de fusión para unir superficies metálicas sin fundirlas. Las sueldas de estaño y plomo, que en un tiempo se usaron ampliamente en fontanería, se han reemplazado ahora por aleaciones sin plomo. Tales aleaciones se usan también para soldar radiadores de automóviles de latón y cobre. Las sueldas se suministran en forma de alambre, de barra o de pasta previamente mezclada. La soldadura blanda se efectúa utilizando soplete, cautín, calentador de llama o calentador de inducción, según la aplicación. Ver también FUNDENTE; SOLDADURA FUERTE.

soldadura fuerte Proceso para unir dos piezas de METAL mediante la aplicación de calor y agregando un metal de relleno. Este último, que tiene un punto de fusión inferior al de los metales que se han de unir, se coloca ya sea previamente o se agrega a la unión a medida que se calientan las piezas. Al soldar piezas que no calzan en forma perfecta, el metal de relleno es capaz de fluir e introducirse en la unión por CAPILARIDAD. La temperatura del metal de relleno fundido supera en la soldadura fuerte los 430 °C (800 °F). En la SOLDADURA BLANDA, un proceso afín, el metal de relleno permanece por debajo de esa temperatura. Las uniones hechas por soldadura fuerte suelen ser más resistentes que las por soldadura blanda. La mayoría de los metales pueden someterse a soldadura fuerte y su gama de ALEACIONES disponibles ha ido en aumento a medida que las exigencias han sido mayores. Las uniones de soldadura fuerte son muy resistentes y se emplean en cohetes, motores de reacción y piezas de aviones. Ver también SOLDADURA AUTÓGENA.

solemne, Pacto y Liga (1643). Acuerdo entre ingleses y escoceses mediante el cual estos últimos acordaron apoyar a los parlamentarios ingleses en sus disputas con los realistas y en el que ambos países acordaron trabajar por la unión civil y religiosa de Inglaterra, Escocia e Irlanda bajo un sistema parlamentario-presbiteriano. Los escoceses enviaron un ejército a Inglaterra en 1644 y CARLOS I se rindió ante ellos en 1646. Posteriormente, el rey aceptó el pacto y recibió ayuda militar escocesa (1647). Ni la Commonwealth de OLIVER CROMWELL, ni CARLOS II (después de la RESTAURACIÓN de 1660) respetaron el pacto y este no fue renovado. Ver también COVENANTERS.

Solent Estrecho del canal de la MANCHA. Tiene 24 km (15 mi) de largo y 3–8 km (2–5 mi) de ancho variable, entre Inglaterra y la isla de WIGHT. Es el valle sumergido de un antiguo río que fluía en dirección este. Solent es reconocido por sus carreras de yate y las revistas navales de Spithead.

Soleri, Paolo (n. 21 jun. 1919, Turín, Italia). Arquitecto estadounidense de origen italiano. Después de doctorarse en el Politécnico de Turín, trabajó con FRANK LLOYD WRIGHT en Arizona (1947–49). En 1959 comenzó a elaborar planos para una serie de centros urbanos compactos que se extenderían verticalmente en el espacio en lugar de horizontalmente a lo largo del terreno. Estas megaestructuras estaban diseñadas para conservar energía y recursos (en parte mediante el uso de energía solar y la eliminación del uso del automóvil dentro de la ciudad), preservar los alrededores naturales y condensar la actividad humana dentro de entornos totalmente integrados. Soleri acuñó el término *arcología* (de "arquitectura" y "ecología") para nombrar sus construcciones utópicas, las cuales describió en dibujos de gran hermosura e imaginación. En 1970 comenzó a construir un pueblo prototipo, llamado Arcosanti, para una población de 5.000 habitantes, entre Phoenix y Flagstaff, Ariz. El trabajo, realizado por estudiantes y voluntarios, aún no está terminado.

solfeo *o* **solmisación** Sistema que designa las notas musicales mediante sílabas. Quizás fue inventado por el monje italiano GUIDO d'Arezzo en el s. XI para formar a los cantores de su catedral. Las sílabas *–ut, re, mi, fa, sol, la–* fueron extraídas de las primeras sílabas de los versos de un himno, en el que cada frase comenzaba con una nota más alta que la frase anterior. Esta serie de seis notas o HEXACORDO facilitaba repentizar la música al permitir que el cantor asociara siempre un INTERVALO musical dado con un par de sílabas. Las sílabas todavía se usan, aunque normalmente *ut* es reemplazada por *do*, sílaba más cantable, y se ha agregado *si* para el séptimo grado de la escala. Comparar con SHAPE-NOTE.

Solferino, batalla de (24 jun. 1859). Combate librado en la Lombardía entre Austria y un ejército aliado franco-piamontés. Después de su derrota en la batalla de MAGENTA, el ejército austríaco se retiró hacia el este, donde se encontró en forma inesperada con el ejército aliado al mando de NAPOLEÓN III y VÍCTOR MANUEL II. La batalla se desarrolló de un modo confuso hasta que los franceses finalmente rompieron el centro de la línea austríaca, pero acciones dilatadoras dejaron al ejército aliado demasiado agotado para perseguir a los derrotados austríacos. La batalla dejó a 14.000 austríacos y a 15.000 franceses y piamonteses muertos o heridos. La costosa batalla hizo que Napoleón III buscara una tregua (paz de VILLAFRANCA), que contribuyó a la unificación de Italia.

Soli Antiguo puerto de Anatolia. Situado en el centro-sur de la actual Turquía, fue fundado por colonos griegos provenientes de RODAS y fue una de las ciudades que dio origen a CILICIA. Más tarde fue conquistada por ALEJANDRO MAGNO (333 AC). Destruida en el s. I AC por Tigranes II de Armenia, fue reconstruida por el general romano POMPEYO EL GRANDE. Quedan algunos vestigios de su puerto artificial y un tramo de una larga columnata.

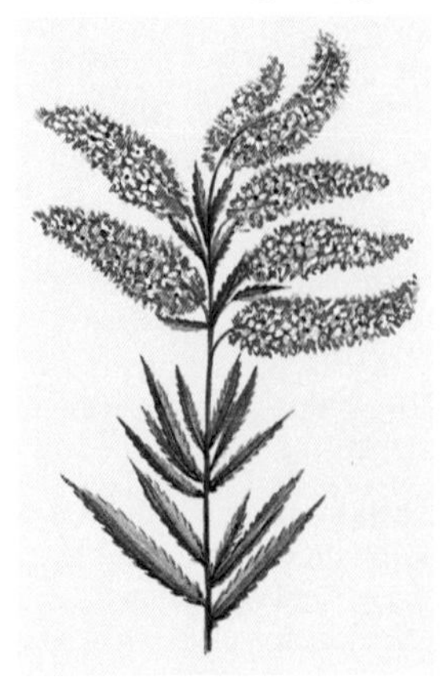

Vara de oro (*Solidago canadensis*).

solicitor ver ABOGADO PROCURADOR

Solidago Género que comprende unas 100 especies de plantas herbáceas, generalmente perennes, semejantes a malas hierbas, de la familia de las COMPUESTAS. En su mayor parte originarias de América del Norte, unas pocas crecen en Europa y Asia. Tienen hojas dentadas y cabezuelas amarillas agrupadas en inflorescencias de flores tubulares y también radiadas. Son plantas características del este de América del Norte; se encuentran en casi todas partes –en terrenos boscosos, pantanos, montañas, campos y a la vera de los caminos– y constituyen parte del paisaje otoñal típico, desde la zona de las Grandes Praderas hasta el Atlántico. A diferencia de las especies del género *Ambrosia*, que florecen en la misma época, no causan la FIEBRE DEL HENO.

solidaridad En derecho, normalmente obligaciones de sujeto múltiple –aquellas en que hay varios acreedores o varios deudores o ambas a la vez–; se dividen con el resultado de que cada acreedor sólo puede reclamar su parte en el crédito y cada deudor sólo es obligado al pago de la suya en la deuda. La solidaridad impide esta división y puede ser activa o pasiva. Es activa cuando existe entre acreedores; es pasiva cuando son varios los deudores solidarios. La solidaridad activa carece por completo de importancia, en tanto, la solidaridad pasiva presenta un considerable interés práctico, porque constituye la más eficaz de las GARANTÍAS personales. La solidaridad puede tener su origen en la convención, el testamento o la ley.

Solidaridad *polaco* **Solidarność** Sindicato polaco. Una huelga de trabajadores en 1980 en los astilleros Lenin en Gdańsk inspiró otras huelgas laborales en Polonia y obligó al gobierno a aceptar las demandas de los trabajadores en favor de sindicatos independientes. Solidaridad fue fundada para unificar a los sindicatos regionales y LECH WAŁĘSA fue elegido su presidente. El movimiento consiguió reformas económicas y elecciones libres antes de que la presión de la Unión Soviética obligara al gobierno polaco a suprimir el sindicato en 1981. Convertido en centro de la atención mundial, continuó como organización clandestina hasta 1989, cuando el gobierno reconoció su legalidad. En las elecciones libres de 1989, los candidatos de Solidaridad ganaron la mayoría de los escaños en disputa en la asamblea y formaron un gobierno de coalición. En la década de 1990, el papel del sindicato perdió importancia al surgir nuevos partidos políticos en una Polonia libre.

sólido Uno de los tres estados básicos de la MATERIA. Un sólido se forma a partir de un LÍQUIDO o de un GAS (los otros dos estados de la materia) debido a que, a medida que la energía de los átomos decrece, ellos se cohesionan en las estructuras tridimensionales relativamente ordenadas de un sólido. Todos los sólidos tienen la capacidad de soportar cargas tanto perpendiculares (normales) como paralelas (tangenciales, de corte o de cizalla) a una de sus superficies. Los sólidos pueden ser cristalinos (como los metales), amorfos (como el vidrio) o cuasicristalinos (como ciertas aleaciones metálicas), según el grado de orden en la disposición de sus átomos.

sólido platónico *llamado* **poliedro regular** Sólido geométrico cuyas caras son todas POLÍGONOS regulares idénticos y cuyos ángulos son todos iguales. Existen sólo cinco de tales POLIEDROS. El cubo, construido a partir del cuadrado; el dodecaedro, del pentágono regular, y el tetraedro, el octaedro y el icosaedro (de 20 caras), a partir del triángulo equilátero. Son conocidos como los sólidos platónicos, debido al intento de PLATÓN de relacionar cada uno de ellos con cada uno de los cinco elementos que él creía formaban el mundo.

soliloquio Monólogo teatral que aparenta ser una serie de reflexiones no dichas. Durante los s. XVI–XVII era una convención teatral aceptada, y fue hábilmente utilizada por WILLIAM SHAKESPEARE para develar las reflexiones de sus personajes. PIERRE CORNEILLE realzó su lirismo, mientras que JEAN RACINE lo privilegió por su efecto dramático; sin embargo, las comedias de la Restauración inglesa (1660–85) abusaron de esta forma y finalmente cayó en desuso. Fue rechazado por dramaturgos prosistas como HENRIK IBSEN, y rara vez fue utilizado en el teatro naturalista del s. XIX. Numerosos dramaturgos del s. XX rehuyeron del soliloquio por considerarlo artificioso, aunque TENNESSEE WILLIAMS y ARTHUR MILLER, entre otros, lo adaptaron mediante la introducción de narradores que alternativamente cavilaban sobre la acción y tomaban parte en ella. Ha sido empleado por dramaturgos contemporáneos como JOHN GUARE y BRIAN FRIEL, y la ilusión de que los personajes hacen confidencias al público ha sido aceptada por una cultura habituada a las entrevistas y las películas documentales.

Solimán I *o* **Solimán el Magnífico** *o* **El Legislador** *turco* **Süleyman** (¿nov. 1494?/¿abr. 1495? –5/6 sep. 1566, cerca de Szigetvár, Hungría). Sultán otomano (r. 1520–66). Se convirtió en sultán del Imperio OTOMANO después de actuar como gobernador provincial durante el reinado de su abuelo, BAYACETO II, y el de su padre, Selim I (r. 1512–20). De inmediato, empezó a organizar campañas contra los cristianos, y tomó Belgrado (1521) y Rodas (1522). Durante la batalla de Mohács (1526) aplastó el poderío militar de Hungría. Sitió Viena en 1529, pero fracasó en su intento de conquistarla. Luego de otras campañas en Hungría (1541, 1543), la región quedó dividida entre los Habsburgo y los otomanos. Conquistó Irak y Anatolia oriental durante su primera campaña (1534–35) contra la dinastía SAFAWÍ persa. En la segunda campaña (1548–49) dominó Anatolia meridional y los alrededores del lago Van, sin embargo, su tercera campaña (1554–55) resultó infructuosa. La flota otomana, al mando del corsario BARBARROJA, controló el Mediterráneo. Construyó mezquitas, puentes y acueductos y se rodeó de grandes poetas y estudiosos del derecho. Su reinado se considera un hito de la civilización otomana.

Solimán I, detalle de un grabado sobre panel por Pieter Coecke van Aelst.
GENTILEZA DEL DIRECTORIO DEL MUSEO BRITÁNICO

solla PEZ PLANO (*Pleuronectes platessa*) de valor comercial que abunda en el Atlántico y Mediterráneo. Tiene una longitud máxima de 90 cm (36 pulg.) y normalmente posee ambos ojos al lado derecho de la cabeza con cuatro a siete tubérculos óseos cerca de ellos. Es marrón con manchas rojas o anaranjadas.

Solla (*Pleuronectes platessa*).
JACQUES SIX

solmisación ver SOLFEO

Solo, río Río de JAVA en Indonesia. Nace en los faldeos del volcán Lawu y fluye hacia el norte y el este a lo largo de 539 km (335 mi) antes de desembocar en el mar de Java. Es el más largo del país, navegable en gran parte de su curso superior por embarcaciones pequeñas; su delta pantanoso se aprovecha para la piscicultura.

Solón (c. 630–c. 560 AC). Estadista, reformador y poeta ateniense, llamado uno de los siete sabios de Grecia. Era de origen noble, pero no tenía gran riqueza. Aunque ejerció el cargo de ARCONTE c. 594, no obtuvo pleno poder como reformador y legislador hasta unos 20 años después. Terminó con el dominio aristocrático y permitió la participación de todos los ciudadanos que hubiesen alcanzado cierto grado de riqueza, eliminando todo requisito de linaje. Reemplazó las leyes de DRACÓN por medidas más humanitarias, liberó a los ciudadanos esclavizados por deudas y les devolvió sus tierras, estimuló las profesiones y reformó el sistema monetario y de pesos y medidas. A pesar de las críticas de todos los sectores, el pueblo respetó las reformas. Al parecer abandonó Atenas durante

10 años para realizar una serie de viajes; a su regreso, previno a los atenienses acerca de PISÍSTRATO, familiar suyo, que se convertiría en TIRANO.

Solow, Robert M(erton) (n. 23 ago. 1924, Brooklyn, N.Y., EE.UU.). Economista estadounidense. Obtuvo su Ph.D. en la Universidad de Harvard y en 1949 empezó a enseñar en el Instituto Tecnológico de Massachusetts. Solow desarrolló un modelo matemático que pudo demostrar los aportes relativos de varios factores al crecimiento económico nacional sostenido. Demostró que, contrariamente al pensamiento económico tradicional, la tasa de progreso tecnológico es más importante para el crecimiento que la acumulación de capital o el aumento de la mano de obra. En la década de 1960, sus estudios empezaron a convencer a los gobiernos de invertir en INVESTIGACIÓN Y DESARROLLO (I+D) tecnológicos. En 1987 obtuvo el Premio Nobel en Ciencias Económicas.

solsticio Cualquiera de los dos eventos del año en que el Sol está más al norte o más al sur del ecuador terrestre; también cualquiera de los dos puntos a lo largo de la ECLÍPTICA que son cruzados por el Sol en esas fechas. En el hemisferio sur, el solsticio de invierno ocurre el 21 ó 22 de junio; el solsticio de verano, el 21 ó 22 de diciembre. En el hemisferio norte, las estaciones se invierten para las mismas fechas. Ver también EQUINOCCIO.

Solti, Sir Georg *orig.* **György Stern Solti** (21 oct. 1912, Budapest, Hungría–5 sep. 1997, Antibes, Francia). Director de orquesta británico de origen húngaro. Después de debutar como pianista a los 12 años de edad, estudió este instrumento con BÉLA BARTÓK y composición con ZOLTÁN KODÁLY. Fue asistente de ARTURO TOSCANINI en Salzburgo (1936–37). En Suiza, tras el estallido de la segunda guerra mundial, retomó el piano y ganó el Concurso internacional de Ginebra en 1942. Dirigió la Ópera del estado de Baviera en Munich (1945–52) y después se trasladó a Francfort (1952–61). Como director del Covent Garden de Londres (1961–71), hizo la primera grabación completa del ciclo de *El anillo del Nibelungo* de RICHARD WAGNER (1958–65), obra que permanece como una de las grabaciones más célebres de todos los tiempos. Bajo la dirección de Solti (1969–91), la orquesta sinfónica de Chicago cosechó éxitos y elogios.

solubilidad Grado en el cual una sustancia se disuelve en un SOLVENTE para formar una SOLUCIÓN (por lo general expresada como gramos de soluto por litro de solvente). La solubilidad de un fluido (líquido o gas) en otro puede ser completa; (totalmente miscible, p. ej., metanol y agua) o parcial (aceite y agua se disuelven sólo ligeramente). Casi siempre, "lo parecido disuelve a lo parecido" (p. ej., los hidrocarburos aromáticos se disuelven entre sí, pero no en agua). Algunos métodos de separación (ABSORCIÓN, extracción) se basan en las diferencias de la solubilidad, expresadas como el coeficiente de distribución (proporción de las solubilidades de un material en dos solventes). Por lo general, las solubilidades de sólidos en líquidos aumentan con la temperatura y aquellas de los gases disminuyen con la temperatura y aumentan con la presión. De una solución en la cual no se puede disolver más soluto a una temperatura y presión determinadas, se dice que está saturada (ver SATURACIÓN). Ver también JOEL HILDEBRAND.

solución En química, mezcla homogénea de dos o más sustancias en cantidades relativas que pueden variar en forma continua hasta el límite, si lo hay, de solubilidad de una en la otra (SATURACIÓN). La mayoría de las soluciones son LÍQUIDAS, pero también pueden ser de GASES o SÓLIDOS, p. ej., AIRE (compuesto principalmente de oxígeno y nitrógeno) o LATÓN (compuesto sobre todo de cobre y cinc; ver ALEACIÓN). En soluciones que comprenden un sólido disuelto en un líquido, este último es el SOLVENTE y el sólido es el soluto; si ambos componentes son líquidos, aquel presente en una cantidad menor a menudo se considera el soluto. Si el punto de saturación es sobrepasado, entonces el soluto excedente se separa. Las sustancias con ENLACES IÓNICOS (p. ej., SALES) y muchas con ENLACES COVALENTES (p. ej., ÁCIDOS, BASES, ALCOHOLES) experimentan la DISOCIACIÓN en IONES al disolverse y son denominadas ELECTRÓLITOS. Sus soluciones pueden conducir ELECTRICIDAD y pueden tener otras propiedades que difieren de las de los no electrólitos. Las soluciones participan en la mayoría de las reacciones químicas, de los procesos de refinamiento y purificación, de la elaboración industrial y de los procesos biológicos.

solución amortiguadora Solución que por lo general contiene un ÁCIDO débil y su BASE conjugada, también débil, o una SAL, de una composición tal que el PH se mantiene constante dentro de un cierto rango. Un ejemplo es una solución que contiene ácido acético (CH_3COOH) y el ION acetato (CH_3COO^-). El pH depende de su concentración relativa y se puede encontrar mediante una fórmula simple que involucra sus proporciones. Adiciones relativamente pequeñas de ácido o base cambiarán la concentración de las dos especies, pero su proporción, y por lo tanto el pH, no cambiará mucho. Diferentes soluciones amortiguadoras son útiles en diferentes rangos de pH; comprenden ácido fosfórico, ácido cítrico y ácido bórico, cada uno con sus sales. Los fluidos biológicos, como sangre, lágrimas y semen, tienen soluciones amortiguadoras naturales para mantenerlos en el pH requerido para su función correcta. Ver también ley de acción de MASA.

solución de problemas Proceso implicado en la búsqueda de solución de un problema. Muchos animales suelen resolver, por ensayo y error, problemas de locomoción, búsqueda de alimento y abrigo. Algunos animales superiores, como los simios y los cetáceos, han demostrado poseer capacidades más complejas para solucionar problemas, entre las cuales cabe mencionar la discriminación de estímulos abstractos, el aprendizaje de reglas, y la aplicación del lenguaje o de operaciones semilingüísticas. El ser humano recurre no sólo al ensayo y error, sino también a un discernimiento basado en una comprensión de los principios, el razonamiento inductivo y deductivo (ver DEDUCCIÓN; INDUCCIÓN; y LÓGICA) y el pensamiento divergente o creativo (ver CREATIVIDAD). La capacidad y los modos de resolver problemas pueden variar considerablemente según los individuos.

solución sólida Forma sólida de una SOLUCIÓN líquida. Tal como con los líquidos, existe una tendencia a la solubilidad mutua entre dos sólidos coexistentes (i.e., cualquiera se puede mezclar con el otro); según las similitudes químicas de los sólidos, la solubilidad mutua de las dos sustancias puede ser de 100% (como la plata con el oro) o podrá ser cercana a cero (como el cobre con el bismuto).

solutrense, industria Industria LÍTICA de corta duración que floreció c. 17.000–21.000 años en el sudoeste de Francia (p. ej., en La Solutré y Laugerie-Haute) y en las zonas aledañas. Esta industria es de especial interés por la notable precisión en el trabajo de los instrumentos. Además de buriles (herramientas semejantes al cincel), raspadores y perforadores, la industria solutrense incluye puntas con forma de hoja de laurel o sauce y diversas puntas con hombros. Algunos objetos son tan delicados que no tienen utilidad como instrumentos, sino que parecen haber sido artefactos de función no definida.

Solvay, proceso *o* **proceso al amoníaco** Método moderno para producir carbonato de sodio (ceniza de sosa), ideado y comercializado en Bélgica por Ernest Solvay (n. 1838–m. 1922). La sal común (cloruro de sodio) se trata con amoníaco y luego con bióxido de carbono, en condiciones cuidadosamente controladas, para formar bicarbonato de sodio y cloruro de amonio. Al ser calentado, el bicarbonato da como resultado carbonato de sodio, el producto deseado;

el cloruro de amonio se trata con cal para producir amoníaco (que se reutiliza) y cloruro de calcio. El proceso demostró ser de gran valor comercial, ya que se usan grandes cantidades de ceniza de sosa para fabricar vidrio, detergentes y productos de limpieza. Ver también SODA CÁUSTICA.

solvente Sustancia, comúnmente un LÍQUIDO, en el cual se disuelven otros materiales para formar una SOLUCIÓN. Los solventes polares (p. ej., AGUA) favorecen la formación de IONES; los no polares (p. ej., HIDROCARBUROS) no lo hacen. Los solventes pueden ser predominantemente ácidos o básicos, anfóteros (ambos), o apróticos (ninguno de los dos). Los compuestos orgánicos utilizados como solventes comprenden COMPUESTOS AROMÁTICOS y otros hidrocarburos, ALCOHOLES, ÉSTERES, ÉTERES, CETONAS, AMINAS e hidrocarburos nitrados y halogenados. Sus principales aplicaciones son: medios para síntesis químicas, limpiadores industriales, procesos extractivos en productos farmacéuticos, tintas, pinturas, barnices y lacas.

Solway, golfo de Ensenada del mar de IRLANDA. Situado entre el noroeste de Inglaterra y el sudoeste de Escocia, se extiende 61 km (38 mi) tierra adentro. Es la frontera tradicional entre ambos países. El muro de ADRIANO termina en su ribera sur.

Solzhenitsin, Alexandr (Isáievich) (n. 11 dic. 1918, Kislovodsk, Rusia). Novelista e historiador ruso. Luchó durante la segunda guerra mundial, pero fue arrestado en 1945 por criticar a STALIN. Pasó ocho años en prisiones y campos de concentración y otros tres años en el exilio. Con *Un día en la vida de Iván Denisóvich* (1962), novela basada en sus experiencias como prisionero, se transformó en uno de los principales opositores de la represión gubernamental. Se vio obligado a publicar sus últimas obras en el extranjero, entre ellas, *El primer círculo* (1968), *Pabellón del cáncer* (1968) y *Agosto 1914* (1971). La publicación del primer volumen de *Archipiélago Gulag* (1973), una de las obras cumbres de la prosa rusa, hizo que fuera acusado de traición. Expulsado de la Unión Soviética en 1974, vivió en EE.UU., donde pudo disfrutar de gran fama internacional hasta 1994, cuando regresó a su país. A fines de la década de 1980, la política de "glasnost" ("transparencia") permitió que sus obras fueran accesibles nuevamente al público ruso, pero llevó también a la pérdida de interés en ellas y en el rol profético que Solzhenitsin se arrogaba en el destino histórico de Rusia. Obtuvo el Premio Nobel de Literatura en 1970.

Alexandr Solzhenitsin, 1974.
GILBERT UZAN–GAMMA/LIAISON AGENCY

somalí Miembro de un gran grupo étnico que habita la totalidad de Somalia y parte de Yibuti, Etiopía y Kenia. Su lengua pertenece a la rama cusita de las lenguas CAMITOSEMÍTICAS. Suman más de siete millones de personas y están divididos en los grupos septentrional, central y meridional. Todos han sido musulmanes desde por lo menos el s. XIV. Son primordialmente pastores nómadas que, debido a la intensa competencia por los escasos recursos, han sido extremadamente individualistas y con frecuencia se han visto envueltos en luchas encarnizadas entre familias o guerras entre clanes y pueblos vecinos. Otro gran grupo de somalíes está constituido por habitantes urbanos y agricultores vecinos a los centros urbanos, en especial a lo largo de la costa del Cuerno de África, muchos de los cuales actúan como intermediarios comerciales entre el mundo árabe y los nómadas del interior.

Somalia Denominación histórica de la región oriental de África que se extiende entre la línea ecuatorial y el golfo de Adén, región que comprende Somalia, Djibouti y el sudeste de Etiopía. Tiene una superficie cercana a 777.000 km^2 (300.000 mi^2). La región formaba parte probablemente de lo que los antiguos egipcios llamaban "Tierra de Punt". Entre los s. VII–XII, comerciantes musulmanes provenientes de Arabia e Irán se asentaron en la costa y formaron sultanatos. Los somalíes nómadas, que ocuparon la parte septentrional del país entre los s. X–XV, adoptaron el Islam y sirvieron en sus ejércitos. Los sultanatos gradualmente cayeron bajo control somalí. A fines del s. XIX, Francia, Italia y Gran Bretaña se dividieron la región. En 1960, la SOMALIA BRITÁNICA junto con la SOMALIA ITALIANA se unificaron para formar SOMALIA. En 1971, la Somalia Francesa se independizó y adoptó el nombre de República de YIBUTI. En 1991, la ex Somalia Británica se declaró república independiente, que no fue reconocida por la ONU.

SOMALIA

- **Superficie:** 637.000 km^2 (246.000 mi^2)
- **Población:** 8.228.000 hab. (est. 2005)
- **Capital:** MOGADISCIO
- **Moneda:** chelín somalí

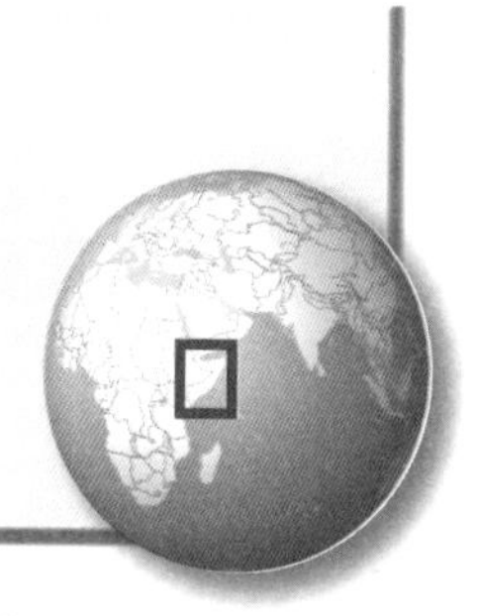

Somalia País de África oriental. Situado en el CUERNO DE ÁFRICA, se extiende desde la línea ecuatorial hasta el mar Rojo. La mayoría de los habitantes son somalíes nómadas o seminómadas. Idiomas: somalí, árabe (ambos oficiales). Religión: Islam (oficial). La mayor parte del territorio es semidesértico. Las regiones central y meridional constituyen una extensa meseta, mientras que la región septentrional se eleva para formar una accidentada cadena montañosa. Sólo una pequeña proporción de la tierra es cultivable, aunque más de la mitad es apta para el pastoreo. Somalia tiene una economía mixta en desarrollo, basada principalmente en la ganadería y la agricultura. Es uno de los países más pobres del mundo. Los árabes musulmanes y los persas fueron los primeros en establecer factorías a lo largo de la costa en los s. VII–X. En el s. X, somalíes nómadas ocuparon la región interior desde el golfo de ADÉN, mientras que en el sur y el oeste vivían varios grupos de pueblos OROMO dedicados al pastoreo. Los europeos comenzaron a explorar exhaustivamente la zona después de la ocupación británica de ADÉN (1839) y, a fines del s. XIX, Gran Bretaña e Italia establecieron protectorados en la región. Durante la segunda guerra mundial, los italianos invadieron la SOMALIA BRITÁNICA (1940); un año después, los británicos la recuperaron y administraron la región hasta 1950, año en que la SOMALIA ITALIANA pasó a ser un territorio en fideicomiso de la ONU. En 1960 se unió a la Somalia Británica, y ambas se unificaron para constituir Somalia, ahora independiente. Desde entonces ha experimentado conflictos políticos y civiles, como una dictadura militar, guerras civiles, sequías y hambrunas. En la década de 1990 no hubo un gobierno central efectivo. En 1991, un grupo separatista proclamó la República de Somalia en el territorio correspondiente a la ex Somalia Británica. No recibió reconocimiento internacional, pero se desenvolvió con mayor tranquilidad que la región de la Somalia tradicional. Una fuerza de paz de la ONU intervino en 1992 para asegurar el suministro de alimentos; el conflicto armado continuó y las fuerzas de paz abandonaron el país en 1995. El país seguía convulsionado a comienzos del s. XXI.

Somalia Británica Antiguo protectorado británico situado en la ribera sur del golfo de ADÉN, África oriental. Tenía 175.954 km² (67.936 mi²). En la Edad Media fue un poderoso sultanato árabe, el cual se fragmentó en el s. XVII. La costa quedó bajo influencia británica a comienzos del s. XIX, pero Gran Bretaña no ejerció control formal sobre la zona sino hasta 1884, año en que se lo arrebató a Egipto. Cayó bajo control italiano en la segunda guerra mundial. En 1960 se unificó con la ex SOMALIA ITALIANA para formar Somalia. Ver también SOMALIA (región histórica).

Somalia Francesa ver YIBUTI

Somalia Italiana Antigua colonia italiana de África oriental. Se extendía hacia el sur desde el cabo Asir hasta la frontera con Kenia, con una superficie de 461.585 km² (178.218 mi²). En 1889 quedó bajo control de Italia y en 1936 fue incorporada como estado al África Oriental Italiana. Gran Bretaña la invadió en 1941 y la controló hasta 1950, año en que pasó a ser territorio en fideicomiso de la ONU bajo administración italiana. En 1960 se unió a la SOMALIA BRITÁNICA para formar el país independiente de SOMALIA.

somatotropina ver HORMONA DE CRECIMIENTO

sombrero Prenda de vestir, formada de copa y ala, que sirve para cubrir la cabeza. Existen diversos estilos y se lleva por moda o propósitos religiosos o ceremoniales, para simbolizar el oficio o el rango de quien lo lleva. En Occidente, durante la Edad Media, los hombres vestían sombreros en forma de tocas o capuchones, y las mujeres usaban velos, capuchones o drapeados para la cabeza. El sombrero de copa de seda se originó en Florencia c. 1760. El sombrero hongo fue introducido en 1850. La gorra de tela con visera fue, durante décadas, el estándar internacional para obreros y niños. Los sombreros de dama lucieron períodos de sorprendente ostentación, como los años previos a la primera guerra mundial. A partir de c. 1960, el uso de sombreros, tanto en varones como damas, declinó considerablemente en Occidente. El sombrero de ala ancha, originado en el s. XV, todavía es popular en México y otras partes de América Latina. Los pueblos de Asia oriental han inventado tocados tan simples como el sombrero culí chino, un cono achatado de una pieza, y otros tan elaborados y decorativos como el *kammuri* japonés, hecho de seda negra laqueada y decorado con una escarapela vertical y un penacho con forma de crisantemo imperial. En India, la gorra Gandhi, el fez y el turbante son de uso generalizado. En las regiones donde rigió el Imperio otomano (incluidos los Balcanes y el norte de África), el tocado tradicional del fez y del tarbuch siguieron siendo populares entre los varones hasta el s. XX. En el Lejano Oriente, desde Irán hasta Asia meridional (así como en partes de la costa arábiga), los hombres han usado varios tipos de turbantes. En Arabia interior, el Levante y partes de Siria e Irak, el *kaffiyeh* (a veces llamado *ghuṭrah*), una tela ancha sostenida por una cuerda de pelo de camello (*ʿiqāl*), sigue siendo costumbre, incluso entre los hombres que visten trajes occidentales. En Israel es común el *yarmulke*, especialmente entre los judíos observantes.

Somerset Condado administrativo (pob., 2001: 498.093 hab.), geográfico e histórico en el sudoeste de Inglaterra. Su capital es TAUNTON. En la zona se han descubierto vestigios de pueblos prehistóricos; también los romanos extrajeron plomo y construyeron villas en el lugar. A partir del s. VII DC, Somerset era el límite occidental del reino de WESSEX. Gran parte de Somerset occidental está conformada por el parque nacional de Exmoor, y su extenso litoral se encuentra protegido. Es un condado primordialmente agrícola, famoso por su sidra. Los balnearios en el canal de BRISTOL y las mansiones históricas atraen a los turistas.

Somerset, Edward Seymour, 1er duque de (c. 1500/06–22 ene. 1552, Londres, Inglaterra). Político inglés. Después de que su hermana, JANE SEYMOUR, se desposó con ENRIQUE VIII en 1536, ascendió rápidamente como favorito del monarca. Dirigió las fuerzas inglesas que invadieron Escocia y saquearon Edimburgo en 1544 y derrotó en forma decisiva a los franceses en Boulogne en 1545. Después de la muerte de Enrique (1547), fue nombrado protector (regente) de Inglaterra durante la minoría de edad de EDUARDO VI y actuó como soberano en todo, excepto en el nombre. Cuando los escoceses rechazaron su llamado a una unión voluntaria con Inglaterra, invadió Escocia y ganó la batalla de Pinkie (1547). Introdujo reformas protestantes moderadas, pero estas provocaron rebeliones católicas en el oeste de Inglaterra. Sus reformas agrarias fueron rechazadas por los terratenientes y por el duque de NORTHUMBERLAND, quien lo hizo destituir del protectorado en 1549. Fue encarcelado en 1551 por un débil cargo de traición y ejecutado al año siguiente.

Somerville y Ross *seudónimo de* **Edith Anna Oenone Somerville y Violet Florence Martin** (2 may. 1858, Corfú, Grecia–8 oct. 1949, Castlehaven, County Cork, Irlanda) (11 jun. 1862, Ross House, County Galway, Irlanda–21 dic. 1915, Cork, County Cork). Primas y escritoras irlandesas. Somerville y Martin se conocieron en 1886. Tres años después publicaron su primera novela, *An Irish Cousin* [Una prima irlandesa], bajo los nombres de E.OE. Somerville y Martin Ross. Coescribieron 14 libros, entre ellos un volumen de cuentos, *Some Experiences of an Irish R.M.* (1899). Este volumen y sus continuaciones fueron su obra más popular. Sus creaciones retratan con ingenio y empatía la sociedad irlandesa de fines del s. XIX. Después de la muerte de Martin, Sommerville siguió escribiendo bajo su seudónimo común.

Somme, batalla del (1 jul.–13 nov. 1916). Ofensiva aliada en la primera GUERRA MUNDIAL. Fuerzas británicas y francesas lanzaron un ataque frontal contra un ejército alemán atrincherado al norte del río SOMME en Francia. Una semana de bombardeo de artillería fue seguida por el asalto de la infantería británica a las todavía inexpugnables posiciones alemanas. Se produjeron casi 60.000 bajas británicas (entre ellas, 20.000 muertos) en el primer día. La ofensiva gradualmente degeneró en una batalla de desgaste, obstaculizada por lluvias torrenciales en octubre que hicieron intransitable el lodoso campo de batalla. En el momento en que este fue abandonado, los aliados habían avanzado sólo 8 km (5 mi). Las cuantiosas pérdidas incluyeron 650.000 bajas alemanas, 420.000 británicas y 195.000 francesas. La batalla se convirtió en una metáfora de matanza inútil e indiscriminada.

Somme, río Río en el norte de Francia. Nace cerca de Saint Quentin y fluye en dirección oeste por 245 km (152 mi) hasta desembocar en el canal de la MANCHA. En su valle superior existen canales que lo comunican con las vías fluviales navegables que conectan PARÍS y FLANDES. Su cuenca superior fue escenario de intensos combates durante la primera guerra mundial, especialmente la batalla del SOMME (1916).

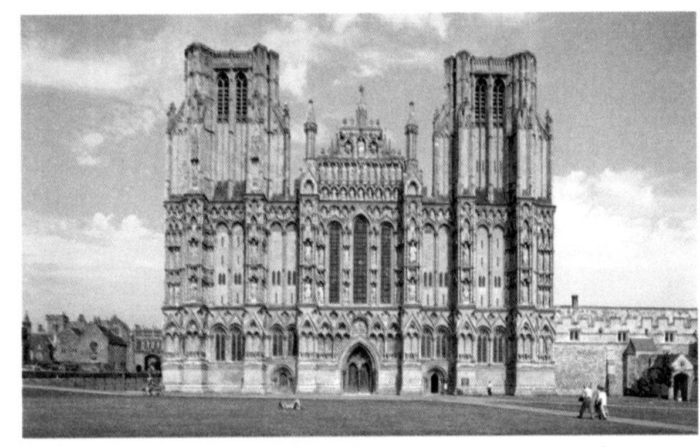

Catedral de Wells de fachada elaborada y tres torres, Somerset, Inglaterra.

KIM SAYER/DORLING KINDERSLEY/GETTY IMAGES

somormujo Cualquiera de unas 18 especies de aves buceadoras (familia Podicipedidae) que se distribuyen en las zonas tropicales y templadas, y a menudo en regiones subárticas. La mayoría de las especies vuela y algunas migran. Los somormujos tienen pico puntiagudo, alas cortas y estrechas, y una cola vestigial. La posición de las patas, muy hacia atrás, hace que caminen con torpeza. Se alimentan principalmente de peces o invertebrados. Los machos cortejadores o rivales efectúan complicadas danzas acuáticas en pareja. Las especies miden entre 21 y 73 cm (8–29 pulg.) de largo.

Especies de somormujo.

Somoza, familia Familia que mantuvo el control político de Nicaragua durante más de 40 años. El fundador de la dinastía, Anastasio Somoza García (n. 1896–m. 1956), se convirtió en comandante en jefe de las fuerzas armadas de Nicaragua en 1933 y, tras deponer al presidente elegido en 1936, gobernó el país con mano firme y controladora hasta que fue asesinado. Lo sucedió su hijo mayor, Luis Somoza Debayle (n. 1922–m. 1967), y luego su hijo menor, Anastasio Somoza Debayle (n. 1925–m. 1980) cuyo gobierno corrupto y brutal (1963–79) llevó a que los SANDINISTAS lo derrocaran. Somoza saqueó Nicaragua antes de huir del país y fue asesinado en Paraguay.

sónar Técnica para detectar y determinar la distancia y dirección de objetos bajo el agua mediante rastreo del eco acústico. El nombre deriva del acrónimo en inglés *sound navigation ranging*. Las ondas sonoras que un objeto emite o refleja son detectadas por un aparato sónar y analizadas para obtener información. En un sónar activo se genera una onda de sonido que es reflejada por el objetivo. Los sistemas pasivos consisten simplemente en sensores receptores que captan el ruido producido por el objetivo (como un submarino o torpedo). Un tercer tipo de sónar, usado en sistemas de comunicación requiere un proyector y un receptor en ambos extremos. El sónar fue usado por primera vez en 1916 para detectar submarinos. Entre sus usos no militares figuran la búsqueda de peces, sondeo de profundidad, mapas del fondo marino, navegación Doppler (ver efecto DOPPLER), y búsqueda de naufragios u otros objetos en el océano.

sonata Forma musical compuesta para uno o más instrumentos que consiste normalmente en tres o cuatro movimientos. El término que proviene del italiano y que significa "pieza que suena (en un instrumento)", al comienzo indicaba simplemente música no vocal y se usó para una confusa variedad de géneros hasta fines del s. XVII. En la década de 1650 empezaron a codificarse dos tipos de sonatas para conjunto, la *sonata da chiesa* (sonata de iglesia) y la *sonata da camera* (sonata de cámara). La primera, concebida para ser interpretada en la iglesia, por lo general tenía cuatro movimientos, dos de ellos lentos; la segunda se componía normalmente de una SUITE de danzas. La llamada sonata-solo (para solista, normalmente violín, y CONTINUO) y la SONATA DE TRÍO (para dos solistas y continuo) se convirtieron en las más comunes. En la década de 1740 comenzaron a escribirse sonatas para solistas de instrumentos de teclado. CARL P.E. BACH estableció tres movimientos como norma para la sonata de teclado, condición que perduró durante el clasicismo. Al mismo tiempo se hicieron muy populares las sonatas en dúo, con la misma estructura y normalmente para violín y teclado. Las sonatas para teclado y para dúo se han mantenido como las formas estándares hasta el presente. Desde la época de Bach en adelante, el primer movimiento estaba generalmente en *tempo allegro* y tenía forma SONATA. El segundo movimiento a menudo era lento. El último movimiento era con frecuencia un MINUÉ, un RONDÓ o un tema con VARIACIONES. En una sonata de cuatro movimientos, el tercero era normalmente un minué o un SCHERZO. La sonata fue un género equivalente a la SINFONÍA y al CUARTETO DE CUERDAS.

sonata de trío Género principal de la música de cámara en la era barroca. A pesar de su nombre, requiere cuatro intérpretes: dos instrumentos melódicos y CONTINUO (normalmente un instrumento de teclado y un instrumento a cargo de los bajos). Surgió a comienzos del s. XVII como una versión instrumental del dueto vocal italiano. Los dos instrumentos superiores, a menudo violines, tejen generalmente sus líneas melódicas, cuasivocales, muy por encima del acompañamiento. Dos formas clásicas emergieron después de 1650: la *sonata da chiesa*, o sonata de iglesia, consolidada como una forma de cuatro movimientos (en orden lento-rápido-lento-rápido), y la *sonata da camera*, o semejante a la SUITE. En 1770, el género había sido abandonado a favor de la sonata para solista.

sonata, forma *o* **forma allegro de sonata** Forma de la mayoría de los primeros movimientos y a menudo de otros movimientos en géneros musicales como la SINFONÍA, el CONCIERTO, el CUARTETO DE CUERDAS y la SONATA. Las tres partes de la forma sonata provienen de la forma binaria o bipartita, prominente en la música del s. XVII y principios del s. XVIII. La primera parte de la forma sonata o exposición, presenta el material temático básico del movimiento, el que a menudo se divide en dos grupos temáticos; el segundo está en el tono de la dominante o –si el movimiento está en tonalidad menor– en el tono de la relativa mayor. La segunda sección, o desarrollo, por lo general trata los temas anteriores libremente, a menudo desplazándose a diferentes tonalidades. Esto conduce a la sección final, o recapitulación, cuando vuelve a la tónica y todo el material temático se repite en ese mismo tono. La forma sonata fue la más común de las obras instrumentales en la música de arte occidental, desde c. 1760 hasta principios del s. XX.

Sonda, estrecho de la Canal que separa las islas de JAVA y SUMATRA. Tiene 26–110 km (16–70 mi) de ancho y conecta el mar de Java con el océano Índico. Contiene varias islas volcánicas, la más famosa de las cuales es KRAKATOA.

Sonda, islas de la Archipiélago que se extiende desde la península de MALACA hasta las islas MOLUCAS. Las islas de la Sonda constituyen la mayor parte del territorio de Indonesia, y sólo el norte y el noroeste de BORNEO y TIMOR ORIENTAL no están bajo control político indonesio. Entre ellas figuran las islas mayores de la Sonda (SUMATRA, JAVA, Borneo, CÉLEBES y las islas adyacentes más pequeñas) y las islas menores de la Sonda (BALI, LOMBOK, SUMBAWA, SUMBA, Flores, Timor, Alor y las islas adyacentes más pequeñas). La mayoría de las islas forman parte de un ARCO INSULAR geológicamente inestable y volcánicamente activo. En la región predominan las lenguas y las culturas malayas.

Sonderbund (alemán: "Liga separatista"). Liga formada en 1845 por los siete cantones suizos católicos. Después de que los cantones protestantes intentaron impedir que los jesuitas asumieran el control de la educación religiosa en Lucerna, los cantones católicos formaron la Sonderbund, lo que disgustó aún más a los cantones liberales protestantes. En 1847, una mayoría reformista en la dieta suiza votó por su disolución y por la expulsión de los jesuitas. En noviembre de 1847, la liga tomó las armas, pero sus fuerzas fueron rápidamente sometidas. La nueva constitución suiza adoptada en 1848 fortaleció el gobierno central.

Sondheim, Stephen (Joshua) (n. 22 mar. 1930, Nueva York, N.Y., EE.UU.). Compositor y letrista estadounidense. Estudió piano y órgano, y a la edad de 15 años escribió su primer musical bajo la tutoría de OSCAR HAMMERSTEIN II, autor de musicales y amigo de su familia. Después de estudiar con el compositor MILTON BABBITT, obtuvo su primer éxito en Broadway como autor de los textos de *West Side Story* (1957) y posteriormente de *Gypsy* (1959). Escribió tanto la música como la letra de *A Funny Thing Happened on the Way to the Forum* (1962, premio Tony), *A Little Night Music* (1973, premio Tony), *Sweeney Todd* (1979, premio Tony), *Sunday in the Park with George* (1984, Premio Pulitzer) e *Into the Woods* (1987), entre otras obras. Sus obras escénicas son reconocidas por su intelectualidad, complejidad musical y frecuente tono oscuro.

soneto Forma lírica fija de 14 versos, dividida por lo general en dos cuartetos y dos tercetos de acuerdo con un esquema preestablecido de rimas. El soneto es la única forma poética de la literatura occidental que ha mantenido su atractivo para los poetas durante cinco siglos. Al parecer, se originó en el s. XIII en la escuela SICILIANA de poetas cortesanos. En el s. XIV, PETRARCA creó el modelo de soneto que más se utiliza en la actualidad. El soneto petrarquesco (o italiano) consiste de una octava de ocho líneas, con rima *abbaabba*, en la que se plantea un problema, se formula una pregunta, o se expresa alguna tensión emocional, seguida de un sexteto de seis versos, con esquemas de rima variados, que resuelve el problema, responde la pregunta o pone fin a la tensión. Al adaptar la forma italiana, los poetas isabelinos desarrollaron otro modelo de soneto de gran relevancia, el soneto shakesperiano (o inglés). Este consta de tres estrofas de cuatro versos o cuartetos, cada una con un esquema de rima independiente, las que se rematan con un dístico final rimado.

Song, dinastía *o* **dinastía Sung** (960–1279). Dinastía china que unificó todo el país hasta 1127 y la parte meridional hasta 1279, ya que China septentrional fue dominada por las tribus juchen. Durante el reinado de los Song floreció el comercio, se generalizó el uso del papel moneda y varias ciudades superaron el millón de habitantes. Para solucionar los problemas de China, WANG ANSHI procuró fijar tributos más equitativos y centralizar el estado. La divulgación generalizada de textos trajo consigo un aumento en la alfabetización y se amplió la elite; asimismo, de las academias privadas y escuelas estatales egresó una creciente cantidad de postulantes al sistema de exámenes CHINO. En el s. XII, ZHU XI sistematizó el NEOCONFUCIANISMO. La dinastía Song fue también una época del conocimiento: se publicaron novedosos tratados de arquitectura y botánica, así como el famoso *Zizhi tongjian* ("Modelo universal para uso de los gobiernos") de Sima Guang. Se dice que la pintura de paisajes habría alcanzado su cúspide durante la dinastía Song del norte, que también fue famosa por su magnífica arquitectura. Ver también TAIZU.

Retrato de Taizu, primer emperador de la dinastía Song.
FOTOBANCO

Song Huizong ver HUIZONG

songay Grupo etnolingüístico que habita principalmente en el gran recodo que forma el río Níger en Malí, con su centro en la zona donde se situaba el antiguo Imperio de SONGAY. Suman cerca de 1,5 millones de personas y hablan una lengua NILO-SAHARIANA. Tradicionalmente la sociedad songay estaba sumamente estructurada, y comprendía una nobleza, plebeyos libres, artesanos, *griots* (poetas y cronistas de transmisión oral) y (antiguamente) esclavos. Cultivan cereales en la estación lluviosa (de junio a noviembre) y se dedican también a la crianza de ganado y pesca. Desde tiempos remotos han prosperado gracias al comercio de caravanas. Muchos jóvenes han dejado el hogar para dirigirse a la costa, en especial a Ghana.

Songay, Imperio de Antiguo estado musulmán de África occidental. Con su centro en el curso medio del NÍGER, en lo que hoy corresponde al centro de Malí, se amplió con el tiempo hasta la costa atlántica y hacia Níger y Nigeria. Instaurado por el pueblo SONGAY c. 800 DC, alcanzó su máxima extensión en el s. XVI, antes de caer en 1951 frente a las fuerzas marroquíes. Sus principales ciudades eran Gao y TOMBOUCTOU.

Songjiang Ciudad (pob., est. 1998: 490.300 hab.) de la municipalidad de SHANGHAI, China oriental. Fue una prefectura superior durante las dinastías MING y QING. Inicialmente era un importante centro arrocero, pero en el s. XVIII había ganado ya reputación internacional por sus textiles de algodón. Durante la rebelión TAIPING (1850–64) sufrió graves daños en la lucha por la defensa de SHANGHAI; allí se encuentra la tumba del aventurero estadounidense Frederick T. Ward, que comandaba las tropas occidentales que lucharon contra los rebeldes. Debido al fenomenal crecimiento de Shanghai durante el s. XIX, Songjiang perdió su papel de centro comercial; aunque sigue estando dominado por Shanghai, cuenta ya con algunas industrias y es un destino turístico para los residentes de Shanghai.

sonido Perturbación mecánica que se propaga como una onda longitudinal a través de un sólido, líquido o gas. Una ONDA sonora es generada por un objeto que vibra. Estas vibraciones causan alternadamente regiones de compresión (apiñamiento) y de enrarecimiento (raleamiento) de las partículas del medio. Las partículas oscilan hacia delante y hacia atrás en la dirección de propagación de la onda. La velocidad del sonido depende de la ELASTICIDAD, DENSIDAD y TEMPERATURA del medio. En aire seco a 0 °C (32 °F), la velocidad del sonido es de 331 m (1.086 pies) por segundo. La FRECUENCIA de una onda sonora, percibida como su altura (ver TONO), es el número de compresiones (o enrarecimientos) que pasan por un punto fijo en una unidad de tiempo. El rango de las frecuencias audibles para el oído humano va desde aprox. 20 hertz hasta 20 kilohertz. La intensidad del sonido es el flujo medio de energía por unidad de tiempo a través de un área dada del medio, y se relaciona con el volumen. Ver también ACÚSTICA; AUDICIÓN; OÍDO; ULTRASONIDO.

sonido, barrera del ver BARRERA DEL SONIDO

sonido, efectos de Reproducción artificial del sonido que acompaña la acción y proporciona un mayor realismo en una producción dramática. Los efectos de sonido fueron utilizados por primera vez en el teatro, y otorgaban una gama de acción imposible de reproducir en escena, desde batallas y disparos hasta el trote de caballos y truenos. Los técnicos que se ubicaban tras bambalinas inventaron numerosos métodos para reproducir sonidos (p. ej., hacer sonar una plancha de metal para crear el sonido de un trueno). Hoy en día la mayoría de los efectos de sonido son reproducidos por medio de grabaciones. Los antiguos radioteatros se apoyaban en gran medida en los efectos de sonido, y en la actualidad estos son meticulosamente incorporados en las bandas sonoras de películas y programas de televisión.

Sonni ʿAlī (m. 1492). Monarca de África occidental que inició la expansión del Imperio de SONGAY. Su primera conquista de importancia (1468) fue la ciudad de TOMBOUCTOU, uno de los principales bastiones del Imperio de MALÍ, entonces en declinación. En 1473 conquistó la ciudad de Yenné después de un sitio de siete años. Dedicó gran parte de su reinado a resistir los ataques de los dendi, FULANI, MOSSI y TUAREGS contra su imperio. Poco se sabe de su gobierno, pero los cronistas árabes lo caracterizaron como un tirano cruel y caprichoso.

Sonora Estado (pob., 2000: 2.216.969 hab.) del noroeste de México. Limita con EE.UU. y el golfo de California y cubre una superficie de 182.052 km^2 (70.291 mi^2); su capital es HERMOSILLO. Explorado por los españoles en la década de 1530, llegó a ser un importante centro minero colonial que producía cobre, oro y plata. En 1830 se convirtió en estado, sin embargo, su pueblo nativo YAQUI no fue subyugado sino hasta el s. XX. El territorio es en general árido y semiárido; debe recurrir al riego artificial para cultivar hortalizas de invierno, cereales, algodón, tabaco y maíz.

Sonora, desierto de Región árida en el oeste de América del Norte. Ocupa 310.000 km^2 (120.000 mi^2) de superficie. En EE.UU se ubica en el sudoeste de Arizona y el sudeste de California; en México, abarca la Baja California septentrional y el oeste del estado de SONORA. El desierto se subdivide en varias partes, entre ellos, los desiertos de Colorado y Yuma. El riego ha proporcionado muchas zonas agrícolas fértiles, en especial los valles de COACHELLA e IMPERIAL VALLEY. Los inviernos temperados del desierto de Sonora atraen a los turistas a centros vacacionales como PALM SPRINGS, TUCSON y PHOENIX. En este desierto hay también reservas indias (ver PAPAGO; PIMA).

Sontag, Susan *orig.* **Susan Rosenblatt** (16 ene. 1933, Nueva York, N.Y., EE.UU–28 dic. 2004, Nueva York). Escritora estadounidense. Estudió en las universidades de Chicago y Harvard e hizo clases de filosofía en varias instituciones. A comienzos de la década de 1960 colaboró en revistas literarias como *New York Review of Books*, *Commentary* y *Partisan Review*. Sus ensayos, influenciados por la cultura francesa, se caracterizan por su tratamiento filosófico de aspectos de la cultura moderna que no suelen ser abordados con seriedad en su momento, como el cine, la música popular y la sensibilidad homosexual. Entre sus publicaciones más influyentes se cuentan *Contra la interpretación* (1968) y *Estilos radicales* (1969). Entre sus trabajos críticos posteriores se destacan *Sobre la fotografía* (1977), *La enfermedad y sus metáforas* (1977), y *El sida y sus metáforas* (1988). También escribió guiones cinematográficos y novelas, como *El amante del volcán* (1992) y *En América* (1999).

Sony Corp. Una de las principales empresas japonesas fabricantes de artículos electrónicos. Fue fundada en 1946 por Ibuka Masaru y AKIO MORITA bajo la razón social Tokyo Telecommunications Engineering Corp. Adoptó su actual razón social en 1958. Empezó con la fabricación de voltímetros, generadores de sonido y aparatos similares. Su primer artículo electrónico importante fue una grabadora de cintas de audio introducida en 1950. Desde entonces ha sido pionera en nuevas tecnologías de artículos electrónicos que se comercializan en todo el mundo, entre los que se encuentra la primera radio de transistores portátil (1957), un grabador de videocasete en color (1969) y el personal estéreo "Walkman". Sus divisiones de entretenimiento comprenden las productoras cinematográficas Columbia Tristar y Sony Pictures y los sellos discográficos Epic y Columbia.

Soong, familia Familia china del s. XX que ejerció gran influencia. Charlie Soong (n. 1866–m. 1918) se formó en EE.UU. para convertirse en misionero. En China hizo su fortuna como editor, inicialmente de la Biblia, y se convirtió en un partidario de SUN YAT-SEN, cuyo GUOMINDANG (Partido Nacionalista) ayudó a financiar. Su primera hija se casó con un hombre de negocios que también apoyó financieramente a los nacionalistas. La segunda hija, Soong Ch'ing-ling (Song Qinglin; n. 1892–m. 1981), se casó con Sun Yat-sen, y su tercera, Soong Mei-ling (n. 1897–m. 2003), se convirtió en la segunda esposa de CHIANG KAI-SHEK. Su hijo, T.V. Soong (n. 1894–m. 1971) fundó el Banco Central de China y fue ministro de finanzas del gobierno nacionalista en la década de 1920 y ministro de relaciones exteriores en la década siguiente. El ascenso al poder de los comunistas en 1949 dividió a la familia: Ch'ing-ling, quien anteriormente había denunciado a los nacionalistas por traicionar los ideales de Sun Yat-sen, permaneció en el continente y poco antes de morir fue nombrada presidenta honoraria de la República Popular de China. Mei-ling acompañó a Chiang Kai-shek en Taiwán y dio a conocer su causa en Occidente; conocida como Madame Chiang, fue extraordinariamente popular en EE.UU. Por su parte, T.V. Soong, considerado en una época el hombre más rico del mundo, se trasladó a EE.UU.

soplador Máquina para bombear e introducir aire en un horno. Los sopladores primitivos eran fuelles accionados por una rueda hidráulica. Estos fueron reemplazados más tarde por bombas aspirantes e impelentes accionadas por máquinas de vapor o motores de gasolina y por turbosopladores. Un alto horno moderno requiere una máquina soplante enorme.

soprano Registro vocal más alto, que abarca aproximadamente desde el "do" medio hasta el segundo "la" por encima de él. La voz de soprano es por lo general femenina, pero puede incluir también a los niños sopranos y (antiguamente) a los *castrati* (ver CASTRATO). Esta voz se clasifica en forma tradicional como dramática (rica y poderosa), lírica (más ligera) y coloratura (alta y muy ágil). El registro de mezzo-soprano se ubica aproximadamente una tercera por debajo.

Sopwith, Sir Thomas (Octave Murdoch) (18 ene. 1888, Londres, Inglaterra–27 ene. 1989, Compton Manor, cerca de Winchester, Hampshire). Ingeniero aeronáutico británico. En 1910 aprendió a volar por sí solo y ganó un premio por el vuelo más largo hacia el continente europeo. En 1912 fundó la compañía de aviación Sopwith, la que durante la primera guerra mundial fabricó aviones, como *Camel*, *Pup* y *Triplane*. Su compañía de aviación Hawker produjo durante la segunda guerra mundial el *Hurricane*, y más tarde el *Harrier*, un caza reactor de despegue vertical. Hasta 1963 fue presidente del directorio del grupo Hawker Siddeley, sucesor de su antigua empresa.

Sorano de Éfeso (c. siglo II DC, Alejandría y Roma). Ginecólogo, obstetra y pediatra griego. Fue un agudo observador y un médico extraordinariamente competente. Escribió obras que influyeron en la opinión médica durante 1.500 años. Su obra *Sobre la obstetricia y las enfermedades de la mujer* describe métodos anticonceptivos, técnicas obstétricas consideradas novedosas en el s. XV y lo que ahora se identifica como raquitismo. Los tratamientos que sugería para los trastornos nerviosos se parecen en algunos aspectos a la psicoterapia moderna. Sorano también escribió la primera biografía conocida de HIPÓCRATES.

Sorby, Henry Clifton (10 may. 1826, Woodbourne, cerca de Sheffield, Yorkshire, Inglaterra–9 mar. 1908, Sheffield). Científico aficionado británico. Convencido del valor del microscopio para la geología, en 1849 empezó a preparar secciones delgadas de rocas, de más o menos 0,025 mm (0,001 pulg.) de espesor, para el estudio al microscopio. Desarrolló un nuevo tipo de microscopio espectral para analizar la luz de pigmentos orgánicos (1865). Su investigación sobre meteoros condujo a estudios del hierro y del acero, y sus estudios posteriores abarcaron el origen de las rocas estratificadas, la meteorización y la biología marina. Publicó trabajos que tratan de la geografía física de los períodos geológicos, de la desintegración y formación de las rocas y de las terrazas fluviales. Es considerado el padre de la petrografía y metalografía microscópicas.

sordera Incapacidad parcial o completa de la audición. En la sordera de conducción, el paso de las vibraciones sonoras a través del oído está interrumpido. El obstáculo puede ser un tapón de cerumen, un tímpano roto o la fijación del estribo, lo que impide que este transmita dichas vibraciones al OÍDO INTERNO. En la sordera sensorioneural, la transmisión de los impulsos sonoros hacia el centro auditivo del cerebro está impedida por un defecto de las células sensoriales del oído interno (p. ej., daño por exceso de ruido) o de los nervios vestibulococleares o del octavo par craneano. Algunas personas sordas se benefician con el empleo de AUDÍFONOS o con implantes cocleares; otras pueden aprender a comunicarse mediante un LENGUAJE DE SEÑAS y/o con la lectura labial.

Sorel, Georges (-Eugène) (2 nov. 1847, Cherburgo, Francia–30 ago. 1922, Boulogne-sur-Seine). Sociólogo y teórico político francés. Formado como ingeniero civil, después de los 40 años de edad dejó su profesión y se dedicó a escribir sobre temas sociales. Descubrió el MARXISMO en 1893, pero se decepcionó con el manejo del caso ALFRED DREYFUS por los sectores de izquierda. En 1902 era un entusiasta partidario del SINDICALISMO revolucionario. El pensamiento de Sorel se caracteriza por un odio moralístico a la decadencia social y la resignación. Sostenía que la naturaleza humana no era innatamente buena; concluía, en consecuencia, que no era probable que se evolucionara hacia una sociedad satisfactoria, sino que esta misma debía surgir de la acción revolucionaria. Después de 1909 se desencantó del sindicalismo revolucionario, y con algunas vacilaciones se unió al movimiento monarquista, que buscaba restablecer la moral tradicional. Luego del estallido de la REVOLUCIÓN RUSA DE 1917 se declaró partidario de los BOLCHEVIQUES, bajo la impresión de que podrían ser capaces de precipitar la regeneración moral de la humanidad. En su obra más importante, *Reflexiones sobre la violencia* (1908), desarrolla su noción de violencia como la negación revolucionaria del orden social existente. BENITO MUSSOLINI se apropió de las ideas de Sorel, y las adecuó para luego usarlas para sustentar el FASCISMO.

sorgo Planta cerealera (ver CEREAL) de grano de la familia Poaceae (o Gramineae), probablemente originaria de África, y sus semillas feculentas comestibles. La mayor parte de los tipos cultivados para granos pertenecen a la especie *Sorghum vulgare*; incluye variedades de sorgos de grano y forrajeros (cultivados para heno y forraje) y sorgos escoberos (que se usan para hacer escobas y cepillos). La hierba resistente suele crecer entre 0,5–2,5 m (2–8 pies) o a mayor altura. Las semillas son más pequeñas que las del trigo. Aunque rico en carbohidratos, el sorgo es de calidad nutricional inferior a la del maíz. Resistente a la sequía y calor, el sorgo es uno de los cereales de grano más importantes de África. Se cultiva también en EE.UU., India, Pakistán, el norte y nordeste de China y, en cantidades importantes, en la península Arábiga, Irán, Argentina, Australia y Europa meridional. El grano se suele moler y de su harina se prepara gacha, tortillas y bizcochos.

Sorgo (*Sorghum vulgare*).

sorites En filosofía, cadena de SILOGISMOS sucesivos de la primera figura, relacionados de modo tal que la conclusión de cada uno es la premisa menor o, en otro caso, la premisa mayor del siguiente. Si se suprimen las conclusiones de todos los silogismos sucesivos (salvo la del último) y se exponen sólo las premisas restantes y la conclusión final, el argumento resultante es una inferencia válida a partir de las premisas expuestas. (Por ejemplo: Algunos entusiastas se muestran escasos de juicio; todos los que se muestran escasos de juicio cometen muchos errores; nadie que cometa muchos errores merece absoluta confianza; en consecuencia, algunos entusiastas no merecen absoluta confianza). En general, puede haber n + 1 premisas, y entonces el análisis produce una cadena de n silogismos sucesivos.

sorites, problema de los PARADOJA que puede ilustrarse con el siguiente razonamiento: Un grano de arena no constituye un montón; si n granos de arena no constituyen un montón, entonces tampoco lo hacen n + 1 granos de arena; en consecuencia, no importa cuántos granos de arena se reúnan, nunca constituirán un montón. El problema puede plantearse en relación con cualquier término impreciso.

Sorokin, P(itirim) A(lexándrovitch) (21 ene. 1889, Turia, Rusia–10 feb. 1968, Winchester, Mass., EE.UU.). Sociólogo estadounidense de origen ruso. En 1919 fundó la cátedra de sociología de la Universidad de Petrogrado, pero en 1922 fue exiliado por sus ideas contrarias a los bolcheviques. Emigró a EE.UU., donde creó el departamento de sociología de la Universidad de Harvard. Distinguía dos tipos de sociedades, la sensata (empírica, que promueve las ciencias naturales) y la ideacional (mística, antiintelectual, subordinada a la autoridad) y, a su juicio, el estudio científico del amor altruista era necesario para evitar el caos mundial.

sororato ver LEVIRATO Y SORORATO

Soros, George (n. 12 ago. 1930, Budapest, Hungría). Financista estadounidense de origen húngaro. Dejó su Hungría natal en 1944 y se estableció en Londres en 1947, donde estudió e ingresó a un banco comercial. Se mudó a Nueva York en 1956 y al principio trabajó como analista del mercado de valores europeo. En 1979 sus arriesgadas inversiones y especulaciones monetarias le permitieron obtener grandes utilidades, parte de las cuales destinó para establecer las fundaciones Soros, dedicadas a crear sociedades libres en muchos países de Europa oriental y Rusia. También fomentó los programas Soros, orientados a promover el debate público sobre una amplia gama de temas polémicos. En 1992 alcanzó nuevos niveles de riqueza al lograr una ganancia de cerca de US$ 1.000 millones cuando Gran Bretaña devaluó la libra esterlina, pero en 1998 sufrió grandes pérdidas debido a la especulación monetaria en Rusia.

Sosa, Sammy *orig.* **Samuel Sosa Peralta** (n. 12 nov. 1968, San Pedro de Marcoris, República Dominicana). Beisbolista estadounidense de origen dominicano. Sosa llegó a EE.UU. de niño y comenzó a jugar en el béisbol organizado a los 14 años de edad. En 1985 firmó por los Texas Rangers, equipo con el cual hizo su debut profesional en 1989. Pronto fue transferido a los Chicago White Sox y, en 1992, a los Chicago Cubs. En 1993 se convirtió en el primer jugador de los Cubs que lograba sumar 30 *home runs* y bases robadas en una sola temporada, hazaña que repitió en 1994. En 1998 sostuvo una espectacular lucha con MARK MCGWIRE por el récord en una temporada (batido después por BARRY BONDS); Sosa terminó el año con 66 *home runs* , lo que le valió ser elegido Jugador Más Valioso de la Liga Nacional. En 1999, con 63 *home runs*, se convirtió, junto con McGwire, en el primer jugador en batear más de 60 en dos temporadas seguidas.

Sōseki ver NATSUME SŌSEKI

sótano Pieza subterránea de un edificio, destinada a fines utilitarios y de almacenaje. En algunos casos forma parte de los cimientos. Un sótano usado para almacenar alimentos puede estar bajo la residencia o situado en el exterior, parcialmente subterráneo y con la parte superior cubierta con tierra para mantener una temperatura y humedad relativamente constantes; puede ser de hormigón, el piso sin revestimiento y el techo de madera.

Sotavento, islas de Arco insular que conforman las ANTILLAS Menores más occidentales y septentrionales, en el noroeste del mar Caribe. Según la clasificación anglosajona, las islas principales son, de norte a sur, las islas VÍRGENES ESTADOUNIDENSES y las islas VÍRGENES BRITÁNICAS, ANGUILA, SAN MARTÍN, SAINT KITTS Y NEVIS, ANTIGUA Y BARBUDA, MONTSERRAT y GUADALUPE. Inmediatamente al sur de esta cadena se encuentra DOMINICA, que a veces se incluye en las islas de Sotavento, pero generalmente se asigna a las islas de BARLOVENTO.

Sotheby's Firma de subastas de arte fundada en Londres, en 1744, por el vendedor de libros Samuel Baker. Luego de su muerte, fue administrada por su sobrino, John Sotheby, y sus descendientes hasta 1861. Durante el s. XIX y principios del s. XX, Sotheby's se concentró en la subasta de libros, manuscritos y grabados. Después de la primera guerra mundial se especializó en obras de los s. XIX–XX, particularmente en pinturas impresionistas. En 1955 abrió una oficina en Nueva York y en 1964 adquirió Parke-Bernet, la principal casa de subastas de arte estadounidense. En 1983, A. Alfred Taubman adquirió una participación mayoritaria de la compañía y la nombró nuevamente Sotheby's Holdings, Inc. En 2002, Taubman fue declarado culpable de fijación arbitraria de precios junto con la casa de subastas rival, Christie's, siendo sentenciado a un año de prisión y multado en US$ 7,5 millones.

sotho *o* **basuto** Grupo de pueblos de habla bantú, que suman diez millones de personas y ocupan las praderas altas de África meridional, principalmente partes de Sudáfrica, Botswana y Lesotho. Los sotho se diferencian cultural e históricamente de los pueblos NGONI. Los principales grupos sotho son los pedi y los lovedu en el norte, los TSWANA en el oeste y los basuto de Lesotho. En su mayoría cultivan la tierra y crían ganado, aunque la actividad misionera cristiana y la urbanización han desintegrado sus patrones culturales tradicionales.

Soto, Hernando de (c. 1496/97, Jerez de los Caballeros, Badajoz, España–21 may. 1542, a orillas del Mississippi). Explorador y conquistador español. Se unió en 1514 a la expedición de Pedrarias Dávila (n. 1440–m. 1531) a las Antillas, y en Panamá rápidamente se distinguió como comerciante y explorador. En 1520 había acumulado una pequeña fortuna mediante el comercio de esclavos en Nicaragua y el istmo de Panamá. Se unió a FRANCISCO PIZARRO en una expedición para conquistar el Perú en 1532, y regresó a España en 1536 con una gran fortuna. La corona española le encomendó la empresa de conquistar el territorio de la Florida. En 1538 zarpó al mando de la expedición compuesta por diez naves y 700 hombres, que exploró la extensa región que luego se convertiría en el sudeste de EE.UU. y descubrió el río Mississippi. Afectado por una fiebre, murió en Luisiana y fue sepultado a orillas del Mississippi.

Hernando de Soto, grabado de la *Historia general de las Indias Occidentales* de Antonio de Herrera y Tordesillas.
BIBLIOTECA DEL CONGRESO, WASHINGTON, D.C.

soul, música Estilo de música popular estadounidense, cultivado principalmente por músicos afroamericanos y cuyas raíces se encuentran en la música GOSPEL y el RHYTHM AND BLUES. El término se acuñó por primera vez en la década de 1960 para describir un tipo de música que combinaba rhythm and blues, gospel, JAZZ y ROCK y caracterizada por la intensidad del sentimiento y por su crudeza. En sus primeras etapas, la música soul se cultivaba más que nada en el sur de EE.UU., pero varios de los jóvenes cantantes que la popularizarían emigraron a las ciudades del norte. El estilo recibió un gran respaldo con la fundación de los sellos MOTOWN en Detroit, Mich., y Stax-Volt en Memphis, Tenn. Entre sus intérpretes más populares figuran JAMES BROWN, RAY CHARLES, Sam Cooke y ARETHA FRANKLIN.

Souphanouvong (13 jul. 1909, Luang Prabang, Laos–9 ene. 1995, Laos). Líder del movimiento revolucionario Pathet Lao y presidente de Laos (1975–86). Medio hermano de SOUVANNA PHOUMA, se formó como ingeniero civil y construyó puentes y caminos en Vietnam (1938–45). Luchó contra el regreso del dominio colonial francés a Laos después de la segunda guerra mundial y rompió con el gobierno en el exilio (Laos Libre) para aliarse con el VIETMINH, al tiempo que fundaba el movimiento Pathet Lao, de orientación comunista, que llegó al poder en 1974–75.

Souris, río Río en las provincias canadienses de Saskatchewan y Manitoba, y en el estado de Dakota del Norte, EE.UU. Nace en el sudeste de Saskatchewan y corre hacia el sudeste hasta llegar a Dakota del Norte, donde gira para volver a Canadá hasta confluir con el ASSINIBOINE en Manitoba, tras un curso de 966 km (600 mi). En Dakota del Norte se denomina también río Mouse.

Sousa, John Philip (6 nov. 1854, Washington, D.C., EE.UU.–6 mar. 1932, Reading, Pa.). Director de bandas y compositor estadounidense, conocido como "el rey de la marcha". En su juventud aprendió a tocar violín y otros instrumentos de banda. En 1868 se alistó en la infantería de marina de EE.UU. como aprendiz de la Marine Band, y en 1880–92 dirigió el grupo, haciendo de este un virtuoso conjunto. En 1892 formó su propia banda, con la que viajó por el mundo con gran éxito. Compuso 136 marchas militares, entre ellas, "Semper Fidelis" (marcha oficial de los soldados de marina), "The Washington Post", "The Liberty Bell" y "The Stars and Stripes Forever". Asimismo, compuso prósperas operetas, entre ellas, *El capitán* (1896), y decenas de obras de otros géneros. En la década de 1890 creó un tipo de tuba contrabajo, conocido hoy como SOUSAFÓN.

John Philip Sousa.
GENTILEZA DE RCA RECORDS

sousafón *o* **helicón** TUBA de sonidos graves, en espiral y de forma circular. Instrumento tradicionalmente de bronce, hoy se fabrica a menudo con fibra de vidrio para hacerlo más liviano. Al parecer el helicón se creó en Rusia, pero fue perfeccionado en Viena en 1849 por Ignaz Stowasser, que lo fabricó en distintos tamaños. En 1892, JOHN PHILIP SOUSA diseñó una campana movible y rotatoria para el instrumento, y le dio su propio nombre al nuevo diseño. El instrumento, concebido para ser transportado con facilidad, se ha vuelto típico en las bandas de desfile.

South Bend Ciudad (pob., 2000: 107.789 hab.) en el norte del estado de Indiana, EE.UU. Se ubica junto al río Saint Joseph. En 1820, los franceses establecieron una factoría de pieles en este lugar, que posteriormente llegó a convertirse en un asentamiento europeo. Su gran industrialización se debe a las empresas pioneras fundadas en el s. XIX, como la Studebaker Brothers Manufacturing Company (posteriormente, fábrica de automóviles) y la compañía SINGER, fabricante de máquinas de coser. El área metropolitana lleva el apodo de Michiana, puesto que funciona como centro comercial y financiero del sur de Michigan y el norte de Indiana. A poca distancia se encuentra la Universidad de NOTRE DAME.

South Platte, río Río en el estado de Colorado y en el oeste de Nebraska, EE.UU. Nace en el centro de Colorado y corre primero en dirección sudeste para luego desviar hacia el nordeste y cruzar el límite de Nebraska hasta confluir con el NORTH PLATTE y formar el río PLATTE. El South Platte tiene una extensión de 711 km (442 mi) de longitud. Sus embalses y represas, en especial los ubicados cerca de DENVER, controlan las crecidas y son fuente de riego y generación de energía hidroeléctrica.

South Sea Bubble (1720). Delirio especulativo que causó la ruina financiera de muchos inversionistas británicos. La aceptación por el parlamento de una propuesta de la South Sea Co. de encargarse de la deuda nacional británica provocó un inmediato aumento de su capital accionario. Después de elevarse de 128,5 libras a sobre 1.000 libras el precio por acción en nueve meses, la burbuja (*bubble*) de su sobrevaluado capital accionario reventó, cayendo su precio por acción a 124; de paso arrastró en su caída otras acciones y dejó a muchos inversionistas arruinados. Una investigación de la Cámara de los Comunes descubrió que varios ministros de gobierno habían estado coludidos.

South, University of the *llamada* **Sewanee** Universidad privada ubicada en Sewanee, Tenn., EE.UU., fundada en 1857. Aun cuando está afiliada a la Iglesia episcopal, su programa de docencia es independiente. Cuenta con un *college* (colegio universitario) de arte y ciencias, como asimismo con una escuela de teología que ofrece programas para la obtención de grados académicos de magíster y Ph.D. Su periódico literario, titulado *The Sewanee Review*, fue fundado en 1892.

Southampton Ciudad (pob., 2001: 217.478 hab.) en el condado histórico de HAMPSHIRE, Inglaterra. Fundada inicialmente por romanos, recibió la primera carta de ciudad de ENRIQUE II (c. 1155) y fue constituida definitivamente en 1445. Durante la Edad Media, su ubicación en el canal de la MANCHA ayudó a convertirla en un importante puerto británico. Southampton decayó en los s. XVII–XVIII, pero resurgió en el s. XIX gracias a la llegada del ferrocarril. Es el segundo puerto más grande de Inglaterra. Entre los monumentos históricos se cuentan la iglesia de St. Michael del s. XI y el King John's Palace del s. XII, una de las construcciones británicas más antiguas.

Southampton, Henry Wriothesley, 3er conde de (6 oct. 1573, Cowdray, Sussex, Inglaterra–10 nov. 1624, Bergen op Zoom, Países Bajos). Noble inglés, mecenas de WILLIAM SHAKESPEARE. Nieto del 1er conde de SOUTHAMPTON, se convirtió en favorito de ISABEL I. Fue un generoso mecenas de escritores, como THOMAS NASHE. Shakespeare le dedicó dos largos poemas (1593, 1594) y a menudo ha sido identificado como el joven noble a quien están dirigidos la mayoría de los sonetos shakesperianos. Acompañó al 2º conde de ESSEX en expediciones a Cádiz y a las Azores (1596, 1597). Por apoyar la rebelión de Essex (1601), fue encarcelado (1601–03); después de la ascensión al trono de JACOBO I, recuperó su lugar en la corte. Se convirtió en miembro del consejo privado del monarca en 1619, pero perdió el favor real por oponerse al 1er duque de BUCKINGHAM. Junto con su hijo se alistaron como voluntarios para combatir por las Provincias Unidas contra España, pero, poco después de desembarcar en los Países Bajos, ambos murieron de fiebre.

Southampton, Thomas Wriothesley, 1er conde de (21 dic. 1505, Londres, Inglaterra–30 jul. 1550, Londres). Político inglés. Siguiendo el ejemplo de su padre, heraldo, entró al servicio real y se convirtió en secretario personal de THOMAS CROMWELL (1533), a quien sucedió como secretario de Estado de ENRIQUE VIII (1540). Se convirtió en uno de los principales consejeros de Enrique y fue nombrado lord canciller de Inglaterra (1544–47). Después de la muerte de Enrique, fue nombrado conde de Southampton (1547) por el duque de SOMERSET, pero fue privado de la cancillería. Apoyó el derrocamiento de Somerset en 1549, pero en 1550 fue excluido del consejo privado del monarca.

Southampton, Universidad de Universidad pública de Inglaterra, inaugurada oficialmente en 1952 por decreto real, que le permitió independizarse de la tutela de la Universidad de LONDRES y otorgar sus propios títulos académicos. Sin embargo, su creación data de 1862, cuando se creó con el nombre de Southampton University College. Ofrece cursos de pregrado y posgrado, además de programas especiales de investigación. Sus instalaciones se encuentran en siete sedes, ubicadas en Southampton, Winchester, Portsmouth y en la isla de Wight. Sus distintas escuelas se agrupan en la facultad de ciencias, ingeniería y matemática, la facultad de derecho, artes y ciencias sociales, y la facultad de medicina, salud y ciencias biológicas.

Southend-on-Sea Ciudad (pob., 2001: 160.256 hab.) del condado geográfico e histórico de Essex en el sudeste de Inglaterra. Está situada en el estuario del TÁMESIS, junto al mar del NORTE. Siendo el balneario costero más cercano a LONDRES, atrae a millones de visitantes y muchos de sus residentes trabajan en la capital. Destaca por su muelle de 2,2 km (1,3 mi) así como por sus playas y jardines; son muy populares los paseos en yate. Destaca un museo en un convento del s. XII.

Southey, Robert (12 ago. 1774, Bristol, Gloucestershire, Inglaterra–21 mar. 1843, Keswick, Cumberland). Poeta y narrador inglés. En su juventud, Southey abrazó con entusiasmo los ideales de la Revolución francesa, al igual que SAMUEL TAYLOR COLERIDGE, con quien entabló una estrecha amistad a partir de 1794 y con el tiempo compartieron ideales conservadores. Hacia 1799 se dedicó por completo a la literatura y más tarde se vio obligado a escribir infatigablemente para poder mantener a la familia de Coleridge además de la propia. En 1813 fue nombrado poeta laureado. Aunque su prosa es un ejemplo de maestría por su claridad y transparencia, es poco leída en la actualidad. Se puede comprobar en obras como *Nelson* (1813), *Wesley* (1820) y *El médico* (1834–47), texto misceláneo fantástico y digresivo.

Soutine, Chaim (¿1893/94?, Smilovichi, cerca de Minsk, Imperio ruso–9 ago. 1943, París, Francia). Pintor francés de origen ruso. Luego de estudiar arte en Vilna, se trasladó a París en 1913 para estudiar en la École des Beaux-Arts. Gracias a un comerciante de arte, pudo pintar durante tres años en Francia, donde consolidó su estilo marcadamente personal y estimulado por el expresionismo. Se caracteriza por el empaste grueso, una pincelada inquieta, convulsivos ritmos de composición y un contenido psicológico inquietante. Son sobre todo conocidos sus estudios sobre niños cantores, cocineros, series de niños paje, pinturas de aves colgadas y esqueletos de vacuno, que transmiten vívidamente el color y la luminosidad de la putrefacción.

Souvanna Phouma (7 oct. 1901, Luang Prabang, Laos–10 ene. 1984, Vientiane). Primer ministro laosiano (1951–54, 1960, 1962, 1974–75). Sobrino del rey Sisavang Vong de Laos, no apoyó la decisión de su tío de aceptar el retorno del dominio francés al finalizar la segunda guerra mundial. Con su medio hermano SOUPHANOUVONG, se integró al movimiento Laos Libre y se exilió cuando los franceses volvieron a ocupar el país. Regresó en 1949, una vez que los franceses comenzaron a ceder autoridad, y en 1951 inició su primer período como primer ministro. Poco después estalló una guerra civil entre el movimiento comunista Pathet Lao y los miembros derechistas del gobierno; fue primer ministro en forma esporádica durante ese período. Intentó mantener la neutralidad de Laos durante la guerra de VIETNAM, pero pasó a depender de la ayuda militar estadounidense; el país se estabilizó después del retiro de las tropas norteamericanas de Vietnam. Siguió asesorando al gobierno hasta su muerte.

soviet Consejo que constituía la principal unidad de gobierno en la Unión Soviética. El primer soviet se formó en San Petersburgo durante la REVOLUCIÓN RUSA DE 1905 para coordinar las actividades revolucionarias, pero fue suprimido. Los cabecillas socialistas formaron el segundo soviet poco tiempo antes de la abdicación de NICOLÁS II, con un diputado por cada mil trabajadores y cada compañía militar. Después de la REVOLUCIÓN RUSA DE 1917, los BOLCHEVIQUES fueron consiguiendo gradualmente una posición dominante en los soviets a través del país. En 1918, la nueva constitución estableció los soviets como la unidad oficial de gobierno local y regional. La constitución de 1936 creó un Soviet Supremo bicameral elegido por votación directa, pero el candidato único por distrito era escogido por el PARTIDO COMUNISTA DE LA UNIÓN SOVIÉTICA (PCUS).

soviético, derecho Derecho desarrollado en la Unión Soviética después de la REVOLUCIÓN RUSA DE 1917 y que tras la segunda guerra mundial fue asimilado por otros Estados comunistas. En el sistema jurídico soviético, la principal fuente del derecho eran las leyes, incluida la Constitución de la U.R.S.S.

Estas leyes eran luego incorporadas en códigos del derecho escrito de cada república de la Unión. No se distinguía entre derecho público y derecho privado, y el Estado intervenía en todos los asuntos jurídicos. Generalmente se consideraba que el derecho era un mecanismo para reestructurar la sociedad y para avanzar hacia el COMUNISMO. Conocido también como derecho socialista, se basaba en los escritos de KARL MARX y FRIEDRICH ENGELS. Además de los ilícitos civiles y penales, parte importante de los casos eran "delitos administrativos" que se resolvían al margen del sistema judicial.

Soweto Municipio (pob., 1991: 596.632 hab.) del nordeste de la República de Sudáfrica. Colinda al sudoeste con JOHANNESBURGO; su nombre es un acrónimo derivado de South-Western Townships. El gobierno blanco de Sudáfrica lo destinó originalmente a ser residencia exclusiva de población negra. El municipio que forma Soweto creció a partir de las barriadas pobres que surgieron con la llegada de trabajadores negros desde las zonas rurales, especialmente en el período de entre guerras. La industria está muy poco desarrollada; la mayoría de sus pobladores viajan a trabajar a Johannesburgo. Es el complejo urbano de raza negra más grande del país; sus residentes participaron activamente en las protestas que contribuyeron a poner fin al APARTHEID en 1991.

soya ver SOJA

Wole Soyinka.
VERNON L. SMITH

Soyinka, Wole *p. ext.* **Akinwande Oluwole Soyinka** (n. 13 jul. 1934, Abeokuta, Nigeria). Dramaturgo nigeriano. Después de estudiar en Leeds, Inglaterra, regresó a Nigeria donde editó revistas literarias, enseñó teatro y literatura en la universidad y fundó dos compañías teatrales. Sus obras, escritas en inglés, incorporan las tradiciones populares del África oriental y suelen centrarse en los conflictos entre tradición y progreso. Las escenas retrospectivas (*flashbacks*), el simbolismo y las tramas ingeniosas contribuyen a elaborar sus ricas estructuras dramáticas. Sus obras de mayor profundidad revelan el desencanto con los liderazgos autoritarios en África y con la sociedad nigeriana en su conjunto. Entre sus obras se cuentan *La danza del bosque* (1960), *El león y la joya* (1963), *La muerte y el caballero del rey* (1975) y *From Zia, with Love* (1992). Ha escrito numerosos poemarios y su novela más conocida es *Los intérpretes* (1965). Gran defensor de la democracia nigeriana, Soyinka ha estado en prisión en numerosas ocasiones, además de sufrir el exilio. En 1986 se convirtió en el primer escritor africano de raza negra en recibir el Premio Nobel de Literatura.

Soyuz Cualquiera de varias versiones de naves espaciales tripuladas soviéticas-rusas lanzadas desde 1967. Originalmente concebidas para el programa de alunizaje de la Unión Soviética, el cual fue cancelado en 1974, la parte modular de la nave sirvió sobre todo como vehículo de transporte de tripulaciones hacia y desde las ESTACIONES ESPACIALES orbitales terrestres, específicamente las estaciones SALYUT, MIR y la ESTACIÓN ESPACIAL INTERNACIONAL (EEI). La primera versión estaba diseñada para tres personas, pero fue modificada más tarde para una tripulación de dos integrantes, de modo de disponer de más espacio para equipo y vituallas. La Soyuz T, introducida en 1979, repuso el asiento para el tercer tripulante. La Soyuz TM, versión mejorada con una variedad de nuevos sistemas, realizó su primer vuelo tripulado en 1987, llevando la segunda tripulación de la estación espacial Mir, en aquellos días recién en proceso de construcción. La Soyuz TMA debutó en 2002 con un vuelo tripulado a la EEI; su diseño incorporó cambios requeridos por la NASA, como mayor holgura en las restricciones de estatura y peso de los tripulantes, para servir de "bote salvavidas" de la EEI.

spa *o* **baño termal** Fuente o balneario de agua termal o mineral para beber y bañarse. La palabra *spa* deriva de una ciudad belga, a cuyas fuentes se atribuían poderes curativos. Las fuentes minerales contienen habitualmente varias sales, minerales traza y gases; muchas, en su estado natural, son carbonatadas. La mayoría de las fuentes termales (ver FUENTE TERMAL) también contienen minerales. Los baños de agua caliente ayudan a la relajación (ver HIDROTERAPIA), y su alto contenido de sales y azufre es benéfica en algunas afecciones cutáneas. Se cree que beber agua mineral ayuda a la digestión y en determinadas circunstancias se emplean aguas con minerales específicos.

Spaak, Paul-Henri (25 ene. 1899, Schaerbeek, cerca de Bruselas, Bélgica–31 jul. 1972, Bruselas). Estadista belga. Después de ejercer como abogado (1921–31), fue diputado socialista de la Cámara de Representantes en 1932. Durante la mayor parte del período 1936–66 fue ministro de asuntos exteriores de Bélgica y en dos ocasiones primer ministro (1938–39, 1947–50). Defensor de la cooperación europea, ayudó a formar la UNIÓN ECONÓMICA DEL BENELUX (1944), contribuyó a redactar la carta de la ONU y en 1946 fue primer presidente de la Asamblea General de la ONU. Firmó el tratado de BRUSELAS, participó en la creación de la OTAN y asumió como secretario general de esta (1957–61). También colaboró en la creación de la COMUNIDAD ECONÓMICA EUROPEA y la COMUNIDAD EUROPEA DE ENERGÍA ATÓMICA.

Spaatz, Carl (Andrews) *llamado* **Tooey Spaatz** (28 jun. 1891, Boyertown, Pa., EE.UU.–14 jul. 1974, Washington, D.C.). Oficial de aviación estadounidense. Fue piloto de combate durante la primera guerra mundial. En la segunda guerra mundial estuvo al mando de la Strategic Air Forces de EE.UU. en Europa (1944) y dirigió el bombardeo estratégico de Alemania. En 1945, aunque se oponía personalmente al uso de bombas atómicas contra las ciudades, dirigió el bombardeo atómico de Japón bajo las órdenes del pdte. HARRY TRUMAN. En 1947 fue el primer jefe del estado mayor de la Fuerza Aérea independiente.

Spagnuolo, Pietro ver Pedro BERRUGUETE

Spalatin, Georg *orig.* **Georg Burkhardt** (17 ene. 1484, Spalt, Bavaria–16 ene. 1545, Altenburg, Sajonia). Humanista alemán. Estudió en la Universidad de Erfurt y en 1505 ingresó a un grupo de eruditos humanistas. Ordenado sacerdote en 1508, fue nombrado tutor del heredero de Federico el Sabio, elector de Sajonia. En 1511 entabló amistad con MARTÍN LUTERO en Wittenberg, y en calidad de bibliotecario de la corte de Federico desde 1512, influyó sobre el elector para proteger a Lutero en la controversia de las indulgencias. Bregó por la causa de la Reforma en la dieta de WORMS (1521) y bajo el período de dos electores de Sajonia posteriores. En 1530 ayudó a PHILIPP MELANCHTHON a preparar el texto de la confesión de AUGSBURGO. Tuvo ingerencia también en la formación de la Liga de ESMALCALDA en 1531. Escribió muchas obras históricas, entre ellas los *Annales reformationis* (1718).

Spalatum ver SPLIT

Perro cocker spaniel.
© SALLY ANNE THOMPSON/ANIMAL PHOTOGRAPHY

spaniel Cualquiera de varias razas caninas usadas para levantar la caza. Aunque el spaniel es originario de España, la mayoría de las razas modernas se desarrollaron en Gran Bretaña. Las razas varían de 36 a 51 cm (14–20 pulg.) de largo y pesan de 10 a 25 kg (22–55 lb). El de mayor tamaño se llama springer spaniel y el más pequeño, cockers spaniel. Otras razas son: english spaniel, welsh springer spaniel, american water spaniel (de pelaje rizado marrón oscuro), spaniel bretón (colicorto francés), clumber spaniel (de cuerpo largo y chato), irish water spaniel (cobrador de agua), english toy spaniel y spaniel japonés.

Spark, Muriel (Sarah) *orig.* **Muriel Sarah Camberg** (1 feb. 1918, Edimburgo, Escocia–13 abr. 2006, Florencia, Italia). Escritora escocesa. Vivió varios años en África central, y regresó a Gran Bretaña durante la segunda guerra mundial. Hasta 1957 publicó sólo poesía y textos críticos, como sus ensayos sobre MARY SHELLEY y las hermanas BRONTË. Su obra narrativa recurre a la sátira y el ingenio para presentar temas serios, que por lo general se refieren al problema del bien y el mal. *Memento Mori* (1959) es su novela más aclamada, pero la más popular es *Primeros pasos de Jean Brodie* (1961; película, 1969). Entre sus últimas novelas, por lo general de tono más siniestro, se cuentan *La abadesa de Crewe* (1974), *Muy lejos de Kensington* (1988) y *Reality and Dreams* (1997).

Spassky, Borís (Vasílievich) (n. 30 ene. 1937, Leningrado, Rusia, U.R.S.S.). Maestro de ajedrez ruso. En 1955, obtuvo el grado de gran maestro internacional. Después de un período de interés esporádico por el juego, le ganó el título mundial a Tigran Petrosyan en 1969. En 1972 perdió la corona a manos de BOBBY FISCHER.

Spearman, Charles E(dward) (10 sep. 1863, Londres, Inglaterra–17 sep. 1945, Londres). Psicólogo británico. Es conocido por sus estudios sobre capacidades mentales humanas, en particular la INTELIGENCIA, y especialmente por la técnica estadística (análisis factorial) que utilizó para examinar las diferencias individuales en la evaluación psicológica e identificar los orígenes subyacentes de tales diferencias. Entre sus obras se cuentan *Las habilidades del hombre* (1927), *Creative Mind* (1931) y *Human Abilities* (1950).

Spectator, The Periódico publicado en Londres por RICHARD STEELE y JOSEPH ADDISON desde el 1 de marzo de 1711 hasta el 6 de diciembre de 1712 y restablecido por Addison en 1714 (quien publicaría otros 80 números). Reemplazó a *The Tatler*, lanzado por Steele en 1709. Con el lema "avivar la moral con el ingenio y templar el ingenio con la moral", *The Spectator* presentaba un club ficticio cuyos miembros imaginarios expresaban las ideas de los escritores sobre la sociedad. En el periódico se desarrollaban discusiones eruditas en torno a las letras y la política, un pasatiempo común entre los miembros de las clases acomodadas. Sentó las bases y dictó la pauta para los periódicos del s. XVIII y ayudó a crear un público receptivo para los novelistas.

Speer, Albert (19 mar. 1905, Mannheim, Baden, Alemania–1 sep. 1981, Londres, Inglaterra). Funcionario nazi alemán. Se tituló de arquitecto en 1927 y fue miembro activo del PARTIDO NAZI desde 1931. Impresionó a ADOLF HITLER con su eficiencia y talento y fue nombrado principal arquitecto del Tercer Reich en 1933. Diseñó los campos de desfile y estandartes de las concentraciones nazis, organizadas por los congresos del partido, como la concentración de Nuremberg de 1934 (ver mítines de NUREMBERG), filmada por LENI RIEFENSTAHL. En 1942 fue nombrado ministro de armamentos y construcción y amplió el sistema de reclutamiento y trabajo forzado que mantuvo la productividad de Alemania durante la guerra. Confesó su culpabilidad en los juicios de NUREMBERG y cumplió 20 años en prisión. Entre sus obras publicadas se encuentran *Dentro del Tercer Reich* (1969) y *Spandau* (1975).

Speke, John Hanning (3 may. 1827, Bideford, Devon, Inglaterra–15 sep. 1864, Corsham, Wiltshire). Explorador británico. Fue miembro de la expedición de RICHARD BURTON; ambos fueron los primeros europeos en llegar al lago TANGANYIKA (1858). En el viaje de regreso abandonó a Burton y avanzó solo hacia el norte. En julio de 1858 llegó a un gran lago que denominó VICTORIA, en honor a la reina. Su afirmación de que era la fuente del NILO fue cuestionada, pero en una segunda expedición (1860–63) encontró la salida del Nilo desde el lago, hallazgo que fue una vez más puesto en duda en Inglaterra. Murió de un disparo de su propia arma mientras cazaba, el mismo día en que iba a debatir públicamente con Burton.

Spence, A. Michael (n. 1943, Montclair, N.J., EE.UU.). Economista estadounidense. Estudió en Yale (B.A., 1966), Oxford (B.A./M.A., 1968) y Harvard (Ph.D., 1972). Fue profesor en Harvard y Stanford, y decano de la escuela de negocios de esta última universidad en 1990–99. Es conocido por su perfeccionamiento de la teoría de la información asimétrica en el mercado. Su investigación demostró que en ciertas situaciones, quienes están mejor informados pueden mejorar su rendimiento de mercado mediante la transmisión de información a quienes saben menos. Por ejemplo, los distribuidores de automóviles pueden "comunicar" la calidad superior de sus vehículos mediante el ofrecimiento de garantías. Por su trabajo sobre "las señales del mercado", Spence compartió el Premio Nobel de Ciencias Económicas con GEORGE A. AKERLOF y JOSEPH E. STIGLITZ en 2001.

Spencer, Herbert (27 abr. 1820, Derby, Derbyshire, Inglaterra–8 dic. 1903, Brighton, Sussex). Sociólogo y filósofo inglés, exponente del DARWINISMO SOCIAL. En *Sistema de filosofía sintética*, 9 vol. (1855–96), postuló, a partir de la teoría de la evolución de las especies biológicas, que los dominios físico, orgánico y social están interconectados y se desarrollan en virtud de principios evolutivos idénticos. Esta EVOLUCIÓN SOCIOCULTURAL se traducía, en palabras de Spencer, en "la supervivencia de los más aptos". El sistema de libre mercado, sin la interferencia de los gobiernos, eliminaría a los débiles e incompetentes. Su controvertida filosofía del *laissez-faire* fue alabada por darwinistas sociales, como William Graham Sumner, y rechazada por sociólogos, como Lester Frank Ward. Querido y odiado, Spencer fue uno de los pensadores victorianos más controvertidos.

Spencer, Robert ver 2° conde de SUNDERLAND

Spender, Sir Stephen (Harold) (28 feb. 1909, Londres, Inglaterra–16 jul. 1995, Londres). Poeta y crítico inglés. Mientras estudiaba en Oxford, Spender conoció a los poetas W.H. AUDEN y C. DAY-LEWIS. En la década de 1930 se identificaron con la "nueva escritura" de izquierda, caracterizada por una intensa conciencia política. Sus poemas, en los que se expresa una personalidad autocrítica y compasiva, están recogidos en varios volúmenes que incluyen desde el primerizo *Poemas* (1933) hasta *Dolphins* (1994). Alcanzó mayor notoriedad por sus asertivos trabajos críticos, entre los que destacan *El elemento destructor* (1935), *The Making of a Poem* [Cómo se hace un poema] (1955) y *The Struggle of the Modern* [El agon de lo moderno] (1963), además de los ensayos que publicó en la influyente revista *Encounter* (1953–67). También escribió cuentos, ensayos y escritos autobiográficos.

Spengler, Oswald (29 may. 1880, Blankenburg, Alemania–8 may. 1936, Munich). Filósofo alemán. Fue profesor antes de dedicarse a escribir. Spengler es recordado por su influyente *La decadencia de Occidente*, 2 vol. (1918–22), ensayo de filosofía de la historia, donde afirmaba

Oswald Spengler, dibujo a lápiz de K. Grossmann, 1920; colección privada.
DEUTSCHE FOTOTHEK, DRESDE, ALEMANIA

que las civilizaciones pasan por ciclos vitales, de florecimiento y decadencia tal como los seres vivos y que la cultura occidental dejó irreversiblemente atrás su etapa más creativa comenzando su declinación. A pesar de que la obra fue muy bien recibida por un público de lectores desmoralizados por la primera guerra mundial, su trabajo fue criticado tanto por estudiosos de la academia como por el Partido Nazi, a pesar de tener algunas afinidades con la ideología que este propugnaba.

Spenser, Edmund (1552/53, Londres, Inglaterra–13 ene. 1599, Londres). Poeta inglés. Poco se sabe con certeza de su vida previo a su ingreso a la Universidad de Cambridge. Su primera publicación importante, *El calendario del pastor* (1579), puede ser considerada como la primera obra literaria del renacimiento inglés. Parece ser que en 1580 ya estaba al servicio del conde de Leicester y formaba parte del círculo literario liderado por Sir PHILIP SIDNEY. En 1580 fue nombrado secretario del lord administrador de Irlanda, donde pasó gran parte de sus últimos años. En 1588 ó 1589 adquirió una gran propiedad en Kilcolman, cerca de Cork. En 1590 publicó la primera parte de su largo poema alegórico *La reina de las hadas* (primera ed. infolio, 1609), una imaginativa vindicación del protestantismo y el puritanismo, y a la vez una glorificación de Inglaterra y de Isabel I. Es la epopeya alegórica central del período isabelino y uno de los grandes poemas escritos en lengua inglesa. Compuesto a partir de un revolucionario modelo de versificación de nueve líneas –"verso spenseriano"–, fue la forma utilizada posteriormente por muchos poetas. De los doce libros que tenía proyectados para completar el poema, sólo alcanzó a terminar poco más de la mitad. *Amoretti* (1595), una serie de sonetos, y *Epithalamion* (1595), oda en celebración de una boda, son otras obras memorables. Durante el levantamiento irlandés de 1598, Kilcolman fue incendiada, y Spenser, probablemente deprimido por esa desgracia, murió poco tiempo después.

Speranski, Mijaíl (Mijaílovich), conde (12 ene. 1772, Cherkutino, Rusia–23 feb. 1839, San Petersburgo). Político ruso. Después de enseñar en el seminario de San Petersburgo, ingresó al servicio del gobierno. Fue consejero del zar ALEJANDRO I (1807–12), pero sus propuestas de reforma financiera y administrativa disgustaron a los nobles, quienes lo exiliaron (1812–16). Regresó al servicio del gobierno y fue gobernador general de Siberia (1819–21). Miembro del consejo de Estado a partir de 1821 bajo NICOLÁS I, compiló la primera colección completa de la legislación rusa (1830). Recibió el título de conde en 1839.

Sperry, Elmer (Ambrose) (12 oct. 1860, Cortland, N.Y., EE.UU.–16 jun. 1930, Brooklyn, N.Y.). Inventor e industrial estadounidense. Abrió su propia fábrica en Chicago a la edad de 20 años para hacer dinamos y lámparas de arco voltaico. Diseñó una locomotora industrial eléctrica y transmisiones de motores eléctricos para tranvías. Más tarde fabricó automóviles eléctricos propulsados por una batería que él patentó. Inventó procesos para recuperar estaño y producir plomo blanco y para fabricar alambre para fusibles. Sus mayores inventos surgieron del GIRÓSCOPO (hasta entonces considerado como un juguete), aparato que una vez debidamente alineado apunta siempre en la misma dirección. Su brújula giroscópica se instaló por primera vez en el acorazado *Delaware* en 1911. Extendió su principio giroscópico al control de dirección de los torpedos, a los pilotos automáticos para timonear naves y para estabilizar aeroplanos, y finalmente para un estabilizador de naves. En total fundó ocho compañías manufactureras y registró más de 400 patentes.

Sperry, Roger (20 ago. 1913, Hartford, Conn., EE.UU.–17 abr. 1994, Pasadena, Cal.). Neurobiólogo estadounidense. Se doctoró en zoología en la Universidad de Chicago. Estudió la especialización funcional de la corteza de los hemisferios cerebrales, examinando animales y luego seres humanos epilépticos con el cuerpo calloso seccionado. Sus investigaciones demostraron que el lado izquierdo del cerebro es normalmente dominante en las tareas analíticas y verbales, y el derecho, en las tareas espaciales, la música y algunas otras actividades. Sus técnicas sentaron las bases de muchas otras exploraciones especializadas. En 1981 compartió el Premio Nobel con DAVID HUBEL y TORSTEN WIESEL.

Spey, río Río en el nordeste de Escocia. Nace en Corrieyairack Forest y recorre 172 km (107 mi) hacia el nordeste, cruzando las Highlands (Tierras Altas), hasta desembocar en el mar del Norte. Se destaca por la pesca de salmón y en su valle abundan las destilerías de whisky de alta calidad.

Spiegel, Der (alemán: "El espejo"). Revista noticiosa alemana, de periodicidad semanal. Es una de las publicaciones más importantes de Alemania, así como una de las de mayor venta de Europa. Fundada en 1946 como *Diese Woche* ("Esta semana") y publicada en Hamburgo desde 1947, es respetada tanto por su cobertura y análisis de noticias, como por su concisa prosa. Es especialmente reconocida por sus denuncias a los actos de corrupción y escándalos gubernamentales, así como por sus excelentes fotografías. Es similar a TIME y NEWSWEEK en su formato, aunque por lo general es mucho más voluminosa.

Steven Spielberg en un momento de descanso durante el rodaje de *Parque Jurásico* (1993).
FOTOBANCO

Spielberg, Steven (n. 18 dic. 1947, Cincinnati, Ohio, EE.UU.). Director de cine y productor estadounidense. Atrajo la atención de la Universal Pictures con un corto que realizó durante el período de su graduación en el California State College, en Long Beach (1970). Como director de películas para televisión realizó el "thriller" *El diablo sobre ruedas* (1971), y en 1974 dirigió su primer largometraje, *Loca evasión*. Su filme de suspenso, *Tiburón* (1975), se convirtió en una de las películas más taquilleras de la historia, y continuó dirigiendo con enorme éxito largometrajes como *Encuentros cercanos del tercer tipo* (1977), *Los cazadores del arca perdida* (1981) y *E.T., el extraterrestre* (1982). Obtuvo premios de la Academia como director por *La lista de Schindler* (1993), que narra la historia de un grupo de judíos polacos salvados de los campos de exterminio nazi gracias al heroico actuar de un empresario industrial alemán, y *Rescatando al soldado Ryan* (1998), que relata el recorrido de unos soldados estadounidenses en los días posteriores a la invasión a Normandía en 1944. Entre otras películas de su autoría se cuentan *El color púrpura* (1985), *El imperio del sol* (1987), *Parque Jurásico* (1993), *A.I.: Inteligencia artificial* (2001), *Minority Report: sentencia previa* (2002), *Atrápame si puedes* (2002) y *La terminal* (2004). En 1994 cofundó DreamWorks SKG, compañía productora de cine, televisión y animaciones.

Spinoza, Baruch (24 nov. 1632, Amsterdam–21 feb. 1677, La Haya). Filósofo judeoholandés, uno de los máximos exponentes del RACIONALISMO del s. XVII. Su padre y abuelo habían escapado de la persecución de la INQUISICIÓN en Portugal. Su temprano interés por las nuevas ideas científicas y filosóficas le valió la expulsión de la sinagoga en 1656, y para subsistir se dedicó al oficio de pulimentar lentes. Su filosofía representa un desarrollo del pensamiento de RENÉ DESCARTES y, al mismo tiempo, una reacción frente a este; muchas de sus sorprendentes doctrinas son soluciones de dificultades creadas por el CARTESIANISMO. Tres aspectos de la metafísica cartesiana le parecían insatisfactorios: la trascendencia de Dios, el DUALISMO mente-cuerpo y la atribución del libre albedrío a Dios y a los seres humanos. Para Spinoza, tales doctrinas hacían ininteligible el mundo, pues era imposible explicar la relación entre Dios y el mundo o entre la mente y el cuerpo, o dar cuenta de los acontecimientos ocasionados por el libre albedrío. En su obra maestra, *Ética* (1677), construyó un sistema monista de metafísica y lo presentó de manera deductiva, siguiendo el modelo de los *Elementos* de EUCLIDES. Se le ofreció la cátedra de filosofía en la Universidad de Heidelberg, pero la rechazó, con el fin de conservar su independencia. Sus otras obras importantes son el (1670) *Tratado teológico-político* y el *Tratado político* que dejó inconcluso.

Spirea Género que comprende unas 100 especies de arbustos florales de la familia de las Rosáceas (ver ROSA), originarias de la zona templada boreal y comúnmente cultivadas por su forma de crecimiento de grato aspecto e inflorescencias atractivas. El de mayor cultivo y posiblemente el más popular de todos los arbustos es el *Vanhouttei spirea* (cruzamiento entre *S. cantoniensis* y *S. trilobata*), que crece hasta 2 m (6 pies) de alto y tiene ramas arqueadas y gráciles con numerosas flores blancas en primavera. Otras plantas que se asemejan a las de este género son las falsas espireas (especie *Sorbaria*, también de la familia de las Rosáceas) y las espireas herbáceas perennes (especie *Astilbe*, familia Saxifragaceae [ver SAXÍFRAGA]).

Especie del género *Spirea*.
E.R. DEGGINGER–EB INC.

spiritual Himno en idioma inglés de la MÚSICA FOLCLÓRICA blanca y negra de EE.UU. Los *spirituals* de los blancos derivaron de fuentes diversas, en especial de la práctica del "lining out" (canto a gran volumen) de los salmos, la que se remonta al menos hasta mediados del s. XVII. En el caso de las congregaciones que no sabían leer, un director entonaba una línea del salmo a la vez, alternando con el canto de cada línea por la congregación, con una melodía conocida. Esta melodía, que se cantaba lentamente, se ornamentaba con notas de paso, giros y otros adornos. Una segunda fuente fue el canto de himnos adaptados a melodías tomadas de otros repertorios, a menudo melodías folclóricas profanas. Entre los temas estaban la partida al hogar en la tierra prometida y el triunfo gradual sobre el pecado; estribillos típicos eran "Roll, Jordan" y "Glory Hallelujah". Las canciones se conservan en la tradición oral de áreas aisladas y también en la forma de SHAPE-NOTE. Los *spirituals* afroamericanos se desarrollaron en parte de la himnodia folclórica de campesinos blancos, pero difiere en gran medida en la calidad vocal, los efectos vocales, el ritmo y el tipo de acompañamiento rítmico. No sólo se cantaban en los oficios religiosos sino además como cantos de trabajo, y la imaginería de los textos refleja a menudo tareas concretas. Como la canción gospel blanca, la canción gospel afroamericana moderna se deriva del *spirituals*.

Spitfire *o* **Supermarine Spitfire** AVIÓN CAZA británico de la segunda guerra mundial. Fue un monoplano de ala inferior que voló por primera vez en 1936, adoptado por la RAF en 1938. En esa época fue uno de los cazas monoplaza de guerra más veloces, usado con gran efectividad durante la batalla de INGLATERRA. Modelos posteriores permitieron ser operados como cazabombardero o avión de reconocimiento fotográfico. La versión de 1938 desarrolló una velocidad máxima de 580 km/h (360 mi/h) aprox. y estaba armado con ocho ametralladoras de 7.7 mm (.303 pulg.). El Spitfire XIV, uno de los últimos modelos de guerra, tenía un techo de 12.200 m (40.000 pies) y una velocidad máxima de 710 km/h (440 mi/h). La RAF retiró sus últimos Spitfire en 1954.

Spitteler, Carl (24 abr. 1845, Liestal, Suiza–29 dic. 1924, Lucerna). Poeta suizo. Se desempeñó como tutor privado en Rusia y Finlandia antes de escribir su primera gran obra poética, la epopeya mítica *Prometeo y Epimeteo* (1881). Su segundo gran trabajo fue la epopeya *Primavera olímpica* (1900–05), en la que encontró la temática ideal para desplegar su brillante inventiva y deslumbrante poder expresivo. En sus últimos años reescribió su primera epopeya y la tituló *Prometeo el paciente* (1924). A pesar de ser reconocido por su poesía pesimista, aunque de estilo heroico, también escribió poemas líricos, cuentos, novelas y ensayos. Recibió el Premio Nobel de Literatura en 1919.

spitz Nombre que agrupa a varias razas caninas del hemisferio norte, como el CHOW CHOW, POMERANIA y SAMOYEDO, que se caracterizan por un pelaje largo y tupido, orejas puntiagudas, erectas y una cola que se enrosca sobre el lomo. En EE.UU., el nombre a menudo se aplica a cualquier perro pequeño, blanco y de pelo largo; también se usa para el PERRO ESQUIMAL americano. Las razas europeas incluyen el spitz finlandés, de pelaje marrón rojizo brillante y el spitz lapón, que tiene pelaje blanco, marrón o negruzco.

Spitz, Mark (Andrew) (n. 10 feb. 1950, Modesto, Cal., EE.UU.). Nadador estadounidense. Compitió en el ámbito universitario por la Universidad de Indiana. En los Juegos Olímpicos de 1968, ganó dos medallas de oro (por equipos) en las carreras de relevos. En los Juegos de 1972 ganó cuatro competencias individuales (estableciendo récords mundiales en cada una de ellas) y tres competencias por equipos (con otro récord mundial incluido). La hazaña de Spitz de ganar siete medallas de oro en los Juegos Olímpicos de Munich (1972) sigue vigente.

Spitzberg, islas *o* **Spitzbergen** Grupo de islas en Noruega. Es el más importante del archipiélago de SVALBARD. Situado a 580 km (360 mi) hacia el norte de Noruega en el océano Ártico. Las principales islas son Spitzberg (antiguamente Spitzberg Occidental), Tierra del Nordeste, Edge y Barents. Los vikingos probablemente conocieron estas islas. La posesión de las islas Spitzberg fue motivo de disputa entre varias naciones europeas; en el s. XVII por los derechos sobre la caza de ballenas y en el s. XX por los derechos mineros. Noruega asumió formalmente su posesión en 1925. Spitzberg posee grandes depósitos de carbón.

Split *antig.* **Spalatum** Puerto marítimo (pob., 2001: 188.694 hab.) de DALMACIA, Croacia. En 78 AC, los romanos fundaron en esta ciudad la colonia de Salona, y el emperador DIOCLECIANO vivió en ella hasta su muerte en 313 DC. Después de que los ÁVAROS la saquearan en 615, sus habitantes construyeron una nueva ciudad dentro del recinto del palacio de Diocleciano, que ocupaba 3 ha (7 acres) de superficie. Desde esa época, la "ciudad antigua" ha estado siempre habitada. En el s. IX, Split quedó bajo dominio bizantino, pero pasó a manos de Venecia en 1420 y fue gobernado por Austria en los s. XVIII–XIX . En 1918 quedó en poder de Yugoslavia y, finalmente, en 1992 pasó a formar parte de Croacia independiente. Si bien las instalaciones portuarias fueron destruidas durante la segunda guerra mundial, la ciudad antigua sufrió pocos daños, los que fueron reparados con posterioridad. Split es un centro comercial, educacional y turístico. En 1979, la UNESCO declaró PATRIMONIO DE LA HUMANIDAD al núcleo histórico de la ciudad.

Spock, Benjamin (McLane) (2 may. 1903, New Haven, Conn., EE.UU.–15 mar. 1998, La Jolla, Cal.). Pediatra estadounidense. Se tituló de médico en la Universidad de Columbia; posteriormente practicó la pediatría, además de enseñar psiquiatría y desarrollo infantil. Su obra *Common Sense Book of Baby and Child Care* [Tu hijo] (1946; 7ª ed., 1998, *Dr. Spock's Baby and Child Care*), que instaba a los padres a ser flexibles y confiar en el sentido común, y desaprobaba los castigos corporales; influyó a varias generaciones de padres. Se vendieron más de 50 millones de copias en 39 idiomas de este libro, que era revisado y actualizado continuamente para abordar nuevos asuntos sociales y médicos. Spock dejó de ejercer en 1967 para dedicarse al movimiento contra la guerra de Vietnam. Su apología, en la vejez, de una dieta vegetariana (ver VEGETARIANISMO) para los niños despertó grandes controversias.

Spohr, Louis *orig.* **Ludwig Spohr** (5 abr. 1784, Brunswick, Brunswick–22 oct. 1859, Kassel, Hesse). Compositor y violinista alemán. Desde 1822 fue maestro de capilla en Kassel, lugar donde permaneció por el resto de su vida, y con el tiempo llegó a dirigir la vida musical de la ciudad. Compositor muy prolífico, compuso 15 conciertos para violín, cuatro para clarinete, varias óperas (entre ellas *Jessonda*, 1823), nueve sinfonías (entre ellas *La consagración del sonido*, 1832) y música de cámara. Si bien en el s. XIX fue muy respetado como intérprete y compositor, desde entonces ha caído en el olvido.

Spokane Ciudad (pob., 2000: 195.629 hab.) en el este del estado de Washington, EE.UU. Se sitúa junto a los saltos del Spokane y se colonizó en el lugar que ocupaba una factoría establecida en 1810. Se constituyó como ciudad en 1881, tras la llegada de la Northern Pacific Railway Co. En 1889, un incendio destruyó gran parte de la ciudad, pero pronto fue reconstruida y se convirtió en centro comercial y de embarque para la región circundante. La finalización del proyecto de la represa Grand Coulee (1941) aseguró el desarrolló industrial. Spokane es la sede de la Universidad de Gonzaga (1887) y punto de acceso a los centros vacacionales de Mount Spokane y varios bosques nacionales.

Spree, río Río en el nordeste de Alemania. Nace en los montes de Lusacia, cerca de la frontera checa y fluye hacia el norte 403 km (250 mi) atravesando BERLÍN, hasta desembocar en el HAVEL. Entre Cottbus y Lübben se divide en un sistema de canales que da origen a una región boscosa y pantanosa conocida como la selva Spree. Gran parte de esta región está labrada. Es una popular zona de excursión.

Springfield Ciudad (pob., 2000: 111.454 hab.) y capital del estado de Illinois, EE.UU. Se ubica junto al río Sangamon en el centro del estado. En 1818 fue colonizada y en 1837 pasó a ser la capital del estado, principalmente gracias a los esfuerzos de ABRAHAM LINCOLN y otros miembros de la legislatura de Illinois. Lincoln vivió en Springfield hasta que ascendió como presidente en 1861; su tumba se encuentra en la ciudad. Es centro educacional y de administración pública; también es el mercado de una fértil zona agrícola.

Springfield Ciudad (pob., 2000: 152.082 hab.) en el sudoeste del estado de Massachusetts, EE.UU. Se ubica junto al río CONNECTICUT; fue colonizada en 1636 y se constituyó como ciudad en 1641. Durante la guerra del REY FELIPE (1675) fue destruida por un incendio. En 1786 se instaló un arsenal que se convirtió en objetivo de la rebelión de SHAYS; durante la guerra de SECESIÓN, la fábrica federal de armamentos instalada en la ciudad (ver SPRINGFIELD ARMORY) produjo el mosquete Springfield. Sede de diversas universidades y del Salón de la fama del baloncesto, en esta ciudad nació THEODOR GEISEL.

Springfield Ciudad (pob., 2000: 151.580 hab.) en el sudoeste del estado de Missouri, EE.UU. Fue colonizada en 1829 y creció lentamente hasta el momento en que comenzó la gran migración hacia el Oeste. Las fuerzas de la Confederación la ocuparon por poco tiempo durante la guerra de SECESIÓN; y en la década de 1860 vivió en esta ciudad WILD BILL HICKOK. Su economía basada en la agricultura se refuerza por sus instituciones educacionales. En esta ciudad se encuentra la sede internacional de la iglesia ASAMBLEAS DE DIOS.

Springfield Armory Fábrica de armas establecida por el Congreso estadounidense en 1794 en SPRINGFIELD, Mass. Surgió de un arsenal establecido en la ciudad por el gobierno interino en 1777, sitio elegido en parte por su inaccesibilidad para las fuerzas británicas. La fábrica de armas fue pionera en las técnicas de producción en serie y produjo desde mosquetes de ánima lisa, en sus primeros tiempos, hasta el rifle SPRINGFIELD y el rifle M1 de la segunda guerra mundial, diseñado por JOHN GARAND. Se cerró en 1968 y actualmente constituye un sitio histórico nacional. Ver también ARMOURY PRACTICE; THOMAS BLANCHARD.

Springfield, rifle Cualquiera de los varios modelos de RIFLES que fueron armas de infantería estándar en el ejército estadounidense desde 1873 hasta 1936, y que toman su nombre de la fábrica SPRINGFIELD ARMORY. El más famoso comenzó como el rifle Springfield modelo 1903, que era una adaptación del Mauser alemán. Después de ser modificado para usar munición modelo 1906, entró a la historia como el Springfield .30–06, una de las armas de fuego de uso militar más confiable y precisa de todos los tiempos. Fue la principal arma de infantería estadounidense hasta 1936, cuando fue reemplazada por el rifle Garand (M1) de la segunda guerra mundial, también diseñado por la Springfield Armory. Cuando el Springfield .30–06 fue retirado, se le introdujeron extensas modificaciones para convertirlo en un rifle deportivo, el que todavía es apreciado por su precisión. Ver también fusil M16.

El río Spree a su paso por Berlín, donde confluye con el Havel, Alemania.

ARCHIVO EDIT. SANTIAGO

Springsteen, Bruce (Frederick Joseph) (n. 23 sep. 1949, Freehold, N.J., EE.UU.). Cantatutor estadounidense. Tocó la guitarra en varios grupos musicales de bares en el Jersey Shore antes de formar la E Street Band a comienzos de la década de 1970. Su tercer álbum, *Born to Run* (1975), fue un gran éxito y lanzó a "the Boss" a las portadas de las revistas *Time* y *Newsweek*. Todavía más exitoso fue su *Born in the USA* (1984). La sensibilidad poética de Springsteen, que expresa a menudo sus simpatías hacia la clase trabajadora, y sus conciertos maratónicos le brindaron fervientes seguidores. En *The Rising* (2002) abordó las preocupaciones estadounidenses acerca de los ataques terroristas del 11 sep. 2001.

Sputnik Cualquiera de la serie de NAVES ESPACIALES en órbita terrestre cuyo lanzamiento por la Unión Soviética inauguró la era espacial. El Sputnik 1, el primer SATÉLITE artificial del mundo (oct. 1957), permaneció en órbita en torno a la Tierra hasta 1958, cuando reingresó a la atmósfera terrestre y se destruyó completamente. El Sputnik 2 llevó al espacio a la perra Laika, el primer ser viviente en salir al espacio exterior y orbitar la Tierra; no estaba diseñado para proporcionar un regreso seguro: Laika no sobrevivió al vuelo. Otras ocho misiones con satélites similares realizaron experimentos con animales para probar los sistemas de mantenimiento de vida a bordo y los procedimientos de reingreso a la atmósfera, así como para obtener datos sobre temperatura, presión, partículas, radiación y campos magnéticos en el espacio.

La perra Laika en el Sputnik 2.
FOTOBANCO

Spyri, Johanna *orig.* **Johanna Heusser** (12 jun. 1829, Hirzel, Suiza–7 jul. 1901, Zurich). Escritora suiza. Mientras vivía en Zurich junto a su esposo, que era abogado, Spyri se dedicó a escribir libros. Muchos de ellos han sido traducidos a varios idiomas, y sus cualidades distintivas son el amor que expresan por la tierra natal, su sensibilidad ante la naturaleza, su franco espíritu religioso y su jubilosa sabiduría. Se le recuerda sobre todo por su popular novela *Heidi* (1880–81), un clásico de la literatura infantil que narra la historia de una niña huérfana que es enviada a vivir con su abuelo a los Alpes suizos.

SQL *sigla de* **Structured Query Language** (inglés: "Lenguaje de consulta estructurado"). LENGUAJE DE PROGRAMACIÓN computacional usado para recuperar registros o partes de un registro en una BASE DE DATOS y ejecutar cálculos varios antes de desplegar los resultados. El SQL es particularmente adecuado para la búsqueda en BASE DE DATOS RELACIONALES. Tiene una sintaxis formal y poderosa y es capaz de acomodar operadores lógicos. Su estructura similar a las oraciones se asemeja al lenguaje natural excepto por su sintaxis, que es limitada y fija.

square dance (inglés: "danza en cuadrado"). Danza para series de cuatro parejas que se distribuyen formando un cuadrado. Es el tipo de baile folclórico más popular de EE.UU. y proviene de la CUADRILLA. Originalmente se le llamó *square dance* para distinguirlo de la contradanza o baile longitudinal (para una fila doble de parejas) y de la danza en círculo (para un círculo de parejas). El *square dance* estadounidense se baila ejecutando ciertos patrones específicos que un guía va anunciando o cantando a los bailarines, al compás de una música alegre interpretada con instrumentos como violín, banyo, acordeón, guitarra y piano.

Square Deal (inglés: "Trato justo"). Término que empleó el pdte. THEODORE ROOSEVELT para describir su actitud frente a los problemas sociales. Abarcaba su visión idealista del trabajo, la ciudadanía, el papel de los padres y la ética cristiana. Acuñó el término por primera vez en 1902, luego de la resolución de una huelga minera, para referirse a la coexistencia pacífica entre la gran empresa y los sindicatos. El concepto se incorporó al programa del PARTIDO BULL MOOSE en 1912, cuando Roosevelt fue su candidato presidencial.

squash Deporte practicado entre dos y cuatro jugadores en una cancha provista de cuatro paredes y que se ocupa una raqueta de mango largo y una pelota de goma. Derivado del RACKETS, el *squash* probablemente se originó a mediados del s. XIX, en el HARROW SCHOOL de Inglaterra. En un partido internacional estándar se usa una pelota relativamente blanda y lenta; el *squash* de pelota dura, popular en EE.UU., se juega en una cancha más angosta y con una pelota más rápida. El objetivo del *squash* es hacer rebotar la bola contra el frontón de modo que el rival no pueda devolverla.

Jugadores en partido de *squash*.
GENTILEZA DE LA UNIVERSIDAD DE PENSILVANIA, FILADELFIA; FOTOGRAFÍA, LAWRENCE S. WILLIAMS INC.

Squaw Valley Valle en el este del estado de California, EE.UU. Se ubica en la SIERRA NEVADA, en la ladera oriental de Squaw Peak, al noroeste del lago TAHOE. Es internacionalmente famoso por ser una zona apta para la práctica de deportes invernales; posee instalaciones para patinaje en hielo, andariveles y pistas de esquí y en 1960 fue sede de los JUEGOS OLÍMPICOS de invierno.

Squibb, E(dward) R(obinson) (4 jul. 1819, Wilmington, Del., EE.UU.–25 oct. 1900, Brooklyn, N.Y.). Industrial estadounidense de la farmacología. Se graduó en medicina y posteriormente trabajó en la marina mercante estadounidense. Debido a su trabajo pudo darse cuenta de la mala calidad de los medicamentos suministrados a esa rama y persuadió a esta institución para que elaborara sus propios fármacos. En el Brooklyn Naval Hospital (donde empezó a trabajar en 1851) ideó un método seguro para elaborar éter anestésico y también descubrió procesos para elaborar cloroformo, extractos de fluidos y sales de bismuto. En 1858 instaló su propio laboratorio en Brooklyn. Durante la guerra de Secesión, el ejército de la Unión dependía enormemente de sus medicamentos. En 1883 fabricaba 324 productos y los vendía en todo el mundo. Dado que era un cuáquero idealista, se negó a patentar sus medicamentos y fue un defensor de la pureza en la elaboración de fármacos. Murió antes de ver la culminación de su trabajo: la promulgación de la Pure Food and Drug Act de 1904.

Sraosha En el ZOROASTRISMO Y PARSISMO, ser divino que es el mensajero de AHURA MAZDA y la encarnación de la palabra divina. Ejerce como mediador entre lo humano y lo divino. Los zoroástricos creen que no existe ritual válido sin su presencia. Se lo describe como un joven fuerte y santo que habita en una casa celestial con mil pilares. Castiga a los demonios que molestan a las personas en las noches y guía el alma recta mientras sobrelleva la ordalía del juicio al tercer día del deceso. Al final de los tiempos, será el agente exterminador del mal.

Sravasti Antigua ciudad del nordeste de UTTAR PRADESH, en la India septentrional. Durante la época budista (s. VI AC–s. VI DC), fue la capital de KOSALA y un próspero centro comercial. Estuvo también estrechamente asociada a la vida de BUDA y a figuras importantes de la historia posterior del budismo. Entre sus ruinas destacan las de un monasterio.

Sri Lanka

- **Superficie:** 65.610 km² (25.332 mi²)
- **Población:** 19.218.000 hab. (est. 2004)
- **Capitales:** COLOMBO (administrativa) Sri Jayewardenepura (legislativa y judicial)
- **Moneda:** rupia de Sri Lanka

Sri Lanka *ofic.* **República Democrática Socialista de Sri Lanka** *ant.* **Ceilán** País insular ubicado en el océano Índico, frente a la costa sudoriental de India. Cerca del 75% de los habitantes son CINGALESES, aunque también hay una proporción importante de TAMILES. Idiomas: cingalés y tamil (ambos oficiales); también se habla ampliamente inglés. Religiones: budismo, hinduismo, Islam y cristianismo. La vida del país gira fundamentalmente en torno a la región centro-sur, constituida por tierras altas con estrechos desfiladeros y profundos valles fluviales. En las tierras bajas circundantes hay colinas y llanuras fértiles. Sri Lanka cuenta con una economía mixta en desarrollo, basada principalmente en la agricultura, servicios e industria liviana. Exporta té, caucho y coco. La isla es mundialmente conocida por sus piedras preciosas, entre ellas zafiro, rubí y topacio. Encabeza la producción mundial de grafito de alta calidad. Sri Lanka es una república unicameral; el jefe de Estado y de Gobierno es el presidente, asistido por el primer ministro. La población cingalesa se originó probablemente de la mezcla de la población aborigen con migrantes indoarios provenientes de India circa s. V AC. Los tamiles emigraron después desde la India dravidiana, entre los primeros siglos DC y c. 1200. El budismo fue introducido durante el s. III AC. Al extenderse el budismo, el reino cingalés amplió su control político sobre la isla, pero en el s. X DC lo perdió frente a invasores provenientes de India meridional. Entre 1200 y 1505, el dominio cingalés se orientó hacia el sudoeste de Sri Lanka, período en el cual una dinastía de India meridional tomó el poder en el norte y fundó, en el s. XIV, el reino tamil. En los s. XIII–XV hubo invasiones desde India, China y Malasia. En 1505 llegaron los portugueses, y en 1619 controlaban la mayor parte de la isla. Los cingaleses consiguieron apoyo de los holandeses para expulsar a los portugueses, y la isla quedó finalmente bajo control de la COMPAÑÍA HOLANDESA DE LAS INDIAS ORIENTALES, que en 1796 la cedió a los británicos. En 1802 se convirtió en la colonia británica de Ceilán, y en 1948 logró su independencia. En 1972 pasó a constituir la República de Sri Lanka, y en 1978 adoptó su nombre actual. Diversos conflictos civiles entre grupos tamiles y cingaleses han afligido al país desde principios de la década de 1980, a causa de la exigencia tamil de instaurar, en el norte de Sri Lanka, un estado autónomo.

Recolección de té, uno de los principales productos de exportación de Sri Lanka.
ULLPERHALL LTD./ROBERT HARDING WORLD IMAGERY/ GETTY IMAGES

Srinagar Ciudad (pob., est. 2001: 894.940 hab.), capital estival del estado de JAMMU Y CACHEMIRA, en el noroeste de India. Está situada a orillas del JHELUM, en el valle de Cachemira. Ubicada entre lagos de aguas cristalinas y altas montañas, el turismo ha sido desde largo tiempo una fuente considerable de ingreso. Siete puentes de madera cruzan el río, y las embarcaciones surcan los canales y vías fluviales adyacentes. Los jardines flotantes del lago Dal son una famosa atracción turística.

Srivijaya, reino de (floreció s. VII–XIII). Reino marítimo y comercial del archipiélago Malayo. Se originó en la isla de SUMATRA y pronto dominó el estrecho de MALACA. Su poder estuvo basado en el control del comercio marítimo internacional; mantuvo relaciones con otros estados insulares y con China e India. Fue también un centro del budismo MAHAYANA y un lugar de descanso para los peregrinos chinos en viaje hacia la India. En 1025 fue vencido por fuerzas de la dinastía CHOLA y a partir de entonces perdió gradualmente poder.

SS *sigla de* **Schutzstaffel** (alemán: "Escalón de protección"). Unidad paramilitar del PARTIDO NAZI. Fundada en 1925 por ADOLF HITLER como una guardia personal, fue dirigida desde 1929 por HEINRICH HIMMLER, quien aumentó su número de menos de 300 a más de 250.000 miembros. Con uniformes negros e insignias especiales (letras S rúnicas semejando relámpagos, insignias con calaveras, y dagas de plata), la SS se consideraba superior a la SA, a la que purgaron por órdenes de Hitler en 1934. La unidad estaba dividida en la SS General (Allgemeine-SS), que se ocupaba de asuntos policiales y de la cual formaban parte la GESTAPO y la SS Armada (Waffen-SS), que incluía a los guardias de los campos de concentración y a 39 regimientos en la segunda guerra mundial que sirvieron como tropas de combate de elite. Se instruía a sus miembros fomentando el odio racial y la obediencia absoluta a Hitler. Efectuaron ejecuciones masivas de adversarios políticos, gitanos, judíos, comunistas, partisanos y prisioneros rusos. En 1946, la SS fue declarada organización criminal en los juicios de NUREMBERG.

St. Denis, Ruth *orig.* **Ruth Dennis** (20 ene. 1877, Newark, N.J., EE.UU.–21 jul. 1968, Los Ángeles, Cal.). Maestra y fundadora de la danza moderna estadounidense. Fue artista de vodevil antes de crear su acto de danza dramática basado en bailes asiáticos. Entre 1906 y 1909 realizó aclamadas giras por Europa. En 1915, ella y su marido, TED SHAWN, fundaron la compañía y escuela de danza Denishawn para presentar un nuevo estilo coreográfico de "visualización musical" abstracta. La compañía realizó numerosas giras hasta su disolución en 1931, año en que St. Denis y Shawn se divorciaron. Su interés por aplicar la danza en la religión la llevó a fundar la Society of Spiritual Arts. Continuó bailando, enseñando y dictando conferencias hasta la década de 1960.

Staatssicherheit ver STASI

Stachys Género de hierba perenne (*Stachys bizantina* o *S. olympica*) extensamente cultivada, de la familia de las Labiadas (ver MENTA), originaria de Asia meridional. Cubiertas de vellos enmarañados y densos, sus hojas de color verde plateado, que brindan un grato contraste con las hojas verdes y con las flores de color brillante o suave, hacen que las especies del género *Stachys* sean plantas resistentes, favoritas en jardines perennes del nordeste de EE.UU.

Staël, Germaine de *orig.* **Anne-Louise-Germaine Necker, baronesa de Staël-Holstein** *llamada* **Madame de Staël** (22 abr. 1766, París, Francia–14 jul. 1817, París). Escritora, propagandista política y dama de salón francesa.

Se hizo conocida desde joven por la agudeza de su ingenio y alcanzó celebridad en el mundo de las letras con sus *Lettres sur les ouvrages et le caractère de J.-J. Rousseau* [Cartas acerca de la obra y el carácter de J.-J. Rousseau] (1788). El período más brillante de su carrera comenzó en 1794, cuando regresó a París ya terminado el reinado del Terror. Su salón, conocido por las figuras intelectuales y literarias que lo frecuentaban, cobró notoriedad. Entretanto publicaba ensayos políticos y literarios, entre los que se destaca *De la influencia de las pasiones sobre la felicidad de los individuos y de las naciones* (1796), un importante documento sobre el ROMANTICISMO europeo. En 1803, Napoleón, resentido por la oposición de la intelectual, hizo que la expulsaran de París, por lo que se trasladó a Coppet, Suiza, que funcionó como su cuartel general. Su trabajo más importante es *De Alemania*, riguroso ensayo sobre costumbres, literatura, moral, arte, filosofía y religión alemanas (1810). También escribió novelas, obras de teatro, ensayos morales, textos historiográficos y memorias.

Madame de Staël, retrato de Jean Baptiste Isabey, 1810; Museo del Louvre, París.
GIRAUDON—ART RESOURCE/EB INC.

Stafford Ciudad y municipio (pob., 2001: 120.653 hab.), capital del condado de STAFFORDSHIRE, en el centro-oeste de Inglaterra. Fundada por la hija de ALFREDO el Grande, la ciudad tuvo su propia casa de moneda desde el reinado de Aethelstan hasta el de ENRIQUE II. Después de ser constituida en ciudad en 1206, creció como centro comercial. Los parlamentaristas destruyeron sus murallas y castillo del s. XI en 1643 durante las guerras civiles INGLESAS. Se encuentra en la ruta y vía férrea entre Londres, Birmingham y Manchester. Su industria abarca la ingeniería eléctrica y mecánica. Es la cuna de IZAAK WALTON y su Hotel Swan se asocia a CHARLES DICKENS. El municipio de Stafford comprende una extensa zona rural agrícola y las ciudades de Stone y Stafford.

Staffordshire Condado administrativo (pob., 2001: 806.737 hab.), geográfico e histórico en el centro-oeste de Inglaterra. Los pantanos del norte de Staffordshire ocupan el extremo sur de los montes PENINOS y comprende la región carbonífera conocida como Potteries. Todavía quedan restos de asentamientos del período neolítico, de las edades de bronce y de hierro. Los romanos construyeron caminos a través de la región. En los s. VII–IX fue el centro del reino de MERCIA. Los daneses saquearon el condado a fines del s. IX. En Staffordshire se ha explotado el carbón y el hierro desde el s. XIII. Su alfarería adquirió renombre en el s. XVIII gracias a las innovaciones de JOSIAH WEDGWOOD. STAFFORD es la capital del condado.

staffordshire bull terrier Raza canina desarrollada en Gran Bretaña en el s. XIX para la pelea en fosos con otros perros. Se creó al cruzar el BULLDOG (que entonces era más ágil y tenía las patas más largas) con un terrier, posiblemente el FOX TERRIER. Conocido otrora como *bull-and-terrier* y *half-and-half*, el staffordshire bull terrier es un perro robusto, musculoso e inusualmente fuerte, con mandíbulas poderosas, que tiene 43–48 cm (17–19 pulg.) de alzada y 14–23 kg (30–50 lb) de peso. Su pelaje duro y corto puede ser de cualquier color, liso o variegado. Ver también BULL TERRIER.

Staffordshire, figuras de Tipo de figurillas de alfarería fabricadas en Staffordshire, Inglaterra c. 1740. En un principio se fabricaron en CERÁMICA DE GRES con esmalte a la sal y, posteriormente, en LOZA con esmalte plúmbico. Los personajes solían ser músicos, animales, pastores, deidades clásicas, figuras alegóricas, retratos, personajes teatrales y políticos, e incluso criminales. Entre los artistas de Staffordshire figuraban los alfareros de la familia Wood.

Figura de loza con esmalte plúmbico de Staffordshire, c. 1780; Museo Victoria y Alberto, Londres.
GENTILEZA DEL MUSEO VICTORIA Y ALBERTO, LONDRES; FOTOGRAFÍA, EB INC.

Stahl, Franklin W(illiam) (n. 8 oct. 1929, Boston, Mass., EE.UU.). Genetista estadounidense. Estudió en las universidades de Harvard y Rochester, y ejerció principalmente en la Universidad de Oregón. Junto con MATTHEW STANLEY MESELSON descubrió y describió (1958) el modo de replicación del ADN. Observaron que la hélice doble se separa para formar dos hebras, cada una de las cuales dirige la construcción de una nueva hebra hermana.

Stalin *orig.* **Iósiv Visariónovich Dzhugachvili** (21 dic. 1879, Gori, Georgia, Imperio ruso–5 mar. 1953, Moscú, Rusia, U.R.S.S.). Político y dictador soviético. Hijo de un zapatero, estudió en un seminario, pero fue expulsado por actividades revolucionarias en 1899. Se unió a un grupo revolucionario clandestino y en 1903 se inclinó por la facción BOLCHEVIQUE del PARTIDO OBRERO SOCIALDEMÓCRATA RUSO. Discípulo de VLADÍMIR LENIN, desempeñó cargos menores en el partido y luego fue designado al primer comité central bolchevique (1912). Continuó activo entre bastidores y en el exilio (1913–17) hasta que la REVOLUCIÓN RUSA DE 1917 llevó a los bolcheviques al poder. Tras adoptar el nombre Stalin (del ruso *stal*, "acero"), fue comisario del pueblo (ministro) para las nacionalidades y para el control de Estado en el gobierno bolchevique (1917–23). A partir de 1922 se convirtió en secretario general del comité central del partido, cargo que luego le proporcionó la base de poder para su dictadura, y fue también miembro del Politburó. Tras la muerte de Lenin (1924), venció a sus rivales, LEÓN TROTSKI, GRIGORI ZINÓVIEV, LIEV KÁMENEV, NIKOLÁI BUJARIN y ALEXÉI RÍKOV, y tomó el control de la política soviética. En 1928 inauguró los PLANES QUINQUENALES que modificaron radicalmente la economía soviética y las estructuras sociales, provocando la muerte de millones de personas. En la década de 1930 logró eliminar las amenazas a su poder mediante PURGAS POLÍTICAS y numerosas ejecuciones secretas y persecuciones. En la segunda GUERRA MUNDIAL firmó el Pacto de NO AGRESIÓN GERMANO-SOVIÉTICO (1939), atacó Finlandia (ver guerra RUSO-FINESA) y anexó partes de Europa oriental para fortalecer la frontera occidental. Cuando Alemania invadió Rusia (1941), Stalin tomó el control de las operaciones militares. Alió a Rusia con Gran Bretaña y EE.UU.; en las conferencias de TEHERÁN, YALTA y POTSDAM demostró su habilidad para negociar. Después de la guerra, consolidó el poder soviético en Europa oriental y convirtió a la U.R.S.S. en una potencia militar mundial. Continuó con sus medidas políticas represivas para controlar la disidencia interna; cada vez más paranoico, cuando murió estaba organizando otra purga después del llamado COMPLOT DE LOS MÉDICOS. Reconocido por haber llevado

Stalin, c. 1940.
FOTOBANCO

a la U.R.S.S. a un lugar de preponderancia mundial, con terribles costos para su propio pueblo, dejó un legado de represión y temor, así como de poderío industrial y militar. En 1956, Stalin y su culto a la personalidad fueron denunciados por NIKITA JRUSCHOV.

Stalinabad ver DUSHANBE

Stalingrado ver VOLGOGRADO

Stalingrado, batalla de (1942–43). Fallido asalto alemán a la ciudad soviética en la segunda guerra mundial. Fuerzas alemanas invadieron la U.R.S.S. en 1941 y en el verano de 1942 habían avanzado hasta los suburbios de Stalingrado (actual Volgogrado). Enfrentados por la resuelta defensa del EJÉRCITO ROJO dirigido por VASILI CHUIKOV, llegaron hasta el centro de la ciudad después de encarnizados combates callejeros. En noviembre, los soviéticos contraatacaron y rodearon al ejército alemán dirigido por FRIEDRICH VON PAULUS, quien se rindió en febrero de 1943 con 91.000 soldados. Las fuerzas del Eje (alemanes, rumanos, italianos y húngaros) sufrieron 800.000 muertes; más de 1.000.000 de soldados soviéticos murieron. La batalla marcó la máxima extensión alcanzada por el avance alemán en la U.R.S.S.

Stalino ver DONETSK

Stambolijski, Alexandŭr (1 mar. 1879, Slavovica, Bulgaria–14 jun. 1923, cerca de Slavovica). Político y primer ministro búlgaro (1919–23). Editor del periódico de la Liga Agraria, ingresó a la Asamblea Nacional en 1908 como líder de la Unión Agraria (Partido Campesino). Se opuso al rey proalemán FERNANDO y apoyó a los aliados en la primera guerra mundial, por lo que fue encarcelado (1915–18). Encabezó la insurrección de 1918 que forzó la abdicación de Fernando y fue elegido primer ministro de la nueva república búlgara en 1919. Partidario de una reforma agraria, redistribuyó tierras a los campesinos y reformó el sistema judicial. Sus inclinaciones pacifistas y su defensa de una milicia le hicieron perder el apoyo del ejército y fue derrocado por un golpe militar y ejecutado.

Stamford Ciudad (pob., 2000: 117.083 hab.) en el sudoeste del estado de Connecticut, EE.UU. Se ubica en la desembocadura del río Rippowam en el estrecho de LONG ISLAND. Fundada en 1641, fue una comunidad agrícola hasta la llegada del ferrocarril en la década de 1840. Fue básicamente un suburbio residencial de Nueva York hasta principios de la década de 1970; desde entonces varias empresas importantes trasladaron sus oficinas centrales a Stamford, con lo que revitalizaron su vida económica. El deteriorado centro de la ciudad fue arrasado y reconstruido con modernos rascacielos. En la actualidad, constituye una de las ciudades que concentra la mayor cantidad de oficinas centrales de empresas en EE.UU.

Stamitz, Johann (Wénzel Anton) (19 jun. 1717, Deutschbrod, Bohemia–27 mar. 1757, Mannheim, Palatinado). Compositor y violinista bohemio. Ingresó al servicio de la corte del elector en Mannheim c. 1741, y pronto llegó a ser el director de su orquesta, transformándola en la mejor de Europa. Compuso alrededor de 75 sinfonías, con las que contribuyó a consolidar la forma de cuatro movimientos como norma del género e introdujo el *crescendo* orquestal de la música italiana en Alemania. Junto a sus discípulos (entre ellos sus hijos) formó la llamada "Escuela de Mannheim". Su hijo Carl (n. 1745–m. 1801), también compositor y violinista, trabajó en Mannheim, viajó profusamente como solista y compuso más de 50 sinfonías.

Stamp Act ver ley del TIMBRE

Standard Oil Company and Trust Sociedad estadounidense y trust corporativo que mantuvo prácticamente el monopolio de la industria del petróleo en EE.UU. entre 1870 y 1911. La empresa nació en 1863 cuando JOHN D. ROCKEFELLER comenzó a operar una refinería en Cleveland, Ohio, la que junto con otras instalaciones constituyeron la sociedad Standard Oil Company en 1870. En 1880, mediante la eliminación de los competidores, las fusiones y el uso de BONIFICACIONES favorables de ferrocarriles, la empresa controlaba el refinado del 90–95% de la producción total de petróleo en EE.UU. En 1882, Standard Oil y sus filiales petroleras formaron el grupo Standard Oil Trust, el que finalmente llegó a estar conformado por unas 40 sociedades. En 1892, la Corte Suprema de Ohio ordenó la disolución del trust, pero este continuó operando desde sus oficinas centrales de Nueva York y posteriormente, desde Nueva Jersey. Sus prácticas monopolísticas fueron expuestas en el libro de IDA TARBELL, *History of Standard Oil Company* (1904). Tras un largo juicio antimonopolio entablado por el gobierno de EE.UU. (ver ley ANTIMONOPOLIOS), el imperio de la Standard Oil fue dividido en 1911. Aunque ocho empresas mantuvieron "Standard Oil" en su razón social después de 1911, a fines del s. XX el nombre casi había desaparecido, aunque las divisiones de la ex Standard Oil continuaban dominando el negocio petrolero de EE.UU. En 1931, Standard Oil Company de Nueva York se fusionó con Vacuum Oil Company (otra empresa del trust) para constituir la sociedad Socony-Vacuum, la que en 1966 se transformó en Mobil Oil Corp (ver MOBIL CORP.). A su vez, Standard Oil (Indiana) absorbió a Standard Oil de Nebraska en 1939 y a Standard Oil de Kansas en 1948, y adoptó la razón social Amoco Corp. en 1985. Standard Oil de California adquirió Standard Oil de Kentucky en 1961 y adoptó la razón social Chevron Corp. en 1984. Standard Oil Company (Nueva Jersey) cambió su razón social por Exxon Corp. (ver EXXON MOBIL CORPORATION) en 1972. En 1987, British Petroleum Company (ver BP PLC) completó la compra de Standard Oil Company (Ohio). Otras consolidaciones tuvieron lugar en 1998, cuando BP se fusionó con Amoco, y en 2002, cuando Exxon se fusionó con Mobil.

Standardbred Raza de CABALLO ligero desarrollada en EE.UU., principalmente para carreras de trotones. El semental original fue un PURASANGRE inglés importado en 1788; la progenie fue cruzada con otras razas, especialmente la MORGAN, para producir caballos trotadores veloces y de andar. La alzada del Standardbred es 15–16 palmos (152–163 cm [60–64 pulg.]) y el peso, 410–450 kg (900–1.000 lb). El color varía, pero el más común es el zaino. El vocablo "Standard" (estándar) alude a un requisito que se exigió en 1871, en virtud del cual un caballo para estar inscrito debía cumplir con ciertos estándares de velocidad (p. ej., trotar una milla en 2,5 minutos).

Caballo raza Standardbred, zaino.

Standish, Miles (c. 1584, Lancashire, Inglaterra–3 oct. 1656, Duxbury, Mass.). Colono anglonorteamericano. Combatió en los Países Bajos, donde conoció a los Peregrinos, con quienes se embarcó más tarde en el *Mayflower* (1620). Como jefe militar de la colonia de PLYMOUTH, condujo diversas expediciones contra las tribus indígenas hostiles. Ocupó el cargo de vicegobernador y tesorero de la colonia (1644–49). No hay evidencia histórica de que pidiera a JOHN ALDEN que ofreciera matrimonio a Priscilla Mullins en su nombre, según el mito que figura en el poema *The Courtship of Miles Standish* [El galanteo de Miles Standish] (1858) escrito por HENRY W. LONGFELLOW.

Stanhope, Charles Stanhope, 3er conde (3 ago. 1753, Londres, Inglaterra–15 dic. 1816, Chevening, Kent). Político e inventor inglés. Miembro de la Cámara de los Comunes

(1780–86), donde fue conocido como Lord Mahon hasta que heredó el título de su padre, se convirtió en presidente de la Revolution Society y apoyó la reforma parlamentaria. Simpatizó con los republicanos franceses y se opuso a la guerra de Gran Bretaña contra la Francia revolucionaria. Fue además un científico experimental e inventó máquinas de calcular, una prensa tipográfica y un lente de microscopio que llevaron su nombre, una máquina de estereotipar y un carruaje de vapor.

Stanhope, James Stanhope, 1er conde (1673, París, Francia–5 feb. 1721, Londres, Inglaterra). Militar y estadista inglés. Comenzó su carrera militar en 1691 y ascendió rápidamente hasta convertirse en comandante en jefe del ejército inglés en España en 1708 en la guerra de sucesión ESPAÑOLA. Fue derrotado y capturado por los franceses (1710); luego regresó a Inglaterra (1712) y recuperó su escaño en la Cámara de los Comunes (1701-21). Fue secretario de Estado en el gobierno whig y negoció la CUÁDRUPLE ALIANZA contra España (1718). Fue primer lord del tesoro (1717–18), pero su ministerio se desacreditó con el escándalo de SOUTH SEA BUBBLE.

Stanislavski, Konstantín (Serguéievich) *orig.* **Konstantín Serguéievich Alexéiev** (17 ene. 1863, Moscú, Rusia–7 ago. 1938, Moscú). Director y actor teatral ruso. Comenzó a actuar a la edad de 14 años en un grupo de teatro aficionado familiar, y en 1888 cofundó una compañía de teatro estable. En 1891 fue elogiado por su primera producción independiente, *Los frutos de la instrucción*, y en 1898, junto con Vladímir Nemiróvich-Dánchenko (n. 1858–m. 1943) fundó el Teatro del Arte de MOSCÚ y estrenaron un renovado montaje de *La gaviota* de ANTÓN CHÉJOV con gran éxito. Stanislavski continuó dirigiendo y actuando en numerosas obras rusas, como *Tío Vania* (1899) y *El jardín de los cerezos* (1904) de Chéjov. Desarrolló una particular formación actoral con el objetivo de alcanzar un mayor realismo mediante la profunda identificación del actor con su personaje, técnica que se hizo conocida como el método STANISLAVSKI. Su compañía realizó giras por Europa y EE.UU. (1922–24), donde su método influyó en el posterior desarrollo del GROUP THEATRE y del ACTORS STUDIO.

Stanislavski, método Influyente técnica de entrenamiento teatral desarrollada por el actor, productor y teórico ruso KONSTANTÍN STANISLAVSKI. El método fue elaborado después de años de ensayo y error, que comenzaron c. 1898. Exige que el actor utilice su memoria emotiva (i. e., sus evocaciones emocionales y experienciales) para así identificarse con la motivación interna del personaje. El método fue desarrollado como una reacción frente a la actuación artificiosa del s. XIX. Destacados actores estadounidenses comenzaron a emplearlo en la década de 1920, y entre ellos se cuentan LEE STRASBERG, MARLON BRANDO, DUSTIN HOFFMAN y Eli Wallach.

Stanley, Copa Trofeo que se otorga anualmente al equipo ganador del campeonato de la NATIONAL HOCKEY LEAGUE (NHL). Denominado así en honor de quien lo donó, el gobernador general canadiense Frederick Arthur Stanley, Lord Stanley de Preston (n. 1841–m. 1908), la Copa Stanley se otorgó por primera vez en la temporada 1893–94. Es el trofeo más antiguo instaurado en Norteamérica a los deportistas profesionales.

Stanley, Francis Edgar y Stanley, Freelan O. (1 jun. 1849, Kingfield, Maine, EE.UU.–31 jul. 1918, Ipswich, Mass.) (1 jun. 1849, Kingfield, Maine, EE.UU.–2 oct. 1940, Boston, Mass.). Inventores estadounidenses del AUTOMÓVIL de vapor. En 1883 los hermanos mellizos inventaron un proceso fotográfico de placa seca y realizaron experimentos con máquinas de vapor. En 1897 construyeron un automóvil propulsado por vapor, y en 1902 establecieron una empresa para fabricar sus "Stanley Steamers". En 1906 establecieron un récord mundial para la milla más rápida: 28,2 segundos. Se retiraron en 1917; la empresa continuó la fabricación de automóviles hasta 1924, declinando a medida que fueron desplazados por los vehículos propulsados con gasolina que eran más fáciles en el arranque y operación.

Stanley, Sir Henry Morton *orig.* **John Rowlands** (28 ene. 1841, Denbigh, Denbighshire, Gales–10 may. 1904, Londres, Inglaterra). Explorador angloestadounidense de África central. Hijo ilegítimo, pasó parte de su infancia en un asilo británico y en 1859 se fue a EE.UU. como grumete en un buque. Después de convertirse en periodista del *New York Herald* en 1867, fue enviado a África en 1871 para localizar a DAVID LIVINGSTONE, de quien poco se sabía desde su partida al continente en 1866. Al encontrarlo en Ujiji, en el lago TANGANYIKA, pronunció sus famosas palabras "¿El doctor Livingstone, supongo?". Siguió explorando el África ecuatorial durante largos períodos entre 1874 y 1884, a menudo al servicio de LEOPOLDO II de Bélgica, a quien le preparó el camino para la creación del Estado Libre del Congo. Su última expedición (1888) fue para ayudar a EMÍN BAJÁ, que había quedado aislado por la rebelión mahdista en Sudán; Stanley acompañó a Emín y a otras 1.500 personas hasta la costa oriental. Entre sus libros, muchos de ellos extraordinariamente populares, se cuentan *En busca del doctor Livingstone* (1878) y *El continente misterioso* (1890).

Sir Henry Morton Stanley, retrato de Hubert von Herkomer; City Art Gallery, Bristol, Inglaterra.

GENTILEZA DEL CITY MUSEUM & ART GALLERY, BRISTOL, INGLATERRA

Stanley, Wendell Meredith (16 ago. 1904, Ridgeville, Ind., EE.UU.–15 jun. 1971, Salamanca, España). Bioquímico estadounidense. Enseñó en la Universidad de California, en Berkeley, desde 1948 hasta su muerte. Es conocido por su labor en la purificación y cristalización de los VIRUS para demostrar su estructura molecular. Cristalizó el virus del mosaico del tabaco y realizó trabajos importantes sobre el virus de la INFLUENZA, para el cual desarrolló una vacuna. En 1946 compartió el Premio Nobel con JOHN HOWARD NORTHROP y JAMES SUMNER.

Stanleyville ver KISANGANI

Stanovói, montes Cordillera de Rusia oriental situada en Asia. Forma parte de la divisoria entre los océanos Pacífico y Ártico. En general los montes Stanovói no son muy altos; alcanzan unos 2.400 m (8.000 pies) de altura en la parte oriental. Hay en ellos yacimientos de oro, carbón y mica.

Stanton, Edwin M(cMasters) (19 dic. 1814, Steubenville, Ohio, EE.UU.–24 dic. 1869, Washington, D.C.). Ministro de guerra de EE.UU. (1862–68). Abogado y abolicionista, fue nombrado fiscal general (ministro de justicia) en 1861 y secretario de guerra en 1862. Administró hábilmente la campaña militar de la Unión durante la guerra de Secesión y más adelante colaboró en la investigación del asesinato del pdte. ABRAHAM LINCOLN. Por desavenencias con el pdte. ANDREW JOHNSON en relación con la política de RECONSTRUCCIÓN y por su alianza con los republicanos radicales, Johnson lo destituyó violando intencionalmente la ley de INAMOVILIDAD. Se negó a aban-

Edwin M. Stanton.

BROWN BROTHERS

donar el cargo, pero renunció cuando Johnson fue absuelto en el juicio de residencia.

Stanton, Elizabeth Cady *orig.* **Elizabeth Cady** (12 nov. 1815, Johnstown, N.Y., EE.UU.–26 oct. 1902, Nueva York, N.Y.). Reformadora social estadounidense y dirigente del movimiento a favor del sufragio femenino. Egresó del Troy Female Seminary (1832) y en 1840 se casó con el abolicionista Henry B. Stanton, y comenzó a trabajar para obtener la aprobación de una ley de Nueva York que otorgara derechos de propiedad a las mujeres casadas. En 1848, junto a Lucretia Mott, organizó la convención de SENECA FALLS. En 1850 unió sus fuerzas con las de SUSAN B. ANTHONY, en el movimiento por el SUFRAGIO FEMENINO, y más adelante fue codirectora del diario *The Revolution* (1868–70), dedicado a los derechos de la mujer. En 1869 fue la presidenta fundadora de la Asociación nacional para el sufragio femenino.

Elizabeth Cady Stanton (sentada) y Susan B. Anthony.

BIBLIOTECA DEL CONGRESO, WASHINGTON, D.C.; NEG. NO. LC USZ 62 37938

Stanwyck, Barbara *orig.* **Ruby Stevens** (16 jul. 1907, Brooklyn, N.Y., EE.UU.–20 ene. 1990, Santa Mónica, Cal.). Actriz de cine estadounidense. Debutó en la pantalla en 1927 y su carrera continuó en más de 80 películas, interpretando a menudo a mujeres independientes y de recia voluntad. Entre sus películas se cuentan *Stella Dallas* (1937), *Unión Pacífico* (1939), *Bola de fuego* (1942), *Perdición* (1944), *Voces de muerte* (1948) y *La torre de los ambiciosos* (1954). Después protagonizó la serie de televisión *Valle de pasiones* (1965–69), y actuó en la popular miniserie *The Thorn Birds* (1983). Estuvo nominada en varias ocasiones para el premio de la Academia, pero sólo recibió un premio honorífico en 1981.

Star Chamber ver CÁMARA DE LAS ESTRELLAS

stare decisis (latín: "que la decisión se mantenga"). En el COMMON LAW, principio jurídico conforme al cual, cuando se trata de cuestiones de derecho los tribunales deben atenerse a la jurisprudencia para asegurar la certeza, coherencia y estabilidad en la administración de justicia. Como ninguna sentencia judicial puede tener valor universal, en la práctica los tribunales a menudo deben resolver que una sentencia anterior no es aplicable al caso concreto, por mucho que los hechos y la cuestión debatida sean muy similares. Una aplicación estricta del *stare decisis* podría llevar a la rigidez y ser demasiado riguroso cuando se trata de cuestiones jurídicas, mientras que el exceso de flexibilidad puede conducir a la incertidumbre.

Starhemberg, Ernst Rüdiger, príncipe von (10 may. 1899, Eferding, Austria–15 mar. 1956, Schruns). Político austríaco. En 1930 se convirtió en líder del Heimwehr austríaco, fuerza de defensa paramilitar fascista, y en 1932 ayudó a ENGELBERT DOLLFUSS a formar la coalición de derecha, llamada Frente Patriótico. Nombrado vicecanciller en 1934, intentó mantener un estado austríaco fascista que fuera independiente de la Alemania nazi. Por diferencias con el canciller KURT VON SCHUSCHNIGG fue expulsado del gobierno (mayo de 1936). Huyó de Austria después del ANSCHLUSS (1938). Tras servir un breve período a principios de la segunda guerra mundial en las fuerzas aéreas de Gran Bretaña y de la Francia Libre, vivió en Argentina (1942–55) antes de regresar a Austria.

Stark, John (28 ago. 1728, Londonderry, N.H.–8 may. 1822, Manchester, N.H., EE.UU.). Oficial de ejército de la guerra de independencia estadounidense. Prestó servicios durante la guerra francesa e india con los Rangers (milicia) de Robert Rogers (1754–59). Durante la guerra de independencia de los ESTADOS UNIDOS DE AMÉRICA combatió en la batalla de BUNKER HILL y en Nueva Jersey. Estuvo al mando de la milicia que derrotó a los británicos en la batalla de Bennington, Vt. Ascendió a general de brigada del Ejército continental y ayudó a forzar la rendición británica en la batalla de SARATOGA, y luego prestó servicios en Rhode Island. En 1780 formó parte de la corte marcial que condenó al may. JOHN ANDRÉ, quien había sido espía de los británicos. En 1783 ascendió a general de división.

Starling, Ernest Henry (17 abr. 1866, Londres, Inglaterra–2 may. 1927, Kingston Harbour, Jamaica). Fisiólogo británico. Sus estudios sobre la secreción de la linfa aclararon la función de las diferentes presiones que participan en el intercambio de líquidos entre vasos y tejidos. Starling y WILLIAM BAYLISS mostraron cómo los impulsos nerviosos controlan la peristalsis y acuñaron el término *hormona*. Starling también descubrió que el agua y las sustancias químicas necesarias para el organismo, que han sido filtradas por los riñones, se reabsorben en la parte distal del nefrón. Su libro *Principles of Human Physiology* [Principios de fisiología humana] (1912), continuamente revisado, fue un texto clásico a nivel internacional.

START ver negociaciones sobre la reducción de ARMAS ESTRATÉGICAS

Stasi *ofic.* **Staatssicherheit** (alemán: "Seguridad del Estado"). Policía secreta de Alemania Oriental (1950–90), creada con la ayuda soviética por los comunistas alemanes en la Alemania ocupada por los soviéticos después de la segunda guerra mundial. Estaba a cargo tanto de la vigilancia policial interna como del espionaje. En su momento cúlmine llegó a emplear a 85.000 funcionarios a tiempo completo. Utilizando cientos de miles de informantes, monitoreaba a un tercio de la población. La mayor parte de sus operaciones extranjeras estaban focalizadas en Alemania Federal, cuyos círculos gobernantes, militares y servicios de inteligencia penetró con éxito; y en los aliados de la OTAN de Alemania Federal. La Stasi fue disuelta después de la reunificación de Alemania. En 1991, el gobierno de la recientemente Alemania reunificada aprobó la ley de los archivos de la Stasi, la que otorgó a los ciudadanos de la antigua Alemania Oriental y a los extranjeros el derecho a ver sus expedientes. A principios del s. XXI, más de 1.500.000 personas lo había hecho.

Staten Island Isla en la bahía de Nueva York y distrito (pob., 2000: 443.728 hab.) de la ciudad de NUEVA YORK, N.Y., EE.UU. Tiene casi 155 km² (60 mi²) de superficie y se conecta con BROOKLYN a través del puente Verrazano-Narrows y con Nueva Jersey por varios otros puentes; es accesible desde MANHATTAN por medio del transbordador de Staten Island. Los holandeses trataron de colonizar la isla en 1630, pero los indios delaware que la habitaban frustraron sus intentos hasta 1661, año en que la Compañía Holandesa de las Indias Occidentales cedió la isla a los franceses y se establecieron asentamientos. Después de que Gran Bretaña adquirió Nueva Holanda en 1664, los agricultores ingleses y galeses establecieron sus viviendas y predios en ella. En 1898 se convirtió en un distrito de Nueva York con el nombre de Richmond; la denominación Staten Island se oficializó en 1975. La isla, principalmente residencial, cuenta con algunas industrias, como astilleros, imprentas, refinerías y tanques de almacenamiento de petróleo. Es sede del Wagner College (1883; trasladado desde Rochester en 1918).

Staupers, Mabel (Keaton) *orig.* **Mabel Doyle** (27 feb. 1890, Barbados, Indias Occidentales–29 nov. 1989, Washington, D.C., EE.UU.). Enfermera y ejecutiva estadounidense nacida en el Caribe. Se asoció con dos médicos para establecer el primer hospital destinado al tratamiento de la tuberculosis en afroamericanos, ubicado en Harlem (1920), EE.UU.

Siendo secretaria ejecutiva de la National Association of Colored Graduate Nurses (NACGN), dirigió una campaña en favor de la integración (racial) en el Cuerpo de enfermeras de las fuerzas armadas de EE.UU.; la integración se logró plenamente en 1945, gracias a un apoyo público masivo, y en 1948 la NACGN fue reconocida como miembro de la American Nurses Association (Asociación americana de enfermeras).

Stavisky, escándalo (1934). Escándalo financiero y político francés. Cuando se descubrió que bonos vendidos a ciudadanos de la clase trabajadora por una organización crediticia dirigida por el estafador ruso Serge A. Stavisky (n. 1886–m. 1934) no tenían valor, este huyó a Chamonix y supuestamente se suicidó. Miembros de la derecha creyeron que había sido asesinado para encubrir la complicidad con funcionarios gubernamentales corruptos. Las manifestaciones en contra del gobierno por grupos antirrepublicanos, como ACTION FRANÇAISE y CROIX DE FEU, culminaron en un motín el 6 de febrero de 1934, que dejó 15 muertos. Dos primeros ministros sucesivos fueron obligados a renunciar; finalmente se formó una coalición de centro para restablecer la confianza.

Stead, Christina (Ellen) (17 jul. 1902, Rockdale, Sydney, Australia–31 mar. 1983, Sydney). Novelista australiana. Viajó por todo el mundo y vivió en Londres, París y EE.UU., donde se desempeñó como guionista para los estudios MGM a inicios de la década de 1940. Volvió a Australia en 1974. La primera obra que publicó fue un volumen de cuentos, *Cuentos de Salzburgo* (1934). Se le recuerda principalmente por su novela *El hombre que amaba a los niños* (1940), historia de una familia que se desintegra.

stealth, tecnología Cualquier tecnología militar destinada a evitar la detección de vehículos o misiles por RADARES enemigos u otros sistemas electrónicos. La investigación sobre tecnología antidetección comenzó poco después de la invención del radar. En la segunda guerra mundial, los alemanes recubrieron el *schnorkel* (torreta) de sus submarinos con material absorbente de las ondas del radar. Hacia finales del s. XX, EE.UU. había desarrollado modelos de tecnología stealth, como el cazabombardero F-117 Nighthawk y el bombardero estratégico B-2 Spirit. Los aviones incorporan materiales superficiales y revestimientos que absorben las transmisiones de radar, superficies facetadas o redondeadas que reducen las reflexiones de radar, y escapes de motores protegidos que disminuyen las radiaciones infrarrojas. La tecnología stealth también ha sido incorporada en el diseño naval de submarinos y naves de superficie.

Stebbins, G(eorge) Ledyard (6 ene. 1906, Lawrence, N.Y., EE.UU.–19 ene. 2000, Davis, Cal.). Botánico estadounidense. Obtuvo un Ph.D. en la Universidad de Harvard y posteriormente enseñó en la Universidad de California. En su obra *Variation and Evolution in Plants* [Variación y evolución de las plantas] (1950) se convirtió en el primer biólogo en aplicar la moderna teoría sintética de la evolución –que distingue los procesos básicos de mutación y recombinación génica, selección natural, cambios en la estructura y el número de los cromosomas, y aislamiento reproductivo– a los organismos superiores. Mientras trabajaba con plantas poliploides (nuevas especies que se originaron por duplicación espontánea de los cromosomas de una especie existente), empleó una técnica para duplicar artificialmente el número de cromosomas de una planta y así producir poliploides artificiales viables de especies de hierba silvestre, siendo el primero en hibridar artificialmente una especie vegetal que podía prosperar en condiciones naturales.

Steding, cruzada contra los campesinos de ver CRUZADA CONTRA LOS CAMPESINOS DE STEDING

Steele, Sir Richard (1672, Dublín, Irlanda–1 sep. 1729, Carmarthen, Carmarthenshire, Gales). Periodista, dramaturgo, ensayista y líder político inglés. Comenzó su larga amistad con JOSEPH ADDISON en la escuela. Intentó seguir una carrera militar antes de dedicarse a escribir. Fue fundador y principal redactor (con el seudónimo de Isaac Bickerstaff) del periódico ensayístico *The Tatler* (abr. 1709–ene. 1711), que ofrecía a la vez entretenimiento, enseñanza de las buenas costumbres y educación moral, fórmula que perfeccionaría, junto a Addison, en *The* SPECTATOR. Su cautivante estilo narrativo, generalmente informal, resultó ser el contrapunto perfecto para la prosa más mesurada y erudita de Addison. Realizó incursiones posteriores en el periodismo, algunas de marcado tono político, y ocupó varios puestos en el gobierno. En 1714 se convirtió en director del teatro DRURY LANE, donde produjo *Los amantes conscientes* (1723), una de las obras de teatro más populares del siglo y tal vez el mejor ejemplo de la comedia sentimental inglesa.

"In Luxury Beware", pintura al óleo de Jan Steen, 1663; Kunsthistorisches Museum, Viena, Austria.
GENTILEZA DEL KUNSTHISTORISCHES MUSEUM, VIENA.

Steen, Jan (Havickszoon) (c. 1626, Leiden, Países Bajos–3 feb. 1679, Leiden). Pintor holandés. Hijo de un cervecero, en 1646 se inscribió en la Universidad de Leiden, y dos años después fundó el gremio de pintores de Leiden. Uno de los más importantes pintores de género holandeses, fue conocido por su humor y su capacidad para captar sutiles expresiones faciales, especialmente de los niños. Sus figuras, que en sus obras posteriores se tornaron cada vez más grandes e individualizadas, aparecían con frecuencia jugando cartas o bolos, o de juerga en posadas y tabernas. Sus pinturas revelan gran destreza técnica, particularmente con el color. Sus obras posteriores, que anticiparon el estilo ROCOCÓ, se hicieron cada vez más elegantes, y en cierta medida menos enérgicas.

Steensen, Niels ver Nicolaus STENO

Steffens, (Joseph) Lincoln (6 abr. 1866, San Francisco, Cal., EE.UU.–9 ago. 1936, Carmel, Cal.). Periodista y reformador estadounidense. Trabajó en periódicos de Nueva York (1892–1901) y fue director de la *McClure's Magazine* (1901–06), en la que inició su famosa serie de artículos sobre escándalos, los que más adelante se publicaron con el título de *The Shame of the Cities* [La vergüenza de las ciudades] (1904) que expusieron la corrupción en la política y en las grandes empresas. Dictó numerosas conferencias y despertó el interés del público por buscar soluciones y actuar. Más adelante apoyó actividades revolucionarias en México y Rusia, y vivió en Europa (1917–27). El éxito que tuvo su *Autobiography* (1931) lo trajo de vuelta al circuito de conferencias.

Steichen, Edward (Jean) *orig.* **Édouard Jean Steichen** (27 mar. 1879, Luxemburgo–25 mar. 1973, West Redding, Conn., EE.UU.). Fotógrafo estadounidense nacido en Luxemburgo. Su familia emigró a EE.UU. en 1881. Sus primeras fotografías estuvieron influenciadas por su formación como pintor. A menudo usaba productos químicos para lograr grabados que parecieran mezzo-tintos suaves y borrosos o aguadas. En 1902, se unió a Alfred Stieglitz en la formación del grupo Photo-Secession, dedicado a la promoción de la fotografía como arte. Después de la primera guerra mundial, su estilo evolucionó desde un impresionismo pictórico hacia un crudo realismo. Cuando estalló la segunda guerra mundial, la marina estadounidense encargó a Steichen la organización de un departamento de fotografía encargado de graficar la guerra en el mar. En 1955 organizó la exposición *Family of Man* de 503 fotografías (seleccionadas entre más de dos millones), que fue visitada por más de nueve millones de personas en todo el mundo.

Stein, Gertrude (3 feb. 1874, Allegheny City, Pa., EE.UU.–27 jul. 1946, Neuilly-sur-Seine, Francia). Escritora de vanguardia estadounidense. Nació en el seno de una acaudalada familia y estudió en Radcliffe College antes de trasladarse a París, donde vivió a partir de 1909 junto a su compañera Alice B. Toklas (n. 1877–m. 1967). Su hogar fue a la vez un salón donde se reunían importantes artistas y escritores como Pablo Picasso, Henri Matisse, Georges Braque, Sherwood Anderson y Ernest Hemingway. Fue de las primeras partidarias del cubismo y trató de aplicar las teorías cubistas en su obra, lo que queda de manifiesto en su poemario *Tender Buttons* [Botones tiernos] (1914). Su prosa se caracterizó por un estilo único marcado por la repetición, fragmentación y uso del tiempo presente continuo, como se aprecia en su novela *La hechura de los americanos* (escrita en 1906–11, editada en 1928). Su libro más leído, *Autobiografía de Alice B. Toklas* (1933), es en realidad la autobiografía de la propia escritora. Entre sus otras obras destacan *Cuatro santos en tres actos* (1934) y *La madre de todos nosotros* (1947), libretos operáticos musicalizados por Virgil Thomson.

Gertrude Stein, pintura al óleo de Pablo Picasso; c. 1906.

GENTILEZA DEL MUSEO METROPOLITANO DE ARTE DE NUEVA YORK, LEGADO DE GERTRUDE STEIN, 1946

Stein, (Heinrich Friedrich) Karl, barón imperial vom und zum (26 oct. 1757, Nassau an der Lahn, Nassau–29 jun. 1831, Schloss Kappenberg, Westfalia). Estadista prusiano. Nacido en el seno de la nobleza imperial, ingresó a la administración pública en 1780. Como ministro de asuntos económicos (1804–07) y primer ministro (1807–08) de Federico Guillermo III, introdujo amplias reformas en la administración, el sistema tributario y los organismos del Estado que modernizaron el gobierno prusiano. Abolió la servidumbre, reformó las leyes de propiedad agraria y ayudó a reorganizar las fuerzas armadas. Al preverse la guerra con Francia, fue obligado a renunciar bajo la presión de Napoleón I (1808) y huyó a Austria. Como consejero del zar Alejandro I (1812–15), negoció el tratado ruso-prusiano de Kalisz (1813), que formó la última coalición europea contra Napoleón.

Stein-Leventhal, síndrome de ver síndrome del ovario poliquístico

Steinbeck, John (Ernst) (27 feb. 1902, Salinas, Cal., EE.UU.–20 dic. 1968, Nueva York, N.Y.). Novelista estadounidense. Steinbeck asistió en forma interrumpida a la Universidad de Stanford y trabajó como obrero antes de adquirir fama por sus libros. Pasó gran parte de su vida en el cond. de Monterey, Cal. Se lo reconoce principalmente por sus novelas naturalistas de temática proletaria que escribió durante la década de 1930, entre las que se destacan *Tortilla Flat* (1935), *En lucha incierta* (1936), *Hombres y ratones* (1937) y la aclamada *Las uvas de la ira* (1939, Premio Pulitzer), que tuvo gran aceptación por su descripción de la lucha de los campesinos temporeros. Durante la segunda guerra mundial se desempeñó como corresponsal de guerra. Entre sus novelas posteriores se cuentan *Cannery Row* (1945), *La perla* (1947), *El ómnibus perdido* (1947) y *Al este del edén* (1952). Fue galardonado con el Premio Nobel de Literatura en 1962.

John Steinbeck.

© ENCYCLOPÆDIA BRITANNICA, INC.

Steinberg, Saul *orig.* **Saul Jacobson** (15 jun. 1914, Râmnicu Sărat, Rumania–2 may. 1999, Nueva York, N.Y., EE.UU.). Caricaturista e ilustrador estadounidense de origen rumano. Estudió arquitectura en Milán, y al mismo tiempo publicaba caricaturas en revistas italianas. En 1942 se radicó en Nueva York donde trabajó como artista, ilustrador y caricaturista independiente, principalmente para *The New Yorker*. Sus obras, extraordinariamente originales, se reconocen de inmediato; suelen ser visiones surrealistas o aterradoras sobre los EE.UU. contemporáneos. Con frecuencia emplea singulares versiones de los iconos de la cultura pop. Sus temas varían desde lo caprichoso (p. ej., una silla de mimbre atacada por sus propias volutas), pasando por lo satírico (artefactos siniestros y sobredimensionados), hasta lo filosófico (una figura minúscula posada sobre un signo de interrogación gigante al borde de un abismo).

Steinem, Gloria (n. 25 mar. 1934, Toledo, Ohio, EE.UU.). Activista política, feminista y editora estadounidense. Comenzó su carrera como escritora y columnista en Nueva York, donde a fines de la década de 1960 se involucró activamente en el movimiento feminista. En 1971 fundó un comité, el National Women's Political Caucus, y al año siguiente lanzó *Ms.*, revista que dictó tendencias en su época y que ella misma editaría más tarde. La publicación trataba temas de interés contemporáneo desde una perspectiva feminista. En las décadas de 1970–80 fundó y cofundó en EE.UU. varias organizaciones feministas como la National Organization for Women (Organización nacional de la mujer). Entre sus libros se destacan *Actos escandalosos y rebeldías cotidianas* (1983), *Marilyn* (1986) y *La revolución interior* (1992).

Steiner, (Francis) George (n. 23 abr. 1929, París, Francia). Crítico suizo-estadounidense de origen francés. Steiner se hizo ciudadano estadounidense en 1944, aunque pasó gran parte de su tiempo en Europa dictando clases principalmente en las universidades de Cambridge y Ginebra. Estudió la relación entre literatura y sociedad a la luz de la historia moderna. Sus escritos en torno al lenguaje y el holocausto han tenido gran llegada entre los lectores comunes. Sus principales obras son *La muerte de la tragedia* (1960), *Lenguaje y silencio* (1967), ensayos sobre los efectos deshumanizadores que la segunda guerra mundial tuvo en la literatura, *Después de Babel* (1975), sobre la relación entre la cultura y la lingüística, y *En el castillo de Barbazul* (1971), además de varias obras de ficción.

Steiner, Max(imilian Raoul Walter) (10 may. 1888, Viena, Austria–28 dic. 1971, Hollywood, Cal., EE.UU.). Compositor y director de orquesta estadounidense de origen austríaco. Niño prodigio, a los 14 años de edad compuso una opereta que se mantuvo un año en cartelera en Viena. En 1914 emigró a EE.UU. y trabajó en Nueva York como director musical de teatro y arreglista, y después se trasladó a Hollywood en 1929. Se convirtió en uno de los primeros y mejores (quizás el más sutil) compositores para el cine al consolidar varias técnicas que se hicieron normas, con sus partituras para *King Kong* (1933), *El delator* (1935, premio de la Academia),

Lo que el viento se llevó (1939), *La extraña pasajera* (1942, premio de la Academia), *Desde que te fuiste* (1944, premio de la Academia), *El sueño eterno* (1946), *El manantial* (1949) y varios otros filmes.

Steiner, Rudolf (27 feb. 1861, Kraljević, Austria–30 mar. 1925, Dornach, Suiza). Filósofo social y espiritual austríaco de origen suizo, fundador de la ANTROPOSOFÍA. Editó las obras científicas de JOHANN W. VON GOETHE y contribuyó en la edición estándar de las obras completas del autor. Durante ese período escribió *La filosofía de la libertad* (1894). En sus investigaciones, llegó gradualmente a creer en una percepción espiritual independiente de los sentidos, a la que llamó "antroposofía", centrada en "el conocimiento producido por el más alto yo en el hombre". En 1912 fundó la Sociedad Antroposófica. El año siguiente creó en Dornach, Suiza, su primer Goetheanum, "escuela de ciencia espiritual". En 1919 fundó una escuela progresista para obreros en la fábrica Waldorf Astoria, lo que condujo al movimiento internacional de la Escuela Waldorf. Otros escritos de Steiner son *La filosofía de la actividad espiritual* (1894), *Bosquejo de la ciencia oculta* (1913) y *La trayectoria de mi vida* (1924).

Steinmetz, Charles Proteus *orig.* **Karl August Rudolf Steinmetz** (9 abr. 1865, Breslau, Prusia–26 oct. 1923, Schenectady, N.Y., EE.UU.). Ingeniero eléctrico estadounidense de origen alemán. Obligado a salir de Alemania por sus actividades socialistas, emigró a EE.UU. en 1889 y comenzó a trabajar para la General Electric Co. en 1893. Enseñó en el Union College desde 1902. Sus experimentos condujeron a la ley de la HISTÉRESIS, la cual trata de la pérdida de energía en máquinas eléctricas cuando la acción magnética es convertida en calor no utilizable; la constante que calculó (a los 27 años de edad) ha permanecido como parte del vocabulario de la ingeniería eléctrica. En 1893 desarrolló un método simbólico simplificado para calcular fenómenos de la corriente alterna. También estudió los transientes eléctricos (cambios de muy corta duración en circuitos eléctricos; p. ej., el rayo); su teoría de ondas viajeras condujeron al desarrollo de dispositivos para proteger de los rayos las líneas de transmisión de alta tensión y al desarrollo de un poderoso generador. Patentó más de 200 inventos.

Steinway Fábrica constructora de pianos germano-estadounidense. Henry E. Steinway, nacido Heinrich Engelhard Steinweg (n. 1797–m. 1871), se formó como constructor de órganos en su Alemania natal y en 1836 empezó a fabricar pianos. En 1850 con la mayor parte de su familia se trasladó a EE.UU. tras los pasos de uno de sus hijos. En 1853, después de trabajar algunos años para otras fábricas de pianos con el fin de conocer el negocio estadounidense, junto a sus hijos fundó su propia compañía en Nueva York, la que llegó a dominar el mercado. En 1865 trajo a EE.UU. a los hijos que permanecieron en Alemania para mantener el negocio. Él mismo se consagró a la investigación y desarrollo de sus productos, y sus perfeccionamientos impusieron el modelo para el piano de cola moderno.

Stella, Frank (Philip) (12 may. 1936, Malden, Mass., EE.UU.). Pintor estadounidense. Luego de estudiar historia en la Universidad de Princeton se trasladó a Nueva York, donde inició sus innovadoras "pinturas negras" (1958–60) que incorporan series simétricas de delgadas bandas blancas, que reproducen la forma de la tela al ser vistas contra el fondo negro. Figura principal del MINIMALISMO, a mediados de la década de 1960 comenzó a utilizar la policromía en una importante serie que se destacó por formas curvilíneas geométricas entrecruzadas y juegos de colores vívidos y armónicos. En la década de 1970, comenzó a realizar relieves en técnicas mixtas, de colores sensuales, que presentan formas más orgánicas. En 1970 y 1987 se realizaron exposiciones retrospectivas de su obra, en el Museo de Arte Moderno de Nueva York.

Steller, vaca marina de ver VACA MARINA DE STELLER

Stendhal *orig.* **Marie-Henri Beyle** (23 ene. 1783, Grenoble, Francia–23 mar. 1842, París). Novelista francés. Se trasladó a París en 1799 para escapar de la autoridad paterna. Hacia 1802, comenzó a llevar su *Diario* (publicado póstumamente) y a escribir otros textos en que expresaba sus pensamientos íntimos. A partir de 1806, sirvió en el ejército de Napoleón I; tras la caída del Imperio francés, en 1814, se instaló en Italia. A raíz de sus desilusiones políticas y amorosas, regresó a París. En 1821–30, mientras llevaba una activa vida social e intelectual, escribió varias obras, entre ellas, su obra magistral *Rojo y negro* (1830), una magnífica novela en la que se estudia el carácter de un ambicioso joven, a la par que se traza un agudo retrato de la Francia de la Restauración. Su otra obra importante, *La cartuja de Parma* (1839), es notable por su sofisticada presentación de la psicología humana y por la sutileza con que se describen sus personajes. Sus obras autobiográficas inconclusas, *Recuerdos de egotismo* (1892) y *Vida de Henry Brulard* (1890) se hallan entre sus logros más originales.

Stendhal, pintura al óleo de Pierre-Joseph Dedreux-Dorcy; Bibliothèque Municipale de Grenoble, Francia.

GENTILEZA DE LA BIBLIOTHÈQUE MUNICIPALE DE GRENOBLE, FRANCIA; FOTOGRAFÍA, STUDIO PICCARDY

Stenmark, Ingemar (n. 18 mar. 1956, Josesjö, Laponia, Suecia). Esquiador sueco. Entrenó con el equipo juvenil de su país desde los 13 años de edad, y en 1974 ganó su primera carrera de la Copa del Mundo. En 1976, 1977 y 1978 ganó tres pruebas de la Copa del Mundo (SLALOM, slalom gigante y descenso). En los Juegos Olímpicos de 1980 obtuvo medalla de oro en slalom y slalom gigante. Pocos meses después se hizo profesional, se retiró en 1989. En su carrera obtuvo 86 victorias en la Copa del Mundo, cifra que sigue constituyendo un récord. Stenmark es probablemente el mejor esquiador en las pruebas de slalom de todos los tiempos.

Steno, Nicolaus *danés* **Niels Steensen** *o* **Niels Stensen** (10 ene. 1638, Copenhague, Dinamarca–26 nov. 1686, Schwerin, Prusia). Geólogo y anatomista danés. Médico eminente, en 1660 descubrió el ducto salival parotídeo (conducto de Stensen). En sus observaciones geológicas, fue el primero en percatarse que la corteza terrestre contiene una historia cronológica de los eventos, los que pueden ser descifrados mediante el estudio cuidadoso de los estratos rocosos y de los FÓSILES, los cuales identificó como los restos de antiguos organismos vivientes. En 1669 realizó el descubrimiento cristalográfico fundamental de que todos los cristales de cuarzo tienen los mismos ángulos entre facetas correspondientes. Más tarde abandonó la ciencia por la religión, convirtiéndose en sacerdote en 1675.

Stephen, Sir James Fitzjames, 1er baronet (3 mar. 1829, Londres, Inglaterra–11 mar. 1894, Ipswich, Suffolk). Juez británico e historiador del derecho. Su obra *General View of the Criminal Law of England* [Visión general del derecho penal de Inglaterra] (1863) fue el primer intento de explicar los principios del derecho inglés desde los trabajos de WILLIAM BLACKSTONE. Como miembro del consejo del

1er baronet Stephen, dibujo en sepia de George Frederick Watts; National Portrait Gallery, Londres.

GENTILEZA DE LA NATIONAL PORTRAIT GALLERY, LONDRES

virrey en India (1869–72), ayudó a codificar y reformar el derecho INDIO. Más tarde enseñó en las INNS OF COURT (1875–79) y se desempeñó como juez de la Corte Suprema de Justicia (1879–91). Su proyecto de ley sobre delitos procesables, aunque nunca llegó a promulgarse, influyó significativamente en la reforma del derecho penal en los países de habla inglesa.

Stephen, Sir Leslie (28 nov. 1832, Londres, Inglaterra–22 feb. 1904, Londres). Crítico y literato inglés. Después de asistir al Eton College y a la Universidad de Cambridge, pudo entrar a los círculos literarios y en 1871 inició un período de once años como editor de *The Cornhill Magazine*, revista a la que contribuyó con artículos de crítica literaria. Su trabajo de mayor erudición fue su *Historia del pensamiento inglés en el s. XVIII* (1876). Sin embargo, se estima como su máximo legado el *Diccionario nacional biográfico*, que editó de 1882 a 1891, y al que contribuyó con cientos de sus meticulosos artículos. Fue padre de VIRGINIA WOOLF y de la pintora Vanessa Bell (n. 1879–m. 1961).

Stephens, Alexander H(amilton) (11 feb. 1812, cond. Wilkes, Ga., EE.UU.–4 mar. 1883, Atlanta, Ga). Político estadounidense. Se desempeñó en la Cámara de Representantes (1843–59), donde defendió la esclavitud, pero se opuso a la disolución de la Unión. Cuando Georgia se separó, fue elegido vicepresidente de la Confederación. Apoyó el gobierno constitucional, se opuso a las tentativas de JEFFERSON DAVIS por violar los derechos de las personas y abogó por un programa de intercambio de prisioneros. Presidió la delegación que asistió a la conferencia de HAMPTON ROADS (1865). Terminada la guerra, estuvo detenido en Boston durante cinco meses. Volvió a ocupar un cargo en la Cámara (1873–82) y fue gobernador de Georgia (1882–83).

Stephens, John Lloyd (28 nov. 1805, Shrewsbury, N.J., EE.UU.–12 oct. 1852, Nueva York, N.Y.). Viajero y arqueólogo estadounidense. Sus viajes al Medio Oriente derivaron en la publicación de dos libros. Con su amigo dibujante Frederick Catherwood se embarcó a Honduras en 1839 para explorar antiguas ruinas MAYAS de cuya existencia se rumoreaba en ese entonces. Identificaron nuevos e importantes sitios en COPÁN, UXMAL, PALENQUE y otras regiones. Describieron sus hallazgos en *Incidentes de viaje en América Central, Chiapas y el Yucatán* (1841) y narraron una segunda expedición en *Incidentes de viaje al Yucatán* (1843). Sus libros despertaron un enorme interés por la región entre legos y especialistas.

Stephens, Uriah Smith (3 ago. 1821, Cape May, N.J., EE.UU.–13 feb. 1882, Filadelfia, Pa.). Dirigente sindical estadounidense. Cuando era aprendiz de sastre, participó en movimientos de reforma, como el abolicionismo y el SOCIALISMO UTÓPICO, y en 1862 ayudó a organizar la Garment Cutters' Association de Filadelfia. En 1869 fue cofundador de la orden de los CABALLEROS DEL TRABAJO, el primer SINDICATO nacional de EE.UU., y se convirtió en su primer líder (o gran maestro trabajador). La gran convocatoria del sindicato sumada a la hostilidad de sus detractores hicieron que Stephens prefiriera la confidencialidad y el ritual en sus reuniones, lo que fue cada vez más controvertido, al igual que el hecho de que se opusiera a las HUELGAS. Renunció a su cargo en 1878.

Stephenson, George (9 jun. 1781, Wylam, Northumberland, Inglaterra–12 ago. 1848, Chesterfield, Derbyshire). Ingeniero inglés, inventor de la primera LOCOMOTORA de vapor. Hijo de un mecánico de minas de carbón, él mismo llegó a ser mecánico jefe de una mina, donde su interés por las máquinas de vapor lo llevó a experimentar con una máquina para arrastrar los carros cargados de carbón. En 1815 ideó el poderoso sistema de "steam blast" (ráfaga de vapor), que hizo a la locomotora útil en la práctica. En 1825 construyó una locomotora de vapor para el primer ferrocarril de pasajeros, de Stockton a Darlington, que podía llevar a 450 personas a 24 km/h (15 mi/h).

La locomotora de vapor *Rocket*, litografía policroma, 1830.
FOTOBANCO

En 1829, asistido por su hijo ROBERT STEPHENSON, construyó su locomotora mejorada, la *Rocket*, la que ganó una competencia de velocidad con 58 km/h (36 mi/h) y se convirtió en el modelo para las locomotoras posteriores. Su empresa fabricó las ocho locomotoras que requirió el nuevo ferrocarril Liverpool-Manchester (1830).

Stephenson, Robert (16 oct. 1803, Willington Quay, Northumberland, Inglaterra–12 oct. 1859, Londres). Ingeniero civil británico y constructor de puentes ferroviarios de gran luz (envergadura). Hijo de GEORGE STEPHENSON, ayudó a su padre en la construcción de la locomotora *Rocket* y de varios ferrocarriles. Tendió un puente de hierro de seis arcos sobre el río Tyne para el ferrocarril de Newcastle a Berwick que estaba construyendo. Llamado a construir un puente ferroviario seguro sobre el estrecho de Menai en Gales, Stephenson concibió un diseño tubular único en su género, cuyo éxito lo llevó a construir otros puentes tubulares tanto en Inglaterra como en otros lugares.

Steptoe, Patrick y Edwards, Robert (9 jun. 1913, Witney, Oxfordshire, Inglaterra–21 mar. 1988, Canterbury, Kent) (n. 27 sep. 1925, Yorkshire). Investigadores médicos británicos. Perfeccionaron la fecundación humana "*in vitro*", lo que condujo al nacimiento del primer "niño de probeta" en 1978. Steptoe había investigado sobre esterilización e infertilidad y publicó *Laparoscopy in Gynaecology* [Laparoscopia en ginecología] (1967). En 1968 Edwards logró fecundar óvulos humanos fuera del útero. Su asociación, que comenzó en 1968, tuvo como resultado el nacimiento de más de 1.000 criaturas.

Sterkfontein Uno de los tres sitios arqueológicos contiguos en Sudáfrica (los otros son Kromdraai y Swartkrans) en los que se han encontrado restos fósiles de HOMÍNIDOS. Los fósiles descubiertos corresponden, entre otros, al *Australopithecus africanus*, el *A. robustus* (ver AUSTRALOPITHECUS) y el *HOMO ERECTUS*. En 1996, los investigadores desenterraron el esqueleto fósil de un australopiteco, el más completo desde el descubrimiento de LUCY; dicho esqueleto correspondía a un individuo *A. africanus*, con una pelvis semejante a la humana pero con extremidades cuyas proporciones eran similares a las de un chimpancé moderno. En el sitio de Makapansgat, ubicado a 240 km (150 mi) al norte de Sterkfontein, se han encontrado los restos de unos 40 ejemplares de *A. africanus*.

Stern, Isaac (21 jul. 1920, Kremenets, Ucrania, Imperio ruso–22 sep. 2001, Nueva York, N.Y., EE.UU.). Violinista estadounidense de origen ucraniano. Su familia llegó a EE.UU. cuando él era un niño. En 1936 tocó por primera vez con la Sinfónica de San Francisco e hizo su debut en Nueva York a los 17 años. Después de la segunda guerra mundial, empezó a realizar giras con profusión (entre ellas, una a la Unión Soviética en 1956). En 1960 formó un famoso trío junto al pianista Eugene Istomin (n. 1925–m. 2003) y al violonchelista Leonard Rose (n. 1918–m. 1984). Fue una figura crucial para salvar al Carnegie Hall de la demolición; contribuyó a establecer el National Endowment for the Arts y fue una presencia clave en la vida musical de Israel.

Stern Magazin Semanario alemán. Fundado en 1948, se hizo conocido rápidamente por la excelencia de sus fotografías y por alternar textos livianos con otros más profundos. Su tratamiento franco de temas de índole sexual ayudó a fomentar la popularidad de la revista. Junto con sus ensayos, perfiles de celebridades, entrevistas y otros textos, combina impactantes fotografías con noticias convencionales y fotografías de eventos de actualidad.

Josef von Sternberg.
CULVER PICTURES

Sternberg, Josef von *orig.* **Jonas Stern** (29 may. 1894, Viena, Austria–22 dic. 1969, Hollywood, Cal., EE.UU.). Director de cine estadounidense de origen austríaco. Emigró a Nueva York junto a su familia judía ortodoxa siendo un niño, y en 1923 ya era guionista y camarógrafo en Hollywood. En 1927 realizó su primer largometraje de mafiosos importante, *La ley del hampa*. Sus películas se destacaron por los sorprendentes efectos visuales y el uso de luz y sombra para crear atmósferas. En Alemania realizó *El ángel azul* (1930), que elevó a la actriz MARLENE DIETRICH a la categoría de estrella internacional. Juntos regresaron a Hollywood, y fue su director en *Marruecos* (1930), *El expreso de Shangai* (1932), *La Venus rubia* (1932), *Capricho imperial* (1934) y *El diablo es una mujer* (1935). Posteriormente, su carrera comenzó a declinar; sin embargo, sus últimos filmes *Una aventura en Macao* (1952) y *La saga de Anathan* (1953) concitaron admiración.

Sterne, Laurence (24 nov. 1713, Clonmel, cond. de Tipperary, Irlanda–18 mar. 1768, Londres, Inglaterra). Novelista y humorista inglés. Sterne fue clérigo en York durante muchos años antes de que reluciera su talento en una sátira que escribió al estilo de Swift, para apoyar a su deán en un pleito eclesiástico. Dejó sus parroquias bajo la tutela de un cura, y se tomó el tiempo para escribir *Vida y opiniones del caballero Tristram Shandy* (1759–67), novela experimental publicada en nueve partes y en la cual la historia queda en segundo plano ante las asociaciones libres y las abundantes digresiones del narrador. Es considerada una de las más importantes precursoras de la novela psicológica y de la técnica narrativa flujo de CONCIENCIA. Después de padecer por largo tiempo tuberculosis, Sterne huyó del húmedo aire de Inglaterra, y dio inicio a los viajes que lo inspiraron para escribir *Viaje sentimental por Francia e Italia* (1768), novela cómica que desafía las expectativas convencionales del lector ante un libro de viajes.

Laurence Sterne, detalle de una pintura al óleo de Sir Joshua Reynolds, 1760; National Portrait Gallery, Londres.
NATIONAL PORTRAIT GALLERY, LONDRES

Stettin ver SZCZECIN

Stettinius, Edward Reilly, Jr. (22 oct. 1900, Chicago, Ill., EE.UU.– 31 oct. 1949, Greenwich, Conn.). Estadista e industrial estadounidense. Trabajó en la empresa General Motors Corp. y en 1931 fue uno de sus vicepresidentes. En 1934 se integró a la U.S. Steel Corp. y en 1938 fue presidente del directorio de la empresa. Presidió la War Resources Board (Junta de recursos de guerra) (1939–40) y fue administrador del programa de PRÉSTAMO Y ARRIENDO (1941–43). En calidad de secretario de Estado de EE.UU. (1944–45), asesoró al pdte. FRANKLIN D. ROOSEVELT en la conferencia de YALTA. Encabezó la delegación estadounidense a la conferencia de instauración de la ONU, en San Francisco, y fue el primer delegado de su país a dicha organización (1945–46).

Steuben, Frederick William (Augustus), barón von (17 sep. 1730, Magdeburgo, Prusia–28 nov. 1794, cerca de Remsen, N.Y., EE.UU.). Oficial de la guerra de independencia de EE.UU. de origen alemán. Ingresó al ejército prusiano a los 16 años de edad y fue capitán en la guerra de los Siete Años. Después del conflicto se retiró del ejército y se desempeñó como chambelán de la corte del príncipe de Hohenzollern-Hechingen; en fecha que se desconoce habría recibido el título de barón. Llegó a América del Norte en 1777, recomendado a GEORGE WASHINGTON. Fue destinado a adiestrar a las fuerzas continentales en Valley Forge, Pa.; allí formó una disciplinada fuerza combatiente que sirvió de modelo a todo el Ejército continental. Fue nombrado inspector general del ejército, ascendió a general de división (1778) y ayudó a comandar el sitio de YORKTOWN.

Stevens, George (18 dic. 1904, Oakland, Cal., EE.UU.–8 mar. 1975, Lancaster, Cal.). Director de cine estadounidense. Hijo de actores, Stevens fue director de escena en la compañía de su padre hasta 1921, año en que partió a Hollywood para convertirse en camarógrafo. Fue director de fotografía de numerosas comedias de STAN LAUREL Y OLIVER HARDY antes de dedicarse a la dirección en 1933. Se destacó por sus brillantes técnicas de filmación, su minuciosidad en la ejecución y una visión romántica de la vida. Alcanzó la fama con *Sueños de juventud* (1935) y *En alas de la danza* (1936). Algunas de sus posteriores películas son *La mujer del año* (1942), *Nunca la olvidaré* (1948), *Un lugar en el sol* (1951, premio de la Academia), el clásico *western Raíces profundas* (1953) y *Gigante* (1956, premio de la Academia).

Stevens, John (1749, Nueva York, N.Y.–6 mar. 1838, Hoboken, N.J., EE.UU.). Abogado, ingeniero e inventor estadounidense. Sirvió como coronel en la guerra de independencia estadounidense. Para proteger sus diseños de calderas y máquinas, presentó un proyecto de ley de PATENTES que dio origen al Patent Law de 1790, y que fue la base del sistema de patentes de EE.UU. Fue el primero en emplear una hélice accionada con un motor para propulsar una nave (1802). En 1809, su buque *Phoenix* fue el primer vapor de alta mar del mundo. En Filadelfia, en 1811, inauguró el primer servicio de transbordador de vapor. En 1825 construyó la primera LOCOMOTORA estadounidense de vapor. Urbanizó su propiedad de Nueva Jersey, convirtiéndola en la ciudad de Hoboken. Fue el padre de ROBERT L. STEVENS. Otro hijo, Edwin Augustus Stevens (n. 1795–m. 1868), fue inventor del arado Stevens y constructor pionero de buques de guerra blindados, y estableció el Stevens Institute of Technology, con donación testamentaria. Un tercer hijo, John Cox Stevens (n. 1785–m. 1857), encabezó el grupo que envió el yate *America* a Gran Bretaña, donde ganó la regata que estableció la Copa del AMÉRICA.

Stevens, John Paul (n. 20 abr. 1920, Chicago, Ill., EE.UU.). Jurista estadounidense. Estudió derecho en la Northwestern University y trabajó como asistente en la Corte Suprema de los ESTADOS UNIDOS DE AMÉRICA antes de incorporarse a un estudio jurídico de Chicago, donde se especializó en derecho antimonopolios, dedicándose a la vez a la docencia y al desempeño de diversos cargos públicos. Fue destinado a una Corte de Apelaciones de circuito del sistema federal (1970) por el pdte. RICHARD NIXON y propuesto para ocupar un cargo en la Corte Suprema por el pdte. GERALD FORD (1975). Aunque inicialmente fue percibido como conservador, demostró ser un liberal moderado; en efecto, a medida de que el tribunal se hizo más conservador en la década de 1980 y comienzos de la de 1990, luego de las designaciones de los pdtes. RONALD REAGAN y GEORGE BUSH, Stevens se convirtió quizás en su miembro más liberal.

Stevens, Robert L(ivingston) (18 oct. 1787, Hoboken, N.J., EE.UU.–20 abr. 1856, Hoboken). Ingeniero y diseñador naval estadounidense. Hijo de JOHN STEVENS, realizó la prueba del primer vapor con hélices motrices. Diseñó en 1830 la vía ferroviaria en T invertida y más tarde la traviesa de madera. Encontró que los rieles tendidos sobre durmientes de madera sobre grava proporcionaban un terraplén superior a cualquier otro conocido, cuyo invento aún se usa de manera universal.

Stevens, Thaddeus (4 abr. 1792, Danville, Vt., EE.UU.–11 ago. 1868, Washington, D.C.). Político estadounidense. Ejerció como abogado en Pensilvania, donde defendió a los esclavos prófugos sin cobrar honorarios. En la Cámara de Representantes (1849–53, 1859–68) se opuso a la expansión de la esclavitud a los territorios del Oeste. Después de la guerra de Secesión, en calidad de dirigente de los republicanos radicales, exigió condiciones estrictas para la readmisión de los estados separados. Colaboró en la instalación de la oficina de los LIBERTOS y obtuvo la aprobación de la XIV enmienda a la constitución. Se opuso a las moderadas políticas de RECONSTRUCCIÓN del pdte. ANDREW JOHNSON y presentó la resolución de acusarlo constitucionalmente.

Thaddeus Stevens.
GENTILEZA DE LOS ARCHIVOS NACIONALES, WASHINGTON, D.C.

Stevens, Wallace (2 oct. 1879, Reading, Pa., EE.UU.–2 ago. 1955, Hartford, Conn.). Poeta estadounidense. Stevens ejerció la carrera de abogado en Nueva York antes de unirse en 1916 a una compañía de seguros en Hartford, de la que llegó a ser vicepresidente hasta su fallecimiento. Sus poemas comienzan a aparecer en revistas literarias en 1914. En *Harmonium* (1923), su primer y más brillante libro desde el punto de vista verbal, introdujo el tema esencial de su obra poética y ensayística, y bajo el cual se unifican todas sus ideas: la relación entre imaginación y realidad. En su poesía posterior, recopilada en libros como *Ideas de orden* (1936), *El hombre con guitarra azul* (1937) y *Las auroras de otoño* (1950), siguió explorando este tema con mayor profundidad y rigor. No fue sino hasta bien avanzada su vida que comenzó a ser leído y reconocido como un poeta importante. Recibió el Premio Pulitzer tardíamente en 1955 con sus *Poemas completos*. Se lo considera uno de los más grandes poetas estadounidenses del s. XX.

Stevenson, Adlai E(wing) (5 feb. 1900, Los Ángeles, Cal., EE.UU.–14 jul. 1965, Londres, Inglaterra). Político y diplomático estadounidense. Nieto de un vicepresidente de EE.UU., a partir de 1926 ejerció como abogado en Chicago. Durante la segunda guerra mundial fue asistente del ministro de marina (1941–44) y del secretario de Estado (1945). Se desempeñó como delegado de EE.UU. ante la ONU (1946–47). Como gobernador de Illinois (1949–53), introdujo reformas liberales. Se destacó por su elocuencia e ingenio, y fue dos veces candidato presidencial demócrata (1952, 1956), pero perdió en ambas oportunidades frente a DWIGHT D. EISENHOWER. Más tarde se desempeñó como el representante principal de EE.UU. ante la ONU (1961–65).

Stevenson, Robert Louis (Balfour) (13 nov. 1850, Edimburgo, Escocia–3 dic. 1894, Vailima, Samoa). Ensayista, novelista y poeta escocés. A pesar de haber estudiado leyes, jamás ejerció como abogado. Realizó muchos viajes, en parte para buscar climas apropiados para mitigar su tuberculosis, enfermedad que acabaría con su vida a los 44 años de edad. Se hizo conocido por sus crónicas de viajes como *Viaje en asno por las Cevenas* (1879), y por los ensayos que publicó en revistas y que recogió en el volumen *Virginibus Puerisque* (1881). Sus popularísimas novelas, entre ellas, *La isla del tesoro* (1883), *Secuestrado* (1886), *El extraño caso del doctor Jekyll y Mr. Hyde* (1886) y *El señor de Ballantrae* (1889), fueron escritas en un período de pocos años. *Jardín poético del niño* (1885) es una de las obras más influyentes de literatura infantil del s. XIX. Vivió sus últimos años en Samoa, donde escribió trabajos que apuntan a una nueva madurez. Algunos de los más notables son el cuento "La playa de Falesá" (1892) y la novela *El dique de Hermiston* (1896), obra maestra que no alcanzó a terminar.

Stevin, Simon (1548, Brujas, Flandes–1620, La Haya, Holanda). Matemático flamenco. En 1585 publicó un pequeño panfleto, *La Thiende* (El décimo), en el cual presentó una relación de fracciones decimales y su uso diario. Aun cuando no inventó las fracciones decimales y su notación fuera incómoda, estableció el uso de decimales en la matemática cotidiana.

Stewart, Ellen (n. circa 1920, Alexandria, La., EE.UU.). Directora de teatro estadounidense. En la década de 1950 se mudó a Nueva York donde trabajó como diseñadora de modas. En 1961 fundó el Café La Mama, un teatro experimental que se especializó en espectáculos que amalgamaban música, danza y teatro. Este espacio abrió las puertas a numerosos actores y dramaturgos jóvenes, como Bette Midler y SAM SHEPARD. Stewart se hizo conocida como la madre del circuito teatral Off-Off-Broadway. Una gira de grupos europeos en 1965 convirtió a La Mama en un destino obligado para los directores de vanguardia del viejo continente. Sus numerosas y notables producciones han consolidado a este teatro como una respetada institución y ha obtenido más de 50 premios Obie.

Stewart, Henry ver Lord DARNLEY

Stewart, James (Maitland) (20 may. 1908, Indiana, Pa., EE.UU.–2 jul. 1997, Beverly Hills, Cal.). Actor de cine estadounidense. Debutó en 1935, pero en un principio le fue difícil conseguir roles debido a sus rasgos angulosos y a su lenta y vacilante forma de hablar (tal vez su particularidad más reconocible). Sin embargo, con su actitud cautivadora obtuvo la rápida aceptación del público aficionado al cine, e interpretó a entrañables personajes sencillos e idealistas en *Vive como quieras* (1938) y *Caballero sin espada* (1939) de FRANK CAPRA. Recibió el premio de la Academia como mejor actor por *Historias de Filadelfia* (1940). Después de pilotar bombarderos durante la segunda guerra mundial, protagonizó *¡Qué bello es vivir!* (1946), filme que se convirtió en un clásico navideño. Fue reconocido por sus interpretaciones de personajes tímidos, pero moralmente resueltos. Entre sus numerosas películas se cuentan *Arizona* (1939), *Música y lágrimas* (1954), *El hombre de Laramie* (1955), *Anatomía de un asesinato* (1959), además de los filmes de ALFRED HITCHCOCK, como *La soga* (1948), *La ventana indiscreta* (1954), *El hombre que sabía demasiado* (1955) y *Vértigo* (1958).

James Stewart en *¡Qué bello es vivir!*
CULVER PICTURES

Stewart, Potter (23 ene. 1915, Jackson, Mich., EE.UU.–7 dic. 1985, Hanover, N.H.). Jurista estadounidense. Estudió derecho en la Universidad de Yale y fue admitido en la asociación de abogados de los estados de Nueva York y Ohio en 1941. Después de establecerse en Cincinnati, se desempeñó en el consejo comunal y como vicealcalde antes de ser designado integrante de una Corte de Apelaciones de EE.UU. en 1954. En 1958, el pdte. Dwight D. Eisenhower lo designó para integrar la Corte Suprema de los Estados Unidos de América, donde se desempeñó hasta 1981. De postura moderada, redactó el voto de mayoría en el caso Shelton v. Tucker, en el que se declaró inconstitucional la exigencia de que los profesores informaran acerca de las asociaciones a que pertenecían, y también redactó la memorable declaración de disentimiento en Miranda v. Arizona, en la que sostuvo que el fallo del tribunal le entregaba demasiada protección a los inculpados y minaba la capacidad de la policía para hacer cumplir la ley. Quizás se lo recuerda más que nada por resumir lo difícil que es definir obscenidad, al señalar en un dictamen concordante que "lo reconozco cuando lo veo".

Stibitz, George Robert (20 abr. 1904, York, Pa., EE.UU.–31 ene. 1995, Hanover, N.H.). Matemático e inventor estadounidense. Obtuvo un Ph.D. en la Universidad de Cornell. En 1940, junto con Samuel Williams, un colega en los Laboratorios Bell, construyó la calculadora de números complejos, considerada una precursora de la computadora digital. Logró la primera operación computacional remota mediante el ingreso de datos vía teletipo, y fue pionero de las aplicaciones computacionales en el área biomédica, como el movimiento de oxígeno en los pulmones, la estructura de las células cerebrales, la difusión de nutrientes y medicamentos en el cuerpo, y el transporte capilar. Poseedor de 38 patentes, fue incorporado al Salón de la Fama de los inventores en 1983.

stick, estilo Estilo de diseño residencial popular en EE.UU. en las décadas de 1860–70, antecesor del estilo shingle. El *stick* propiciaba un efecto que imitaba una construcción de madera, con tablas adosadas a los muros exteriores, de tal manera que sugerían la estructura de marcos subyacente. Otros elementos característicos del estilo son: verandas abiertas con trabajo en madera, vanos cuadrados sobresalientes, techos empinados a dos aguas con aleros sobresalientes. Se subrayaban los elementos angulares y verticales, y aunque se asoció con el gótico Carpenter, el estilo *stick* recurrió menos al adorno superfluo. También marcó el comienzo de viviendas de planta baja, amplia y abierta. Charles S. y Henry M. Greene lograron reinterpretar el estilo a principios del s. XX.

Stickley, Gustav (9 mar. 1858, Osceola, Wis., EE.UU.–21 abr. 1942, Syracuse, N.Y.). Diseñador estadounidense y fabricante de mobiliario. Aprendió el oficio en la fábrica de sillas de propiedad de un tío suyo. Después de hacerse cargo de la fábrica, se trasladó al estado de Nueva York, primero a Binghamton y luego a Syracuse. Influenciado por el Arts and Crafts Movement y por las visitas a las antiguas misiones del sudoeste de Norteamérica, c. 1900 introdujo una original línea de muebles de roble macizo. Con el fin de difundir sus ideas y diseños publicó la influyente revista *The Craftsman* (1901–16). En 1916, sus dos hermanos menores fundaron una empresa mobiliaria de diseños propios, y lo llamaron estilo Misión, cuyo nombre sigue aún vigente.

Stiegel, Henry William *orig.* **Heinrich Wilhelm Stiegel** (13 may. 1729, cerca de Colonia, [Alemania]–10 ene. 1785, Charming Forge, Pa., EE.UU.). Maestro fundidor y fabricante de vidrio estadounidense, de origen alemán. Luego de llegar a Filadelfia en 1750, rápidamente se convirtió en un próspero maestro fundidor. En 1762 adquirió una enorme extensión de tierra en el condado de Lancaster y erigió el pueblo de Manheim, donde fundó la American Flint Glassworks. Desde ahí, trajo al país vidrieros venecianos, alemanes e ingleses para fabricar vasijas de uso doméstico y vajilla azul, violeta, verde y transparente, de alta calidad. Llegó a ser dueño de tres mansiones, gracias a la fortuna que amasó y fue conocido por todos los lugareños. Sin embargo, su estilo derrochador y las condiciones económicas adversas, finalmente lo llevaron a la bancarrota.

Alfred Stieglitz, 1934.
IMOGEN CUNNINGHAM

Stieglitz, Alfred (1 ene. 1864, Hoboken, N.J., EE.UU.–13 jul. 1946, Nueva York, N.Y.). Fotógrafo y galerista de arte moderno estadounidense. En 1881, su acomodada familia lo llevó a Europa para continuar sus estudios. En 1883 abandonó la carrera de ingeniería en Berlín, para dedicarse a la fotografía. De regreso en EE.UU. (1890), realizó con éxito las primeras fotografías límpidas centradas en la nieve, lluvia y tomas nocturnas. En 1902 fundó el grupo Photo-Secession, cuyo intento era elevar la fotografía a la categoría de arte. Quizás sus mejores fotografías sean dos series (1917–27): una de retratos de su esposa, Georgia O'Keeffe, y la otra, de formas nubosas que correspondían a experiencias emocionales. Sus fotografías fueron las primeras en ser exhibidas en importantes museos estadounidenses. Además, fue el primero en exhibir en su galería "291" de Nueva York obras de pintores modernos, europeos y estadounidenses, cinco años antes del Armory Show.

Stiernhielm, Georg *orig.* **Jöran Olofsson** *o* **Georgius Olai** *o* **Göran Lilia** (7 ago. 1598, Vika, Suecia–22 abr. 1672, Estocolmo). Poeta y erudito sueco, conocido como "el padre de la poesía sueca". A partir de 1640 sirvió como poeta residente de la corte de la reina Cristina. Su obra más importante es la epopeya alegórica y didáctica *Hércules* (1658), un sermón sobre la virtud y el honor y constituye un excelente ejemplo del clasicismo del Bajo Renacimiento. Ejerció gran influencia en el desarrollo de la poesía sueca. Sus poemas fueron recopilados en *Swedish Muses* [Musas suecas] (1668).

Georg Stiernhielm, detalle de una pintura al óleo de D.K. Ehrenstrahl, 1663; castillo de Gripsholm, Suecia.
GENTILEZA DEL SVENSKA PORTRATTARKIVET, ESTOCOLMO

Stigand (m. 22 feb. 1072). Arzobispo de Canterbury (1052–70). Ofició de mediador en el proceso de paz entre Eduardo el Confesor y el conde Godwine (1052) y fue nombrado arzobispo de Canterbury cuando huyó su par normando. No fue aceptado sino hasta 1058, y aun así solo por el antipapa Benedicto X, después de cuya destitución Stigand fue excomulgado por el papa Nicolás II. Su permanencia en el cargo de arzobispo fue una de las razones por las que el papa apoyó, en 1066, la conquista normanda (ver Guillermo I).

Stigler, George J(oseph) (17 ene. 1911, Renton, Wash., EE.UU.–1 dic. 1991, Chicago, Ill.). Economista estadounidense. Obtuvo un Ph.D. en la Universidad de Chicago. Fue profesor en diversas instituciones y en 1977 fundó el Center for the Study of the Economy and the State en la Universidad de Chicago. Stigler estudió la economía de la información y amplió el concepto tradicional de la forma en que operan los mercados eficientes. También estudió la regulación pública y concluyó que esta habitualmente va en perjuicio de los intereses de los consumidores. Obtuvo el Premio Nobel de Ciencias Económicas en 1982.

Stiglitz, Joseph E. (n. 9 feb. 1943, Gary, Ind., EE.UU.). Economista estadounidense. Obtuvo un Ph.D. (1967) en el Instituto Tecnológico de Massachusetts y fue profesor de varias universidades, entre ellas, Yale, Harvard, Stanford y Columbia. Entre 1997 y 2000 fue economista principal del Banco Mundial, pero a menudo disentía de las políticas de la organización. Stiglitz contribuyó al establecimiento de la economía del desarrollo moderna y cambió el modo de pensar de los economistas en cuanto a la forma en que funcionan los mercados. Sus estudios sobre información asimétrica en el mercado demostraron que quienes poseen escasa información pueden obtenerla de quienes están mejor informados mediante un proceso de averiguación de antecedentes, p. ej., cuando las compañías de seguros determinan los factores de riesgo de sus clientes. En 2001 compartió el Premio Nobel de Ciencias Económicas con GEORGE A. AKERLOF y A. MICHAEL SPENCE.

Stijl, De (holandés: "El Estilo"). Grupo de artistas holandeses fundado en 1917, en el que participaron THEO VAN DOESBURG y PIET MONDRIAN. El grupo defendía un estilo utópico: "la armonía universal de la vida". Su ideal de pureza y orden en la vida y la sociedad, así como en el arte, refleja la formación calvinista de sus miembros. Por medio de su revista, *De Stijl* (1917–31), ejerció influencia en la pintura, las artes decorativas (incluido el diseño de mobiliario), la tipografía, y especialmente en la arquitectura, al tiempo que su estética halló expresión en la BAUHAUS y en el ESTILO INTERNACIONAL.

Still, Clyfford (30 nov. 1904, Grandin, N.D., EE.UU.–23 jun. 1980, Baltimore, Md.). Pintor estadounidense. Estudió en la Universidad de Spokane, y en el Washington State College. Luego de experimentar con varios estilos, se vinculó al EXPRESIONISMO ABSTRACTO, y fue pionero de la pintura monocromática de gran formato. Su obra suele caracterizarse dentro de la rama del expresionismo abstracto, llamada "pintura de superficies cromáticas". Utilizó la aplicación de pintura opaca en capas gruesas (empaste) en formas dentadas y expresivamente moduladas, a fin de retratar el poder bruto y agresivo.

Still, William Grant (11 may. 1895, Woodville, Miss., EE.UU.–3 dic. 1978, Los Ángeles, Cal.). Compositor estadounidense. En un comienzo tuvo la intención de dedicarse a la medicina, pero a cambio estudió música en el Oberlin College, donde aprendió clarinete, oboe y violín. Estudió composición con George Chadwick (n. 1854–m. 1931) y EDGARD VARÈSE. En la década de 1920 trabajó como arreglista para el director de orquestas de baile PAUL WHITEMAN y para el compositor de BLUES W.C. HANDY. El estilo temprano de Still era vanguardista (*From the Black Belt*, 1926), pero c. 1930 buscó el desarrollo de una música artística afroamericana distintiva en cinco sinfonías (entre ellas su *Sinfonía afroamericana*, 1931), ballets, óperas, obras corales y para voz solista.

Stilwell, Joseph W(arren) (19 mar. 1883, Palatka, Fla., EE.UU.–12 oct. 1946, San Francisco, Cal.). Oficial de ejército estadounidense. Egresó de West Point y prestó servicios en la primera guerra mundial. Estudió chino y se desempeñó en Tianjin (1926–29) y como agregado militar en Beijing (1935–39). Al inicio de la segunda guerra mundial, fue jefe del estado mayor del gral. CHIANG KAI-SHEK y estuvo al mando de ejércitos chinos en Birmania (1939–42). Fue comandante de las fuerzas estadounidenses en China, Birmania e India, y supervisó la construcción de la ruta STILWELL, enlace militar estratégico con la carretera de Birmania. Ascendió a general (1944) y estuvo al mando del 10° ejército de EE.UU. en el Pacífico (1945–46).

Stilwell, ruta *ant.* **ruta Ledo** Antigua carretera militar de Asia. Tenía 769 km (478 mi) de largo y conectaba el nordeste de India con la carretera de BIRMANIA. Fue construida por ingenieros del ejército de EE.UU. y tropas chinas durante la segunda guerra mundial para conectar los terminales ferroviarios de Ledo (India) y Mogaung (Birmania). Llamada así en honor del gral. JOSEPH STILWELL, entraba en Birmania (Myanmar) por el difícil paso de Pangsau, en los montes Patkai.

Stimson, Henry L(ewis) (21 sep. 1867, Nueva York, N.Y., EE.UU.–20 oct. 1950, Huntington, N.Y.). Estadista estadounidense. De profesión abogado, ocupó los cargos de ministro de guerra (1911–13), gobernador de Filipinas (1927–29), y secretario de Estado (1929–33). Cuando ocurrió la ocupación japonesa de Manchuria (1931), envió una nota diplomática a Japón, cuyo contenido se conoció como doctrina Stimson, en la que se negó a reconocer los cambios territoriales y reafirmó los derechos de EE.UU. en virtud de diversos tratados. En su calidad de ministro de guerra (1940–45), supervisó la ampliación y capacitación de las fuerzas estadounidenses en la segunda guerra mundial. Fue el principal asesor de FRANKLIN D. ROOSEVELT y de HARRY TRUMAN en política nuclear y recomendó el bombardeo atómico de Hiroshima y Nagasaki.

Stirling Ciudad y región administrativa (pob., 2001: 86.212 hab.) en el centro-sur de Escocia. Situada a orillas del río FORTH, existen evidencias de haber sido un asentamiento de los PICTOS. En c. 1130 se convirtió en burgo real y en residencia real en 1226. Fue cuna de JACOBO II y escenario de la coronación de MARÍA I ESTUARDO, y de Jacobo VI (más tarde JACOBO I). Cerca de ella se libraron dos batallas: la del puente de Stirling (1297), en que las tropas escocesas derrotaron a los ingleses, y la de BANNOCKBURN (1314). Stirling prosperó hasta mediados del s. XVI y compartió con EDIMBURGO los privilegios de una ciudad capital. Después de la unión de las coronas escocesa e inglesa en 1603, dejó de tener un papel destacado. En la actualidad es el centro comercial de una región agrícola. También destaca por la fabricación de productos electrónicos, así como de papel, malta, cerveza y destilerías. Stirling es la capital y la principal ciudad de la región administrativa.

La Neue Staatsgalerie, diseñada por Sir James Stirling y Michael Wilford, Stuttgart, Alemania.

PER-ANDRE HOFFMAN/LOOK/GETTY IMAGES

Stirling, Sir James (Frazer) (22 abr. 1926, Glasgow, Escocia–25 jun. 1992, Londres, Inglaterra). Arquitecto escocés. Comenzó trabajando (1956–63) en el nuevo estilo brutalista (ver BRUTALISMO) con su socio James Gowan. Su edificio de la escuela de ingeniería en la Universidad de Leicester (1963), con sus formas cristalinas precisas, le trajo temprana fama. Desde 1971 trabajó con Michael Wilford. En la década de 1970 desarrolló su propio sello del POSMODERNISMO usando una abstracción geométrica compleja, colores audaces y elementos clásicos. La Neue Staatsgalerie (1977–84) en Stuttgart, Alemania, está dentro de sus propuestas más logradas. En 1981 recibió el Premio Pritzker de Arquitectura.

stoa En la arquitectura griega, una COLUMNATA autoestable o un pórtico; también, un edificio largo y abierto con su techo apoyado en una o más filas de columnas paralelas a su muro posterior. La *stoa* bordeaba el mercado y santuarios y constituía un lugar de tiendas y paseo público. A veces había habitaciones tras las columnatas y en algunas ocasiones se agregaba un segundo piso. La *stoa* de Atalo en Atenas (s. II AC), un edificio grande y elaborado de dos pisos, con una hilera de tiendas en la parte posterior, es un excelente ejemplo.

Stockhausen, Karlheinz (n. 22 ago. 1928, Mödrath, cerca de Colonia, Alemania). Compositor alemán. Quedó huérfano durante la segunda guerra mundial y consiguió su sustento con diversos empleos (entre ellos como pianista de jazz) antes de ingresar en la Academia musical del estado de Colonia en 1947. Después de escuchar la música de OLIVIER MESSIAEN en Darmstadt en 1951, comenzó a estudiar con ese compositor y a experimentar con el SERIALISMO. Entre sus primeras obras figuran *Kontrapunkte* y *Klavierstücke I–IV* (1952–53). También se involucró con la *musique concrète*, técnica que emplea sonidos grabados como materia prima; para su notable *Cántico de los tres jóvenes* (1956) usó la grabación de la voz de un niño soprano sumamente procesada y mezclada con sonidos electrónicos. Su extensión de los principios del serialismo continuó en piezas como *Zeitmasse* (1956) y *Gruppen* (1957), y se convirtió en uno de los principales voceros de la vanguardia. Su *Momente* (1964), de gran influencia, aplicó el serialismo a grupos de sonidos más que restringirlo a tonos (alturas), y además empezó a incorporar elementos aleatorios (de azar). Desde fines de la década de 1960 concibió proyectos aún más ambiciosos, algunos incorporando literatura, danza y ritual, como en la serie *Luz* (1977–2003).

Stockport Ciudad y distrito metropolitano (pob., 2001: 284.544 hab.) en el noroeste de Inglaterra. Se constituyó en ciudad en 1220. El asentamiento original fue construido en un desfiladero en la confluencia de los ríos Támesis y Goyt que dan origen al MERSEY. La ciudad actual se extendió sobre terrenos más elevados. En el s. XIX fue importante la producción de hilado de algodón; en el s. XX con la diversificación llegó la industria electrónica y de ingeniería pesada. Al formar parte de la región metropolitana del GRAN MANCHESTER, este distrito metropolitano incluye, además de Stockport propiamente tal, la zona urbana de Cheadle, las ciudades de Bramhall, Romiley y Marple así como zonas rurales.

Stockton Ciudad (pob., 2000: 243.771 hab.) en el centro del estado de California, EE.UU. Se ubica junto al río SAN JOAQUÍN y se conecta con la bahía de SAN FRANCISCO por el canal de San Joaquín, de 126 km (78 mi); es uno de los dos puertos fluviales del estado. Fue fundada en 1847 y se desarrolló rápidamente como punto de abastecimiento para los mineros durante la FIEBRE DEL ORO de 1849. Con la introducción de canales de regadío y la llegada del ferrocarril, se convirtió en mercado de productos agrícolas y vinícolas. Con el término del canal en 1933 se convirtió en un puerto importante y centro de abastecimiento para las operaciones militares del Pacífico.

Stockton, Robert F(ield) (20 ago. 1795, Princeton, N.J., EE.UU.–7 oct. 1866, Princeton). Oficial naval estadounidense. Ingresó a la marina de EE.UU. y ascendió al grado de capitán de navío (1838). Cuando estalló la guerra mexicano-estadounidense, tomó el mando de las fuerzas terrestres y navales en la actual California y, el 13 de agosto de 1846, capturó Los Ángeles, entonces bastión mexicano. Cuatro días más tarde instaló un gobierno civil, anexó oficialmente California a EE.UU., y se autodesignó gobernador. Junto con el cnel. STEPHEN KEARNY y sus soldados desbarató un levantamiento mexicano y traspasó toda la provincia a EE.UU. En 1850 renunció a la marina y fue elegido senador. La ciudad de Stockton fue bautizada en su honor.

Stoker, Bram *orig.* **Abraham Stoker** (8 nov. 1847, Dublín, Irlanda–20 abr. 1912, Londres, Inglaterra). Escritor irlandés. Postrado en cama hasta los siete años de edad, Stoker llegó a ser un sobresaliente atleta. Permaneció en el servicio civil durante diez años, además de ser el representante del actor Henry Irving por 27 años, en cuyo nombre dirigió cartas a sus empleadores y a quien acompañó en las giras. Durante este período comenzó a escribir ficción. Su obra maestra es una novela gótica de inmensa popularidad, *Drácula* (1897). Inspirada en diversas leyendas de vampiros, la historia dio inicio a todo un género literario y fílmico. Ninguna de sus otras obras, ni siquiera *The Lair of the White Worm* [La guarida del gusano blanco] (1911), alcanzaron la calidad narrativa ni popularidad de su obra maestra.

Stokes, William (1 oct. 1804, Dublín, Irlanda–10 ene. 1878, Howth, cerca de Dublín). Médico irlandés. Se tituló en medicina en la Universidad de Edimburgo y regresó a Dublín, donde animó a los estudiantes a trabajar, bajo supervisión de la facultad, en las salas de hospital y a adquirir una formación tanto general como médica. Sucedió a su padre como profesor de medicina en la Universidad de Dublín. Entre sus publicaciones figuran *A Treatise on the Diagnosis and Treatment of Diseases of the Chest* [Tratado sobre el diagnóstico y tratamiento de las enfermedades del tórax] (1837), *The Diseases of the Heart and Aorta* [Las enfermedades del corazón y la aorta] (1854), y uno de los primeros trabajos en inglés acerca del estetoscopio.

Leopold Stokowski.
EB INC.

Stokowski, Leopold (Anthony) *orig.* **Antoni Stanislaw Boleslawawicz Stokowski** (18 abr. 1882, Londres, Inglaterra–13 sep. 1977, Nether Wallop, Hampshire, EE.UU.). Director de orquesta y organista estadounidense de origen británico. Estudió en el Royal College of Music y en la Universidad de Oxford. Después de desempeñarse como organista y dirigir varios conciertos, se convirtió en director de la Sinfónica de Cincinnati (1909–12) con gran éxito. Luego se trasladó a la Orquesta de Filadelfia y en 1912–38 la convirtió en un conjunto de prestigio mundial al crear el exuberante "sonido de Filadelfia". Programó copiosa música contemporánea y fue un adelantado en comprender la importancia de la grabación. Hizo tres filmes con la Orquesta de Filadelfia, entre ellos *Fantasía* de WALT DISNEY (1940), y usó su fama para fomentar el establecimiento de nuevas organizaciones musicales, entre ellas, la American Symphony Orchestra, que formó en 1962. Su fuerte defensa a la nueva música contribuyó en gran medida para ampliar el gusto musical estadounidense.

Stolipin, Piotr (Arkádievich) (14 abr. 1862, Dresde, Sajonia–18 sep. 1911, Kíev, Ucrania, Imperio ruso). Político ruso. Nombrado gobernador de las provincias de Grodno (1902) y Sarátov (1903), mejoró las condiciones de los campesinos, mientras que simultáneamente contenía sus rebeliones. Ganó el favor del zar NICOLÁS II y fue nombrado ministro del interior y primer ministro en 1906. Inició reformas agrarias que dieron a los campesinos mayor libertad para elegir representantes a los consejos, ZEMSTVO, y para adquirir tierra, lo que pensó crearía una clase de agricultores leales y conservadores. Sus medidas represivas contra rebeldes y terroristas le granjearon la enemistad de los liberales. Disolvió la DUMA cuando esta se opuso a

Piotr Stolipin.
H. ROGER-VIOLLET

sus reformas, pero luego obtuvo el apoyo de los moderados. Fue asesinado por un revolucionario en 1911.

Stoller, Mike ver Jerry LEIBER

Stone, Edward Durell (9 mar. 1902, Fayetteville, Ark., EE.UU.–6 ago. 1978, Nueva York, N.Y.). Arquitecto estadounidense. Después de obtener su título de arquitecto viajó por Europa y luego se incorporó a la empresa neoyorquina que diseñó el Radio City Music Hall. En 1936 formó su propia oficina de arquitectura. Exponente destacado del estilo INTERNACIONAL, diseñó el Hotel Panamá en la Ciudad de Panamá (1946), la embajada de EE.UU. en Nueva Delhi (1954), el pabellón de EE.UU. en la Feria Mundial de Bruselas (1958), el KENNEDY CENTER FOR THE PERFORMING ARTS en Washington, D.C. (1964) y el edificio Amoco en Chicago (1969). También fue profesor en las universidades de Nueva York (1927–42) y de Yale (1946–52).

Stone, Harlan Fiske (11 oct. 1872, Chesterfield, N.H., EE.UU.–22 abr. 1946, Washington, D.C.). Jurista estadounidense. Estudió en la escuela de derecho de la Universidad de Columbia y más tarde ejerció la profesión mientras se desempeñaba como decano (1910–23). El pdte. CALVIN COOLIDGE lo designó fiscal general de EE.UU. en 1924; durante el tiempo que se desempeñó en el cargo reorganizó el FBI cuya reputación había quedado manchada luego del escándalo del TEAPOT DOME y otros. En 1925, Coolidge lo designó para acceder a la Corte Suprema de los ESTADOS UNIDOS DE AMÉRICA, y en 1941 el pdte. FRANKLIN D. ROOSEVELT lo ascendió a presidente de dicho tribunal, cargo que conservó hasta su muerte. Redactó más de 600 dictámenes, muchos de ellos sobre importantes cuestiones constitucionales. No obstante, con frecuencia tuvo menos éxito en establecer un consenso entre sus colegas magistrados, ya que durante su presidencia el tribunal fue a menudo un organismo enconadamente dividido.

Stone, Lucy (13 ago. 1818, West Brookfield, Mass., EE.UU.–18 oct. 1893, Dorchester, Mass.). Pionera estadounidense en el movimiento a favor del SUFRAGIO FEMENINO. Egresó del Oberlin College (1847) y dio conferencias en nombre de la Sociedad antiesclavitud de Massachusetts. Comenzó su labor de activista en favor de los derechos femeninos y en la década de 1850 colaboró en la organización de convenciones sobre la materia. Cuando se casó con Henry Blackwell (n. 1825–m. 1909) conservó su apellido de soltera en protesta contra las leyes desiguales que se aplicaban a las mujeres casadas; mujeres que hicieron lo mismo en años posteriores se autodenominaban "Lucy Stoners". En 1869 los Stone-Blackwell colaboraron en la formación de la American Woman Suffrage Association y fundaron la influyente revista pro sufragio *Woman's Journal*, la que dirigieron hasta la muerte de ambos. Les ayudó en esta tarea su hija, Alice Stone Blackwell (n. 1857–m. 1950), quien se desempeñó como jefa de redacción (1893–1917).

Lucy Stone, sufragista estadounidense.

GENTILEZA DE LA BIBLIOTECA DEL CONGRESO, WASHINGTON, D.C.

Stone, Oliver (n. 15 sep. 1946, Nueva York, N.Y., EE.UU.). Director de cine estadounidense. Estudió en la Universidad de Yale, y combatió en Vietnam antes de estudiar cine en la Universidad de Nueva York. Debutó como director con *Seizure* (1974) y escribió guiones para numerosas películas que se distinguieron por su violencia y ritmo veloz, entre las que se cuenta *Expreso de medianoche* (1978). Escribió y dirigió *Pelotón* (1986, premio de la Academia), basada en su experiencia en Vietnam, y continuó con otros largometrajes como *Wall Street* (1987), *Nacido el 4 de julio* (1989, premio de la Academia), *JFK* (1991), *Asesinos por naturaleza* (1994) y *Nixon* (1995). Varias de sus películas destacan por su carácter contestatario y por sus frecuentes interpretaciones controvertidas de ciertos sucesos históricos. Entre su filmografía reciente se cuentan *Camino sin retorno* (1997), *Un domingo cualquiera* (1999) y *Alejandro Magno* (2004).

Stonehenge, famoso monumento megalítico, Wiltshire, Inglaterra.

ARCHIVO EDIT. SANTIAGO

Stonehenge Conjunto megalítico circular erigido en tiempos prehistóricos y ubicado cerca de Salisbury, Wiltshire, Inglaterra. Se cree fue construido en tres etapas principales c. 3100–c. 1550 AC. Se desconocen las razones de su construcción, pero se piensa que fue un lugar de culto y de rituales. Se han enunciado diversas teorías sobre su propósito específico (p. ej., para la predicción de ECLIPSES), pero ninguna ha sido probada. Las piedras erigidas durante la segunda fase de construcción (c. 2100 AC) estaban alineadas con la salida del sol durante el SOLSTICIO de verano, lo que sugiere una conexión ritual con dicho evento.

Stono, rebelión de (1739). El mayor levantamiento de esclavos en las colonias de América del Norte. En la mañana del 9 de septiembre, numerosos esclavos se reunieron cerca del río Stono, a 30 km (20 mi) de Charleston, S.C., asaltaron una tienda de armas de fuego y marcharon en dirección sur, ejecutando a su paso a más de 20 blancos. Otros esclavos se unieron a la rebelión hasta que el grupo contó con unos 60 hombres. Colonos blancos armados salieron tras ellos y al atardecer la mitad de los esclavos había muerto y la otra mitad había escapado; en su mayoría terminaron capturados y ejecutados. Tal vez los esclavos pensaron llegar a San Agustín, Fla., donde los españoles ofrecían libertad y tierras a todo fugitivo. Los colonos blancos no tardaron en aprobar la Negro Act, ley que limitó aún más la condición de los esclavos.

Stoppard, Sir Tom *orig.* **Tomas Straussler** (n. 3 jul. 1937, Zlín, Checoslovaquia). Dramaturgo británico de origen checo. Después de residir junto a su familia en Asia oriental durante la segunda guerra mundial, se mudó a Inglaterra y adoptó el apellido de su padrastro. Su primera obra, *A Walk on the Water*, fue llevada a la televisión en 1963, y se consagró con la pieza del teatro del absurdo *Rosencrantz y Guildenstern han muerto* (1966; película, 1990). Entre sus obras posteriores, que se caracterizaron por su magnífico uso del lenguaje, ingeniosas tramas y un cómico interés por algunos hitos históricos fundamentales, figuran *Acróbatas* (1972), *Cada buen chico merece atención* (1977; con música de ANDRÉ PREVIN), *Lo auténtico* (1982) y *Arcadia* (1993). También ha escrito radioteatros y guiones como los de *El imperio del sol* (1987) y *Shakespeare enamorado* (1998, premio de la Academia). En 1997, le fue concedido el título de caballero.

Stornoway *galés* **Steornabhagh** Distrito, puerto y ciudad más grande (pob., 1991: 5.975 hab.) de las islas HÉBRIDAS Exteriores, Escocia. Situado en la isla de Lewis y Harris, Stornoway se desarrolló a partir del s. XVIII como poblado de pescadores. Su principal industria actual es la fabricación del *tweed* de Harris. Es la capital de la región administrativa de Western Isles.

Story, Joseph (18 sep. 1779, Marblehead, Mass., EE.UU.–10 sep. 1845, Cambridge, Mass.). Jurista estadounidense. Después de graduarse de la Universidad de Harvard, ejerció la profesión en Salem, Mass. (1801–11), y se desempeñó en la legislatura del estado y en el Congreso de EE.UU. (1805–11). En 1811, aunque sólo tenía 32 años de edad y carecía de experiencia judicial, fue designado para integrar la Corte Suprema de los ESTADOS UNIDOS DE AMÉRICA por el pdte. JAMES MADISON. Allí se unió a JOHN MARSHALL en la interpretación de la Constitución de EE.UU. de un modo que favoreciera la ampliación de las atribuciones federales. Su fallo en el caso Martin Hunter's v. Lessee (1816) estableció que la Corte Suprema tenía las facultades de un tribunal de alzada en relación con los tribunales superiores de los estados. Durante la época que ejerció el cargo, enseñó en Harvard (1829–45), donde se convirtió en el primer profesor de derecho de la cátedra Dane, cuya fundación financió su influyente serie de comentarios, entre los que destacan *Commentaries on the Constitution of the United States* (1833), *The Conflict of Laws* [Los conflictos de leyes] (1834), y *On Equity Jurisprudence* [Acerca de la jurisprudencia de equidad] (1836). Story y JAMES KENT son considerados los fundadores de la jurisprudencia de equidad en EE.UU.

Joseph Story, fotografía de Mathew Brady.
GENTILEZA DE LA BIBLIOTECA DEL CONGRESO, WASHINGTON, D.C.

Stoss, Veit (1438/47, Suabia–1533, Nuremberg). Escultor y tallador en madera alemán. Entre 1477 y 1496 trabajó principalmente en Polonia. Sus obras más importantes son el majestuoso altar principal de la iglesia de la Santa María en Cracovia (1477–89). Luego de su regreso a Alemania, se radicó en Nuremberg. Tanto en esta ciudad como en Bamberg realizó importantes esculturas en madera y piedra para iglesias. Sus formas nerviosas y angulares, el detalle realista, y su virtuoso tallado de la madera sintetizaron los estilos escultóricos del arte flamenco y danubiano. Ejerció gran influencia sobre la escultura alemana del gótico tardío.

"El arcángel Rafael", escultura en madera de Veit Stoss, 1516–18; Germanisches Nationalmuseum, Nuremberg, Alemania.
GENTILEZA DEL GERMANISCHES NATIONALMUSEUM, NUREMBERG

Stour, río Río en el este de Inglaterra. Nace en CAMBRIDGESHIRE oriental y avanza en dirección este pasando por Anglia Oriental, donde demarca gran parte de la frontera entre SUFFOLK y ESSEX. Atraviesa campos que han cobrado fama gracias a los cuadros de JOHN CONSTABLE. Tras un recorrido de 76 km (47 mi), desemboca en el mar del Norte, en Harwich.

Stowe, Harriet Beecher *orig.* **Harriet Elizabeth Beecher** (14 jun. 1811, Litchfield, Conn., EE.UU.–1 jul. 1896, Hartford, Conn.). Escritora y filántropa estadounidense. Hija del célebre ministro congregacionalista Lyman Beecher (n. 1775–m. 1863) y hermana de HENRY WARD BEECHER y CATHARINE ESTHER BEECHER, dictó clases en las escuelas de Hartford y Cincinnati, donde tuvo la oportunidad de conocer esclavos prófugos y aprender sobre la vida en el Sur. Tiempo después se trasladó a Maine con su esposo, un profesor de teología. Su novela antiesclavista *La cabaña del tío Tom* (1852) tuvo tal impacto sobre la vida política del país, que muchas personas (entre ellas, ABRAHAM LINCOLN) sostuvieron que había sido una de las causas de la guerra civil estadounidense. Entre sus otras obras se cuentan las novelas *Dred* (1856), donde ataca nuevamente la esclavitud, y *El galanteo del ministro* (1859).

Strabane *irlandés* **An Srath Bán** Ciudad, capital y distrito (pob., est. 1995: 36.000 hab.) de Irlanda del Norte. Está conformada por cuencas, tierras bajas onduladas y los páramos de los montes Sperrin. Habitada originalmente por el clan O'Neill del Ulster, la región fue colonizada en el s. XVII por protestantes escoceses. Su economía se sustenta en la ganadería de las tierras bajas, la pesca de salmón en sus numerosos ríos y la industria textil. La ciudad comercial de Strabane (pob., 1991: 12.000 hab.), situada a orillas del río Mourne, es la capital administrativa del distrito.

Strachey, (Giles) Lytton (1 mar. 1880, Londres, Inglaterra–21 ene. 1932, Ham Spray House, cerca de Hungerford, Berkshire). Biógrafo y crítico inglés. Después de estudiar en Cambridge, se convirtió en el líder del grupo de BLOOMSBURY. A pesar de ser abiertamente homosexual, fue durante un tiempo pareja de VIRGINIA WOOLF. Strachey adoptó una actitud irreverente con el pasado y abrió una nueva era en el género biográfico con sus *Victorianos ilustres* (1918), obra compuesta por cuatro esbozos de ídolos victorianos, a quienes retrató como seres humanos multifacéticos y falibles. Fascinado por la personalidad y las motivaciones humanas, retrató a sus personajes con atención a su particular idiosincrasia y con algo de cinismo. También publicó *La reina Victoria* (1921), *Isabel y Essex* (1928), *Retratos en miniatura* (1931) y algunos textos críticos, en especial sobre literatura francesa.

Stradivari, Antonio (n. ¿1644?, Cremona, ducado de Milán–18 dic. 1737, Cremona). Fabricante italiano de instrumentos musicales. Aprendiz de Nicolò AMATI (c. 1666), estableció su propio negocio en Cremona y con el tiempo trabajó con sus hijos Francesco (n. 1671–m. 1743) y Omobono (n. 1679–m. 1742). Aunque elaboró otros instrumentos (como arpas, laúdes, mandolinas y guitarras), pocos se conservan, y después de 1680 se concentró en la fabricación de violines. Tomó distancia del estilo de Amati, y desarrolló (c. 1690) el modelo alargado. Con su método de fabricación de violines impuso un modelo para los tiempos venideros; diseñó la forma moderna del puente del violín y estableció las proporciones del violín moderno: de cuerpo más estrecho y que alcanza un sonido más potente y penetrante que los violines más antiguos. Se considera el período 1700–20 como el cenit de su productividad y calidad.

Strafford, Thomas Wentworth, 1er conde de (13 abr. 1593, Londres, Inglaterra–12 may. 1641, Londres). Político inglés y principal consejero de CARLOS I. Aunque miembro declarado de la oposición, luego fue partidario de la corona cuando se le ofreció una baronía en 1628. Como lord presidente del norte (1628–33), reprimió la oposición a la corona. Como lord diputado de Irlanda (1633–39), consolidó la autoridad real, extendió la colonización inglesa, reformó la administración y aumentó los ingresos de la corona. Fue llamado de regreso para dirigir el ejército de Carlos contra una rebelión escocesa, pero la costosa guerra fue rechazada por el

PARLAMENTO LARGO; como representante de la autoridad del rey, fue censurado por el parlamento en 1640. Recibió acusaciones de subvertir las leyes (había ofrecido traer al ejército irlandés para someter a quienes se oponían al rey en Inglaterra); cuando pareció que podría ser absuelto, JOHN PYM, líder de la Cámara de los Comunes, hizo aprobar una ley de prescripción de los derechos civiles que lo condenó a muerte. Strafford liberó al rey de su promesa de protección, dando este su consentimiento a la ley. Luego fue decapitado ante la presencia de una enorme y jubilosa multitud.

Strand, Paul (16 oct. 1890, Nueva York, N.Y., EE.UU.–31 mar. 1976, Oregeval, Francia). Fotógrafo estadounidense. Estudió fotografía con LEWIS HINE, quien lo instó a frecuentar la galería "291" de ALFRED STIEGLITZ. Las pinturas vanguardistas de PABLO PICASSO, PAUL CÉZANNE y GEORGES BRAQUE que ahí observó lo motivaron a realzar las formas abstractas y el diseño en sus fotografías, como en *Wall Street* (1915). Rechazó el estilo pictorialista de foco suave, en favor de los detalles minuciosos y la riqueza en la variación tonal que le permitía el uso de cámaras de gran formato. Gran parte de su obra posterior se concentró en escenas y paisajes, tanto de América del Norte como de Europa. Colaboró en documentales junto con Charles Sheeler y Pare Lorentz.

Strasberg, Lee *orig.* **Israel Strassberg** (17 nov. 1901, Budzanów, Austria-Hungría–17 feb. 1982, Nueva York, N.Y., EE.UU.). Director y profesor de teatro estadounidense de origen ruso. A la edad de siete años emigró a Nueva York junto a su familia. Después de aprender actuación con profesores que fueron discípulos de KONSTANTÍN STANISLAVSKI, comenzó a trabajar como actor y director de escena en el Theatre Guild. En 1931 participó en la fundación del GROUP THEATRE, para el cual dirigió brillantes obras experimentales como *Men in White* (1933). Después de trabajar en Hollywood (1941–48), regresó a Nueva York para convertirse en el director artístico del ACTOR'S STUDIO, donde amplió las enseñanzas de Stanislavski, para así profundizar en el desarrollo del método de actuación, en el que los actores recurren a su propia memoria emotiva con el fin de descubrir la motivación dramática. Adiestró a actores como MARLON BRANDO, MARILYN MONROE, DUSTIN HOFFMAN, GERALDINE PAGE y Julie Harris.

Strassburg, Gottfried von (vivió c. 1210). Poeta alemán, uno de los más importantes de la Edad Media. Poco se sabe de su vida. Su poema épico cortesano *Tristán e Isolda* (c. 1210) constituye la versión clásica de esa famosa historia de amor. El poema, que no fue terminado, está basado en una versión anglonormanda de la historia, la cual se remonta a las leyendas celtas. Es una de las creaciones más perfectas de la cultura cortesana medieval; se caracteriza por su tono refinado y elevado, y por su técnica magistral.

Strasser, Gregor y Strasser, Otto (31 may. 1892, Geisenfeld, Alemania–30 jun. 1934, Berlín) (10 sep. 1897, Windsheim, Alemania–27 ago. 1974, Munich). Políticos alemanes. Ambos hermanos se unieron al Partido Nazi a principios de la década de 1920. Gregor se convirtió en líder del partido en el norte y formó un movimiento de masas con la ayuda de Otto y el joven JOSEPH GOEBBELS; procuraban atraer a la clase media baja y a los trabajadores con un discurso socialista, expresado en una terminología nacionalista y racista. Otto renunció en 1930, desilusionado por los objetivos no socialistas de ADOLF HITLER. Gregor se convirtió en jefe de la organización política nazi, segundo en el ejercicio del poder después de Hitler, pero finalmente compartió la desilusión de su hermano y renunció en 1932. Gregor fue asesinado por órdenes de Hitler en 1934; Otto escapó al exilio en Canadá y regresó a Alemania en 1955.

Strassmann, Fritz (22 feb. 1902, Boppard, Alemania–22 abr. 1980, Maguncia, Alemania Occidental). Fisicoquímico alemán. Contribuyó a desarrollar el método de DATACIÓN POR RUBIDIO-ESTRONCIO, muy usado en geocronología. En 1934 se unió a las investigaciones que realizaban OTTO HAHN y LISE MEITNER sobre los productos radiactivos que se forman cuando se bombardea uranio con neutrones. En 1938 descubrieron elementos más livianos producidos por bombardeo con neutrones, los cuales eran el resultado de la división del átomo de uranio en dos átomos más livianos (FISIÓN NUCLEAR). En 1946 se incorporó al cuerpo académico de la Universidad de Maguncia, donde estableció el Instituto de química inorgánica (más tarde Instituto de química nuclear), y dirigió el departamento de química del Instituto Max Planck de Química (1945–53).

Stratemeyer, Edward (4 oct. 1862, Elizabeth, N.J., EE.UU.–10 oct. 1930, Newark, N.J.). Escritor estadounidense de literatura juvenil, de gran popularidad. Comenzó a escribir cuentos imitando a HORATIO ALGER y a otros escritores de aventuras y luego pasó a editar varias publicaciones y componer una serie de libros. En 1906 fundó el Stratemeyer Literary Syndicate, que publicaría las series de los Rover Boys, Hardy Boys, Tom Swift, Bobbsey Twins y Nancy Drew, escritas por él mismo y un equipo de escritores, bajo diversos nombres y seudónimos. Después de su muerte, la empresa fue dirigida principalmente por su hija, Harriet Stratemeyer Adams (¿n. 1893?–m. 1982), quien también escribió varios volúmenes para las series.

Stratford, Festival de Festival de teatro canadiense que se realiza durante el verano. Es el primer y más importante TEATRO DE REPERTORIO clásico en América del Norte, fundado por Tom Patterson en Stratford, Ontario, en 1953. El festival cuenta con tres salas de teatro permanentes: el Festival Theatre, con un escenario abierto en 220 grados; el Avon Theatre y el Tom Patterson Theatre, donde sólo se exhiben obras experimentales. El festival se distingue por presentar obras de WILLIAM SHAKESPEARE (Stratford fue escogida como sede porque su nombre coincide con el de la ciudad natal de Shakespeare); sin embargo, también se llevan a escena producciones de otras obras clásicas.

Stratford-upon-Avon Ciudad (pob., est. 1995: 28.000 hab.) de WARWICKSHIRE, Inglaterra. Está situada a orillas del río AVON. Obtuvo la carta de privilegio de ciudad en 1553. Durante siglos fue una ciudad rural mercantil, y se convirtió en centro turístico debido a su vinculación con WILLIAM SHAKESPEARE, quien nació y murió en ella y cuya tumba se encuentra en la iglesia parroquial de Holy Trinity. El Shakespeare Centre alberga una biblioteca y una galería de arte (inaugurados en 1881) y un teatro (inaugurado en 1932). Desde marzo hasta octubre de cada año el Royal Shakespeare Theatre presenta las obras de este dramaturgo.

Stratford-upon-Avon, lugar de nacimiento de William Shakespeare.
PHILIP CRAVEN/ROBERT HARDING IMAGERY/GETTY IMAGES

Strathclyde Reino celta medieval de Escocia. Situado al sur del río CLYDE, se fundó en el s. VI. Su capital era Dumbarton. Los pictos y vikingos destruyeron el reino durante los s. VIII–IX. Sufrió varias derrotas frente a los ingleses, quienes se apoderaron de Strathclyde en el s. X. El rey anglosajón Edmundo I se lo arrendó al rey Malcolm I de Escocia en 945. Pasó a ser una provincia de Escocia en el s. XI después de la muerte de su rey, quien había ayudado a MALCOLM II a derrotar a los ingleses en Carham.

Straus, familia Familia germano-estadounidense de origen judío dedicada al comercio, que se distinguió por su vocación de servicio público y filantropía. Lazarus Straus, patriarca de esta familia originaria de Baviera, emigró a EE.UU. en 1852 con su esposa y tres hijos: Isidor (n. 1845–m. 1912), Nathan (n. 1848–m. 1931) y Oscar Solomon (n. 1850–m. 1926). Instalaron una empresa comercial que les permitió obtener participación en MACY & CO., y lograr el control absoluto de esta en 1896. Isidor fundó la cadena de tiendas por departamento Abraham & Straus, fue miembro del Congreso de EE.UU. durante un breve período y participó en obras filantrópicas. Falleció junto con su esposa a bordo del *TITANIC* tras ceder a su criada el lugar que le correspondía a la señora Straus en el bote salvavidas. Nathan se destacó por su filantropía: distribuía alimentos y carbón en Nueva York, suministró leche pasteurizada a niños de 36 ciudades de EE.UU. durante la depresión de 1892, construyó el primer centro infantil de prevención de la tuberculosis (1909), y suministró alimentos para los pobres de Nueva York durante el cruento invierno de 1914–15. Dedicó los últimos años de su vida a trabajar en la salud pública en Palestina. Oscar fue nombrado secretario de comercio y del trabajo por el pdte. THEODORE ROOSEVELT, por lo que se convirtió en el primer miembro de origen judío del gabinete (1906–09). También prestó servicios como emisario ante la Turquía otomana y como asesor del pdte. WOODROW WILSON. Fue un enérgico defensor de la protección de las minorías judías en Europa.

Strauss, Franz Josef (6 sep. 1915, Munich, Alemania–3 oct. 1988, Ratisbona, Alemania Occidental). Político alemán. Estudió en la Universidad de Munich y fue miembro activo de una organización juvenil católica que se enfrentó a los nazis. Llamado al servicio militar en 1939, fue capturado por fuerzas estadounidenses casi al final de la segunda guerra mundial. Después de su liberación en 1945, ofició de consejero del ministerio del interior bávaro y en 1946 fue nombrado vicegobernador del distrito de Schongau por las autoridades estadounidenses de ocupación. Contribuyó a fundar la UNIÓN SOCIAL CRISTIANA (CSU) bávara en 1945 y fue elegido al Bundestag en 1949. Se desempeñó como ministro de defensa (1956–62) y de finanzas (1966–69). Líder de la CSU desde 1961, fue el candidato del partido a la cancillería en 1980 sin éxito. Como ministro-presidente de Baviera (1978–88), emprendió políticas económicas que hicieron de su estado uno de los más prósperos de Alemania.

Strauss, Johann (Baptist) (25 oct. 1825, Viena, Austria–3 jun. 1899, Viena). Compositor austríaco. Su padre, Johann Strauss el Viejo, fue un músico autodidacta que estableció una dinastía musical en Viena. Violinista, desde 1819 tocó en una orquesta de baile; cuando el conjunto se dividió en dos (1824), se encargó del segundo grupo, para el que empezó a componer valses, galops, polkas y cuadrillas, de modo que con el tiempo publicó más de 250 obras. Como director de la banda de un regimiento local, compuso también marchas, entre ellas la *Marcha Radetzsky*. Johann el Joven dejó a su familia en 1842, y pronto sobrepasó la popularidad y productividad de su padre, llegando a ser conocido como "el rey del vals". Tras inducir a sus hermanos, Josef y Eduard, para que asumieran obligaciones como directores, ganó tiempo para componer los valses sinfónicos, por los cuales es conocido, como *El Danubio azul* (1867) y *Cuentos de los bosques de Viena* (1868). Entre sus operetas figuran la popular *El murciélago* (1874) y *El barón gitano* (1885). El hijo de Eduard, Johann, director de orquesta y compositor en Berlín, fue el último de la dinastía.

Strauss, Richard (Georg) (11 jun. 1864, Munich, Alemania–8 sep. 1949, Garmisch-Partenkirchen). Compositor y director de orquesta alemán. Hijo de un cornista, a la edad de seis años comenzó a componer. Antes de cumplir los 20, ya había realizado estrenos importantes, como dos sinfonías y un concierto para violín. En 1885, el director de la orquesta de Meiningen, HANS VON BÜLOW, nombró a Strauss como su sucesor. Influenciado fuertemente por la obra de RICHARD WAGNER, empezó a componer poemas sinfónicos programáticos para orquesta, entre ellos *Don Juan* (1889), *Las travesuras de Till Eulenspiegel* (1894–95) y *Así habló Zaratustra* (1896). Después de 1900 se concentró en las óperas; su tercera obra en este género, *Salomé* (1903–05), fue un éxito escandaloso. *Electra* (1906–08) marcó el comienzo de una productiva colaboración con el poeta HUGO VON HOFMANNSTHAL, con quien Strauss escribió sus más grandes óperas, entre ellas, *El caballero de la rosa* (1909–10). Durante la segunda guerra mundial permaneció en Austria y tuvo un puesto musical bajo el gobierno alemán, pero posteriormente fue declarado libre de las acusaciones de colaboración con el régimen nazi. Después de varios años de escribir obras menores, compuso varias piezas tardías notables, como *Metamorfosis* (1945) y las *Cuatro últimas canciones* (1948).

Richard Strauss, retrato de Max Liebermann, 1918.

GENTILEZA DEL STAATLICHE MUSEEN ZU BERLIN, ALEMANIA

Stravinski, Ígor (Fiódorovich) (17 jun. 1882, Oranienbaum, Rusia–6 abr. 1971, Nueva York, N.Y., EE.UU.). Compositor estadounidense de origen ruso. Hijo de un cantante de ópera (un bajo), a los 20 años de edad decidió ser compositor y estudió en forma privada con NIKOLÁI RIMSKI-KÓRSAKOV (1902-08). Su obra *Fuegos de artificio* (1908) fue oída por el empresario SERGUÉI DIAGHILEV, quien le encargó la composición del ballet *El pájaro de fuego* (1910); su impresionante éxito lo convirtió en el principal compositor joven de Rusia. A continuación produjo la gran partitura del ballet *Petrushka* (1911). Su siguiente ballet, *La consagración de la primavera* (1913), con sus ritmos variables y audaces y sus disonancias no resueltas, constituyó un hito en la historia de la música; su estreno en París causó un verdadero tumulto en el teatro y el renombre internacional de Stravinski quedó consolidado. A comienzos de la década de 1920 adoptó un estilo radicalmente diferente ligado al neoclasicismo restringido –con empleo frecuente de referencias irónicas a la música antigua– en obras como *Octeto* (1923). Entre sus principales obras neoclásicas figuran *Edipo rey* (1927), la *Sinfonía de los salmos* (1930) y, como punto culminante, la ópera *El progreso del libertino* (1951). A partir de 1954 empleó la técnica de composición conocida como SERIALISMO. Entre sus obras tardías destacan *Agon* (1957) –el último de sus varios ballets, con coreografía de GEORGE BALANCHINE– y *Cánticos de réquiem* (1966).

Strayhorn, Billy *orig.* **William Thomas Strayhorn** (29 nov. 1915, Dayton, Ohio, EE.UU.–31 may. 1967, Nueva York, N.Y.). Pianista, compositor y arreglista estadounidense. En 1938, tomó contacto con el compositor de JAZZ y director de orquestas DUKE ELLINGTON para darle a conocer una composición, y pronto pasó a contribuir con arreglos y obras originales a la orquesta de Ellington. Su "Take the 'A' Train", grabada en 1941, se convirtió en la canción emblemática de la orquesta. Su trabajo se complementaba a tal punto con el de Ellington, que a menudo es imposible distinguir sus respectivas contribuciones. Strayhorn se especializó en baladas expresivas y se destacó por la sofisticación estructural y armónica de piezas como "Lush Life", "Something to Live For", "Passion Flower" y "Day Dream".

streaming En informática, método de transmisión de un archivo multimedia en un flujo continuo de datos que pueden ser procesados en la computadora receptora antes de enviar todo el archivo. El *streaming*, que suele utilizar la COMPRESIÓN DE DATOS, es especialmente efectivo para descargar grandes archivos multimedia de INTERNET; esto permite, por ejemplo, que un vídeo clip comience a ejecutarse en la computadora de un usuario tan pronto como haya comenzado la descarga desde un sitio web. Incluso con módems y velocidades de conexión mejorados, la descarga y ejecución de grandes archivos de audio y vídeo sin el uso de técnicas de *streaming* tomaría muchísimo tiempo. Para recibir datos en *streaming*, la computadora receptora necesita tener un ejecutor, programa que descomprime los datos de entrada y envía las señales resultantes a la pantalla y altavoces. Los archivos de audio y vídeo pueden ser pregrabados, pero el *streaming* también puede colocar un programa en vivo en internet.

Streep, Meryl *orig.* **Mary Louise Streep** (n. 22 jun. 1949, Summit, N.J., EE.UU.). Actriz de cine estadounidense. Estudió en el Vassar College y en la Escuela de Teatro de Yale y después actuó en Broadway y en películas para televisión como *The Deadliest Season* (1977) y *Holocausto* (1978, premio Emmy). Es una actriz de gran expresividad y de una inusual versatilidad, que se consagró en largometrajes como *El francotirador* (1978), *Manhattan* (1979) y *Kramer contra Kramer* (1979, premio de la Academia). Entre sus posteriores películas figuran *La decisión de Sophie* (1982, premio de la Academia), *Silkwood* (1983), *África mía* (1985), *Un grito en la oscuridad* (1988), *Los puentes de Madison* (1995) *Las horas* (2002), *El ladrón de orquídeas* (2002) y *El embajador del miedo* (2004).

Streicher, Julius (22 feb. 1885, Fleinhansen, Alemania–16 oct. 1946, Nuremberg, Alemania Occidental). Demagogo y político nazi alemán. Se unió al PARTIDO NAZI en 1921 y entabló amistad con ADOLF HITLER. En 1923 fundó el semanario antisemita *Der Stürmer*, que difundió las políticas raciales de Hitler. Como uno de los más virulentos defensores de la persecución a los judíos, inició la campaña que condujo a la aprobación de las leyes de NUREMBERG en 1935. Nombrado *gauleiter* (jefe de distrito) de Franconia, sus sádicos excesos le hicieron perder el apoyo de los funcionarios del partido y fue despojado de sus cargos en 1940; sin embargo, continuó como director de *Der Stürmer*, debido a la protección de Hitler. En 1945 fue arrestado por los aliados, procesado en los juicios de NUREMBERG y ejecutado como criminal de guerra.

Streisand, Barbra *orig.* **Barbara Joan Streisand** (n. 24 abr. 1942, Brooklyn, N.Y., EE.UU.). Cantante y actriz estadounidense. Cantó en clubes nocturnos antes de actuar en Broadway en el musical *I Can Get It for You Wholesale* (1962). Se convirtió en una gran estrella con *Funny Girl* (1964; película y premio de la Academia, 1968). Su rico timbre y hermosa voz la convirtieron en una de las cantantes más populares del mundo en las décadas de 1970–80. Prolija actriz cómica y dramática, protagonizó películas como *Hello, Dolly!* (1969), *¿Qué me pasa, doctor?* (1972), *Tal como éramos* (1973) y *Nace una estrella* (1976), y posteriormente dirigió y protagonizó *Yentl* (1983), *El príncipe de la mareas* (1991) y *El amor tiene dos caras* (1996). Durante varios años evitó presentarse en vivo, pero en la década de 1990 realizó una serie de conciertos que superaron todos los récords de taquilla. En 1995 recibió un premio Grammy por los logros de su carrera. Entre sus últimas películas como actriz se cuenta *Los padres de él* (2004).

streltsí (ruso: "mosqueteros"). Cuerpo militar ruso. Establecidos a mediados del s. XVI, los *streltsí* formaron el grueso del ejército ruso por cerca de un siglo y constituyeron la guardia del zar. Transformados en casta militar hereditaria a mediados del s. XVII, sumaban cerca de 55.000 hombres y efectuaban tareas de policía y seguridad en Moscú y en las guarnecidas ciudades fronterizas. En 1682, el cuerpo se vio implicado en la lucha sucesoria que condujo a la regencia de SOFÍA. Cuando esta fue destituida (1689), el cuerpo militar fue disuelto a viva fuerza por PEDRO I; cientos de ellos fueron ejecutados o deportados. El ejército regular absorbió gradualmente a los *streltsí*.

streptomyces Cualquiera de las BACTERIAS filiformes que constituyen el género *Streptomyces*, presentes en el suelo y el agua. Estas bacterias gram positivas (ver tinción de GRAM) aerobias forman una red ramificada, denominada micelio, que al madurar lleva cadenas de ESPORAS. Muchas especies son importantes en la descomposición de la materia orgánica del suelo, pues contribuyen en parte al olor terroso característico de este y de las hojas en descomposición, así como a la fertilidad de la tierra. Ciertas especies producen ANTIBIÓTICOS como la TETRACICLINA y la ESTREPTOMICINA. Ver también ACTINOMICETES.

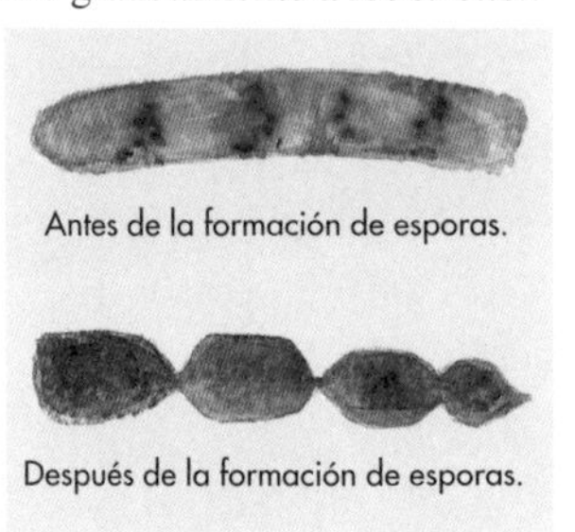

Micelio de *Streptomyces griseus*, bacteria filiforme.

Stresa, conferencia de (1935). Coalición de Francia, Gran Bretaña e Italia formada en Stresa, Italia, para oponerse a la anunciada intención de ADOLF HITLER de rearmar Alemania, hecho que violaba los términos del tratado de VERSALLES. Cuando Italia invadió Etiopía, Francia y Gran Bretaña trataron de conciliar ese hecho con la necesidad de permanecer unidos contra Alemania, pero la coalición pronto se disolvió.

Stresemann, Gustav (10 may. 1878, Berlín, Alemania–3 oct. 1929, Berlín). Canciller y ministro de asuntos exteriores alemán de la República de WEIMAR. Conocido como experto en asuntos municipales y escritor de temas económicos, fue elegido al Reichstag (1907) como miembro del Partido Liberal Nacional. En 1918 fundó el PARTIDO POPULAR ALEMÁN y procuró formar coaliciones con otros partidos democráticos. Como canciller (1923) y ministro de asuntos exteriores (1923–29), trabajó para restablecer el rango internacional de Alemania, con una política de conciliación con las potencias aliadas. Negoció el pacto de LOCARNO, apoyó la revisión de las reparaciones en los planes DAWES y YOUNG, y logró la admisión de Alemania en la Sociedad de Naciones. Compartió el Premio Nobel de la Paz de 1926 con ARISTIDE BRIAND.

Gustav Stresemann.

Strindberg, (Johan) August (22 ene. 1849, Estocolmo, Suecia–14 may. 1912, Estocolmo). Dramaturgo y novelista sueco. Durante sus años como periodista escribió el drama histórico *El maestro Olof* (1872), que fue rechazado por el teatro nacional, y en 1890 recién pudo ser representado. En la actualidad es considerada la primera obra moderna del teatro sueco. Logró la fama con su novela *La cámara roja* (1879), en la que satirizaba los círculos artísticos de Estocolmo. Durante su tormentosa vida contrajo matrimonio tres veces y sufrió épocas de desequilibrio mental. En su etapa más creativa fue un inquieto viajero que deambuló durante seis años por Europa, período en el que escribió sus tres grandes obras: *El padre* (1887), *La señorita Julia* (1888) y *Acreedores* (1890). Estas piezas iconoclastas retrataban la batalla de los sexos mediante una combinación de naturalismo dramático y psicología. Durante este período también escribió tres novelas. Después de sufrir un colapso mental, experimentó una conversión religiosa que lo inspiró a la creación de obras simbólicas como *La danza de la muerte* (1901), *El sueño* (1902), y cinco obras de cámara, entre las que se cuenta *La sonata de los espectros* (1907).

Stroessner, Alfredo (n. 3 nov. 1912, Encarnación, Paraguay). Líder militar y presidente de Paraguay (1954–89). Hijo de un inmigrante alemán, Stroessner ingresó al ejército en 1932 y llegó a ser comandante en jefe, en 1951. Derrocó al pdte. Federico Chávez (n. ¿1881?–m. 1978) y fue el único candidato en las elecciones presidenciales de 1954. Estabilizó la moneda, moderó la inflación y creó algunas escuelas nuevas e instalaciones de salud pública, pero gastó la mitad del ingreso nacional en el estamento militar para conservar su autoridad y oprimió duramente a sus opositores políticos. Después de ser elegido a un octavo período consecutivo, fue derrocado por un golpe de Estado y partió al exilio.

"SS. Boris y Gleb", icono de un discípulo de Prokopy Chirin, escuela de Stróganov, s. XVII; Galería Tretyakov, Moscú.

AGENCIA NOVOSTI

Stróganov, escuela de Escuela pictórica del ICONO, nombrada así en honor a sus primeros mecenas, la familia Stróganov, que prosperó en Rusia a fines de los s. XVI–XVII. Los artistas perfeccionaron su trabajo al servicio del zar en Moscú. Las pinturas, concebidas para uso privado, fueron realizadas en una gama de colores apagados dominados por colores marrón dorado, con reflejos lineales de oro y plata. De formato pequeño, exquisitamente detallados y adornados, con marcos, halos de oro y plata martillada, los iconos representan la última etapa importante de la pintura medieval rusa antes de la occidentalización del arte de este imperio a fines del s. XVII.

Stroheim, Erich von *orig.* **Erich Oswald Stroheim** (22 sep. 1885, Viena, Austria–12 may. 1957, cerca de París, Francia). Director de cine y actor estadounidense de origen austríaco. Hijo de un fabricante de sombreros judío, emigró a EE.UU. después de cumplir el servicio militar. Arribó a Hollywood en 1914, donde trabajó con D.W. GRIFFITH, e interpretó recurrentes papeles como oficial prusiano. Debutó como director con *Corazón olvidado* (1919), y prosiguió con *La ganzúa del diablo* (1920) y *Esposas frívolas* (1922). *Avaricia* (1924), su obra maestra, fue un hito del cine realista; sin embargo, fue reducida de nueve horas a 140 minutos sin su aprobación antes de estrenarse. Le siguieron *La viuda alegre* (1925), *La marcha nupcial* (1928) y *La reina Kelly* (1928). Sus extravagancias y permanentes exigencias por el control artístico consiguieron que desertara de su carrera de director, de modo que volvió a la actuación, destacándose en los filmes *La gran ilusión* (1937) y *El crepúsculo de los dioses* (1950).

Stromboli, volcán Volcán de la isla homónima, frente a la costa nororiental de SICILIA, Italia. Uno de los más activos de Europa, tiene 926 m (3.038 pies) de altura. Si bien la última erupción ocurrió en 1921, la lava fluye permanentemente desde el cráter hasta el mar. El volcán, el clima y las playas atraen los turistas a la isla.

Strong, William (6 may. 1808, Somers, Conn., EE.UU.–19 ago. 1895, Lake Minnewaska, N.Y.). Jurista estadounidense. Se desempeñó en la Cámara de Representantes (1847–51) y en la Corte Suprema del estado de Pensilvania (1857–68). En 1870, ULYSSES S. GRANT lo nombró en la Corte Suprema de los ESTADOS UNIDOS DE AMÉRICA. En 1871 habló en nombre de la mayoría cuando la corte revocó el fallo *Hepburn* del año anterior, revocación que dio al congreso la facultad de emitir papel moneda como moneda de curso legal, postura que Grant apoyaba. Strong se retiró en 1880.

Struma, río Río en el oeste de Bulgaria y nordeste de Grecia. Nace en el RÓDOPE, al sudoeste de SOFÍA, Bulgaria, y recorre 415 km (258 mi) en dirección sudeste hasta desembocar en el mar Egeo. En su valle superior se encuentra la mayor fuente de lignito de Bulgaria. Su curso inferior fluye a través de un extenso valle agrícola.

Struve, Friedrich Georg Wilhelm von (15 abr. 1793, Altona, Dinamarca–23 nov. 1864, San Petersburgo, Rusia). Astrónomo ruso. Vivió su infancia en Alemania. En 1808 dejó ese país con destino a Rusia, para evitar ser reclutado por los ejércitos de Napoleón; más tarde se integró al cuerpo académico de la Universidad de Dorpat, llegando a ser director de su observatorio. Fue fundador del estudio moderno de las ESTRELLAS BINARIAS, llegando a medir cerca de 3.000 binarias en su examen de más de 120.000 estrellas. Se cuenta entre los primeros en medir el PARALAJE estelar. En 1835, bajo el encargo del zar NICOLÁS I, partió a Pulkovo para supervisar la construcción de un nuevo observatorio, ocupando más tarde el puesto de director en 1839. Su hijo, Otto Struve (n. 1819–m. 1905), fue director del observatorio de Pulkovo (1862–89); su nieto, Gustav Wilhelm Ludwig Struve (n. 1858–m. 1920) fue director del observatorio de la Universidad de Kharkov, en Ucrania; OTTO STRUVE fue su bisnieto.

Friedrich Georg Wilhelm von Struve, detalle de una litografía de H. Mitreuter a partir de un retrato de C.A. Jensen, 1844.

ARCHIV FUR KUNST UND GESCHICHTE, BERLÍN

Struve, Otto (12 ago. 1897, Járkov, Ucrania, Imperio ruso–6 abr. 1963, Berkeley, Cal., EE.UU.). Astrónomo estadounidense de origen ruso. Bisnieto de FRIEDRICH G.W. VON STRUVE, suspendió sus estudios para enrolarse en el ejército ruso durante la primera guerra mundial. Terminada la guerra emigró a EE.UU. Como integrante del equipo del observatorio Yerkes, realizó importantes contribuciones a la espectroscopia estelar y a la astrofísica, destacándose por su descubrimiento de la abundante distribución de hidrógeno y otros elementos en el espacio. Fue director de Yerkes (desde 1932) y más tarde del observatorio McDonald en Texas, el cual organizó. Después enseñó en la Universidad de Chicago (a partir de 1947) y en la Universidad de California, en Berkeley. Más tarde dirigió el National Radio Astronomy Observatory (NRAO) en Green Bank, W.V., EE.UU. (1959–62). Fue un escritor prolífico, que publicó cerca de 700 artículos científicos y varios libros.

Struve, Piotr (Berngárdovich) (7 feb. 1870, Perm, Rusia–26 feb. 1944, París, Francia). Economista y periodista ruso. En 1894 escribió un respetado análisis marxista del capitalismo ruso y en 1898 un manifiesto para el recién formado PARTIDO OBRERO SOCIALDEMÓCRATA RUSO. Después de su arresto y exilio en 1901, rompió con el marxismo revolucionario; entre 1902 y 1905 editó el ilegal pero ampliamente leído periódico *Osvobozhdenie* ("Liberación"), en el que abogó por una monarquía constitucional. Regresó a Rusia en 1905, se unió al PARTIDO DEMÓCRATA CONSTITUCIONAL y editó el periódico moderado *Russkaya mysly* ("Pensamiento ruso"). En 1917 se opuso a la toma del poder de los bolcheviques y abandonó Rusia para radicarse en París y (después de 1928) en Belgrado.

Stuart, Gilbert (Charles) (3 dic. 1755, North Kingston, R.I., EE.UU.–9 jul. 1828, Boston, Mass.). Pintor estadounidense. En 1775 viajó a Londres y trabajó durante seis años con

BENJAMIN WEST. En esta ciudad abrió su propio taller en 1782, y gozó de un gran éxito, pero huyó a Dublín en 1787 para escapar de sus acreedores. Luego de seis años en esa ciudad regresó a EE.UU. Desarrolló un distintivo estilo de retrato estadounidense, y rápidamente se consolidó como el retratista más importante de esta nación. Los críticos han elogiado su pincelada pictórica, la luminosidad del color y su agudeza psicológica. Entre sus casi 1.000 retratos, el más famoso es una cabeza inconclusa de GEORGE WASHINGTON (1796).

"Mrs. Richard Yates", pintura al óleo de Gilbert Stuart, 1793–94; Galería Nacional de Arte, Washington, D.C.

GENTILEZA DE LA GALERÍA NACIONAL DE ARTE, WASHINGTON, D.C., ANDREW MELLON COLLECTION

Stuart, Jeb *orig.* **James Ewell Brown Stuart** (6 feb. 1833, cond. Patrick, Va., EE.UU.–12 may. 1864, Yellow Tavern, cerca de Richmond, Va.). Oficial de ejército estadounidense. Egresó de West Point y fue ayudante del cnel. ROBERT E. LEE en la derrota de la incursión de JOHN BROWN en Harpers Ferry. En 1861 se incorporó al ejército de la Confederación y fue general de brigada de caballería. Durante incursiones exploratorias obtuvo información acerca de los movimientos de las tropas de la Unión, que ayudaron a las victorias de la Confederación en la batalla de los Siete Días y en la segunda batalla de BULL RUN; Lee llamaba a Stuart los "ojos del ejército". Como general de división colaboró en las victorias de Fredericksburg y Chancellorsville. Antes de la batalla de GETTYSBURG, Lee le dio instrucciones de investigar los movimientos de los soldados de la Unión. Se retrasó en una incursión y llegó cuando la batalla había comenzado. Aunque se le criticó por esta actuación, siguió entregando información a las fuerzas confederadas. Fue herido de muerte en la derrota que sufrió la Confederación en Spotsylvania Courthouse.

Stubbs, George (24 ago. 1724, Liverpool, Inglaterra–10 jul. 1806, Londres). Pintor británico de animales y dibujante anatómico. Hijo de un próspero curtidor, durante un breve período fue un aprendiz de pintor, pero básicamente fue un autodidacta. Debido a sus magistrales representaciones de cazadores y caballos de carrera recibió innumerables encargos. Quizá más notables que los retratos individuales sean sus pinturas informales de grupos de caballos, como *Yeguas y potros en un paisaje* (c. 1760–70). Además pintó muchos otros animales, como leones, tigres, jirafas, monos y rinocerontes, que pudo observar en jardines zoológicos privados. Su libro *La anatomía del caballo* (1762), que contiene 18 placas magistralmente grabadas, fue un gran suceso.

Studebaker, familia Fabricantes estadounidenses de automóviles, cuya firma fue la productora mundial más grande de vehículos a tracción animal y líder en la fabricación de automóviles. En 1852, Clement Studebaker (n. 1831–m. 1901) inició un taller de herrería y carruajes en South Bend, Ind., con su hermano Henry (n. 1826–m. 1895). Luego de la incorporación de los hermanos John, Peter y Jacob, el negocio familiar suministró vehículos al gobierno de EE.UU. durante la guerra de Secesión y después ayudó a abastecer a los colonizadores que se desplazaban al Oeste. En 1902, la empresa ya había construido sus primeros automóviles eléctricos y, en 1904, automóviles con motor de gasolina. En 1954, la Studebaker Corp. se fusionó con la empresa Packard Motor Car Co.; en 1966 puso fin a la producción.

Stupa conmemorativa del antiguo campo de exterminio de Choeung Ek, Camboya.

STOCKXPERT

stupa Monumento erigido en memoria de BUDA o de un santo budista, que a menudo marca un lugar sagrado, conmemora un evento o aloja una reliquia. Las *stupas* son símbolos arquitectónicos de la muerte de Buda. Una *stupa* sencilla puede consistir en una base de arcilla circular que sustenta una cúpula sólida y maciza desde la cual se proyecta una sombrilla, como símbolo de protección. Este diseño básico sirvió de inspiración para otros tipos de monumentos budistas como las PAGODAS, que pueden verse en toda Asia. El rito cultual consiste en marchar en el sentido de las manecillas del reloj alrededor de la *stupa*. Muchas stupas importantes constituyen lugares de PEREGRINACIÓN.

Sturges, Preston *orig.* **Edmond Preston Biden** (29 ago. 1898, Chicago, Ill., EE.UU.–6 ago. 1959, Nueva York, N.Y.). Director de cine estadounidense. Comenzó su carrera como dramaturgo, y escribió los éxitos de Broadway *Strictly Dishonorable* (1929) y *Child of Manhattan* (1931). Posteriormente se mudó a Hollywood, donde se convirtió en un destacado guionista, y recibió un premio de la Academia por su primera realización, *El gran McGinty* (1940). Continuó escribiendo y dirigiendo elegantes comedias satíricas como *Las tres noches de Eva* (1941), *Los viajes de Sullivan* (1941), *Un marido rico* (1941), *El milagro de Morgan's Creek* (1944), *Salve, héroe victorioso* (1944) y *Estrictamente inmoral* (1948), que se caracterizaron por sus diálogos ingeniosos, su ritmo veloz y sus memorables personajes secundarios.

Sturm und Drang (alemán: "tormenta y tensión"). Movimiento literario alemán de la segunda mitad del s. XVIII, que se caracterizó por el rechazo de lo que los escritores consideraban el culto de la ILUSTRACIÓN, por el racionalismo y la imitación estéril de la literatura francesa. Exaltaba como fuentes esenciales de la literatura la naturaleza, intuición, impulso, instinto, emoción, elegancia y genio innato. Influenciados por JEAN-JACQUES ROUSSEAU, JOHANN GOTTFRIED VON HERDER y otros, el movimiento tomó su nombre del título de una obra de teatro (el género más característico del movimiento) de Friedrich von Klinger (n. 1752.–m. 1831). Sus más célebres y talentosos representantes fueron FRIEDRICH SCHILLER y JOHANN WOLFGANG VON GOETHE, cuya novela *Los sufrimientos del joven Werther* (1774) es un epítome de su espíritu.

Sturtevant, Alfred (Henry) (21 nov. 1891, Jacksonville, Ill., EE.UU.–5 abr. 1970, Pasadena, Cal.). Genetista estadounidense. Obtuvo un Ph.D. en la Universidad de Columbia y enseñó principalmente en el Instituto Tecnológico de California (1928–70). En 1912 desarrolló una técnica para mapear la localización de genes específicos de los cromosomas de la *Drosophila*. Posteriormente demostró que podía impedirse el entrecruzamiento (el intercambio de genes entre los cromosomas) en la *Drosophila*. Fue uno de los primeros en advertir sobre los peligros de la precipitación radiactiva como consecuencia de las pruebas nucleares.

Sturzo, Luigi (26 nov. 1871, Caltagirone, Sicilia–8 ago. 1959, Roma, Italia). Sacerdote y líder político italiano. Ordenado sacerdote en 1894, obtuvo un doctorado en Roma y luego regresó a su nativa Sicilia para ayudar a los mineros y campesinos oprimidos. Como alcalde de Caltagirone (1905–20), construyó viviendas sociales y otras obras públicas. En 1919 fundó el PARTIDO POPULAR ITALIANO, del cual fue su secretario político. Rehusó apoyar a BENITO MUSSOLINI y partió al exilio en 1924. Regresó en 1946, cuando su movimiento político fue revivido como el Partido Demócrata Cristiano. En 1952 fue designado senador vitalicio. Escribió varias obras de filosofía social cristiana, como *Iglesia y Estado* (1939) e *Italia y el mundo venidero* (1945).

Stuttgart Ciudad (pob., est. 2002: ciudad, 587.152 hab.; aglomeración urbana, 2.529.675 hab.) en el sudoeste de Alemania. Situada a orillas del NECKAR, en sus orígenes fue una caballeriza del s. X. Se convirtió en ciudad en el s. XIII y pasó a manos de los condes de WÜRTTEMBERG, siendo su capital hasta el s. XIX. Fue destruida en varias ocasiones durante la guerra de los TREINTA AÑOS, las invasiones francesas del s. XVII y el intenso bombardeo de la segunda guerra mundial, que significaron un elevado costo en su reconstrucción. Se han logrado salvar varios edificios históricos, entre ellos, un castillo del s. XIII. Es un centro cultural, industrial, editorial y de transporte. La Universidad de Stuttgart fue fundada en 1829.

Jardines del Teatro Anlagen, Stuttgart, Alemania.
ARCHIV FUR KUNST UND GESCHICHTE, BERLÍN

Stuyvesant, Peter (c. 1592, Scherpenzeel, Frisia, Países Bajos–feb. 1672, cerca de Nueva York, N.Y.). Gobernador colonial holandés. En 1643 fue gobernador de las colonias caribeñas de la Compañía Holandesa de las Indias Occidentales y, en 1645, director general de todas las posesiones holandesas en América del Norte, entre ellas, Nueva Holanda y el Caribe. Llegó a Nueva Amsterdam (posteriormente Nueva York) en 1647 y pronto tuvo que enfrentar las demandas de los burgueses por un autogobierno. Aunque instaló un gobierno municipal, se mantuvo al mando. Estableció la frontera con Connecticut (1650), expulsó a los colonos suecos de Nueva Suecia, en el río Delaware, e incorporó la colonia a territorio holandés (1655). Las incursiones desde las colonias de Nueva Inglaterra y un escuadrón que envió Carlos II lo obligaron a entregar Nueva Holanda a los ingleses (1664).

Style Moderne ver ART DÉCO

Styne, Jule *orig.* **Julius Kerwin Stein** (31 dic. 1905, Londres, Inglaterra–20 sep. 1994, Nueva York, N.Y., EE.UU.). Letrista estadounidense de origen inglés. Nacido de padres judíos ucranianos, en 1912 él y su familia se establecieron en Chicago, Ill., EE.UU. En 1926 se publicó su primera canción exitosa. A comienzos de la década de 1930 cambió su nombre para evitar la confusión con otro intérprete. En 1937 se mudó a Hollywood, Cal., con el fin de escribir musicales para el cine. En la década de 1940 trabajó con el escritor SAMMY CAHN, y compuso baladas para FRANK SINATRA, el musical para la pantalla grande *Anchors Aweigh* (1945) y la comedia musical de Broadway *High Button Shoes* (1947). Colaboró con otros escritores en comedias musicales como *Gentlemen Prefer Blondes* (1949), *Bells Are Ringing* (1956), *Gypsy* (1959) y *Funny Girl* (1964). Entre sus canciones destacan "Let It Snow", "The Party's Over" y "People".

Styron, William (n. 11 jun. 1925, Newport News, Va., EE.UU.). Novelista estadounidense. Educado en la Universidad de Duke, se sumó a la comunidad de escritores expatriados en París durante la década de 1950. Su primera novela, *Tendidos en la oscuridad* (1951), narra la historia de una atribulada mujer que se suicida. Su cuarta novela, la controvertida *Las confesiones de Nat Turner* (1967, Premio Pulitzer), evoca con crudeza la época de la esclavitud. Sus obras posteriores comprenden *La decisión de Sophie* (1979), novela en que examina las ramificaciones del Holocausto, y *Esa visible oscuridad* (1990), recuento autobiográfico de su propia depresión. Sus escritos suelen abordar temas violentos con un rico estilo faulkneriano.

Su Song *o* **Su Sung** (1020, provincia de Fujian, China–1101, Kaifeng). Erudito chino y experto administrativo y financiero de la burocracia imperial. Su *Farmacopea ilustrada* (1070) reveló su conocimiento de los fármacos, la zoología, la metalurgia y la tecnología conexa. Construyó un reloj armilar con el propósito de servir de base para reformar el calendario, que se alojó en una torre de 11 m (35 pies) accionado por una rueda hidráulica y con transmisión de cadena; su mecanismo se adelantó a técnicas que se usarían en Europa centenares de años más tarde.

Suabia *alemán* **Schwaben** Ducado en la Alemania medieval y actual distrito administrativo. A grandes rasgos, ocupaba una superficie que hoy corresponde a los estados de Baden-Württemberg, Hesse y Baviera occidental y parte de Suiza oriental y Alsacia. Tribus suevas y alamanas se establecieron en la zona durante el s. III y la región se denominó Alamania hasta el s. XI. En el s. VII, los misioneros irlandeses comenzaron a introducir el cristianismo. Alrededor del s. X se convirtió en uno de los cinco grandes ducados tribales de la Alemania medieval. Desde c. 1077 hasta 1268 fue gobernada por la dinastía HOHENSTAUFEN, después de lo cual el ducado se dividió. En los s. XIV–XVI se formaron varias alianzas de ciudades conocidas como ligas suabas. La región fue una división territorial del SACRO IMPERIO ROMANO en los s. XVI–XIX. Entre sus principales ciudades se contaban AUGSBURGO, FRIBURGO, Constanza y Ulm. Creado en 1934, el distrito administrativo corresponde a la parte oriental de la región histórica de Suabia, de mayor tamaño, y abarca 9.994 km^2 (3.859 mi^2) de superficie con una población (est. 2002) de 1.767.193 hab.

Suárez, Francisco (5 ene. 1548, Granada, España–25 sep. 1617, Lisboa). Teólogo y filósofo español. En sus *Disputaciones metafísicas* (1597), se basó en las obras de ARISTÓTELES, santo TOMÁS DE AQUINO, JUAN DUNS ESCOTO y Luis de Molina (1535–1600) para analizar el PROBLEMA DEL LIBRE ALBEDRÍO y otras cuestiones metafísicas. Es considerado por muchos el filósofo escolástico de mayor importancia después de Tomás de Aquino (ver ESCOLÁSTICA) y el más importante teólogo JESUITA. Sus divergencias con respecto al tomismo han sido consideradas lo suficientemente significativas para justificar la designación separada de su sistema como suarismo.

subametralladora Arma de mano liviana y automática, con una recámara para cartuchos de pistola de relativa baja energía, y que se dispara desde la cadera o el hombro. Las subametralladoras a menudo cuentan con cargadores de tipo caja, que contienen 10–50 cartuchos, o a veces tienen tambores que contienen más tiros. Es un arma de corto alcance, raramente efectiva a más de 180 m (200 yd). Puede disparar 650 o más tiros por minuto y pesa 2,5–4,5 kg (6–10 lb). Entre los tipos importantes está la subametralladora Thompson, o *tommy gun* (patentada en 1920), la Sten británica de la segunda guerra mundial y la más reciente UZI israelí.

subasta Compraventa de bienes mediante una licitación pública abierta. Normalmente, los compradores potenciales hacen una serie de posturas u ofertas que van en aumento, hasta que la oferta más alta (y final) es aceptada por el subastador. Por contraste, en la llamada subasta holandesa, el vendedor ofrece un bien a un precio cada vez más bajo, hasta que la oferta es aceptada o hasta que el precio cae tanto que se ve obligado a retirarla. Habitualmente se permite a los potenciales compradores examinar antes los artículos que se subastarán, y los vendedores pueden fijar un precio mínimo para que la venta se haga efectiva. Las subastas son importantes en los mercados agrícolas de muchos países, porque permiten una rápida venta de los productos perecederos. Otros bienes que con frecuencia se subastan son las obras de arte y antigüedades, bienes de segunda mano, terrenos agrícolas y edificaciones recuperados por bancos o el gobierno. Las subastas se pueden estructurar en muchas formas (p. ej., licitaciones presentadas en persona, por teléfono o por la internet). La venta mediante subasta también se emplea en las bolsas de valores y en las bolsas de productos.

subconsciente ver INCONSCIENTE

subducción, zona de Zona oceánica situada a lo largo de una fractura en la que, de acuerdo a la teoría de TECTÓNICA DE PLACAS, el suelo oceánico se introduce bajo una placa adyacente, arrastrando los sedimentos acumulados en la fosa hacia la zona superior del manto terrestre. Ver también FOSA OCEÁNICA.

Subic, bahía Ensenada del mar de CHINA meridional, al sudoeste de LUZÓN, Filipinas. A partir de 1901 albergó la base naval de la bahía Subic, perteneciente a la marina de EE.UU., la instalación naval más grande de Filipinas. La zona sufrió grandes daños durante la segunda guerra mundial y estuvo ocupada por los japoneses en 1942–44. La base desempeñó un papel destacado de abastecimiento y mantenimiento durante la guerra de VIETNAM (1955–75). En 1992 se transfirió el control de la bahía a Filipinas, que después fue reurbanizada para convertirla en zona libre comercial y en un lugar de turismo y recreación.

sublimación En física, el cambio de estado de una sustancia de sólido a gas sin pasar primero por el estado líquido. Un ejemplo es la vaporización del dióxido de carbono congelado, o hielo seco, a presión y temperatura atmosféricas ordinarias. El fenómeno ocurre a presiones y temperaturas (ambas relativamente bajas) en las cuales las FASES sólida y gaseosa coexisten en equilibrio. La preservación de alimentos por liofilización implica la sublimación del agua (en forma de hielo) del alimento congelado al vacío.

submarino Nave de guerra capaz de operar bajo el agua durante períodos prolongados. En los s. XVIII–XIX, inventores norteamericanos como David Bushnell (n. 1742?–m. 1824) y ROBERT FULTON experimentaron con submarinos de propulsión manual. En 1898, John P. Holland (n. 1840–m. 1914) puso en operación el *Holland*, que tenía un motor de gasolina para desplazarse en superficie, y un motor eléctrico de batería para navegación sumergida; fue adquirido por el gobierno estadounidense en 1900. Las innovaciones de Simon Lake (n. 1866–m. 1945) fueron adoptadas primero en Europa y más tarde en EE.UU. Ya en vísperas de la primera guerra mundial todas las armadas importantes tenían submarinos diésel-eléctricos. Los U-BOOT alemanes constituían una temible amenaza; durante la segunda guerra mundial introdujeron innovaciones como el schnorkel (torreta), el cual suministraba aire fresco a los motores diésel sin necesidad de ascender a la superficie. Los submarinos de propulsión nuclear entraron en servicio con la botadura del *Nautilus* estadounidense en 1954. La energía abundante proporcionada por reactores que utilizan uranio como combustible, hizo posible que los submarinos pudiesen permanecer sumergidos y operar a alta velocidad por tiempo indefinido. Sólo las armadas de EE.UU., Rusia, Gran Bretaña, Francia y China cuentan con submarinos de propulsión nuclear; otras armadas se basan en la propulsión diésel-eléctrico convencional. Los submarinos pueden estar armados con torpedos, misiles crucero o misiles balísticos dotados de cabezas nucleares. Dado que son difíciles de descubrir, son de gran importancia en las fuerzas de casi todos los estados marítimos. Ver también CARGA DE PROFUNDIDAD; SÓNAR; misil TRIDENT.

El *Nautilus*, primer submarino del mundo de propulsión nuclear.
FOTOBANCO

subpoena ver CITACIÓN JUDICIAL

subsidio Ayuda financiera directa o indirecta, como rebajas de precios y contratos favorables, entregada a una persona o grupo para promover un objetivo público. Los subsidios en materia de transporte, vivienda, agricultura, minería, etc. se han instituido sobre la base de que su preservación o expansión es en beneficio público. También existen subsidios a las artes, ciencias, humanidades y a la religión en muchas naciones donde la economía privada no puede financiarlas. Algunos subsidios directos son los pagos en dinero o en especie, y entre los subsidios indirectos están la entrega gubernamental de bienes o servicios bajo el precio normal de mercado, las compras gubernamentales de bienes o servicios sobre el precio de mercado y las concesiones tributarias. Aunque los subsidios tienen por objeto promover el bienestar público, generan mayores impuestos o bien encarecen los bienes de consumo. Algunos subsidios, como los ARANCELES proteccionistas, también pueden fomentar la persistencia de productores ineficientes. Un subsidio sólo es conveniente cuando sus efectos aumentan el total de los beneficios más que el total de los costos. (Ver análisis COSTO-BENEFICIO).

subsuelo Capa (estrato) de tierra inmediatamente debajo del suelo superficial, constituida predominantemente por minerales y materiales lixiviados, como compuestos de hierro y aluminio. El HUMUS permanece y la arcilla se acumula en el subsuelo, pero los prolíficos organismos macroscópicos y microscópicos que enriquecen el mantillo con materia orgánica pasan poco tiempo en la capa del subsuelo. Bajo el subsuelo hay una capa de roca parcialmente desintegrada y el lecho rocoso subyacente. La eliminación del mantillo, al despejar el terreno para el crecimiento del cultivo o la explotación comercial, pone al descubierto el subsuelo y aumenta el nivel de EROSIÓN de los minerales del suelo.

subterráneo, tren ver TREN SUBTERRÁNEO

Subud Movimiento religioso indonesio basado en ejercicios espontáneos y extáticos. Fundado en 1933 por Muḥammad Subuh, estudiante del SUFISMO que en 1925 tuvo una experiencia mística, el movimiento estuvo confinado a Indonesia hasta que en la década de 1950 se extendió a Europa y EE.UU., debido principalmente a la labor de GEORGE GURDJIEFF. La característica central del Subud es el *latihan*, actividad espiritual grupal en la que los participantes dejan que el poder de Dios se exprese a través de actividades espontáneas sin mediar control. Se cree que los actos de cantar, bailar, gritar y reír espontáneamente generan sentimientos de éxtasis y liberan y estimulan la sanación psicológica y física.

sucesión Transmisión de los bienes de una persona a su heredero o herederos a raíz de su fallecimiento. En los sistemas de derecho civil se denomina sucesión por causa de muerte. El concepto depende de que se acepte el principio de propiedad privada del patrimonio. En algunos sistemas, la tierra es de dominio común y al fallecer un miembro de la comunidad los derechos sobre ella no se suceden, sino que se redistribuyen. En muchos países, una proporción de los bienes del causante debe asignarse al cónyuge sobreviviente y a menudo también a la progenie. Las leyes sobre sucesión intestada, que se aplican cuando el causante no ha otorgado TESTAMENTO, consideran principalmente los lazos de parentesco entre él y el beneficiario. Por lo general, la sucesión acarrea el pago de un impuesto de herencia. Ver también impuesto a la HERENCIA; POSESIÓN EFECTIVA DE LA HERENCIA; SUCESIÓN INTESTADA.

sucesión faunística, ley de la Observación de la que se concluye que los grupos taxonómicos de animales se suceden en el tiempo de manera predecible. Correlacionando las secuencias de estratos sucesivos y su fauna correspondiente, se ha formado una visión compuesta que detalla la historia de la Tierra, especialmente desde el comienzo del CÁMBRICO. La sucesión faunística es la herramienta fundamental de la ESTRATIGRAFÍA y constituye la base para la escala del tiempo geológico. La sucesión de la flora también es una herramienta importante. El clima y las condiciones a lo largo de la historia de la Tierra se pueden estudiar usando los grupos sucesivos, puesto que los organismos vivos reflejan su medio ambiente.

sucesión intestada *o* **ab intestato** En derecho sucesorio (ver SUCESIONES), transmisión del patrimonio o de los intereses pecuniarios del causante en la forma establecida por la LEY, para distinguirla de aquella que tiene lugar cuando la voluntad de este se expresa en un TESTAMENTO. Aunque la legislación moderna en materia de sucesión intestada varía mucho, en general los distintos sistemas comparten el principio de que el patrimonio debe repartirse entre personas que tienen algún grado de parentesco con el causante. La práctica moderna tiende a favorecer los derechos del cónyuge sobreviviente.

Suckling, Sir John (feb. 1609, Whitton, Middlesex, Inglaterra–1642, París, Francia). Poeta cortesano inglés, dramaturgo y miembro de la corte. Recibió una importante herencia en bienes raíces de su padre a los 18 años de edad, y se transformó en una figura ilustre de la corte gracias a su extrema galantería y su afición por el juego; de hecho, se atribuye a Suckling haber inventado el CRIBBAGE. Después de participar en un fallido intento de rescatar al conde de Strafford de la torre de Londres, huyó a Francia, donde se cree se suicidó. Escribió cuatro obras de teatro, de las cuales la mejor es la animada comedia *Los duendes* (1638). Su reputación como poeta se debe sobre todo a sus piezas líricas, que destacan por su tono natural y sencillez. La obra maestra *A Ballad upon a Wedding* [Balada en ocasión de un matrimonio] fue escrita en el estilo y métrica de las baladas callejeras de la época.

Sucre Capital judicial (pob., 2001: 193.873 hab.) de Bolivia. Fundada por los españoles (c. 1539) en el lugar de una aldea charca, se convirtió en capital de la Audiencia de Charcas del Alto Perú, en 1561 y, en 1609, en sede de una arquidiócesis. Muchas de sus iglesias coloniales aún se mantienen en pie. Fue uno de los primeros escenarios (1809) de la rebelión contra España. En 1825 se firmó en ella la declaración de independencia boliviana, y en 1839 pasó a ser la capital del país. El intento por trasladar la capital a La PAZ en 1898, desencadenó una guerra civil que dejó a ambas ciudades compartiendo el rango de capital. En Sucre tiene también su sede la Corte Suprema nacional. Es un centro comercial en crecimiento. En 1624 se fundó en ella la Universidad de San Francisco Xavier, una de las más antiguas de América del Sur.

Sucre (Alcalá), Antonio José de (3 feb. 1795, Cumaná, virreinato de Nueva Granada–4 jun. 1830, Berruecos, Gran Colombia). Libertador del Ecuador y primer presidente de Bolivia (1826–28). Aliado cercano de SIMÓN BOLÍVAR, Sucre combatió en las luchas revolucionarias de la GRAN COLOMBIA (hoy, Venezuela, Colombia y Ecuador), Perú y Alto Perú (hoy Bolivia), y derrotó a las fuerzas realistas en toda la región. En 1826 estableció un gobierno boliviano y sirvió brevemente como presidente, pero al poco tiempo se retiró a la Gran Colombia. En 1829 fue llamado nuevamente a servicio para defender a la Gran Colombia de la invasión peruana, pero fue asesinado en 1830, a la edad de 35 años. Se lo recuerda como uno de los líderes más respetados de las guerras de independencia latinoamericanas.

súcubo ver ÍNCUBO Y SÚCUBO

suculenta Cualquier planta con tejidos carnosos y gruesos adaptados para el almacenamiento de agua. Algunas suculentas (p. ej., el CACTO) sólo almacenan agua en el tallo y carecen de hojas o las tienen muy pequeñas; otras (p. ej., especies de la familia de las AGAVÁCEAS) almacenan agua principalmente en las hojas. En su mayoría cuentan con sistemas radiculares profundos y extendidos, y son originarias de desiertos o regiones semiáridas. En las suculentas, los ESTOMAS se cierran durante el día y se abren de noche (situación opuesta al patrón usual), a fin de minimizar la TRANSPIRACIÓN.

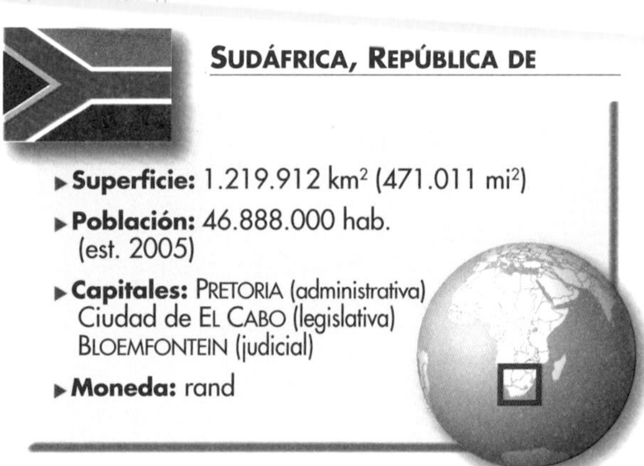

Sudáfrica, República de *ant.* **Unión Sudafricana** País de África meridional. El reino de LESOTHO se encuentra dentro de sus fronteras. La población está compuesta por 75% de africanos de raza negra, entre ellos, ZULÚES, XOSA, SOTHO y TSWANA; 12,5% de blancos; el resto de la población es mestiza o descendiente de indios. Idiomas: afrikáans, inglés, ndebele, pedi (Sotho septentrional), sotho (Sotho meridional), swazi, tsonga, tsuana, venda, xosa y zulú (todos oficiales). Religiones: cristianismo y creencias tradicionales. Sudáfrica está dividida en tres grandes zonas: una amplia meseta interior, el sistema montañoso circundante o Gran Escarpe, y una estrecha franja de planicie costera. Tiene un clima subtropical templado. Constituye el mayor productor mundial de oro y uno de los principales productores y exportadores de carbón, diamantes, platino y vanadio. Es una república pluripartidista bicameral; el jefe de Estado y de Gobierno es el presidente. Los SAN y los KHOIKHOI (de habla khoisán) deambulaban por la región como cazadores y recolectores durante la edad de piedra, y estos últimos habían desarrollado ya una cultura de pastoreo en la época de contacto con los europeos. En el s. XIV, diversos pueblos de habla bantú (ver lenguas BANTÚES) se habían asentado en la zona y habían desarrollado la minería aurífera y cuprífera, además de un activo comercio con África oriental. En 1652, los holandeses fundaron una colonia en el cabo de BUENA ESPERANZA; los colonos holandeses pasaron a ser conocidos como boérs (holandés: “agricultores”) y más tarde como AFRIKÁNERS, debido a su propia cultura y lengua (AFRIKÁANS).

Panorámica de la Ciudad de El Cabo, en la bahía de la Tabla, Sudáfrica.
FOTOBANCO

En 1795, fuerzas británicas capturaron la colonia de El Cabo, y en 1830, para huir del control británico, los colonos holandeses realizaron el Gran TREK (emigración) hacia el norte, fundando las repúblicas bóers independientes del Estado Libre de ORANGE y la República Sudafricana (TRANSVAAL), que los británicos anexaron en 1902 como colonias (ver guerra de los BÓERS). En 1910, las colonias británicas de El Cabo, Transvaal, NATAL y Río Orange fueron unificadas para integrar la nueva Unión Sudafricana, que en 1961 pasó a ser independiente y abandonó la COMMONWEALTH. Durante todo el s. XX, la política sudafricana estuvo dominada por el problema de mantener la supremacía blanca sobre la mayoría negra, y en 1948 se instituyó formalmente el APARTHEID. Enfrentado a la política del *apartheid*, NELSON MANDELA se convirtió en el primer presidente de raza negra del país en elecciones libres celebradas en 1994. En 1997 se promulgó una constitución permanente sin connotaciones raciales.

sudafricana, guerra ver guerra de los BÓERS

Sudamérica ver AMÉRICA DEL SUR

Sudamérica, religiones indígenas de Creencias y prácticas religiosas de los pueblos nativos de Sudamérica. Las antiguas culturas CHIMÚ e INCA (ver civilizaciones ANDINAS) tenían religiones muy desarrolladas. La religión incaica conjugaba ceremonias complejas, creencias animistas, y en el poder mágico de algunos objetos, adoración de la naturaleza y del Sol. Los incas construyeron templos monumentales (ver PRECOLOMBINO), que albergaban sacerdotes y mujeres elegidas. Los sacerdotes practicaban la adivinación y realizaban sacrificios en cada ocasión importante. Cuando la necesidad era extrema, se ofrecían sacrificios humanos. Hasta 1.500 culturas nativas diferentes han sido descritas en la Sudamérica actual, y sus creencias religiosas son muy variadas. Las mitologías de la creación tienen gran importancia, y a menudo describen el origen del primer mundo y su destino, así como la creación y destrucción de mundos posteriores. Las ceremonias de iniciación de la adultez son prácticas extendidas para ambos géneros, en las que se representan los eventos desde los albores de la creación. Las iniciaciones se usan también para marcar el ascenso a una posición de autoridad religiosa, donde los sacerdotes, adivinos y médiums juegan un rol especial. El CHAMÁN se especializa en inducir los estados de trance, controlando la salida y el regreso del alma al cuerpo. Se usan fuegos rituales, instrumentos musicales (especialmente cascabeles), lenguaje esotérico, plantas alucinógenas y canciones sagradas en una actuación teatral orientada a mostrar el dominio del chamán sobre los poderes invisibles. El cristianismo ha llegado a ser un componente importante de las creencias folclóricas de muchos pueblos nativos, pero sigue interpretándose a la luz de la tradición local, mientras subsisten elementos de la religión tradicional. Ver también religiones MESOAMERICANAS.

Sudán Vasto territorio de llanuras abiertas con vegetación de sabana en África septentrional-tropical. Con una superficie de unos 5.000.000 de km² (2.000.000 de mi²), se extiende entre el límite meridional del SAHARA y el desierto de LIBIA por el norte y el límite septentrional de los bosques húmedos ecuatoriales por el sur. De oeste a este cubre más de 5.500 km (3.500 mi) desde la costa de África occidental hasta las montañas de Etiopía y el mar Rojo. La zona norte incluye el SAHEL.

SUDÁN

- **Superficie:** 2.503.890 km² (966.757 mi²)
- **Población:** 36.233.000 hab. (est. 2005)
- **Capital:** JARTUM
- **Moneda:** dinar sudanés

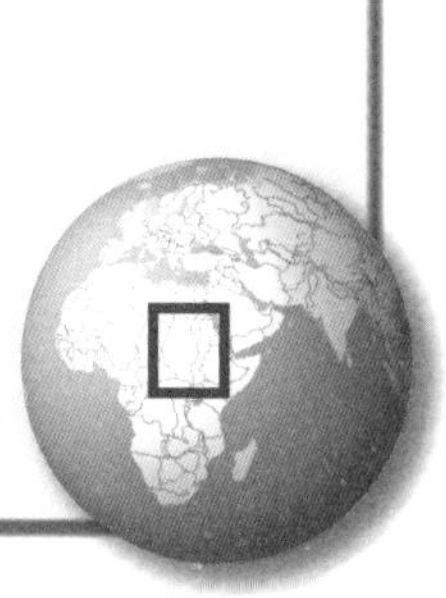

Sudán *ofic.* **República de Sudán** País de África septentrional. En la zona norte y central del país, que corresponden a dos tercios del territorio, viven grupos étnicos árabes musulmanes, mientras que en la zona sur habitan los pueblos dinka, nuer y zande. Idiomas: árabe (oficial), beja, zande y dinka. Religiones: Islam (oficial), religiones tradicionales y cristianismo. El país más extenso de África, Sudán está compuesto por una inmensa planicie del SAHARA en el norte, una extensa región semiárida en el centro-sur, y enormes ciénagas y selvas tropicales en el sur. El NILO fluye a lo largo de todo el país. La fauna salvaje abarca leones, leopardos, elefantes, jirafas y cebras. Tiene una economía mixta en vías de desarrollo basada principalmente en la agricultura. Uno de los más grandes proyectos de irrigación del mundo suministra agua a las aldeas rurales ubicadas entre el Nilo Azul y el Nilo Blanco. Sus principales cultivos comerciales son algodón, cacahuete (maní) y sésamo; también es importante la ganadería. Entre las principales industrias destacan el procesamiento de alimentos y el desmotado de algodón. El país está gobernado por un régimen militar islámico. Existen vestigios de ocupación que datan de la antigüedad. Desde fines del IV milenio AC, NUBIA (actual Sudán septentrional) estuvo periódicamente bajo control egipcio y formó parte del reino de KUSH, desde el s. XI AC hasta el s. IV DC. Durante el s. VI DC llegaron misioneros cristianos que convirtieron a los tres principales reinos de Sudán; estos reinos cristianos nativos convivieron durante siglos con sus vecinos árabes musulmanes de Egipto, hasta que el influjo de los inmigrantes árabes provocó su colapso en los s. XIII–XV. En 1874, Egipto habiendo conquistado la totalidad de Sudán, alentó la injerencia británica en la región. Ello despertó la oposición musulmana que condujo a la revuelta de al-MAHDI, quien capturó Jartum en 1885 e instauró en Sudán una teocracia musulmana que se prolongó hasta 1898, año en que sus fuerzas fueron derrotadas por los británicos. Estos gobernaron, generalmente en asociación con Egipto, hasta que la región obtuvo su independencia en 1956 bajo el nombre de Sudán. Desde entonces el país ha alternado entre un gobierno parlamentario ineficaz y un régimen militar inestable. La población no musulmana del sur se ha mantenido en rebelión hasta el presente contra el gobierno musulmán del norte, situación que ha provocado hambrunas y el desplazamiento de unos cuatro millones de personas.

Sudeste asiático Vasta región de Asia que se extiende entre el subcontinente indio oriental y China meridional. Constituida por una zona continental (también denominada Indochina) y una serie de archipiélagos al sur y al este, generalmente se considera que abarca MYANMAR (Birmania), TAILANDIA, CAMBOYA, LAOS, VIETNAM, MALASIA, SINGAPUR, INDONESIA, BRUNEI y FILIPINAS. Durante siglos la parte continental fue lugar de numerosas dinastías locales, pero en el s. XIX todos los territorios, con excepción de Tailandia (Siam), quedaron bajo control de las potencias europeas, en especial Francia (ver INDOCHINA FRANCESA); sin embargo, todos alcanzaron la independencia después de 1945.

sudeste, indio del Aborigen de América del Norte que habitaba en lo que hoy es el sudeste de EE.UU. Esta era una de las regiones más densamente pobladas de la América del Norte indígena, con una población aborigen estimada en al menos 120.000 personas. La mayor parte de ellos residía tierra adentro, donde era posible obtener abundantes presas de caza, plantas silvestres comestibles y una extensa tierra arable. Sólo los pueblos del sur de Florida parecen haberse acostumbrado satisfactoriamente a una forma de vida básicamente marítima. Entre los grupos que habitan esta región se cuentan: los CADDOS, CATAWBAS, CHEROKEES, CHICKASAW, CHOCTAW, CREEKS, natchez y SEMINOLAS.

Sudetes Región del norte y oeste de Bohemia y del norte de Moravia alrededor de los montes de los Sudetes. Antiguamente parte de Austria, la región, predominantemente de lengua alemana, fue incorporada a Checoslovaquia después de la primera guerra mundial. El descontento entre los alemanes de los Sudetes fue aprovechado a mediados de la década de 1930 por el PARTIDO NAZI y su líder local KONRAD HENLEIN. La explosiva situación convenció a Gran Bretaña y Francia de que, para evitar la guerra, se debía persuadir a Checoslovaquia de dar autonomía a la región. La exigencia de ADOLF HITLER respecto a que la región fuese cedida a Alemania fue rechazada inicialmente, pero más tarde se llevó a cabo mediante el acuerdo de MUNICH. Tras la segunda guerra mundial, la región fue devuelta a Checoslovaquia, país que transfirió a sus habitantes alemanes y repobló la región con ciudadanos checos.

sudoeste, indio del Cualquiera de los AMERINDIOS de norteamérica que habitan en lo que hoy es el sudoeste de EE.UU. Si bien cultural y lingüísticamente son muy diferentes entre sí, se dividen en cuatro agrupaciones: las tribus YUMA, los PIMAS y PAPAGOS, los indios PUEBLO, y los NAVAJOS y APACHES.

sudra La última de las cuatro VARNAS, o clases sociales, de la India hinduista. Compuesta tradicionalmente por artesanos y obreros, es probable que en su origen incluyera a los pueblos conquistados de la civilización del valle del INDO, en la medida en que se asimilaban al sistema de CASTAS. Sus miembros no pueden participar en el UPANAYANA y, por lo tanto, no pueden estudiar los VEDAS. En el extremo superior de la sudra figuran algunos terratenientes; en el extremo inferior están los INTOCABLES. Ver también BRAMÁN; CHATRIA; VAISHYA.

SUECIA

- **Superficie:** 450.295 km² (173.860 mi²)
- **Población:** 9.024.000 hab. (est. 2005)
- **Capital:** ESTOCOLMO
- **Moneda:** corona sueca

Suecia *ofic.* **Reino de Suecia** País situado en la península ESCANDINAVA, en Europa septentrional. La población muestra gran homogeneidad étnica, aunque existen minorías de finlandeses y lapones, al tiempo que el 10% de los habitantes son inmigrantes o descendientes de estos. Idioma: sueco (oficial).

Panorámica de Estocolmo, ciudad capital de Suecia, edificada sobre numerosas islas conectadas entre sí.

STEFANO SCATA/ THE IMAGE BANK/ GETTY IMAGES

Religiones: Iglesia evangélica luterana (luteranismo), Islam, catolicismo y pentecostalismo. Suecia tiene tres regiones tradicionales: la región montañosa de Norrland, que cubre cerca del 60% del país, alberga extensos bosques y grandes reservas minerales; SVEALAND, de ondulados contrafuertes de origen glaciar, contiene la mayoría de los 90.000 lagos del país; y Götaland, que comprende las tierras altas de Småland y las ricas llanuras de Escania. Cerca del 15% del territorio sueco se encuentra al norte del círculo polar ÁRTICO. La economía se basa principalmente en los servicios, la industria pesada y el comercio exterior. El país tiene grandes yacimientos de hierro; destacan las industrias minera, maderera y el turismo. Entre los productos agropecuarios importantes figuran los cereales, remolacha azucarera, patatas y ganadería. Uno de los países más ricos del mundo, es conocido por su amplio sistema de bienestar social. Constituye una monarquía constitucional unicameral; el jefe del Estado es el rey, y el jefe de Gobierno, el primer ministro. Aparentemente, los primeros pobladores fueron cazadores que cruzaron un puente terrestre desde Europa c. 12.000 AC. Durante la época de los VIKINGOS (s. IX–X DC), los suecos controlaron el comercio fluvial en Europa oriental, entre el mar Báltico y el mar Negro, e incursionaron en territorios de Europa occidental. Suecia estuvo débilmente cohesionada y poco cristianizada en los s. XI–XII. Conquistó a los finlandeses en el s. XII, y en el s. XIV se unió con Noruega y Dinamarca bajo una monarquía única, pero en 1523, durante el reinado de GUSTAVO I VASA, se separó de ellos. En el s. XVII emergió como una gran potencia europea en la región báltica, pero su predominio declinó tras ser derrotada en la segunda guerra del NORTE (1700–21). En 1809 pasó a ser una monarquía constitucional y en 1815 se unió con Noruega, país que se independizó en 1905. Suecia se mantuvo neutral durante ambas guerras mundiales. Fue miembro fundador de la ONU, pero se abstuvo de integrarse a la OTAN y a la UNIÓN EUROPEA hasta la década de 1990. Una nueva constitución redactada en 1975 redujo las facultades del monarca a las de un jefe de Estado de carácter ceremonial. En 1997 inició el controvertido cierre de su industria de ENERGÍA NUCLEAR. A comienzos del s. XXI emergió como un centro europeo de la tecnología de la información y las telecomunicaciones.

sueco Lengua nacional de Suecia y una de las dos lenguas oficiales de Finlandia hablada por alrededor de nueve millones de personas. Pertenece al grupo escandinavo oriental de las lenguas GERMÁNICAS y está estrechamente relacionada con el noruego y el danés. Su historia a partir del período del escandinavo común (600–1050) hasta c. 1225 se conoce principalmente por inscripciones en escritura RÚNICA. Suele estimarse que el sueco moderno data de 1526, cuando se imprimió por primera vez una traducción a esta lengua del Nuevo Testamento. La lengua estándar empezó a emerger en el

s. XVII, basada en gran medida en los dialectos svea hablados en Estocolmo. Tanto el sueco como el noruego tienen dos acentos tonales.

suelo Medio poroso y biológicamente activo que se ha desarrollado en la capa superficial de la corteza terrestre. Sirve como reserva natural de agua y nutrientes, como medio de filtraje y descomposición de desechos nocivos y como participante en el ciclo del carbono y otros elementos en el ecosistema global. Ha evolucionado a través de la METEORIZACIÓN de materiales sólidos, como rocas consolidadas, sedimentos, aluvión glaciar, ceniza volcánica y materia orgánica. El grosor del suelo lo constituyen partículas minerales compuestas de iones de silicatos combinados con diversos iones metálicos. El contenido orgánico del suelo está formado por biomasa no descompuesta o parcialmente descompuesta así como por humus, colección de compuestos orgánicos derivados de biomasa descompuesta.

suelo arcilloso *inglés* **gumbo** En edafología, cualquiera de diversos suelos aluviales ricos, de grano fino, y color negro, especialmente del centro de EE.UU., que al estar mojados se vuelven impenetrables y jabonosos o cerosos y muy pegajosos. Al secarse, el suelo arcilloso "se cuece" quedando extremadamente duro.

suelo rojo Cualquiera de un grupo de suelos que se desarrollan en un clima húmedo, cálido y templado, debajo de bosques caducifolios o mixtos y que tienen delgados estratos orgánicos y orgánico-minerales que recubren un estrato lixiviado de color pardo amarillento, el que descansa sobre un estrato iluvial (ver ILUVIACIÓN) rojo. Los suelos rojos se forman generalmente de una ROCA SEDIMENTARIA rica en hierro. Suelen ser suelos pobres para cultivo, con bajo contenido de nutrientes y HUMUS, y difíciles de cultivar.

suelos, mecánica de ver MECÁNICA DE SUELOS

sueño Suspensión periódica natural de la CONCIENCIA durante la cual se reponen las fuerzas del cuerpo. Los humanos duermen normalmente en la noche, mientras que las especies nocturnas lo hacen durante el día. En promedio, los seres humanos necesitan alrededor de 7,5 horas de sueño. Hay dos tipos principales de sueño: MOR (movimientos oculares rápidos) y NMOR (no MOR), cada uno de los cuales se repite de manera cíclica varias veces durante un período normal de sueño. El sueño MOR se caracteriza por un aumento de la actividad neuronal del cerebro anterior y medio, depresión del tono muscular y por el acto de soñar (ver SUEÑOS), movimientos oculares rápidos y congestión vascular de los órganos sexuales. El sueño NMOR consta de cuatro etapas, la última de las cuales es el sueño profundo, restaurador y tranquilo, comúnmente asociado con lo que se llama "una buena noche de descanso". Ver también INSOMNIO; NARCOLEPSIA.

sueño, enfermedad del Enfermedad PROTOZOARIA transmitida por la picadura de la MOSCA TSE-TSÉ. Dos formas, causadas por diferentes especies del género *Trypanosoma*, ocurren en regiones separadas de África. El parásito entra al torrente sanguíneo e invade los GANGLIOS LINFÁTICOS y el BAZO, que se ponen tumefactos, blandos y sensibles. Aparece fiebre irregular y sensación dolorosa retardada. En la forma de Rodesia, el paciente muere pronto de toxemia masiva. La forma de Gambia progresa con invasión del encéfalo y la médula espinal, causando intenso dolor de cabeza, fatiga física y mental, PARÁLISIS espástica o flácida, COREA y somnolencia profunda, seguida por dos o tres años de emaciación, coma y muerte. Algunos pacientes desarrollan tolerancia, pero siguen siendo portadores de los tripanosomas. Mientras más precoz sea la farmacoterapia, mayor será la posibilidad de recuperación. La enfermedad del sueño aún prevalece en algunas zonas de África a pesar de los esfuerzos para controlarla.

sueños Serie de pensamientos, imágenes o emociones que se presentan durante el SUEÑO, particularmente aquel que va acompañado de movimientos oculares rápidos (MOR). Los relatos de los sueños varían desde lo muy corriente y realista hasta lo fantástico y surrealista. Los seres humanos han asignado siempre gran importancia a los sueños, los que han interpretado de distintas maneras, esto es, como ventanas a lo sagrado, el pasado y el futuro, o como una entrada al mundo de los muertos. Los sueños han proporcionado soluciones creativas a problemas intelectuales y emocionales y han aportado ideas para fines artísticos. Es posible que durante el sueño ocurra subconscientemente un tipo de síntesis cognitiva que facilita la introvisión consciente. La teoría más famosa acerca del significado de los sueños es el modelo psicoanalítico de SIGMUND FREUD; a su juicio, deseos que comúnmente se reprimen (se ocultan a la conciencia) debido a que representan impulsos prohibidos, se expresan en los sueños, aunque a menudo disfrazados (i. e., en forma simbólica).

Suetonio *latín* **Gaius Suetonius Tranquillus** (69 DC, ¿Roma?–c. 122). Biógrafo y anticuario romano. Perteneció a una familia de clase noble. Entre sus escritos se cuenta *De viris illustribus* [Sobre los hombres ilustres], conjunto de breves biografías de figuras literarias que constituye la fuente primaria de prácticamente todo lo que se sabe sobre la vida de los más ilustres escritores romanos. Su otra gran obra, *Vida de los doce césares*, comprende los diversos rumores y escándalos relacionados con los primeros doce emperadores romanos. Este libro condicionó más que ningún otro, la imagen gráfica que se tiene de la sociedad romana y de la decadencia de sus líderes. Esta imagen dominó el pensamiento histórico hasta que fue modificada en la era moderna gracias al descubrimiento de evidencias no literarias que refutan en parte lo señalado en la obra de Suetonio.

Portaaviones estadounidense *USS Nimitz* cruzando el canal de Suez.
FOTOBANCO

Suez, canal de Canal naviero artificial del istmo de Suez, Egipto. Comunica el mar Rojo con el Mediterráneo oriental. Se extiende por 160 km (100 mi) desde PORT SAID hasta el golfo de SUEZ y permite que los buques naveguen directamente entre el Mediterráneo y el océano Índico. Construido por la Compañía del Canal de Suez, de capitales franceses, fue terminado en 1869, tras once años de trabajo. Su propiedad estuvo durante largo tiempo en manos francesas y británicas hasta que Egipto lo nacionalizó en 1956, con lo cual hizo estallar una crisis internacional (ver crisis del canal de SUEZ). Tiene un ancho mínimo de 55 m (179 pies) y una profundidad de unos 12 m (40 pies), en baja marea. Aunque protegido por un tratado internacional, el canal ha sido cerrado en dos oportunidades: la primera, durante la crisis del canal de Suez; la segunda, a causa de la guerra de los SEIS DÍAS (1967) y que estuvo fuera de servicio hasta 1975. Es una de las rutas navieras más frecuentadas del mundo.

Suez, crisis del canal de (1956). Crisis internacional ocurrida cuando el presidente egipcio, GAMAL ABDEL NASSER, nacionalizó el canal de SUEZ, después de que los países occidentales retiraran su promesa de financiar la construcción de la represa de ASUÁN. Franceses y británicos, que controlaban la compañía propietaria del canal, enviaron tropas a ocupar la zona. Su aliado, Israel, se apoderó de la península del SINAÍ.

A causa de la oposición internacional, los franceses y británicos se retiraron rápidamente del área e Israel le siguió después, en 1957. El incidente condujo a la renuncia del primer ministro británico, ANTHONY EDEN, hecho que fue percibido como una abierta señal que anunciaba el fin de Gran Bretaña como gran potencia mundial. Por el contrario, el prestigio de Nasser aumentó entre los países en vías de desarrollo. Ver también guerras ÁRABE-ISRAELÍES.

Suez, golfo de Brazo noroccidental del mar Rojo. Está ubicado entre África y la península del SINAÍ y tiene cerca de 314 km (195 mi) de largo y 19–32 km (12–20 mi) de ancho. Conectado al Mediterráneo por el canal de SUEZ, constituye una importante ruta marítima. En las décadas de 1970–80 se descubrió petróleo en numerosos puntos del golfo.

Suffolk Condado administrativo (pob., 2001: 668.548 hab.) e histórico en el este de Inglaterra, a orillas del mar del Norte. Existen minas prehistóricas de pedernal en el norte del condado. Durante el período anglosajón, Suffolk formaba parte del reino de ANGLIA ORIENTAL; el barco funerario de SUTTON HOO data de esta época. Su prosperidad medieval se debió en gran parte a la industria de tejidos de lana. Desde entonces, la agricultura ha sido la principal actividad económica; se cultivan cereales, remolacha y hortalizas. La ciudad de Newmarket, en Suffolk, es famosa por sus caballos de carrera, en tanto que la costa de Suffolk está sembrada de lugares de descanso. La capital del condado es IPSWICH.

Oveja raza Suffolk.

Suffolk Raza de OVEJA de lana de textura media, mocha y de cara oscura, desarrollada en Inglaterra a comienzos del s. XIX al cruzar ovejas Norfolk cornudas con carneros Southdown. Las Suffolk son prolíficas, de desarrollo precoz y proporcionan canales de cordero excelentes. Son dinámicas, despiertas y muy resistentes. La raza Suffolk se introdujo en EE.UU. en 1888 y es una apreciada productora de carne.

Suffolk, Thomas Howard, 1er conde de (24 ago. 1561–28 may. 1626, Londres, Inglaterra). Oficial naval y político inglés. Hijo del 4º duque de NORFOLK, tuvo a su cargo varios comandos navales y se distinguió en el ataque a la ARMADA INVENCIBLE española (1588). Dirigió incursiones navales en contra de los españoles durante el reinado de ISABEL I. Nombrado conde de Suffolk en 1603, sirvió a JACOBO I como lord chambelán (1603–14) y lord gran tesorero (1614–18). En 1618 fue despojado de su cargo por acusaciones de malversación y puesto en prisión brevemente junto a su esposa, quien había recibido sobornos de España.

sufismo Movimiento místico en el seno del ISLAM que persigue hallar el amor y el conocimiento divinos a través de la experiencia personal directa de Dios. Consiste en una serie de senderos místicos diseñados para determinar la naturaleza de la humanidad y de Dios, y para facilitar la experiencia del amor y la sabiduría divinos en el mundo. El sufismo surgió como movimiento organizado después de la muerte de MAHOMA (632 DC) entre distintos grupos a quienes el islamismo ortodoxo les parecía espiritualmente sofocante. Las prácticas de las órdenes y subórdenes sufíes contemporáneas son variables, pero la mayoría usa la recitación del nombre de Dios o de algunas frases del CORÁN como forma de liberar las ataduras del yo inferior, a fin de que el alma experimente la realidad superior a la que aspira naturalmente. Aunque los sufíes han estado muchas veces en desacuerdo con la teología y las leyes islámicas convencionales, la importancia del sufismo en la historia del Islam es incalculable. La literatura sufí, en especial su poesía amorosa, representa una época de oro en los idiomas árabe, persa, turco y urdú. Ver también AḤMADIYYA; DERVICHE.

sufragio femenino Derecho de las mujeres, por ley, a votar en las elecciones nacionales y municipales. El derecho a voto femenino se transformó en materia de debate en el s. XIX, especialmente en Gran Bretaña y EE.UU. El movimiento por el sufragio femenino en EE.UU. nació del movimiento antiesclavista (ver ABOLICIONISMO) y de la defensa de figuras como Lucretia Mott y ELIZABETH CADY STANTON, quienes creían que la igualdad debiera abarcar tanto a las mujeres como a los afroamericanos. Mott y Stanton organizaron la convención de SENECA FALLS (1848), que emitió una declaración que exigía el sufragio femenino y el derecho de la mujer a acceder a oportunidades educacionales y laborales. En 1850, LUCY STONE celebró la primera convención nacional del movimiento. Elizabeth Cady Stanton y SUSAN B. ANTHONY crearon, en 1869, la Asociación nacional para el sufragio femenino (National Woman Suffrage Association) con el fin de obtener una enmienda de la constitución de EE.UU. que diera a las mujeres el derecho a voto; Stone, a su vez, formó la Asociación norteamericana del sufragio femenino (American Woman Suffrage Association), dirigida a conseguir enmiendas parecidas en las constituciones de los distintos estados; en 1890 las dos organizaciones se fusionaron con el nombre de National American Woman Suffrage Association. En 1890, siguiendo el ejemplo de Wyoming, los estados comenzaron a adoptar dichas enmiendas y en 1918 las mujeres ya habían ganado el derecho a sufragio en 15 estados. Cuando el congreso aprobó una enmienda relativa al sufragio femenino, una enérgica campaña obtuvo su ratificación y en agosto de 1919 la XIX enmienda pasó a formar parte de la constitución. En Gran Bretaña, el primer comité del sufragio femenino se constituyó en 1865, en Manchester. En la década de 1870, las sufragistas presentaron peticiones acompañadas de casi tres millones de firmas. Pese al apoyo cada vez mayor, los proyectos de ley relativos al sufragio siempre terminaban rechazados; en su frustración, algunas sufragistas pasaron a ser activistas militantes bajo el liderazgo de EMMELINE Y CHRISTABEL PANKHURST. El parlamento, en 1918, terminó por aprobar la ley de REPRESENTACIÓN POPULAR; para entonces la mujer ya había ganado el derecho a voto en Nueva Zelanda (1893), Australia (1902), Finlandia (1906), Noruega (1913), la Unión Soviética (1917), Polonia (1918), Suecia (1919), Alemania (1919) e Irlanda (1922). Después de la segunda guerra mundial, numerosos países, entre ellos Francia, Italia, India y Japón, aprobaron leyes de sufragio femenino.

Sugar Act ver ley del AZÚCAR

Sugawara Michizane (845, Japón–26 mar. 903, Dazaifu). Erudito japonés de la literatura china durante el período HEIAN, posteriormente divinizado como Tenjin, patrono de la cultura y las letras. El emperador Uda le asignó importantes cargos gubernamentales, al ver en él un contrapeso a la poderosa familia FUJIWARA. Tras el ascenso al trono del hijo de Uda, la suerte de Sugawara Michizane se revirtió y fue enviado al exilio, cuando el nuevo emperador fue persuadido de que había conspirado en su contra. Murió en el exilio y poco después se le atribuyeron a su espíritu vengativo algunas calamidades ocurridas en la capital. Por este motivo fue rehabilitado en forma póstuma. En los santuarios dedicados a Tenjin, los escolares acostumbran comprar amuletos de buena suerte antes de rendir los exámenes de ingreso a los establecimientos educacionales.

Suger (1081, cerca de París–13 ene. 1151). Abad de Saint-Denis y consejero de LUIS VI y LUIS VII. De origen campesino, se educó desde niño en la abadía de Saint-Denis, donde fue compañero y amigo íntimo del futuro Luis VI. En 1122 fue elegido abad; desde ese cargo aprovechó la veneración popular por los santos y por el estandarte de la Iglesia para reunir apoyo militar en favor del rey. Su trabajo en la iglesia de Saint-Denis contribuyó al desarrollo de la arquitectura GÓTICA. Concertó un tratado que puso fin a la guerra civil entre Luis VII y su vasallo Thibaut, y fue regente (1147–49) mientras el rey estaba en la segunda CRUZADA.

Suger, detalle de un vitral, s. XII; abadía de Saint-Denis, Francia.
ARCHIVES PHOTOGRAPHIQUES, PARÍS

Suharto (n. 8 jun. 1921, Kemusu Argamulja, Java, Indias Orientales Holandesas). Segundo presidente de Indonesia (1967–98). Inicialmente prestó servicio en el ejército colonial neerlandés, pero después de la conquista japonesa (1942) se unió a un cuerpo de defensa patrocinado por los nipones. Tras la rendición japonesa se integró a las fuerzas guerrilleras que lucharon por la independencia del dominio neerlandés. Ocupaba el cargo de teniente coronel cuando Indonesia se independizó (1950). Ferviente anticomunista, en 1965 aplastó un supuesto intento de golpe de Estado comunista con una despiadada purga de comunistas e izquierdistas por todo el país que dejó un saldo de 1.000.000 de muertos. En 1967 depuso al mandatario en ejercicio, SUKARNO, y fue designado presidente. Estableció un gobierno autoritario y fue elegido varias veces sin oposición. En 1975 anexó brutalmente la ex colonia portuguesa de TIMOR ORIENTAL. Una grave depresión económica concentró la atención pública en la corrupción de su gobierno, lo que llevó a manifestaciones masivas que impulsaron su renuncia (1998), después de 31 años en el poder.

Suharto.
AP/WIDE WORLD PHOTOS

Sui, dinastía (581–618). Dinastía de breve duración que unificó la China septentrional con la meridional, tras siglos de división. Bajo los Sui, se inició el renacimiento cultural y artístico que alcanzaría su apogeo durante la dinastía TANG, su sucesora. El primer emperador Sui, WENDI, uniformó las instituciones gubernamentales en todo el país, promulgó un nuevo sistema legal, realizó un censo, reclutó funcionarios por medio de exámenes y restableció los rituales confucianos. Los Sui emprendieron tres costosas y desafortunadas campañas contra el reino coreano de KOGURYŎ. La superficie de su capital, en CHANG'AN, era seis veces superior a la de la actual ciudad de Xi'an, emplazada en el mismo lugar.

suicidio Acto de quitarse la vida intencionalmente. El suicidio puede tener un origen psicológico, como la dificultad de enfrentar la DEPRESIÓN u otros TRASTORNOS MENTALES; puede estar motivado por el deseo de poner a prueba el afecto de los seres queridos o de castigar su falta de apoyo con el peso de la culpa. También puede proceder de presiones sociales y culturales, especialmente aquellas que tienden a aumentar el aislamiento, como la pérdida o el alejamiento de seres muy queridos. Las actitudes frente al suicidio han variado con las épocas y culturas; en la antigua Grecia se permitía a los criminales convictos que se quitaran la vida, y la costumbre japonesa del SEPPUKU (también llamada haraquiri) que consiste en el destripamiento ritual, permitía a los SAMURÁIS suicidarse como una forma de proteger su honor y demostrar lealtad. Los judíos preferían el suicidio antes de someterse a los antiguos conquistadores romanos o a los caballeros cruzados que intentaban forzar su conversión al cristianismo. En el s. XX, los miembros de nuevos movimientos religiosos, especialmente de las sectas Templo de los Pueblos y Puerta del Cielo, se suicidaron en masa. Monjes y monjas budistas también se han inmolado como forma de protesta social. Los KAMIKAZE o pilotos suicidas utilizados por Japón durante la segunda guerra mundial fueron precursores de los bombarderos suicidas que surgieron a fines del s. XX como una forma de TERRORISMO, particularmente entre los extremistas islámicos. Sin embargo, el suicidio es condenado en general por el Islam, el judaísmo y el cristianismo y en muchos países los intentos de suicidio son aún castigados por la ley. En distintos países del mundo, algunas comunidades han tratado de legalizar el suicidio médicamente asistido de enfermos terminales. La eutanasia fue legalizada en los Países Bajos en 2001 y en Bélgica en 2002, y se practica abiertamente en Colombia. Desde la década de 1950, en muchos países se han fundado organizaciones para prevenir el suicidio, con líneas telefónicas directas como fuente de orientación fácilmente disponible.

Suir, río Río del sudeste de Irlanda. Nace en el condado septentrional de Tipperary y fluye en dirección sur y este. Confluye con los ríos Barrow y Nore antes de ingresar a Waterford Harbour tras 183 km (114 mi) de recorrido. Desde la década de 1760, el río es navegable hasta Clonmel.

suite Conjunto de danzas instrumentales o de movimientos semejantes a los de la danza. La *suite* surgió de las danzas en parejas de los s. XIV–XVI (pavana-gallarda, *basse danse-saltarello*, etc.). En los s. XVI–XVII, los compositores alemanes comenzaron a componer conjuntos de tres o cuatro danzas, como en el *Banchetto musicale* (1617) de JOHANN HERMANN SCHEIN. A fines del s. XVII se estableció como norma una ordenación básica de cuatro danzas –ALEMANDA, COURANTE, ZARABANDA y GIGA–; entre la zarabanda y la giga se interpolaban otras danzas. En el s. XIX, el término *suite* empezó a referirse a conjuntos de extractos instrumentales de óperas y de ballets.

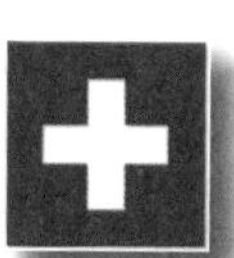

SUIZA

- **Superficie:** 41.284 km² (15.940 mi²)
- **Población:** 7.519.000 hab. (est. 2005)
- **Capital:** BERNA
- **Moneda:** franco suizo

Suiza *ofic.* **Confederación Suiza** País mediterráneo de Europa central. La población está conformada por habitantes de origen germánico, francés e italiano. Idiomas: alemán, francés, italiano y romanche (todos oficiales, con el romanche usado localmente). Religiones: catolicismo (cerca del 45%), protestantismo (40%), Islam y cristianismo ortodoxo. El país está dividido en tres regiones: la cordillera del JURA, cubierta de praderas; la Mittelland (meseta central), zona urbanizada y de tierras aptas para la agricultura; y los elevados escarpes de los ALPES. Suiza es uno de los centros financieros más importantes del mundo; su economía se basa principalmente en el comercio y las finanzas internacionales, así como en la industria liviana y pesada. Entre los productos industriales figuran relojes, instrumentos de precisión, maquinarias y productos químicos. También son importantes el turismo y la agricultura; produce cereales, remolacha azucarera, frutas y hortalizas, productos lácteos, chocolate y vino. A pesar de la diversidad étnica, religiosa e idiomática, en Suiza ha persistido durante 700 años la democracia más antigua del mundo. Es un Estado federal bicameral; el jefe de Estado y de Gobierno es el presidente. Los helvéticos fueron sus habitantes primitivos, quienes resultaron conquistados por los romanos en el s. I AC. Diversas tribus germánicas penetraron en la región en los s. III–VI DC, e invasores musulmanes y magiares se aventuraron en ella en el s. X. Quedó bajo dominio de los FRANCOS en el s. IX y del imperio medieval (que más tarde se convertiría en el SACRO IMPERIO ROMANO) en el s. XI. En 1291, tres cantones formaron una liga contraria a los Habsburgo que se transformó en el núcleo de la Confederación Suiza. Fue uno de los centros de la REFORMA, proceso que dividió la confederación y trajo consigo un período de conflictos religiosos y políticos. En 1798, los franceses organizaron Suiza como la REPÚBLICA HELVÉTICA. En 1815, el Congreso de VIENA reconoció la independencia de Suiza y garantizó su neutralidad. En 1848 se formó un nuevo Estado federal, con Berna como capital. Suiza se mantuvo neutral en las dos guerras mundiales y ha continuado defendiendo su neutralidad. En 1960 se incorporó a la ASOCIACIÓN EUROPEA DE LIBRE COMERCIO, pero ha optado por no integrarse a la UNIÓN EUROPEA. En 2002 pasó a formar parte de las NACIONES UNIDAS.

Grindelwald, poblado a los pies de los Alpes Suizos
ARCHIVO EDIT. SANTIAGO

Sujothai, estilo Estilo canónico de iconos de Buda, probablemente desarrollado en el reino de Sujothai (actual Tailandia) a comienzos del s. XIV. Los típicos budas Sujothai, ya sea sentados en postura de medio loto, con la mano derecha haciendo el gesto de tocar la tierra, o caminando con un pie delante y la mano derecha levantada al pecho, poseen una ingrávida elegancia. Las partes del cuerpo se rigen por ideales abstractos basados en analogías de las formas naturales (p. ej., hombros como tronco de elefante, torso como un león). La cabeza suele mostrar una protuberancia semejante a una llama de fuego sobre una excrecencia, que los creyentes creen que contiene una cavidad cerebral adicional.

Sujothai, reino Antiguo reino del centro-norte de Tailandia. Fue fundado a mediados del s. XIII, cuando un gobernante local thai lideró una revuelta contra el dominio jmer. Constituyó apenas una pequeña potencia local hasta que su tercer rey, RAMA KAMHENG, heredó el trono c. 1279 y extendió su poderío hasta abarcar la península de MALACA por el sur, lo que hoy es Myanmar (Birmania) por el oeste y el actual Laos por el nordeste. A su muerte, en 1298, el reino comenzó a declinar y en 1438 fue absorbido por el reino de AYUTTHAYA.

Sujumi *antig.* **Dioscurias** Puerto marítimo (pob., est. 1991: 120.000 hab.) de la República de Georgia. Situado en el mar NEGRO, fue una antigua colonia griega que más tarde estuvo bajo el dominio sucesivo de romanos, bizantinos, otomanos y rusos. En el presente se ha convertido en un popular destino turístico. Después de la independencia de Georgia (1991), fue el centro de una rebelión por la independencia de Abjasia. Es la capital de la República Autónoma de Abjasia.

Sukarno (6 jun. 1901, Surabaya, Java, Indias Orientales Holandesas–21 jun. 1970, Yakarta, Indonesia). Primer presidente de Indonesia (1949–67). Hijo de un maestro de escuela javanés, sobresalió en lenguas, llegando a dominar el javanés, sundanés, balinés e indonesio moderno, que en gran medida ayudó a crear. Surgió como un líder carismático en el movimiento independentista del país. En 1942, cuando los japoneses invadieron Indonesia, se desempenó como consejero jefe de estos, al tiempo que los instaba a conceder la independencia a su país. Inmediatamente después de la derrota de Japón, declaró la independencia; los neerlandeses no transfirieron la soberanía hasta 1949. Una vez convertido en presidente, Indonesia logró avances en salud, educación y conciencia cultural propia, pero la democracia y la economía fracasaron. Su gobierno fue corrupto, la inflación aumentó en forma desmedida y el país vivió en continuo estado de crisis. En 1965, un intento de golpe de Estado, supuestamente organizado por los comunistas, llevó a un golpe militar liderado por SUHARTO y a una purga de presuntos comunistas. Despojado del poder en 1966, renunció en 1967 y vivió bajo arresto domiciliario hasta su muerte.

Sukarno, 1965.
FRED MAYER–MAGNUM

Sukhoy *ofic.* **OKB** *llamado* **P.O. Sukhoy** *ant.* **OKB-51** Empresa de diseño aeroespacial rusa, la segunda fabricante de aviones caza de reacción más importante del país (después de la MIG). Su origen data de 1953, cuando el gobierno soviético permitió que Pavel Sukhoy reagrupara a su equipo de diseño aeronáutico de la segunda guerra mundial y constituyera una nueva entidad denominada OKB-51. En las décadas de 1950–60, OKB-51 planificó y construyó una serie de reactores caza supersónicos, como el Su-7 y el Su-9, los que posteriormente fueron modificados y utilizados ampliamente por la U.R.S.S. y otros países del pacto de VARSOVIA. Mejoró su versión del Su-9, lo que dio como resultado los interceptores Su-11 y Su-15. Después de la muerte de Sukhoy (1975), su nombre fue agregado al de la empresa. Probablemente el diseño más conocido de Sukhoy es el versátil caza de superioridad aérea Su-27 (vuelo inaugural en 1977). En la década de 1990 introdujo el avión caza bombardero Su-34 y el Su-39, rediseñado para ataque terrestre. El S-37 Berkut, avión caza de superioridad aérea de quinta generación multifuncional (1997), poseía la más avanzada tecnología electrónica, alas de barrido delantero y control vectorial de empuje. En 1997, Rusia unió la empresa de diseño con su planta de producción y otras filiales y creó la empresa AVPK Sukhoy, que es en parte propiedad del Estado. A principios del s. XXI, Sukhoy comenzó a diversificarse hacia el mercado de la aeronáutica civil con aviones deportivos, de carga y aeronaves de pasajeros.

sukiya, estilo Estilo arquitectónico japonés desarrollado en los períodos Azuchi-Momoyama (1574–1600) y TOKUGAWA (1603–1867), originalmente utilizado para casas de té y más tarde también para residencias privadas y restaurantes. Basado en una estética de naturalidad y simplicidad rústica, los edificios de este estilo persiguen armonizar con el entorno. Se emplea la construcción en madera, dejándola en su estado natural, en ocasiones con su corteza. Los muros son generalmente de arcilla. Se presta gran atención a los detalles y a las proporciones, obteniendo el efecto de una simplicidad refinada. El arquitecto Yoshida Isoya (n. 1894–m. 1974) promovió un estilo *sukiya* moderno con materiales contemporáneos.

Sulawesi, isla ver isla CÉLEBES

Sulayman, montes Cadena montañosa al oeste del río INDO, Pakistán central. Se extiende unos 450 km (280 mi), con cumbres que tienen en promedio 1.800–2.100 m (6.000–7.000 pies) de altura. Los picos más altos, situados en el extremo norte, son los gemelos llamados Trono de Salomón. Un famoso santuario se alza en el más alto de los dos, de 5.633 m (18.481 pies) de altura.

sulfa Término común para la droga sulfonamida, cualquier miembro de una clase de drogas sintéticas antibacterianas con una estructura química particular, que incluye a la vez átomos de AZUFRE y de NITRÓGENO. Su efectividad antibacteriana fue descubierta en 1932 por GERHARD DOMAGK, y se convirtieron en las primeras sustancias químicas utilizadas en forma sistemática contra infecciones bacterianas humanas. Las sulfas inhiben el crecimiento y la multiplicación de ciertas BACTERIAS (pero no las elimina) interfiriendo con la síntesis de ácido FÓLICO. Debido a su toxicidad y la creciente resistencia bacteriana, las drogas sulfa ya no son de uso común (excepto para infecciones del tracto urinario, ciertas formas de paludismo y para prevenir la infección de las quemaduras); han sido en gran medida sustituidas por ANTIBIÓTICOS menos tóxicos.

sulfato Cualquiera de numerosos compuestos químicos inorgánicos y orgánicos relacionados con el ácido SULFÚRICO (H_2SO_4). Un subgrupo consiste en SALES que contienen el ION sulfato (SO_4^{2-}) unido por medio de ENLACES IÓNICOS con cualquiera de diversos CATIONES. Otro subgrupo de sulfatos, los ÉSTERES, son compuestos orgánicos en los que los átomos de hidrógeno del ácido sulfúrico son reemplazados por grupos orgánicos (p. ej., metilo, etilo, fenilo); un átomo de carbono del grupo orgánico se une a un átomo de oxígeno, cuyo segundo enlace se une al átomo de azufre. (En los sulfonatos, un átomo de carbono se une directamente al átomo de azufre.) Ver también ENLACE.

sulfúrico, ácido *o* **aceite de vitriolo** Compuesto inorgánico líquido, corrosivo, denso, aceitoso e incoloro, de fórmula química H_2SO_4. ÁCIDO muy fuerte, forma IONES de HIDRÓGENO o de hidronio (H^+ o H_3O^+), bisulfato (HSO_4^-) y SULFATO (SO_4^{2-}). Es también un agente oxidante (ver OXIDACIÓN-REDUCCIÓN) y deshidratante, y carboniza muchos materiales orgánicos. Es uno de los productos químicos industriales más importantes, que, en diversas concentraciones, se utiliza para la fabricación de fertilizantes, pigmentos, tinturas, drogas, explosivos, detergentes y sales y ácidos inorgánicos, en la refinación del petróleo y en procesos metalúrgicos, y como ácido en baterías de plomo. Se fabrica industrialmente por disolución en agua del trióxido de azufre (SO_3), a veces excediendo el punto de SATURACIÓN para obtener *oleum* (ácido sulfúrico fumante), que se utiliza en la elaboración de ciertos productos químicos orgánicos.

Pirita (disulfuro de hierro) de Butte, Montana, EE.UU.
COLECCIÓN DE JOSEPH Y HELEN GUETTERMAN; FOTOGRAFÍA, JOHN H. GERARD

sulfuro Cualquier miembro de un grupo de compuestos de AZUFRE con uno o más metales. Los metales que se encuentran con más frecuencia en sulfuros son el hierro, cobre, níquel, plomo, cobalto, plata y cinc. Constituyen los minerales para extracción de la mayoría de los metales usados en la industria (p. ej., antimonio, bismuto, cobre, plomo, níquel y cinc). Otros metales industriales importantes, como el cadmio y el selenio, se presentan en cantidades muy pequeñas en numerosos sulfuros comunes y se recuperan en los procesos de refinación.

sulfurosa, bacteria ver BACTERIA SULFUROSA

Sullivan, Ed(ward Vincent) (28 sep. 1901, Nueva York, N.Y., EE.UU.–13 oct. 1974, Nueva York). Anfitrión de programas de televisión estadounidense. Comenzó su carrera como periodista, y escribió una columna social de Broadway en el *Daily News*. Se hizo conocido por su capacidad para descubrir interesantes artistas desconocidos y fue contratado por la CBS para ser el presentador del programa de variedades *Toast of the Town* (1948–55), que después se tituló *The Ed Sullivan Show* (1955–71). El programa, que se convirtió en una institución nacional por más de 20 años, combinaba números como un concertista en piano, un bombero cantante y un árbitro de boxeo y celebridades de Hollywood, todos juntos en un solo show. La manera lacónica en que Sullivan presentaba a sus artistas invitados y su peculiar modo lo convirtieron en un recurrente objeto de burla de parte de los comediantes.

Sullivan, Harry Stack (21 feb. 1892, Norwich, N.Y., EE.UU.–14 ene. 1949, París, Francia). Psiquiatra estadounidense. Se dedicó a la investigación clínica en el Hospital Pratt, en Maryland (1923–30), siguiendo su interés en el uso de la psicoterapia para tratar la ESQUIZOFRENIA, a la que consideraba proveniente de relaciones interpersonales perturbadas en la infancia temprana. Sostuvo que los síntomas psiquiátricos surgían de conflictos entre el individuo y su ambiente humano, y que el desarrollo de la personalidad provenía también de una serie de interacciones con otras personas. Ayudó a crear la fundación psiquiátrica William Alanson White (1933) y la Escuela de psiquiatría de Washington (1936); también fundó, en 1938, la revista *Psychiatry*, de la que fue editor. Entre sus obras se cuentan *La teoría de la psiquiatría interpersonal* (1953) y *La fusión de la psiquiatría con las ciencias sociales* (1964).

John L. Sullivan, boxeador estadounidense.
UPI

Sullivan, John L(awrence) (15 oct. 1858, Roxbury, Mass., EE.UU.–2 feb. 1918, Abington, Mass.). Boxeador estadounidense. En 1882 se convirtió en campeón mundial de peso pesado al derrotar por *knock out* a Paddy Ryan en nueve asaltos. En 1889 ganó por *knock out* a Jake Kilrain en 75 asaltos, el último combate por el título bajo las reglas London Prize Ring (a nudillo descubierto). En su única defensa del título bajo las reglas de QUEENSBERRY, en 1892, fue noqueado por Jim Corbett (n. 1866–m. 1933) en el asalto 21. Entre 1878 y 1905, Sullivan peleó 35 veces, de las cuales ganó 31, 16 por *knock out*. Algunos historiadores del boxeo consideran a Sullivan únicamente un campeón de EE.UU., ya que tuvo sólo una pelea internacional importante y se rehusó a combatir contra el gran peso pesado australiano de raza negra Peter Jackson.

Sullivan, Louis H(enry) (3 sep. 1856, Boston, Mass., EE.UU.–14 abr. 1924, Chicago, Ill.). Arquitecto estadounidense, padre de la arquitectura moderna de EE.UU. Si bien fue aceptado en la École des Beaux-Arts de París, sólo estudió un año, debido a su inquieto carácter. Después de trabajar en varias empresas en Chicago, ingresó en 1879 a la oficina de Dankmar Adler (n. 1844–m. 1900), convirtiéndose en su socio a la edad de 24 años. Sus catorce años de asociación produjeron más de 100 edificios, muchos de ellos hitos de la arquitectura. Su primer trabajo importante fue el

Auditorium Building de Chicago (1889), estructura soportante de piedra con una torre de 17 pisos, sin adornos en las arcadas exteriores, pero deslumbrantemente lujosa en el interior. Su rascacielos más importante es el Wainwright Building en Saint Louis, Mo. (1890–91), estructura de marcos de acero de diez pisos apoyada en una base de dos pisos. Los elementos arquitectónicos verticales del edificio se destacan mientras los horizontales se retraen. Está coronado con un decorativo friso y una cornisa. El joven FRANK LLOYD WRIGHT pasó seis años de este período como aprendiz de Sullivan, quien ejerció influencia sobre su discípulo. En 1895 se disolvió la sociedad de Sullivan con Adler y su ejercicio de la profesión empezó a decaer. Uno de sus pocos encargos importantes fue la tienda Carson Pirie Scott en Chicago (1899–1904), cuyo rasgo distintivo fueron sus amplias ventanas y decoración exuberante. La ornamentación de Sullivan no se basaba en precedentes, sino en la geometría y en las formas naturales. Consideraba obvio que el diseño de un edificio debiera mostrar su función y que, si la función no variaba, la forma tampoco debía variar, de ahí su máxima "la forma sigue a la función".

Louis Sullivan, detalle de una pintura al óleo de Frank A. Werner, 1919.
GENTILEZA DE LA CHICAGO HISTORICAL SOCIETY

Sullivan, Sir Arthur (Seymour) (13 may. 1842, Londres, Inglaterra–22 nov. 1900, Londres). Compositor británico. Estudió en la Royal Academy y en el conservatorio de Leipzig, y luego se ganó el sustento como maestro, tocando el órgano y componiendo para festivales provinciales. Su música para *La tempestad* (1861) logró gran éxito y le siguieron su *Sinfonía irlandesa* (1866) y canciones como "Onward, Christian Soldiers" y "The Lost Chord". En 1871 colaboró por primera vez en una ópera cómica con el dramaturgo W.S. GILBERT, y en 1875 su *Trial by Jury* se convirtió en un suceso, lo que determinó el curso de las carreras de ambos. Su colaboración continuó con *The Sorceror* (1877), *H.M.S. Pinafore* (1878), *The Pirates of Penzance* (1879), *Patience* (1881), *Iolanthe* (1882), *Princess Ida* (1883), *The Mikado* (1885), *Ruddigore* (1887), *The Yeomen of the Guard* (1888), *The Gondoliers* (1889), y otras, de las que varias continuarían deleitando a las audiencias internacionales por más de un siglo.

Sully, Maximilien de Béthune, duque de (13 dic. 1560, Rosny-sur-Seine, Francia–22 dic. 1641, Villebon). Estadista francés. Hijo de un noble hugonote, fue enviado a la corte de Enrique de Navarra (luego ENRIQUE IV). Combatió en las guerras de RELIGIÓN y ayudó a negociar la paz de Saboya (1601). Como superintendente de finanzas desde 1598, instituyó reformas en el sistema tributario y en la administración. Leal representante del rey, fue recompensado con cargos reales y nombrado duque de Sully en 1606. Promovió un sistema de mejoras a escala nacional, fomentó la agricultura y fortaleció el ejército. Su papel político llegó a su fin con el asesinato de Enrique (1610), por lo que renunció en 1611.

Sully Prudhomme.
H. ROGER-VIOLLET

Sully Prudhomme *orig.* **René-François-Armand Prudhomme** (16 mar. 1839, París, Francia–7 sep. 1907, Châtenay). Poeta francés. Inspirado en un inicio por un romance fallido, publicó eufónicos y melancólicos poemas en volúmenes que comienzan con *Estancias y poemas* (1865), que incluye su conocida pieza *Le Vase brisé* [La vasija rota]. Más tarde adoptó la poética más objetiva de los PARNASIANOS e intentó representar conceptos filosóficos en su poesía. Entre sus obras posteriores se destacan *La justicia* (1878) y *La dicha* (1888). En 1901 recibió el Premio Nobel de Literatura, en detrimento de figuras mucho más admiradas mundialmente, como LEÓN TOLSTÓI.

Sulú, archipiélago de Archipiélago de islas volcánicas y coralinas en el sudoeste de Filipinas, entre MINDANAO y BORNEO. Conformado por una doble cadena insular de 270 km (170 mi) de largo, abarca unas 400 islas nominadas y más de 500 innominadas; cubren una superficie total de 2.688 km² (1.038 mi²). Los isleños fueron convertidos al Islam por ABU BAKR a mediados del s. XV. Los españoles intentaron, al comienzo infructuosamente, subyugar a sus habitantes, a los que llamaban MOROS. Finalmente, las islas pasaron a constituir un protectorado español en el s. XIX, y en 1899 quedaron bajo el dominio de EE.UU. El archipiélago fue cedido a Filipinas en 1940. Las islas ofrecen refugio a contrabandistas y piratas.

Islotes boscosos en el archipiélago de Sulú.
TED SPIEGEL–RAPHO/PHOTO RESEARCHERS

Sumatra Isla (pob., est. 2000: 43.309.707 hab.) del oeste de Indonesia. Es una de las islas de la SONDA y la segunda más grande de Indonesia. De 1.706 km (1.060 mi) de largo y 400 km (250 mi) de ancho su ciudad principal es PALEMBANG. Situada en las rutas de comercio marítimo, la isla entró tempranamente en contacto con la civilización hindú. En el s. VII surgió el Imperio SRIVIJAYA, que llegó a dominar gran parte de la isla. Estuvo en poder del reino MAJAPAHIT en los s. XIV–XVI. A partir del s. XVI, portugueses, holandeses e ingleses establecieron sucesivamente fuertes en Sumatra. Ocupada por Japón durante la segunda guerra mundial, en 1950 pasó a formar parte de la República de Indonesia. Exporta, caucho, tabaco, café, pimienta y productos de madera entre otros, tiene también yacimientos de petróleo y carbón.

Sumba Isla perteneciente a las de la SONDA menores, Indonesia. De 225 km (140 mi) de largo y hasta 80 km (50 mi) de ancho, está constituida primordialmente por una altiplanicie con puertos en la costa septentrional. En 1756 sus líderes indígenas se plegaron por medio de un tratado al dominio holandés. En 1950 pasó a formar parte de Indonesia. Es conocida por los caballos Sandalwood y el ganado Ongole, y sus prendas tejidas son famosas por su diseño. El principal cultivo es el maíz; también exporta copra.

Sumbawa Isla perteneciente a las de la SONDA menores, Indonesia. En su costa irregular se halla la bahía de Bima, uno de los mejores puertos de Indonesia De 282 km (175 mi) de largo y 88 km (55 mi) de ancho, la isla es primordalmente montañosa. Su pico más alto es el volcán Tambora (2.851 m [9.354 pies]), que hizo erupción en 1815, cobrando la vida de 50.000 personas. Sumbawa formó parte en el pasado del reino MAJAPAHIT. En 1674, la nobleza de Sumbawa firmó acuerdos con la COMPAÑÍA HOLANDESA DE LAS INDIAS ORIENTALES, que le dieron a esta algún poder sobre la isla; los holandeses tomaron el control directo de Sumbawa a comienzos del s. XX. La isla pasó a formar parte de Indonesia en 1950. Produce arroz, maíz, café y copra, entre otros.

Sumer Región meridional de MESOPOTAMIA y emplazamiento de la primera civilización conocida. Estuvo habitada por primera vez c. 4500–4000 AC por un pueblo no semita llamado los ubaidianos u obeidianos. Constituyeron la primera fuerza civilizadora de Sumer, pues drenaron los pantanos para la agricultura y desarrollaron el comercio. Los sumerios, que hablaban una lengua semítica que llegó a prevalecer en la región, arribaron c. 3300 AC, fundando las primeras ciudades conocidas del mundo. Estas evolucionaron hasta convertirse en ciudades-estado, en las cuales se desarrollaron con el tiempo sistemas monárquicos que después llegaron a estar laxamente unidos bajo la égida de una ciudad, siendo la primera KIS c. 2800 AC. A partir de entonces, Kis, URUK, UR, NIPPUR y LAGASH compitieron durante siglos entre sí por el predominio. La zona quedó bajo el control de dinastías foráneas; la primera de ellas fue ELAM (c. 2530–2450 AC), seguida de ACAD, bajo el reinado de SARGÓN (r. 2334–2279 AC). Cuando la dinastía acadia colapsó, las ciudades-estado experimentaron una relativa autonomía, hasta que fueron reunificadas bajo la III dinastía de Ur (s. XXI–XX AC). Esta última dinastía sumeria declinó tras verse debilitada por invasiones extranjeras, y los sumerios desaparecieron como entidad política específica, hasta ser absorbidos por BABILONIA en el s. XVIII AC. Forman parte del legado sumerio algunas innovaciones culturales y tecnológicas, como los primeros vehículos con rueda que se conocen, el torno de alfarería, un sistema de escritura (ver escritura CUNEIFORME) y códigos legales escritos.

Luchador de sumo flexionando sus piernas antes de una exhibición, Nagasaki, Japón.
FOTOBANCO

Sumner, Charles (6 ene. 1811, Boston, Mass., EE.UU.–11 mar. 1874, Washington, D.C.). Político estadounidense. Ejerció como abogado mientras realizaba una cruzada por la abolición de la esclavitud, las reformas carcelaria y educacional y la paz mundial. Elegido senador (1852–74), denunció la esclavitud. Contrario a la ley Kansas-Nebraska por considerarla un "delito contra Kansas", se burló de los autores de la ley, los sen. STEPHEN A. DOUGLAS y Andrew P. Butler. En 1856, un pariente de este último, Preston S. Brooks, de Carolina del Sur, enfurecido, ingresó en el Senado y lo golpeó duramente con un bastón. Sumner volvió al Senado en 1859 y, en calidad de presidente del comité de relaciones exteriores (1861–71), colaboró en la resolución del caso TRENT.

Sumner, James (Batcheller) (19 nov. 1887, Canton, Mass., EE.UU.–12 ago. 1955, Buffalo, N.Y.). Bioquímico estadounidense. Enseñó en la Universidad de Cornell (1929–55). En 1926 se convirtió en el primer investigador en cristalizar una ENZIMA (ureasa); más tarde cristalizó la catalasa y trabajó en la purificación de varias otras enzimas, lo cual condujo al reconocimiento de que la mayoría de las enzimas son PROTEÍNAS. Por este trabajo fue galardonado con el Premio Nobel (junto con JOHN HOWARD NORTHROP y WENDELL MEREDITH STANLEY) en 1946. En 1947 fue nombrado director del laboratorio de química enzimática de Cornell, creado en reconocimiento a su labor.

sumo Forma japonesa de lucha libre. Consiste en que un competidor (*sumotori*) pierde si lo sacan del *ring* (un círculo de 15 pies) o si toca el suelo con cualquier parte del cuerpo que no sea la planta de los pies. La talla, peso y fuerza del luchador tienen gran importancia en el sumo, aunque la velocidad y lo sorpresivo del ataque también cuentan. Los luchadores, que se alimentan con una dieta especial de proteínas y pueden llegar a pesar más de 136 kg (300 lb), sólo usan un taparrabos y se agarran entre sí por el cinturón. Se trata de un deporte muy antiguo, con un complejo sistema de clasificación; en la cúspide de la jerarquía está el *yokozuna* ("gran campeón"). Rituales prolongados y cuidadas posturas acompañan los combates, que son extremadamente breves, a menudo de unos pocos segundos.

Sumter, Thomas (14 ago. 1734, cond. Hanover, Va.–1 jun. 1832, South Mount, S.C., EE.UU.). Oficial de la guerra de independencia de EE.UU. Prestó servicios en la guerra francesa e india y luego se trasladó a Carolina del Sur. Durante la guerra de independencia alcanzó el grado de general de brigada y, cuando cayó Charleston (1780), huyó a Carolina del Norte. Condujo a la milicia del estado a la victoria contra los británicos en diversos enfrentamientos. Se desempeñó en la Cámara de Representantes (1789–93, 1797–1801) y en el Senado (1801–10). Fort Sumter lleva su nombre (ver FORT SUMTER NATIONAL MONUMENT).

Sun Yat-sen *o* **Sun Yixian** (12 nov. 1866, Xiangshan, provincia de Guangdong, China–12 mar. 1925, Beijing). Líder del GUOMINDANG (Partido Nacionalista) chino, conocido como el padre de la China moderna. Se educó en Hawai y Hong Kong y, en 1892, inició la carrera de médico, pero dos años más tarde, preocupado por la incapacidad de la conservadora dinastía QING de impedir que los países más avanzados continuaran humillando a China, abandonó la medicina por la política. Al evidenciar un retardo en el progreso de China, tras enviar a LI HONGZHANG una carta donde proponía la forma de revertir esa situación, viajó al extranjero con el fin de organizar a los ciudadanos expatriados. Estuvo en Hawai, Inglaterra, Canadá y Japón; en 1905 fundó una coalición revolucionaria, el Tongmenghui ("Liga revolucionaria unida"). Las revueltas que ayudó a planificar durante este período fracasaron, pero una rebelión que estalló en Wuhan, en 1911, tuvo un inesperado triunfo al derrocar al gobierno provincial. Luego de ocurridas otras secesiones provinciales, Sun Yat-sen regresó al país y fue elegido presidente provisional de un nuevo gobierno. El emperador abdicó en 1912 y Sun Yat-sen transfirió el gobierno a YUAN SHIKAI. Sin embargo, ambos se enemistaron en 1913 y Sun Yat-sen se convirtió en el líder de un gobierno separatista en el sur. En 1924, apoyado por asesores soviéticos, reorganizó al Guomindang, admitió a tres comunistas en el comité ejecutivo y aprobó la creación de una academia militar, encabezada por CHIANG KAI-SHEK. También dictó conferencias sobre su doctrina, los tres principios populares: nacionalismo, democracia y bienestar del pueblo; sin embargo, falleció al año siguiente sin haber logrado llevar su doctrina a la práctica. Ver también WANG JINGWEI.

Sun Yat-sen.
BROWN BROTHERS

Sunbelt Región en el sur y sudoeste de EE.UU. Se caracteriza por el clima templado, el rápido crecimiento de la población registrado desde 1970 y por mostrar tendencias de votación relativamente conservadoras. Abarca 15 estados; se extiende desde Virginia y Florida en el sudoeste, pasando por el estado de Nevada en el sudoeste, incluido el sur de California.

Sund ver ØRESUND

sundanés Cualquier miembro del pueblo de las tierras altas de JAVA occidental, Indonesia, que se diferencian de los javaneses principalmente por la lengua y su estricta adhesión al Islam. Mencionados por primera vez en el s. VIII DC, los sundaneses constituyen uno de los tres principales grupos étnicos de la isla. En algún momento profesaron el budismo mahayana, pero en el s. XVI se convirtieron al Islam bajo la influencia del comercio con los musulmanes. Las aldeas sundanesas están gobernadas por un jefe tribal y un consejo de ancianos. Las ceremonias del matrimonio, el nacimiento y la muerte se ajustan fielmente al modelo javanés, pero suelen mezclarse elementos hindúes. Los cambios actuales han tendido a borrar las diferencias entre los sundaneses y los restantes pueblos de Java. Suman unos 26 millones de personas.

Sunderland Ciudad, puerto marítimo y municipio metropolitano (pob., 2001: 280.807 hab.), en el norte de Inglaterra. Situada en la desembocadura del río Wear, en el mar del Norte, la ciudad se conocía como Wearmouth en tiempos de los sajones; posteriormente incluyó Monkwearmouth, lugar donde se encontraba un monasterio construido en 674, donde estudió el Venerable BEDA. Sunderland propiamente tal (llamado así por la parte de Monkwearmouth que estaba *sundered* [separada] del monasterio por el río) obtuvo la carta de privilegio de ciudad a fines del s. XII. El puerto creció rápidamente a medida que se desarrollaba el comercio de carbón en el s. XVII, y a mediados del s. XVIII ya era un importante astillero. Entre sus industrias actuales se cuentan la cristalería y la fabricación de automóviles. Dentro del municipio se encuentran los balnearios de Roker y Seaburn. La ciudad y el municipio metropolitano comprenden además los poblados de Washington, Houghton-le-Spring y Hetton-le-Hole.

Sunderland, Robert Spencer, 2° conde de (5 sep. 1641, París, Francia–28 sep. 1702, Althorp, Northamptonshire, Inglaterra). Estadista inglés y principal consejero en los reinados de CARLOS II, JACOBO II y GUILLERMO III. Después de desempeñarse un tiempo en el servicio diplomático, fue dos veces secretario de Estado (1679–81, 1683) y se convirtió en el principal artífice de la política exterior profrancesa de Carlos. Profesó el catolicismo para mantener su influencia en el reinado de Jacobo. Después de que Guillermo asumiera como rey, renunció al catolicismo y se transformó en el principal intermediario entre el rey y el parlamento. En 1697 fue nombrado lord chambelán, pero la oposición whig pronto forzó su abandono del cargo.

Sundiata (m. 1255). Monarca del antiguo Imperio de MALÍ de África occidental. Después de organizar un ejército privado y consolidar su posición entre los suyos, el pueblo MALINKÉ, lanzó ataques contra varios estados vecinos en la década de 1230. En 1240 capturó y arrasó Kumbi, última capital del antiguo Imperio de GHANA. Durante su reinado estableció en Malí la base territorial de su imperio y sentó los cimientos de su futura prosperidad y unidad política.

Sung, dinastía ver dinastía SONG

Sungari, río *chino* **Songhua Jiang** *o* **Sung-hua Khiang** Río del nordeste de China. Nace en el macizo de Changbai. Su principal afluente, el NEN JIANG, confluye mucho antes de que las aguas conjuntas, después de recorrer 1.927 km (1.197 mi), entren a su vez en el río AMUR. El tributario más caudaloso del Amur cruza una fértil llanura y es navegable en gran parte de su curso.

sunna Conjunto de costumbres y prácticas sociales y legales tradicionales que constituye la adecuada observancia del ISLAM. Los primeros musulmanes no concordaban en lo que constituía la *sunna*, debido a la amplia variedad de prácticas preislámicas entre los pueblos conversos que debían ser asimiladas, conciliadas o abandonadas. En el s. VIII, la *sunna* de MAHOMA, hasta entonces conservada en registros de testigos presenciales, fue codificada como el ḤADĪZ por Abū ʿAbd Allāh Shāfʿiī. Posteriormente, eruditos musulmanes reforzaron la autoridad de la *sunna*, pues idearon un sistema para certificar la autenticidad de varias prácticas que supuestamente provenían de Mahoma. Ver también ILM AL-ḤADĪZ; ISNAD; SHARIʿA; TAFSIR.

sunní La más grande de las dos divisiones del ISLAM, que comprende el 90% de los musulmanes del mundo. Los sunníes se consideran la rama convencional y tradicionalista del Islam, en comparación con la CHIITA, rama minoritaria. Los sunníes reconocen a los cuatro primeros califas omeyas (ver dinastía OMEYA) como los sucesores legítimos de MAHOMA. Los sunníes comprendían que el estado teocrático de Mahoma había sido un dominio terrenal y temporal; por lo tanto, estaban dispuestos a aceptar a califas ordinarios y aun extranjeros, siempre que se mantuviera el orden y la ortodoxia religiosa. La ortodoxia sunní privilegia el consenso basado en las opiniones y costumbres de la mayoría de la comunidad, lo que les permite incorporar diversas costumbres y usos surgidos históricamente, pero sin raíces en el CORÁN. Los sunníes reconocen los seis libros auténticos del ḤADĪZ y aceptan las cuatro principales escuelas de leyes islámicas. A principios del s. XXI, los musulmanes sunníes ascienden a cerca de mil millones de seguidores.

Sunnyvale Ciudad (pob., 2000: 131.760 hab.) en el oeste del estado de California, EE.UU. Fundada en 1850, se constituyó como ciudad en 1912. Originalmente fue un centro de procesamiento de frutas; su economía cambió cuando la marina de EE.UU. construyó una base de dirigibles próxima a la zona en la década de 1930, y cuando la Joshua Hendy Iron Works (posteriormente WESTINGHOUSE ELECTRIC CORP.) se expandió en 1942. Su población aumentó rápidamente en la década de 1960. Entre sus principales productos manufacturados se cuentan los proyectiles dirigidos.

Sunset Crater Volcano National Monument Reserva en la zona centro-norte del estado de Arizona, EE.UU. El monumento, establecido en 1930, ocupa 13 km^2 (5 mi^2) de superficie y en él se encuentra un volcán extinto, con un cono de escorias de tonos brillantes que hizo erupción c. 1064. Alcanza los 300 m (1.000 pies) de altura y su cráter tiene 120 m (400 pies) de profundidad y 390 m (1.280 pies) de diámetro. En la zona hay numerosos ríos de lava, fumarolas y lechos de lava.

Vista del Sunset Crater Volcano National Monument en primavera, Arizona, EE.UU.
GENTILEZA DEL SERVICIO DE PARQUES NACIONALES DE EE.UU.

suntuario, impuesto Impuesto específico sobre bienes o servicios que se consideran de lujo más que de primera necesidad (p. ej., joyas y perfumes). El impuesto suntuario puede aplicarse con la intención de gravar a los adinerados o bien como un intento deliberado por modificar patrones de consumo, ya sea por razones morales o en caso de emergencia nacional. Actualmente, el rendimiento de los ingresos fiscales prima por sobre el argumento moral.

SUNY ver Universidad del estado de NUEVA YORK

Sunzi *o* **Sun-tzu** (vivió s. IV AC). Estratega militar chino. General que sirvió al estado de Wu hacia fines del período PRIMAVERA Y OTOÑO (770–476 AC), es considerado tradicionalmente el autor del tratado más antiguo conocido sobre la guerra y la ciencia militar, *El arte de la guerra,* aunque es más probable que el libro haya sido escrito en el período de los ESTADOS GUERREROS (475–221 AC). Guía sistemática sobre la ESTRATEGIA y la TÁCTICA, trata acerca de diversas maniobras y el efecto del terreno, destacando la importancia de la información fidedigna sobre las fuerzas enemigas, y enfatizando lo impredecible de la batalla y la necesidad de respuestas flexibles. Su insistencia sobre la estrecha relación entre las consideraciones políticas y las medidas militares influenció a estrategas modernos, especialmente a MAO ZEDONG.

supercomputadora Clase de COMPUTADORAS DIGITALES extremadamente poderosas. El término se aplica por lo general a los más rápidos sistemas de alto rendimiento disponibles en un momento dado; las COMPUTADORAS PERSONALES actuales son más poderosas que las supercomputadoras de hace unos años. Las supercomputadoras se utilizan sobre todo en trabajos científicos y de ingeniería. A diferencia de las computadoras convencionales, a menudo cuentan con más de una CPU funcionando en paralelo; incluso las supercomputadoras de mayor rendimiento se desarrollan en la actualidad por medio del uso del procesamiento paralelo masivo, que incorpora miles de procesadores individuales. Las supercomputadoras tienen una enorme capacidad de almacenamiento y una capacidad de entrada/salida muy rápida; pueden operar en paralelo sobre los elementos correspondientes de conjuntos de números en lugar de hacerlo sobre un par de elementos a la vez.

superconductividad Ausencia casi total de RESISTENCIA eléctrica en ciertos materiales, enfriados a una temperatura cercana al CERO ABSOLUTO. Los materiales superconductores permiten una baja disipación de potencia, operación a alta velocidad y alta sensibilidad. También tienen la capacidad de impedir que CAMPOS MAGNÉTICOS externos penetren en su interior, siendo así perfectamente diamagnéticos (ver DIAMAGNETISMO). Desde su descubrimiento en 1911 por HEIKE KAMERLINGH ONNES, en el mercurio, se ha encontrado un comportamiento similar en unos 25 elementos químicos y en miles de aleaciones y compuestos. Los superconductores tienen aplicaciones en imaginología médica, sistemas magnéticos de almacenamiento de energía, motores, generadores, transformadores, componentes de computadoras y dispositivos de medición de campos magnéticos muy sensibles.

supercuerdas, teoría de las Cualquiera de las teorías de la FÍSICA DE PARTÍCULAS que tratan a las partículas elementales (ver PARTÍCULAS SUBATÓMICAS) como objetos infinitesimales unidimensionales, semejantes a "cuerdas", en lugar de puntos sin dimensión en el ESPACIO-TIEMPO. Las diferentes vibraciones de las cuerdas corresponden a distintas partículas. Presentadas a inicios de la década de 1970 como un intento de describir la FUERZA NUCLEAR FUERTE, las teorías de las supercuerdas se popularizaron en la década de 1980, cuando se mostró que podían proveer una teoría CUÁNTICA DE CAMPOS plenamente consistente para describir tanto la GRAVITACIÓN como las FUERZAS NUCLEARES DÉBILES y fuertes, y también la fuerza ELECTROMAGNÉTICA. El desarrollo de una teoría cuántica de campo unificado es uno de los objetivos más importantes en la física teórica de partículas, pero la inclusión de la gravedad conlleva problemas difíciles al aparecer cantidades infinitas en los cálculos. Las teorías de supercuerdas más consistentes proponen diez dimensiones; cuatro corresponden a las tres dimensiones espaciales más el tiempo, mientras que el resto se compactifican (se contraen en círculos diminutos en forma de bucles) y no son perceptibles.

superego ver SUPERYÓ

superficie En geometría, colección bidimensional de puntos (superficie plana), colección tridimensional de puntos cuya sección transversal es una CURVA (superficie curva), o también la frontera (o límite) de cualquier sólido tridimensional. En general, una superficie es el límite continuo que divide un espacio tridimensional en dos regiones. Por ejemplo, la superficie de una esfera separa su interior de su exterior; un plano horizontal separa el semiespacio sobre él del semiespacio bajo él. Las superficies cerradas se denominan con frecuencia con los nombres de las regiones que ellas encierran, pero una superficie es esencialmente bidimensional y tiene un área, mientras que la región que encierra es tridimensional y tiene un volumen. Los atributos de las superficies, y en particular la idea de CURVATURA, son temas de investigación en la GEOMETRÍA DIFERENCIAL.

superficie Capa más externa de un material o sustancia. Debido a que las partículas (ÁTOMOS O MOLÉCULAS) en la superficie tienen partículas vecinas rodeándolas por los costados y por debajo, pero no por encima, las propiedades físicas y químicas de una superficie difieren de aquellas del interior del material; la química de superficie constituye por lo tanto una rama de la FISICOQUÍMICA. El crecimiento de los CRISTALES, las acciones de CATALIZADORES y DETERGENTES, y los fenómenos de ADSORCIÓN, TENSIÓN SUPERFICIAL y CAPILARIDAD son aspectos del comportamiento de las superficies. La apariencia de una superficie desde el punto de vista estético es importante, ya sea que se obtenga con GALVANOPLASTIA, PINTURA, OXIDACIÓN-REDUCCIÓN, blanqueado (ver BLANQUEADOR) u otros medios.

superficie aerodinámica Superficie alabeada, como un ala, cola o pala de HÉLICE de un AVIÓN, que produce SUSTENTACIÓN y ARRASTRE al cruzar el aire. Una superficie aerodinámica produce una FUERZA de sustentación que actúa en ángulo recto respecto de la corriente de aire y una fuerza de arrastre que actúa en la misma dirección que la corriente de aire. Los aviones veloces suelen emplear superficies aerodinámicas delgadas de baja fuerza de arrastre y de baja fuerza de sustentación; los aviones lentos que llevan cargas pesadas utilizan superficies aerodinámicas más gruesas de gran fuerza de sustentación, pero también de mayor arrastre.

superficie, pato de ver PATO NADADOR

superfluidez Propiedad inusual del HELIO líquido enfriado a temperaturas inferiores a –270,97 °C (–455,75 °F). A estas temperaturas tan bajas, el helio presenta un enorme aumento de la conductividad térmica, y un flujo rápido por conductos capilares o por sobre el borde del recipiente contenedor. Para explicar tal comportamiento, la sustancia es descrita en términos del modelo de "dos fluidos" mezclados, a saber, helio normal y helio superfluido. En el helio normal los átomos están en estados excitados (ver EXCITACIÓN), mientras que en el helio superfluido se encuentran en su estado fundamental. A medida que la temperatura disminuye por debajo de –270,97 °C, más átomos del helio pasan a constituir la fracción superfluida. Se supone que la componente superfluida puede desplazarse en el recipiente sin ROZAMIENTO, explicando así su comportamiento inusual.

Superfund Fondo gubernamental estadounidense que tiene por objeto financiar la limpieza de vertederos y derrames peligrosos. La ley de 1980 que lo creó estipulaba su financiamiento mediante una combinación de ingresos generales e impuestos a las industrias contaminantes. El ORGANISMO PARA

LA PROTECCIÓN DEL MEDIO AMBIENTE estuvo dirigido a crear una lista de los sitios más peligrosos; luego obligaría al agente contaminante a pagar por la limpieza o la costearía el propio organismo ambiental, con cargo al Superfund, para luego demandar judicialmente el reembolso de los gastos. Para 1990, el Superfund había recibido miles de millones de dólares, y se habían iniciado los trabajos en muchos sitios. En respuesta a las críticas generalizadas por despilfarro, mala administración e ineficiencia, el Superfund racionalizó sus procedimientos, y a comienzos del s. XXI se había completado la limpieza de más de 750 sitios. Asimismo, se presentaron diversas propuestas para modificar el financiamiento del Superfund. Ver también LOVE CANAL.

Superior, lago Lago en EE.UU. y Canadá. Es el más grande de los cinco GRANDES LAGOS, y de agua dulce más extenso del mundo. De 616 km (383 mi) de largo y 258 km (160 mi) en su parte más ancha, cubre una superficie de 82.362 km^2 (31.800 mi^2) y alcanza hasta 405 m (1.330 pies) de profundidad. Es conocido por su costa pintoresca y por sus numerosos naufragios; entre sus islas se cuenta la Isle Royale. Forma parte del sistema fluvial del canal de SAN LORENZO, y se comunica con el lago HURÓN en su extremo sudoriental a través de las esclusas de SAULT SAINTE MARIE. Durante la temporada de navegación los barcos transportan granos, harina y mena de hierro, en los ocho meses del año en que permanece operativo. El misionero jesuita francés Claude-Jean Allouez trazó un mapa del lago en 1667. La región pasó al control de Gran Bretaña (1763–83) y siguió en sus manos hasta 1817, cuando la AMERICAN FUR CO. tomó el control al sur del límite canadiense.

Supermarine Spitfire ver SPITFIRE

supermercado Tienda minorista de gran tamaño con sistema de autoservicio, donde se venden abarrotes, frutas y verduras, carne, productos de panadería y pastelería, productos lácteos y, a veces, productos no alimenticios. Los supermercados se establecieron por primera vez en EE.UU. durante la década de 1930 como tiendas funcionales de ventas al detalle a precios bajos. En las décadas de 1940–50 se convirtieron en el principal canal de comercialización de alimentos de EE.UU. En la década de 1950 también se expandieron en la mayor parte de Europa. Su crecimiento en los países desarrollados es parte de una tendencia a la reducción de costos y la simplificación de la MERCADOTECNIA. En la década de 1960, los supermercados empezaron a aparecer en los países en desarrollo de Medio Oriente, Asia y América Latina, donde captaron las preferencias de las personas que disponían del poder adquisitivo necesario y de instalaciones de almacenamiento.

supernova Cualquier tipo de estrella que explota violentamente y cuya luminosidad después de la explosión aumenta muchos millones de veces sobre su nivel normal. Como las NOVAS, las supernovas experimentan un enorme y rápido aumento de brillo que puede durar algunas semanas, seguido por una lenta disminución de este, y mostrando líneas espectroscópicas (ver ESPECTROSCOPIA) de emisión desplazadas al azul, lo cual implica que gases calientes son expulsados hacia afuera. Una explosión de supernova es un evento catastrófico para una estrella, que la lleva a su colapso en una ESTRELLA DE NEUTRONES o un AGUJERO NEGRO. Durante la explosión, una cantidad de materia equivalente a varias veces la masa solar puede ser expulsada por una onda expansiva hacia el espacio, con una energía tal que la supernova ilumina a toda la galaxia donde esta se produce. Sólo siete supernovas han sido registradas antes del s. XVII, siendo la más famosa aquella del año 1054 DC; el remanente de la última es posible observarlo hoy como la nebulosa del CANGREJO. La supernova más cercana y más estudiada en los tiempos modernos es la supernova SN 1987A, la cual apareció en 1987 en la nube de MAGALLANES. Las explosiones de supernovas liberan no sólo una enorme cantidad de energía bajo la forma de ondas de RADIO y RAYOS X sino que también RAYOS CÓSMICOS; además, producen y depositan en el espacio interestelar muchos de los ELEMENTOS QUÍMICOS más pesados que se encuentran en el universo, como aquellos que forman el sistema solar donde se ubica la Tierra.

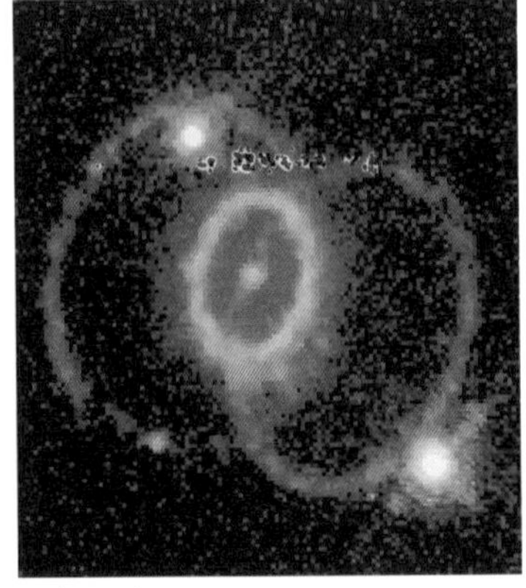

Explosión de una supernova.
ARCHIVO EDIT. SANTIAGO

superpoblación Situación en la cual el número de individuos de una especie o de un conjunto de especies excede el número que el medio ambiente puede sustentar. Las consecuencias posibles son el deterioro del medio ambiente, una merma de la calidad de vida y el colapso poblacional (la reducción súbita del tamaño de la población, causada por una mortalidad elevada y ausencia de descendencia viable).

superveniencia En filosofía, RELACIÓN asimétrica de dependencia ontológica que tiene lugar entre dos conjuntos de propiedades genéricamente diferentes (p. ej., propiedades mentales y físicas), si y sólo si todo cambio en las propiedades de un objeto pertenecientes al primer conjunto, las propiedades que supervienen, implica y se debe a un cambio en las propiedades pertenecientes al segundo conjunto (propiedades de base). A menudo han recurrido a la superveniencia los filósofos que desean sustentar el fisicalismo al tiempo que rechazan la TEORÍA DE LA IDENTIDAD: aun cuando pueda ser imposible identificar las propiedades mentales con las propiedades físicas en una relación de uno a uno, las propiedades mentales podrían aún supervenir en las propiedades físicas, y, de este modo, estar fundadas en ellas. Así, dos cosas que son físicamente semejantes no pueden ser mentalmente (o psicológicamente) diferentes, y las propiedades mentales de un ser estarán determinadas por sus propiedades físicas.

superyó *o* **superego** En la teoría psicoanalítica freudiana, uno de los tres aspectos de la personalidad humana, junto con el ELLO y el YO. De los tres elementos, el superyó es el último en desarrollarse y es el componente ético de la personalidad, en el sentido de que proporciona las pautas morales por las cuales se rige el yo. Se forma durante los cinco primeros años de vida en respuesta a los castigos y aprobaciones parentales; los niños internalizan las pautas morales de sus padres, así como las de la sociedad circundante, y el superyó en desarrollo sirve para controlar impulsos agresivos u otros impulsos socialmente inaceptables. La violación de los preceptos del superyó da origen a sentimientos de culpa o ansiedad.

suprarrenal, glándula ver GLÁNDULA SUPRARRENAL

Supremacía, ley de (1534). Ley del parlamento inglés que reconoció a ENRIQUE VIII como la "cabeza suprema de la Iglesia de Inglaterra". La ley exigió además un juramento de lealtad a los súbditos ingleses, en que reconocían su matrimonio con ANA BOLENA. Fue derogada en 1555 bajo MARÍA I, pero en 1559 el parlamento adoptó una nueva ley de Supremacía durante el reinado de ISABEL I.

suprematismo Primer movimiento de abstracción puramente geométrica en el arte introducido en Rusia c. 1913. Iniciado por KAZIMIR MALIÉVICH y difundido por El LISSITZKY y la escuela de la BAUHAUS, ejerció una influencia de gran alcance sobre el arte y el diseño occidental. El objetivo de Maliévich era transmitir la "supremacía del sentimiento en el arte", que creía podía ser expresada por medio de las formas visuales más sencillas. Expuso las primeras composiciones suprematistas en 1915, año en que publicó el manifiesto suprematista. La encarnación más pura de los ideales suprematistas puede observarse en su serie *Blanco sobre blanco* (1917–18).

Supremes, The Trío vocal pop-soul estadounidense. Las integrantes originales Diana Ross (seudónimo de Diane Earle; n. 1944), Mary Wilson (n. 1944) y Florence Ballard (n. 1943–m. 1976), empezaron grabando para el sello Motown (como The Primettes) tras graduarse de la enseñanza secundaria en Detroit, Mich. Su larga cadena de éxitos en Motown a mediados de la década de 1960, varios de ellos compuestos por Brian and Eddie Holland y Lamont Dozier, comenzaron con "Where Did Our Love Go?" y otros como "Baby Love" y "Stop! In the Name of Love". En 1966, Ballard fue reemplazada por Cindy Birdsong (n. 1939). Ross abandonó a The Supremes en 1969 y Wilson se alejó en 1977. Ballard falleció en relativa pobreza, víctima de un paro cardíaco. La muy exitosa carrera como solista de Ross incluyó papeles fílmicos (de forma notable en *Lady Sings the Blues*, 1972) y un concierto gratuito en 1983 en el Central Park que convocó a una audiencia récord.

Sur, isla del Isla (pob., est. 2001: 942.213 hab.), la mayor y más meridional de las dos islas principales de Nueva Zelanda. Separada de la isla del Norte por el estrecho de Cook, tiene 151.971 km^2 (58.676 mi^2). Casi tres cuartas partes de la isla está conformada por montañas, entre ellas, los Alpes meridionales. Sus ciudades principales son Christchurch y Dunedin. En el sudoeste de la isla se emplaza el parque nacional de Fiordland, que contiene numerosos fiordos y lagos de montaña.

sura *o* **azora** Cualquier capítulo del Corán. Según la creencia musulmana, cada uno de los 114 *suras*, con una extensión que se prolonga por varias líneas (llamadas *ayahs*) a varias páginas, abarca una o más revelaciones divinas de Mahoma. Todas las líneas, excepto tres, están en forma de mensaje directo de Dios. El tono de cada una es variable, pero en general moralista, y exige obediencia a un Dios trascendente pero compasivo. Excepto por la primera *sura*, conocida como *fatihą* (la "obertura"), están en orden descendente de extensión y numeradas en serie. Llevan nombres convencionales (p. ej., vaca, araña, coágulo sanguíneo) derivados de alguna imagen en su contenido que no necesariamente indica su significado o tema.

Surabaya Ciudad portuaria (pob., est. 1995: 2.701.000 hab.) de la costa nororiental de Java, Indonesia. Es la segunda ciudad más grande del país y desde el s. XIV ha sido el principal centro de comercio de Java oriental. Los holandeses se apoderaron de ella en el s. XVIII y construyeron allí su principal base naval de las Indias Orientales. Estuvo ocupada por los japoneses durante la segunda guerra mundial y sufrió grandes daños; lo mismo ocurrió después, durante la guerra de independencia de Indonesia (1945–49). En ella se encuentran la principal base naval de Indonesia, una escuela naval y la Universidad de Airlangga (1954).

Surat Ciudad (pob., est. 2001: 2.433.787 hab.) del sudeste del estado de Gujarat, centro-oeste de India. Se ubica cerca de la desembocadura del río Tapti y del golfo de Jambhat. Ha sido un puerto importante desde el s. XVI; los mogoles la conquistaron en 1573 y los mahrattas la saquearon dos veces en el s. XVII. Con el tiempo llegó a ser un centro de manufactura de textiles y de construcción naval. Los británicos establecieron en ella c. 1612 su primera factoría en el subcontinente, hecho que marcó el comienzo del Imperio británico en la India. Surat fue la sede gubernamental británica hasta fines del s. XVII, cuando la sede se trasladó a Bombay (actual Mumbai). La ciudad decayó en el s. XVIII, pero se reactivó con la inauguración del ferrocarril. Los objetos de oro y plata de Surat y sus tejidos de algodón, sedas y brocados son aún famosos.

surf *o* **surfing** Deporte que consiste en deslizarse sobre grandes olas hacia la playa arriba de una tabla. El deporte se originó en épocas prehistóricas en los Mares del Sur. En 1777–78, el capitán James Cook fue el primer europeo que informó sobre la práctica del surf en Tahití y Oahu. En 1821 fue prohibido por misioneros que lo creían inmoral. Resurgió en la década de 1920, gracias al nadador hawaiano Duke Kahanamoku (n. 1890–m. 1968). Hoy el surf se practica especialmente en playas con grandes olas de todo el mundo, y numerosos campeonatos internacionales se organizan en distintos países. El objetivo es maniobrar sobre la cara aún intacta de la ola, preferentemente lo más adentro posible hacia el rizo (tubo) de esta. Además de las tablas tradicionales, los surfistas pueden utilizar tablas en que se va boca abajo, arrodillado, o en kayaks, o pueden usar sólo el cuerpo sin tabla alguna.

Suricatas en postura de alerta.
FOTOBANCO

suricata *o* **suricato** Especie colonial (*Suricata suricatta*) de la familia Herpestidae (ver mangosta). Es un carnívoro minador que se distribuye en África sudoccidental y que difiere de otras mangostas por tener cuatro dedos (en lugar de cinco) en los pies. Las suricatas destacan por la constante vigilancia que ejercen sobre los predadores. Esta labor de centinela la efectúa un miembro del grupo, el cual busca una posición elevada, se para en las patas traseras y alerta al grupo cuando avista el peligro. La suricata mide 43–60 cm (17–24 pulg.) de largo. Se alimenta de insectos y otros animales pequeños, aunque también come tubérculos por su contenido de agua. Es diurno y se adiestra fácilmente como mascota. La mangosta coligruesa (*Cynictis penicillata*) se llama a veces suricato rojo.

SURINAM

- **Superficie:** 163.820 km^2 (63.251 mi^2)
- **Población:** 493.000 hab. (est. 2005)
- **Capital:** Paramaribo
- **Moneda:** florín de Surinam

Surinam *o* **Suriname** *ofic.* **República de Surinam** *ant.* **Guayana Holandesa** País de América del Sur septentrional. La población está compuesta por indios, criollos, javaneses y pequeños grupos de africanos, chinos, indígenas sudamericanos y neerlandeses. Idiomas: neerlandés u holandés (oficial), inglés, sranan (lengua criolla) e hindi. Religiones: cristianismo, también hinduismo e Islam. El país tiene una planicie costera baja y estrecha, con una zona interior compuesta de sabanas, una meseta boscosa y las estribaciones del macizo de las Guayanas. Cruzan el país siete ríos importantes, entre ellos, el COURANTYNE, el MARONI y el río SURINAM, que desembocan en el Atlántico. Las principales actividades económicas son la extracción de bauxita, la producción de aluminio y la agricultura. El país exporta arroz, bananas, caña de azúcar, naranjas y camarones. Surinam es una república unicameral; el jefe de Estado y de Gobierno es el presidente. Habitada por diversos pueblos amerindios antes de la colonización europea, la zona fue reclamada en 1593 por exploradores españoles, pero los holandeses comenzaron a asentarse en ella en 1602, seguidos por los ingleses en 1651. Fue cedida a los holandeses en 1667, y en 1682 la Compañía Holandesa de las Indias Occidentales introdujo plantaciones de café y caña de azúcar, además de esclavos africanos para el cultivo agrícola. La esclavitud fue abolida en 1863, por lo cual se trajeron sirvientes contratados de China, Java e India, para que trabajaran las tierras, acentuando la diversidad étnica del país. Con excepción de breves períodos de dominio inglés (1799–1802, 1804–15), siguió siendo colonia holandesa hasta bien avanzado el s. XX. En 1954 logró su autonomía interna y en 1975, la independencia. En 1980, un golpe militar terminó con el gobierno civil hasta que en 1987 el electorado aprobó una nueva constitución. En 1990, los militares volvieron al poder mediante otros golpe de Estado. En 1992 se celebraron elecciones y retornó al poder un gobierno civil democrático. La economía se debilitó a lo largo de la década de 1990 y comienzos del s. XXI.

Surinam, río Río que cruza el centro y oriente de Surinam. Nace en las tierras altas y fluye en dirección nordeste a lo largo de unos 480 km (300 mi) antes de desembocar en el Atlántico, justo al norte de PARAMARIBO. En Afobaka se construyó una represa para formar el lago W.J. van Blommestein, el más grande de Surinam.

Surma, río Río del nordeste de la India y el este de Bangladesh. Nace con el nombre de Barak en el norte del estado indio de MANIPUR, y fluye en dirección oeste hasta entrar a Bangladesh. Allí atraviesa un fértil valle donde se cultiva té y finalmente entra en un antiguo canal del BRAHMAPUTRA, donde toma el nombre de MEGHNA, antes de unirse con el GANGES. Tiene 900 km (560 mi) de largo.

surrealismo Movimiento en las artes visuales y la literatura que floreció en Europa entre la primera y la segunda guerra mundial. El surrealismo surgió principalmente a partir del DADAÍSMO temprano que, antes de la primera guerra mundial, había producido obras de antiarte que desafiaban la razón en forma deliberada. El surrealismo se desarrolló como una reacción en contra del "racionalismo" que había conducido a la primera guerra mundial. El movimiento fue fundado en 1924 por ANDRÉ BRETON, como un medio para unir el sueño y la fantasía con la realidad cotidiana, formando así "una realidad absoluta, una surrealidad". Inspirado en las teorías de SIGMUND FREUD, concluyó que el inconsciente era la fuente de la imaginación. Si bien Breton era poeta, los logros más importantes del surrealismo se aprecian en la pintura. Algunos artistas practicaron el surrealismo orgánico, emblemático o absoluto, expresando el inconsciente a través de imágenes sugerentes aunque indefinidamente biomorfas (p. ej., JEAN ARP, MAX ERNST, ANDRÉ MASSON, JOAN MIRÓ). Otros crearon imágenes pictóricas realistas, sacadas de su contexto y vueltas a armar dentro de un marco paradójico o chocante (SALVADOR DALÍ, RENÉ MAGRITTE). Este movimiento confirió especial importancia al contenido y la forma libre, y ofreció una alternativa importante al CUBISMO contemporáneo excesivamente formal. Fue en gran medida responsable de perpetuar la relevancia tradicional del contenido.

Surrey Condado administrativo (pob., 2001: 1.059.015 hab.) e histórico al sudoeste de LONDRES, sur de Inglaterra. La crianza de ovejas desempeñó un papel importante en las actividades medievales del condado, y en el s. XVI ya estaba despegando el comercio de telas. De sus colinas arboladas se obtenía madera para carbón de leña, la construcción en general y fabricación de navíos. El transporte de estos productos, que originalmente se hacía por vía fluvial, se facilitó en 1801 con la creación del ferrocarril del hierro de Surrey, el primer tren público. Durante el s. XIX, la red ferroviaria suburbana más densa del mundo se construyó en el norte de Surrey. El crecimiento suburbano continuó después de la segunda guerra mundial, siguiendo una planificación con restricciones. La capital del condado es Guildford.

Surrey, Henry Howard, conde de (¿1517, Hunsdon, Hertfordshire?, Inglaterra–13 ene. 1547, Londres). Poeta inglés. Debido a sus conexiones familiares con la aristocracia, Surrey se vio involucrado en las maniobras por alcanzar los puestos de poder en el reinado de ENRIQUE VIII. Después de regresar a Inglaterra en 1546 de una campaña en el extranjero, fue acusado de traición por sus rivales. Luego de que su hermana admitiera que él seguía siendo católico, fue ejecutado a los 30 años de edad. La mayor parte de su poesía se publicó diez años más tarde. Junto a THOMAS WYAT, introdujo en Inglaterra el estilo y la métrica de los poetas humanistas italianos, con lo que fundaría los cimientos de una gran renovación en la poesía inglesa. Tradujo dos libros de la *Eneida*, de VIRGILIO y fue el primero en utilizar el VERSO BLANCO en inglés y en desarrollar el SONETO, forma adoptada posteriormente por WILLIAM SHAKESPEARE.

Surtsey Isla volcánica en el sur de Islandia. Emergió del océano luego de una gran erupción ocurrida en noviembre de 1963. Por más de cuatro años, su núcleo volcánico fluyó y creó esta isla de 2,5 km^2 (1 mi^2) de superficie, con elevaciones sobre los 170 m (560 pies). Recibió el nombre en honor del dios del fuego según la mitología islandesa. Hoy es una reserva natural y sede del programa conjunto de investigación biológica islandés-estadounidense.

surucucú ver SERPIENTE VERRUGOSA

Surveyor Cualquiera de la serie de siete sondas estadounidenses no tripuladas que fueron enviadas al espacio para realizar un descenso suave en la LUNA, en 1966–68. El Surveyor 2 se estrelló contra la Luna, y el contacto radial con el Surveyor 4 se perdió minutos antes del alunizaje. El resto de los aparatos de la serie enviaron a la Tierra miles de fotografías; algunos estaban equipados para muestrear y analizar el suelo lunar. El Surveyor 6 realizó el primer despegue desde un cuerpo extraterrestre; el Surveyor 7 alunizó en las tierras altas lunares y envió datos que mostraban que la composición de su suelo difería de aquel de zonas más bajas. Ver también LUNA; PIONEER; RANGER.

Surya, escultura en piedra originaria de Deo-Barunarak, Bihar, India, s. IX DC.
PRAMOD CHANDRA

Surya En el HINDUISMO, el Sol y el dios Sol. Aunque otrora figuró dentro de las principales deidades hindúes, hoy sólo se venera como una de las cinco importantes de la secta SMARTA y como deidad suprema por la pequeña secta Savra. Sin embargo, aún es invocado por todos los hindúes ortodoxos en sus oraciones diarias y tiene templos en toda la India. Es el padre de MANU, YAMA y varios otros dioses. Los PURANAS cuentan que las armas de los dioses fueron forjadas de piezas recortadas de Surya.

Suryavarman II (m. circa 1150). Rey jmer (camboyano) bajo cuyo mandato se construyó el ANGKOR WAT. Estableció un gobierno único sobre Camboya c. 1113, reunificando así al país después de 50 años de inestabilidad. Amplió las fronteras de su país hasta incluir gran parte de la actual Tailandia, algunas regiones de Vietnam y una parte de la península Malaya. Impuso el VISNUISMO (una forma de hinduismo) como religión oficial, por sobre el budismo de sus predecesores. La construcción del Angkor Wat, la estructura religiosa más grande del mundo, comenzó bajo su mandato, y él mismo figura en forma destacada en sus decoraciones. Murió durante una campaña contra el reino de CHAMPA; tiempo después los cham devastaron Angkor.

Susana Personaje de un libro apócrifo de la Biblia. La historia de Susana, ambientada en Babilonia durante el exilio judío, cuenta de una mujer acusada falsamente de adulterio por dos ancianos que habían intentado seducirla. La intervención de DANIEL la salva de la muerte. El cuento forma parte de un ciclo de tradiciones agregado al libro de Daniel cuando fue traducido al griego. La escena en la cual los ancianos la espían mientras se baña fue un motivo popular para los artistas del Renacimiento.

Suslov, Mijaíl (Andréievich) (21 nov. 1902, Shajovskoie, Rusia–25 ene. 1982, Moscú, Rusia, U.R.S.S.). Ideólogo soviético. Se unió al Partido Comunista en 1921 y fue enviado a Moscú a proseguir sus estudios, tras lo cual enseñó economía. En la década de 1930 ayudó a supervisar las purgas estalinistas en los Urales y Ucrania. Posteriormente, como alto funcionario en el Cáucaso, supervisó la deportación de minorías étnicas en la segunda guerra mundial. Fue designado al Politburó en 1952 y a partir de 1955 ocupó una posición fundamental en el círculo gobernante. Políticamente conservador, ayudó a NIKITA JRUSCHOV a sofocar una conspiración en el Politburó en 1957, pero organizó el golpe incruento que en 1964 destituyó a Jruschov y lo reemplazó por LEONID BRÉZHNEV. De ahí en adelante se dedicó a las relaciones entre el Partido Comunista soviético y otros partidos comunistas alrededor del mundo.

suspensión del automóvil Conjunto de piezas elásticas destinado a amortiguar el impacto de las irregularidades del camino sobre un vehículo automotor. La suspensión conecta los neumáticos del vehículo con su parte suspendida y suele componerse de resortes y amortiguadores. Los resortes de automóviles pueden ser (en orden creciente de capacidad para almacenar energía elástica por unidad de peso) de ballesta, de espiral, barras de torsión, tacos de caucho que trabajan al esfuerzo de corte y resortes de aire. Los resortes absorben la energía de los impactos que reciben los neumáticos y los amortiguadores disipan esta energía, usando sistemas hidráulicos para que la parte suspendida del vehículo no siga oscilando.

Susquehanna, río Río en el centro del estado de Nueva York, Pensilvania y Maryland, EE.UU. Es uno de los más largos del país y mide 715 km (444 mi) aprox. de longitud. Nace en el lago Otsego, en el centro del estado de Nueva York, y se interna serpenteando en los APALACHES antes de desembocar en la parte septentrional de la bahía de CHESAPEAKE. Aunque nunca fue una vía fluvial importante debido a los obstáculos que opone a la navegación, ya que incluye la presencia de rápidos, su valle fue alguna vez una ruta terrestre importante hacia el sistema fluvial del OHIO y posteriormente constituyó una región minera de carbón.

Sussex, Universidad de Universidad pública de Inglaterra fundada en 1961. Ofrece cursos de pregrado y posgrado, además de programas de extensión. A fin de incentivar los estudios interdisciplinarios, se organizó en escuelas y no en las tradicionales facultades: humanidades, ciencias vivas, ciencias sociales y estudios culturales, ciencia y tecnología y medicina. Junto con la Universidad de Brighton y el Sussex Institute, ofrece estudios de posgrado en derecho, educación, trabajo social y otros. Entre sus centros de excelencia se cuenta el Centro para el estudio de la evolución, cofundado por el famoso genetista John Maynard Smith. La universidad también se destaca por sus investigaciones en ciencia molecular e informática, particularmente en inteligencia artificial. Su actual canciller, elegido en 1998, es DAVID ATTENBOROUGH, actor y director de cine, ganador de un premio de la Academia de 1982 por la película *Gandhi* (ver MOHANDAS K. GANDHI).

Susskind, David (Howard) (19 dic. 1920, Nueva York, N.Y., EE.UU.–22 feb. 1987, Nueva York). Productor y presentador de programas de televisión estadounidense. Después de estudiar en las universidades de Wisconsin y de Harvard, trabajó como publicista y en 1952 formó la agencia Talent Associates. Produjo numerosos programas de televisión, como *Circle Theater* (1955–63) y *Dupont Show of the Month* (1957–64), pero fue reconocido como presentador de los programas de conversación *Open End* (1958–67) y *The David Susskind Show* (1967–86), por el cual obtuvo numerosos premios Emmy. *Open End* (en inglés, final abierto) comenzaba a las 11:00 PM y finalizaba cuando los invitados, debido al cansancio, no podían continuar. Se destacó por provocar discusiones sobre temas controvertidos como las relaciones interraciales, el crimen organizado y la guerra de Vietnam, y también entrevistó a importantes figuras de la política internacional, entre los que cabe destacar NIKITA JRUSCHOV (1960).

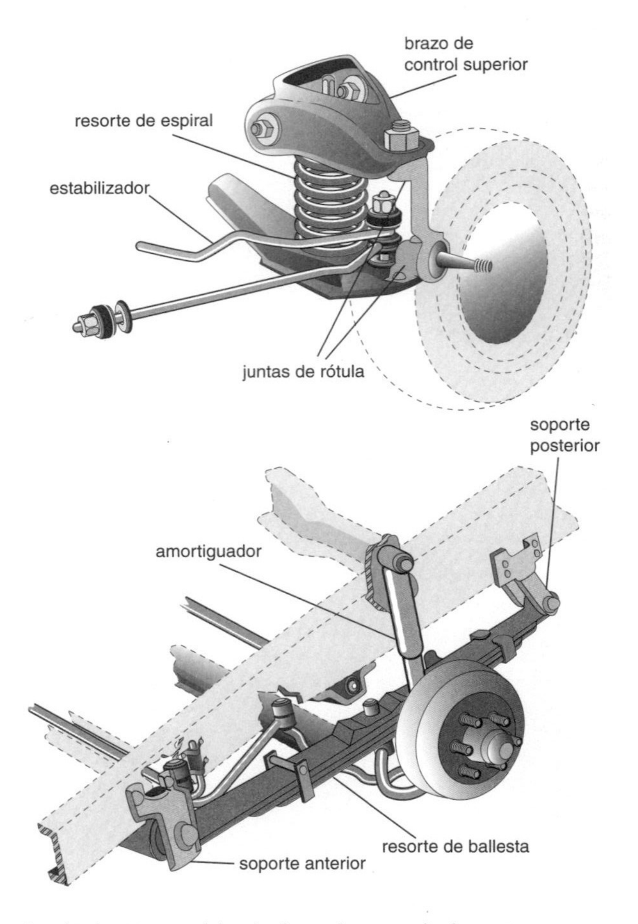

Un vehículo está suspendido sobre las ruedas por medio de resortes, que pueden ser de espiral o de ballesta. Las irregularidades del camino se transmiten en forma mecánica a los resortes. La energía de los resortes comprimidos la disipa el amortiguador, que va montado dentro de los resortes de espiral o junto a los resortes de ballesta.

sustentación *o* **fuerza ascensional** FUERZA que actúa hacia arriba sobre el ala o la SUPERFICIE AERODINÁMICA de un avión. Además de esta fuerza ascensional, sobre un avión en vuelo actúan el empuje del motor, su propio peso y el ARRASTRE ejercido por el aire. La fuerza ascensional se produce porque la velocidad del aire que fluye por la parte superior de la superficie aerodinámica (y por encima de la CAPA LÍMITE adherida a ella) es mayor que la velocidad del aire que fluye sobre la parte inferior, de manera que la presión del aire sobre la cara inferior de la superficie aerodinámica es mayor que la presión del aire sobre la cara superior, generándose así una fuerza resultante ascendente.

sustitución, yacimiento de En geología, depósito mineral formado por procesos químicos que disuelven la roca original y depositan una nueva acumulación de minerales en su lugar. Ver también reemplazo METASOMÁTICO.

Sutherland, Dame Joan (n. 7 nov. 1926, Sydney, Australia). Soprano australiana. Después de debutar en Sydney en 1947, se trasladó a Londres. Luego de interpretar papeles menores en el Covent Garden desde 1952, consolidó su posición como una de las soprano coloraturas principales del s. XX con una interpretación de *Lucia di Lammermoor* en 1959. En 1961 hizo su debut en el Metropolitan Opera y se convirtió en artista predilecta de este teatro y en todo el mundo con papeles de *bel canto* hasta su retiro en 1991.

Sutherland, Graham (Vivian) (24 ago. 1903, Londres, Inglaterra–17 feb. 1980, Londres). Pintor británico. Luego de estudiar arte en Londres, enseñó y practicó el grabado (1926–40) en Chelsea School of Art. Sus primeras obras se caracterizaron por una rigurosa representatividad que evolucionó hacia el SURREALISMO. Alrededor de 1935 se volcó a la pintura, y se desempeñó como artista oficial de la guerra en 1940–45; sus pinturas bélicas constituyen un registro evocativo de la desolación. Su "período espinoso" se inició con la *Crucifixión* (1946), considerada una de las pinturas religiosas más importantes del s. XX. En estas obras posteriores incorporó formas antropomorfas de insectos y plantas, particularmente espinas, que transformó en poderosas y aterradoras imágenes totémicas. Asimismo, Sutherland fue conocido por sus retratos expresionistas y penetrantes. Además, diseñó el enorme tapiz (c. 1955–61) para la nueva catedral de Coventry, titulado *Cristo en majestad*.

Graham Sutherland.

Sutlej, río Río de Asia. El más largo de los cinco ríos que dan origen al nombre de PANJAB, tiene 1.450 km (900 mi) de largo. Nace en el sudoeste del Tíbet y fluye hacia el oeste a través de los HIMALAYA y de los estados indios de HIMACHAL PRADESH y Panjab, para luego girar hacia el sudoeste a través de la provincia de Panjab en Pakistán. A los largo de 105 km (65 mi) constituye el límite indo-pakistaní. En Pakistán confluye con el río CHENAB y se le denomina Panjnad, que conecta los cinco ríos con el INDO. Las aguas de su curso medio se utilizan extensamente para riego.

sutra *pali* **sutta** En el HINDUISMO, una breve composición aforística; en el BUDISMO, una exposición más extensa de un tema y la forma básica de escritura (ver ESCRITURAS) de las tradiciones THERAVADA y MAHAYANA. Como los primeros filósofos indios no trabajaban con textos escritos y los filósofos posteriores a menudo los menospreciaban, hubo necesidad de contar con obras explicativas muy breves que pudieran ser aprendidas de memoria. Los primeros *sutras* fueron exposiciones de procedimientos rituales, pero a medida que se extendió su uso casi todos los sistemas filosóficos indios tuvieron sus propios *sutras*. Ver también AVATAMSAKA-SUTRA; SUTRA DEL DIAMANTE; SUTRA DEL LOTO; TRIPITAKA.

Sutra de la Guirnalda ver AVATAMSAKA-SUTRA

Sutra del Diamante *p. ext.* **Sutra del cortador de diamante perfección de la sabiduría** Texto de sabiduría del budismo MAHAYANA. Fue compuesto c. 300 DC y traducido al chino c. 400 DC. Es el más conocido de los textos de sabiduría contenidos en el PRAJNAPARAMITA, y está escrito en forma de diálogo entre Gautama BUDA y un discípulo curioso. La obra enfatiza en la naturaleza transitoria del mundo material y sugiere que la satisfacción espiritual sólo puede lograrse transcendiendo los fenómenos efímeros y abandonando el racionalismo.

Sutra del Loto Texto básico de las sectas japonesas Tendai (TIANTAI chino) y NICHIREN del budismo MAHAYANA. Representa a BUDA como divino y eterno, habiendo logrado la iluminación perfecta eones atrás. Todos los seres están invitados a convertirse en budas completamente iluminados a través de la gracia de innumerables BODHISATTVAS. Compuesta mayormente en verso, el *sutra* contiene muchos embrujos y MANTRAS. Primero traducido al chino en el s. III DC, fue muy popular en China y Japón, donde se pensaba que con el simple acto de musitarlo se lograba la salvación.

Sutta pitaka Parte importante del TRIPITAKA, el canon del budismo THERAVADA, atribuido mayormente al propio BUDA. Se divide en cinco colecciones, o *Nikayas*: el *Digha Nikaya* ("Gran colección"), que contiene 34 SUTRAS extensos con algunas de las exposiciones doctrinarias más importantes; el *Majjhima Nikaya* ("colección mediana"), que contiene 152 sutras que tratan diversos temas; el *Samyutta Nikaya* ("colección conglomerada"), con más de 7.000 *sutras* organizados por temas; el *Anguttara Nikaya* ("colección numerada"), un arreglo numérico con fines mnemónicos, de 9.557 *sutras* concisos; y el KHUDDAKA NIKAYA ("pequeña colección"). Ver también ABHIDHARMA PITAKA; VINAYA PITAKA.

suttee *o* **sati** Práctica india en la que una viuda se incinera, ya sea en la pira funeraria de su esposo o poco después de su muerte. Esta costumbre puede estar enraizada en la antigua creencia de que el esposo necesitaba su compañía en el más allá, aunque sus opositores la señalan como muestra de un sistema valórico profundamente hostil a la mujer. Desarrollado en el s. IV AC, se generalizó en los s. XVII–XVIII, pero fue prohibido en la India británica en 1829. Continuaron sucediendo casos frecuentes de *suttee* durante muchos años, y aún hoy se informa de casos esporádicos en lugares remotos.

Sutter, John (Augustus) *orig.* **Johann August Suter** (15 feb. 1803, Kandern, Baden–18 jun. 1880, Washington, D.C., EE.UU.). Pionero estadounidense de origen suizo. Huyendo de fracasos financieros, dejó a su familia en Suiza y llegó a EE.UU. en 1834. Obtuvo una concesión de tierras del gobernador mexicano e instaló la colonia de Nueva Helvecia (más tarde SACRAMENTO, Cal.). En 1841, junto al río American, construyó Fort Sutter, puesto fronterizo de comercio. En 1848, cuando se encontró oro en el lugar, procuró guardar el hecho en secreto. Cuando se produjo la FIEBRE DEL ORO, ocupantes ilegales y buscadores de oro invadieron su tierra y robaron sus bienes y ganado. Los tribunales de EE.UU. desconocieron el derecho a su concesión mexicana de tierra y en 1852 quedó en la bancarrota.

Sutton Hoo Heredad en Suffolk, Inglaterra, donde se halla la sepultura o cenotafio de un rey anglosajón. Una de las sepulturas germánicas más ricas que se hayan encontrado en Europa (1939), contiene una embarcación de madera de 24 m (80 pies) equipada para la vida después de la muerte (aunque no contiene restos humanos). Muestra características tanto

paganas como cristianas. Los artículos funerarios dan muestra de una refinada artesanía, con objetos de plata y oro sólido, como copas, tazones y armas, entre ellas una espada adornada con joyas. También había monedas traídas del continente y un plato que llevaba el sello del emperador bizantino Anastasio I, lo que revela que los contactos que por esa época tenían los pueblos que habitaban Inglaterra eran más amplios de lo que se pensaba. Es posible que haya sido la sepultura de Raedwald (m. ¿624?) o de Aethelhere (m. 654). La semejanza con hallazgos hechos en Suecia sugiere un posible origen sueco de la dinastía real de Anglia Oriental.

Sutton, Walter S(tanborough) (1877, Utica, N.Y., EE.UU.–10 nov. 1916, Kansas City, Kan.). Genetista estadounidense. Se tituló de médico en la Universidad de Columbia y practicó la cirugía el resto de su vida. En 1902 proporcionó la primera demostración detallada de que los cromosomas de las células somáticas (las que no son sexuales) están en pares definidos de cromosomas semejantes, y postuló que los cromosomas portan las unidades hereditarias y que su comportamiento en la meiosis es la base física del concepto de herencia de GREGORIO MENDEL. En 1903 concluyó que los cromosomas contienen unidades hereditarias (conocidas actualmente como genes) y que se comportan al azar durante la meiosis. Su trabajo configuró las bases para la teoría cromosómica de la HERENCIA.

Suva Ciudad portuaria (pob., est. 1996.: área metrop., 167.421 hab.) y capital de Fiji. Posee uno de los mejores puertos del Pacífico sur. Fundada en 1849, obtuvo rango de ciudad en 1952 y en la actualidad es uno de los centros urbanos más grandes de Oceanía. Es el principal puerto y centro comercial de Fiji y alberga instituciones educacionales y culturales.

Suvórov, Alxandr (Vasílievich), conde (24 nov. 1729, Moscú, Rusia–18 may. 1800, San Petersburgo). Comandante del ejército ruso. Se enroló a la edad de 15 años, se convirtió en oficial en 1754 y sirvió en la guerra de los Siete Años. Escribió un manual de instrucción de combate que ayudó a Rusia a ganar los conflictos ruso-polaco (1768–72) y con los turcos en 1773–74. Dirigió el ejército en la guerra ruso-turca y fue nombrado conde. Tras sofocar una rebelión en Polonia en 1794, fue ascendido a mariscal de campo. Dirigió una fuerza ruso-austríaca en Italia en 1799, capturó Milán y expulsó de Italia a la mayor parte del ejército francés. Con la orden de relevar a una fuerza rusa en Suiza, marchó a través de los Alpes; rodeado por una fuerza francesa más numerosa, logró romper el cerco, repelió la persecución francesa y escapó con la mayor parte de su ejército, acto considerado una hazaña notable.

Suwannee, río Río en el sudeste del estado de Georgia y norte del estado de Florida, EE.UU. Nace en OKEFENOKE SWAMP y desemboca en el golfo de MÉXICO por el estrecho de Suwannee, tras un trayecto de 400 km (250 mi). Casi todo su curso se encuentra en Florida, salvo por 56 km (35 mi). El río corresponde al Swanee mencionado en la famosa canción de STEPHEN FOSTER "Old Folks at Home". En la década de 1780, las bahías y ensenadas del estrecho de Suwannee fueron lugar de encuentro de piratas.

El río Suwannee, en las proximidades de Chiefland, Florida, EE.UU.
GENTILEZA DEL FLORIDA NEWS BUREAU

Súzdal Principado medieval situado entre el río OKÁ y el VOLGA superior, nordeste de Rusia. Gobernado por una rama de la dinastía RIÚRIK durante los s. XII–XIV, se unió con ROSTOV y, en el s. XII, con Vladímir. El estado de Vladímir-Súzdal alcanzó gran importancia política y económica, pero en los s. XIII–XIV se desintegró en pequeños principados, que en último momento fueron absorbidos por Moscú. Ver también escuela de VLADÍMIR-SÚZDAL.

Suzman, Helen *orig.* **Helen Gavronsky** (n. 7 nov. 1917, Germiston, Sudáfrica). Legisladora sudafricana nacida en Transvaal. Hija de inmigrantes lituanos, se graduó en la Universidad de Witwatersrand, donde después enseñó historia económica (1945–52). Elegida al parlamento en 1953, ella y otras 11 personas formaron el Partido Progresista para oponerse al APARTHEID. Fue la única del grupo en ser reelegida en 196l; hasta 1974 emitió el que solía ser el único voto en contra de un creciente número de medidas a favor del *apartheid*. En 1978 recibió el premio de derechos humanos de la ONU. Hasta su retiro en 1989, siguió siendo una voz importante en el Parlamento sudafricano.

Svalbard Archipiélago en Noruega. Situado en el océano Ártico, al norte del círculo polar ártico, comprende nueve islas principales entre las que se incluye el grupo SPITZBERG. Las islas son montañosas, con glaciares y campos de hielo que cubren aprox. 60% de la superficie. En los tiempos modernos, las islas fueron visitadas primero por los holandeses en 1596. A comienzos del s. XX, muchos países, incluido EE.UU., debatieron la propiedad de los derechos mineros en ese lugar. Es posesión noruega desde 1925. Las islas han sido el lugar elegido para muchas expediciones polares de carácter científico (la primera en 1773). Aunque la población varía según las estaciones, asciende aprox. a los 3.000 hab. No hay habitantes indígenas. Longyearbyen es el centro administrativo.

Svealand Región, en el centro-sur de Suecia. Se extiende a través del país y cubre 80.844 km^2 (31.212 mi^2) de superficie. Poblada desde la edad de piedra, fue el hogar original de los svear, pueblo que le dio el nombre a Suecia. Fue el centro político y cultural desde donde Suecia desarrolló y luego aseguró su independencia. Su diversificada economía incluye la agricultura, la manufactura de productos, la silvicultura y la minería.

Svedberg, The(odor) (30 ago. 1884, Fleräng, cerca de Gävle, Suecia–25 feb. 1971, Örebro). Químico sueco. Galardonado con el Premio Nobel en 1926 por sus estudios sobre la química de COLOIDES y por su invención de la ultracentrífuga (ver CENTRÍFUGA), que se ha tornado inestimable para la investigación en bioquímica y en otras áreas. Svedberg la utilizó para determinar con precisión los PESOS MOLECULARES de proteínas altamente complejas (p. ej., HEMOGLOBINA). Realizó estudios en química nuclear, contribuyó al perfeccionamiento del CICLOTRÓN y ayudó a su estudiante Arne Tiselius (n. 1902–m. 1971) a desarrollar la ELECTROFORESIS.

Sven I *o* **Sven Barba de Horquilla** (m. 3 feb. 1014, Gainsborough, Lincolnshire, Inglaterra). Rey de Dinamarca (c. 987–1014) y conquistador VIKINGO de Noruega e Inglaterra. Se rebeló contra su padre, Harald Bluetooth (987), al que expulsó de Dinamarca. Con aliados suecos y noruegos, derrotó a OLAF I TRYGGVASON (c. 1000), con lo cual se convirtió prácticamente en gobernante de Noruega. Lanzó incursiones contra Inglaterra en 1003–04 y se convirtió en rey después de una exitosa campaña militar en 1013, obligando a ETELRED II a marchar al exilio. Después de la muerte de Sven, Noruega volvió a estar bajo gobierno noruego, pero el imperio anglodanés persistió durante el reinado de su hijo CANUTO EL GRANDE.

Sverdlov, Yákov (Mijáilovich) (3 jun. 1885, Nizhni Nóvgorod, Rusia–16 mar. 1919, Moscú). Político soviético. Organizador y agitador BOLCHEVIQUE en los Urales, fue arrestado y exiliado con frecuencia. En la REVOLUCIÓN RUSA DE 1917, encabezó el secretariado bolchevique y ayudó a planificar y ejecutar el golpe de Estado de octubre, que llevó a los bolcheviques al poder. Como jefe de Estado titular, trabajó estrechamente con VLADÍMIR LENIN para consolidar el poder en el comité central del Partido Comunista. Su muerte prematura a la edad de 33 años de una enfermedad contagiosa dejó un vacío en la dirección del partido que fue ocupado por STALIN en 1922.

Svevo, Italo *orig.* **Ettore Schmitz** (19 dic. 1861, Trieste, Imperio austríaco–13 sep. 1928, Motta di Livenza, Italia). Escritor italiano. Las dificultades financieras familiares lo obligaron a abandonar la escuela y trabajar de empleado bancario, sin embargo, se dedicó a leer por su cuenta y comenzó a escribir. *Una vida* (1892), obra revolucionaria en cuanto al tratamiento analítico e introspectivo de un protagonista inútil, fue ignorada en el momento de su publicación; lo mismo ocurrió con *Senilidad* (1898). Abandonó las letras hasta que, animado por JAMES JOYCE (que por entonces vivía en Trieste), escribió su novela más conocida, *La conciencia de Zeno* (1923), una obra brillante, que relata el testimonio de un paciente a su psiquiatra. Murió en un accidente automovilístico. Dos volúmenes de cuentos, ensayos, obras dramáticas, además de su correspondencia epistolar con EUGENIO MONTALE y *Saggi e pagine sparse* [Ensayos y páginas sueltas], que incluyen fragmentos de una posible continuación de la historia de Zeno, fueron publicadas póstumamente. Es considerado uno de los pioneros de la novela psicológica.

Sviatoslav I (m. 972). Gran príncipe de Kíev (945–72). El más grande de los príncipes varegos de la historia rusa temprana, derrotó a los JÁZAROS y a otros pueblos del norte del Cáucaso (963–965) y conquistó a los búlgaros (967). Con la esperanza de crear un imperio ruso búlgaro, se negó a ceder sus conquistas a Bizancio hasta que el ejército bizantino lo derrotó y lo obligó a entregar el territorio balcánico (971). Murió en una emboscada cuando regresaba a Kíev.

swahili Lengua BANTÚ hablada en Tanzania, Kenia, Uganda y la República Democrática del Congo. Es la lengua materna hablada por más de 2 millones de personas y la segunda de unos 60 millones. El swahili estándar se basa en el dialecto unguja (kiunguja) de Zanzíbar, que fue difundido tierra adentro en el s. XIX por empresarios que buscaban marfil y esclavos. Su uso fue perpetuado por los gobiernos europeos coloniales que ocuparon el África oriental hacia fines del siglo. El swahili moderno suele escribirse en el alfabeto LATINO, aunque la literatura swahili en escritura árabe data de comienzos del s. XVIII. Entre las lenguas bantúes, el swahili se destaca por la cantidad de préstamos que ha absorbido, provenientes principalmente del árabe.

swami ver SADHU Y SWAMI

Swammerdam, Jan (12 feb. 1637, Amsterdam, Países Bajos–15 feb. 1680, Amsterdam). Naturalista holandés. Experto en microscopia, en 1658 se convirtió en la primera persona en observar y describir los glóbulos rojos. En su *Historia general de los insectos* describió e ilustró con precisión los antecedentes biológicos y la anatomía de muchas especies de insectos y los clasificó en cuatro divisiones principales, tres de las cuales se han conservado, en cierta medida, en las clasificaciones modernas. Estudió la anatomía de los renacuajos y de las ranas adultas, y describió los folículos ováricos de los mamíferos. Sus técnicas perfeccionadas para inyectar cera y colorantes a los cadáveres tuvieron importantes consecuencias para el estudio de la anatomía humana. Demostró que los músculos cambian de forma, pero no de tamaño durante la contracción.

Swan, río Río efímero del sudoeste de Australia Occidental. Discurre en dirección oeste a lo largo de 360 km (224 mi) hasta desembocar en el océano Índico. Llamado Avon en su curso superior, recibe el nombre de Swan sólo en los 96 km (60 mi) de su curso inferior. PERTH está ubicada cerca de su desembocadura. El río permanece seco gran parte del verano y el otoño. En sus riberas se instaló, en 1829, el primer asentamiento libre de Australia Occidental.

Swan, Sir Joseph (Wilson) (31 oct. 1828, Sunderland, Durham, Inglaterra–27 may. 1914, Warlingham, Surrey). Físico y químico inglés. En 1871 inventó la placa fotográfica seca, un avance importante en la fotografía. Ya había producido una bombilla eléctrica primitiva (1860), y en 1880, independientemente de THOMAS ALVA EDISON, desarrolló una lámpara eléctrica incandescente de filamento de carbono. También patentó un proceso para exprimir nitrocelulosa a través de orificios para formar fibras, el cual fue muy empleado en la industria textil.

Sir Joseph Swan, dibujo a lápiz de M. Agnes Cohen, 1894.
GENTILEZA DE LA NATIONAL PORTRAIT GALLERY, LONDRES

Swansea *galés* **Abertawe** Puerto marítimo y condado (pob., 2001: 223.293 hab.) en Gales del Sur. Situada junto al canal de BRISTOL, es la segunda ciudad más grande de Gales. Data del s. XII. Hasta comienzos del s. XVIII fue una localidad comercial y portuaria del carbón. A partir de entonces creció a la par con la industria, y a mediados del s. XIX era el centro del intercambio mundial de cobre. La zona céntrica de la ciudad fue prácticamente destruida por los bombardeos alemanes de 1941, pero logró reconstruir parte de sus edificios. Swansea constituye actualmente un importante centro de transacciones y servicios para todo el sudoeste de Gales. Fue cuna del poeta DYLAN THOMAS.

Swanson, Gloria *orig.* **Gloria May Josephine Svensson** (17 mar. 1899, Chicago, Ill., EE.UU.–4 abr. 1983, Nueva York). Actriz de cine estadounidense. Interpretó papeles de reparto en comedias para el estudio de MACK SENNETT antes de ser contratada por CECIL B. DEMILLE. Se consagró con una serie de películas satíricas como *Macho y hembra* (1919), *Zaza* (1923) y *Madame Sans-Gêne* (1925). Fue la glamorosa reina de las películas mudas y formó su propia compañía productora con el respaldo de su amante JOSEPH P. KENNEDY, con la que realizó *La frágil voluntad* (1928) y más tarde la desastrosa *La reina Kelly* (1928). Después de su primer filme sonoro, *La intrusa* (1929), y de otros filmes triviales, se desilusionó por la carencia de buenos guiones. Dejó de participar en el negocio cinematográfico y comenzó diversos negocios ajenos a la industria fílmica. Posteriormente tuvo un aclamado retorno a las pantallas, al interpretar a una anciana estrella del cine mudo en *El crepúsculo de los dioses* (1950).

SWAPO *sigla de* **South West Africa People's Organization** Partido del África del Sudoeste (actual Namibia) que abogó por la inmediata independencia de Sudáfrica. Fue fundado en 1960 y usó la diplomacia para conseguir sus fines hasta 1966, año en que optó por la lucha armada. La SWAPO, encabezada por SAM NUJOMA, tuvo el apoyo del partido gobernante angoleño y de la Unión Soviética; usó Angola como base para lanzar ataques de guerrilla. Desde 1978, Sudáfrica realizó incursiones periódicas en Angola en represalia. Ese mismo año la ONU reconoció la SWAPO como único representante del pueblo de Namibia. Finalmente Sudáfrica aceptó una resolución de la ONU que exigía el retiro de las tropas sudafricanas en Namibia y la realización de elecciones libres en 1988. Namibia consiguió su independencia en 1990.

Swarthmore College Colegio universitario privado dedicado a las artes liberales con sede en Swarthmore, Pa., cerca de Filadelfia. Fue fundado en 1864 por un grupo de cuáqueros. Considerada una de las mejores universidades estadounidenses, ofrece licenciaturas (grado de bachiller) en una amplia variedad de disciplinas. Participa en un programa de intercambios con Bryn Mawr College y Haverford College y con la Universidad de PENSILVANIA.

swazi *o* **swati** Pueblo de habla bantú que habita en las praderas de SWAZILANDIA y en las regiones vecinas de Sudáfrica y Mozambique. Junto con los ZULÚES y los XOSA, los swazis (que suman más de 2 millones de personas) constituyen el grupo etnolingüístico meridional NGONI. Son principalmente agricultores y pastores. Los máximos poderes tradicionales en lo político, económico y ritual son compartidos por un rey hereditario y su madre. Las esposas e hijos del rey viven en aldeas reales, prudentemente dispersas por todo el territorio.

Swazi ver KANGWANE

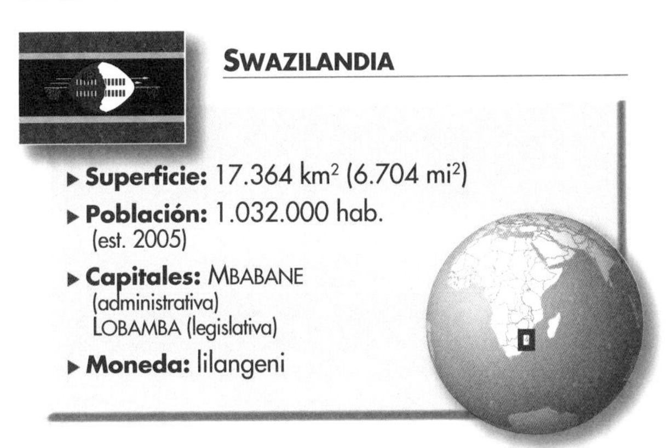

Swazilandia *ofic.* **Reino de Swazilandia** País de África meridional. Cerca del 90% de la población es SWAZI y el 10% ZULÚ con otras minorías en pequeño número. Idiomas: swazi (swati) e inglés (ambos oficiales). Religiones: cristianismo y creencias tradicionales. País mediterráneo, está compuesto de sabanas altas, medias y bajas, que terminan en el este con los montes Lebombo. La fauna incluye hipopótamos, antílopes, cebras y cocodrilos. Cuatro grandes ríos, entre ellos el Komati, recorren el país e irrigan cultivos de cítricos y caña de azúcar. Entre los recursos minerales destacan el asbesto y los diamantes. Swazilandia es una monarquía bicameral; el rey es el jefe de Estado y de Gobierno, con la colaboración del primer ministro. El hallazgo de utensilios de piedra y pinturas rupestres indica que la región estuvo habitada en tiempos prehistóricos, pero no hubo asentamientos hasta que el pueblo swazi de habla bantú (ver lenguas BANTÚES) emigró hacia la zona en el s. XVIII y estableció el núcleo de la nación swazi. Los británicos obtuvieron el control de la zona en el s. XIX, después que el rey swazi solicitó su apoyo contra los zulúes. Tras la guerra de los BÓERS, Swazilandia estuvo administrada por el gobernador británico de TRANSVAAL, cuyos poderes fueron transferidos en 1906 al alto comisario británico. En 1949, los británicos rechazaron la solicitud de la Unión Sudafricana de controlar Swazilandia. El país obtuvo un autogobierno limitado en 1963 y en 1968 logró la independencia definitiva. En la década de 1970 se formularon nuevas constituciones basadas en la autoridad suprema del rey y en un gobierno tradicional. Aunque la monarquía perduró como sistema al llegar el s. XXI, se dieron pasos para establecer una nueva constitución. Swazilandia tiene una de las tasas de infección con VIH más altas del mundo, con más de 30% de la población contagiada.

Swedenborg, Emmanuel (29 ene. 1688, Estocolmo, Suecia–25 mar. 1772, Londres, Inglaterra). Teólogo, místico y científico sueco. Hijo de un obispo luterano ennoblecido por la reina Ulrika Leonora, recibió una herencia que le permitió dedicarse a sus estudios y proyectos intelectuales. En 1709 se doctoró en filosofía en la Universidad de Uppsala. En 1710 se trasladó a Londres para estar más cerca de los últimos descubrimientos científicos de su época, y comenzó una serie de viajes por Europa. Sus primeras publicaciones fueron de carácter eminentemente científico, entre las cuales destaca *The Infinite and Final Cause of Creation* [La causa infinita y definitiva de la creación] (1734). En 1745 recibió una supuesta "llamada divina", que provocaría en su trayectoria un vuelco hacia el misticismo y la teología. Entre sus principales obras de esta nueva etapa sobresalen *Arcanos celestiales* (1749–56), *Del cielo y del infierno* (1758), *Tratado curioso de los encantos del amor conyugal en este mundo y en el otro* (1768) y *La verdadera religión cristiana* (1771), que le otorgaron fama mundial como uno de los principales estudiosos de la espiritualidad occidental y como el fundador de la doctrina de la Nueva Jerusalén, que propagó su enseñanza panteística (ver PANTEÍSMO). Su obra mística influyó enormemente en filósofos y en escritores como CHARLES BAUDELAIRE, HONORÉ DE BALZAC (quien lo llamó el "Buda de los países nórdicos") y JORGE LUIS BORGES, entre otros.

Emmanuel Swedenborg, pintura al óleo de Per Krafft el Viejo; castillo de Gripsholm, Suecia.
GENTILEZA DE LA SVENSKA PORTRATTARKIVET, ESTOCOLMO

swedenborgianos ver IGLESIA NUEVA

Sweelinck, Jan Pieterszoon (abr. 1562, Amsterdam, Países Bajos–16 oct. 1621, Amsterdam). Compositor holandés. Se hizo famoso por sus improvisaciones como organista en la Iglesia Antigua de Amsterdam desde c. 1580. Aparte de algunos viajes ocasionales a otras ciudades como asesor en órganos, permaneció en Amsterdam toda su vida, donde enseñó a SAMUEL SCHEIDT y a otros miembros de la escuela de organistas del norte de Alemania (los que finalmente influirían en JOHANN SEBASTIAN BACH). Varias de sus obras vocales fueron publicadas en *Salmos de David* (1604–14) y *Canciones sacras* (1619); además publicó varias fantasías, tocatas y conjuntos de variaciones para instrumentos de teclado.

Swift, Gustavus Franklin (24 jun. 1839, West Sandwich, Mass., EE.UU.–29 mar. 1903, Chicago, Ill.). Estadounidense dedicado al comercio mayorista de carne refrigerada. Se inició como ayudante de carnicero a la edad de 14 años y en 1859 ya administraba su propia carnicería. En 1872 se convirtió en socio de un distribuidor de carnes de Boston. Tres años más tarde trasladó sus operaciones de compra de ganado a Chicago. Convencido de que las ganancias se incrementarían si se embarcaba carne fresca en lugar de ganado en pie desde Chicago, mandó a diseñar un carro frigorífico y realizó su primer despacho en 1877. Junto con su hermano constituyó la empresa Swift & Co. (1885). Durante los 18 años en que ocupó el cargo de presidente de la empresa, la capitalización de esta aumentó de US$ 300.000 a US$ 25 millones. Tal como sus competidores PHILIP D. ARMOUR y Nelson Morris, Swift destacó en la utilización de los subproductos, lo que le permitió ingresar a negocios afines, como la industria del jabón, pegamentos, fertilizantes y margarinas.

Swift, Jonathan (30 nov. 1667, Dublín, Irlanda–19 oct. 1745, Dublín). Escritor irlandés, el más destacado escritor satírico en prosa inglesa. Estudió en el Trinity College de Dublín durante la revolución anticatólica de 1688 en Inglaterra. La reacción de los católicos irlandeses de Dublín llevó a

Jonathan Swift, detalle de una pintura al óleo de Charles Jervas.
GENTILEZA DE LA NATIONAL PORTRAIT GALLERY, LONDRES

Swift, que era protestante, a huir por razones de seguridad a Inglaterra, donde residió durante varios períodos hasta 1714. Fue ordenado sacerdote anglicano en 1695. Su primera obra de relevancia, *Cuento del tonel* (1704), está compuesta por tres esbozos satíricos sobre religión y educación. Más tarde se hizo conocido por sus ensayos religiosos y políticos, además de los pícaros panfletos escritos bajo el seudónimo "Isaac Bickerstaff". De mala gana debió poner fin a su lealtad con los Whigs y en 1710 se convirtió en el principal escritor de los Tories debido a que estos apoyaban la Iglesia oficial. *Journal to Stella* [Cartas a Stella] (escrito de 1710 a 1713) reflexiona sobre sus reacciones ante el cambiante mundo que le tocó vivir. Como recompensa por redactar y editar publicaciones de los Tories, en 1713 fue nombrado deán de la catedral de St. Patrick, en Dublín. Pasó prácticamente todo el resto de su vida en Irlanda, donde se dedicó a denunciar los desatinos ingleses y el trato injusto que daban a los irlandeses. Su irónico tratado *A Modest Proposal* [Una humilde propuesta] (1729) propone paliar la pobreza de Irlanda descuartizando niños y vendiéndolos como carne fina a los ricos terratenientes ingleses. Su célebre, ácida y brillante sátira *Los viajes de Gulliver* (1726), que en apariencia es la historia del encuentro del protagonista con distintas razas y sociedades en regiones remotas, refleja la visión de Swift sobre el ambiguo lugar que ocupa la humanidad entre la bestialidad y la racionalidad.

Swinburne, Algernon Charles (5 abr. 1837, Londres, Inglaterra–10 abr. 1909, Putney, Londres). Poeta y crítico inglés. Después de asistir a la Universidad de Eton y a Oxford, Swinburne vivió de una mesada que le daba su padre. Su drama en verso *Atalanta en Calidón* (1865) demostró desde el principio sus capacidades poéticas. *Poemas y baladas* (1866), que contiene algunas de sus mejores piezas líricas, revela su carácter pagano y masoquista, lo que provocó gran controversia. Una segunda serie de poemas, publicada en 1878, fue menos polémica y menos sensual. Su poesía se caracteriza por su ritmo enfático, su uso abundante de aliteración y rima interna, y por su riqueza temática. En 1879 su salud se deterioró visiblemente y debió pasar los últimos 30 años de su vida al cuidado de un amigo. Sus primeros libros de poesía se destacan por sus innovaciones en prosodia, mientras que la poesía de su madurez es considerada de menor relevancia. Entre sus extraordinarios trabajos críticos, se incluyen sus *Essays and Studies* [Ensayos y estudios] (1875) y sus monografías sobre WILLIAM SHAKESPEARE (1880), VICTOR HUGO (1886) y BEN JONSON (1889).

swing JAZZ tocado con un tiempo regular y que usa la estructura armónica de canciones populares y del BLUES como base para improvisaciones y arreglos. El *swing*, música popular de EE.UU. aprox. en 1930–45 (años denominados a veces como "era del swing"), se caracterizó por un impulso rítmico sincopado con igual acento otorgado a los cuatro tiempos de un compás. Las grandes orquestas de jazz requerían material con algunos arreglos, y FLETCHER HENDERSON, DUKE ELLINGTON y COUNT BASIE fueron los principales innovadores de *swing* para las grandes orquestas. En los conjuntos más pequeños, la interpretación de la melodía va seguida generalmente de solos instrumentales improvisados.

swing Forma de baile social originada en la década de 1940. En EE.UU. se ejecutaba al son de la música *swing*; sus pasos tienen variaciones regionales marcadas, como el *swing* de la costa oeste, el *jitterbug-lindy* del este, el *shag* del sur, y en Texas, el *push* (Dallas) y el *whip* (Houston). En su versión para espectáculos contempla movimientos extremadamente atléticos que lo diferencian del *swing* social cotidiano. Pese a que en 1960 había desaparecido en gran parte, a fines de la década de 1980 se produjo un renacimiento del *swing* y desde entonces este baile se ha difundido ampliamente.

Swope, Gerard (1 dic. 1872, St. Louis, Mo., EE.UU.–20 nov. 1957, Nueva York, N.Y.). Líder empresarial estadounidense. Después de graduarse en el Instituto Tecnológico de Massachusetts, ingresó a la WESTERN ELECTRIC CO., INC. en 1895 y pasó a ser director en 1913. En 1919 fue nombrado presidente de la filial internacional de GENERAL ELECTRIC CO. (GE) e incrementó de manera significativa los negocios de la empresa en el exterior. Como presidente de General Electric (1922–39, 1942–44), amplió su línea de productos de consumo y fue precursor de los programas de participación en las UTILIDADES y otros planes de prestaciones para los trabajadores. También sirvió en el Consejo asesor de empresas del Departamento de Comercio, y sus ideas y su respaldo fueron la base de importantes programas del New Deal, como la National Recovery Administration (NRA) y la ley de seguridad social.

Sybaris Antigua ciudad griega del sur de Italia, en el golfo de Tarento. Fundada c. 720 AC por los AQUEOS y famosa por sus riquezas y lujo (origen del término *sibarita*), fue una de las ciudades más antiguas de la MAGNA GRECIA. Aunque los crotonianos arrasaron Sybaris en dos ocasiones (510 AC y c. 448 AC), sus habitantes intentaron reconstruirla y reubicarla, pero esta nunca recuperó su antiguo esplendor.

Sydenham, Thomas (1624, Wynford Eagle, Dorset, Inglaterra–29 dic. 1689, Londres). Médico británico. Su obra *Observationes medicae* [Observaciones médicas] (1676) fue un libro de texto clásico durante dos siglos, notable por sus detalladas observaciones y por la precisión de sus registros. Su tratado sobre la gota (1683) se considera su obra maestra. Fue uno de los primeros en explicar la naturaleza de la histeria y del baile de San Vito (corea de Sydenham) y en emplear el hierro para tratar la anemia por deficiencia de hierro. Sydenham también acuñó el término escarlatina y la diferenció del sarampión; fue el primero en emplear el láudano, una solución de opio en alcohol, como medicamento y contribuyó a popularizar el uso de la quinina en el tratamiento del paludismo.

Bahía de Sydney con el edificio de la Ópera y el Harbour Bridge, Australia.
DAVID JOHNSON

Sydney Ciudad (pob., 2001: 3.997.321 hab.) y capital de NUEVA GALES DEL SUR, Australia. Situada en la costa sudoriental de Australia, es la ciudad más antigua y poblada del país y uno de sus principales centros comerciales y manufactureros. Fue fundada como colonia penal en 1788 (ver BOTANY BAY) y en corto tiempo se transformó en un gran centro comercial. Se levanta sobre las colinas que rodean uno de los mejores puertos naturales del mundo, dotado hoy de amplias instalaciones portuarias. Dos construcciones, el Sydney Harbour Bridge, puente de un solo arco, y el teatro de la ÓPERA DE SYDNEY, sobresalen en la ciudad, vastamente reconocida por sus deportes acuáticos, instalaciones recreativas y vida cultural. Es la sede de las universidades de Sydney (1850), de Nueva Gales del Sur (1949) y Macquarie (1964). En ella se celebraron los Juegos Olímpicos de Verano de 2000.

Sydow, Max von *orig.* **Carl Adolf von Sydow** (n. 10 abr. 1929, Lund, Suecia). Actor sueco. Después de estudiar en la Real Academia de Arte Dramático de Estocolmo (1948–51), se convirtió en un destacado actor de teatro en Malmö y Estocolmo. Es reconocido por sus caracterizaciones austeras y meditativas en las películas de INGMAR BERGMAN, entre las que se destacan *El séptimo sello* (1957), *El manantial de la doncella* (1960), *El silencio* (1963), *La vergüenza* (1968) y *La pasión de Ana* (1969). Entre sus numerosas películas estadounidenses e internacionales figuran *La historia más grande jamás contada* (1965), *El exorcista* (1973), *Pelle el conquistador* (1988; Palma de Oro en Cannes), *Más allá de los sueños* (1998) y *Minority Report: Sentencia previa* (2002).

Symington, William (Oct. 1763, Leadhills, Lanarkshire, Escocia–22 mar. 1831, Londres, Inglaterra). Ingeniero británico. Educado para ser clérigo, prefirió hacerse mecánico. En 1786 creó un modelo operacional de un carruaje propulsado con vapor, y el año siguiente, fue el primero en aplicar el vapor en la navegación. En 1801–02 desarrolló con éxito una rueda de paletas movida con vapor y la usó para propulsar uno de los primeros barcos de VAPOR, el *Charlotte Dundas*. Aunque su máquina fue usada con éxito en el canal Forth y Clyde en 1802, sus timoratos administradores hicieron que el proyecto fuera abandonado en 1803.

Symington, (William) Stuart (26 jun. 1901, Amherst, Mass., EE.UU.–14 dic. 1988, New Canaan, Conn.). Político estadounidense. Prestó servicios en la primera guerra mundial, asistió a la Universidad de Yale (1919–23), y entró en la carrera política en 1945, como presidente de la Junta de bienes excedentes, durante el gobierno del pdte. HARRY S. TRUMAN. Ocupó el cargo de secretario de aviación (1946–50). Como senador por Missouri (1953–77), abogó por una defensa nacional fuerte, pero criticó abiertamente la participación de EE.UU. en la guerra de VIETNAM, por estimarla carente de importancia para la seguridad nacional y perjudicial para la economía.

Symonds, John Addington (5 oct. 1840, Bristol, Gloucestershire, Inglaterra–19 abr. 1893, Roma). Ensayista, poeta y biógrafo inglés. Debió realizar numerosos viajes por razones de salud, y se radicó finalmente en Suiza. Su obra principal, *El Renacimiento en Italia* (1875–86), es una serie de largos ensayos de historia cultural. Entre sus escritos se cuentan traducciones, crónicas de viaje y estudios de personalidades, como PERCY B. SHELLEY, BEN JONSON, Sir PHILIP SIDNEY, MIGUEL ÁNGEL y WALT WHITMAN. Su poesía fue primordialmente una vía de escape para su atribulada vida emocional. *A Problem in Greek Ethics* [Un problema de ética griega] (escrito en 1871) y *A Problem in Modern Ethics* [Un problema de ética moderna] (1881) fueron algunos de los primeros escritos en abordar de manera seria la homosexualidad.

Arthur Symons, pintura en témpera de R.H. Sauter, 1935; National Portrait Gallery, Londres.
GENTILEZA DE LA NATIONAL PORTRAIT GALLERY, LONDRES

Symons, Arthur (William) (28 feb. 1865, Milford Haven, Pembrokeshire, Inglaterra–22 ene. 1945, Wittersham, Kent). Poeta y crítico inglés. Fue colaborador de *The Yellow Book*, revista de vanguardia, y editor de *The Savoy* (1896). *El movimiento simbolista en la literatura* (1899), su primer trabajo en inglés que aborda en profundidad el movimiento SIMBOLISTA francés en poesía, resumió una década de interpretación poética, y ejerció una profunda influencia en WILLIAM BUTLER YEATS y T.S. ELIOT. Su poesía, de tono desesperanzado en su mayor parte, está reunida en los volúmenes *Silhouettes* (1892) y *London Nights* (1895). Tradujo al inglés la poesía de PAUL VERLAINE y escribió algunas crónicas de viajes. Después de sufrir una crisis nerviosa en 1908, escribió muy poco aparte de sus *Confessions* (1930), un estremecedor recuento de su enfermedad.

Especie *S. rivularis*, género *Symphoricarpos*.
SVEN SAMELIUS

Symphoricarpos Género que abarca unas 18 especies de arbustos bajos de la familia de las CAPRIFOLIÁCEAS. Todas son originarias de América del Norte, salvo una especie de China central. Todas tienen flores acampanadas rosadas o blancas y bayas de color blanco níveo. Las especies ornamentales más conocidas son *S. albus*, un arbusto de 1 m (3 pies) de alto, con tallos delicados, hojas ovaladas y grandes bayas pulposas blancas; y *S. rivularis*, de tamaño ligeramente mayor, con hojas elípticas y una profusión de bayas.

Synge, John Millington (16 abr. 1871, Rathfarnham, cerca de Dublín, Irlanda–24 mar. 1909, Dublín). Dramaturgo irlandés. Estudió idiomas y música en Dublín y Francia, donde conoció a WILLIAM BUTLER YEATS, quien le aconsejó que se estableciera en la costa oeste de Irlanda para nutrirse de su vida cotidiana. Entre 1899 y 1902 pasó la temporada estival en las islas Aran; observó a la gente, aprendió su idioma y escribió sus primeras obras, *La sombra del valle* (1903) y *Jinetes hacia el mar* (1904), teniendo como base las historias de los isleños. Estos viajes inspiraron su pieza más famosa, *El saltimbanqui del mundo occidental* (1907), cuyo trato poco empático con los rasgos del carácter irlandés produjo disturbios durante su estreno en el ABBEY THEATRE. Su obra inconclusa *Deirdre de los pesares* fue representada en 1910. Dramaturgo de gran fuerza poética, fue una de las principales figuras del RENACIMIENTO LITERARIO IRLANDÉS.

Syr Daryá, río *o* **Sir Dariá** *antig.* **Jaxartes** Río de Asia central que cruza Uzbekistán, Tayikistán y Kazajstán. Formado por la confluencia de dos afluentes en el fértil valle del FERGANÁ, fluye en dirección oeste-noroeste a lo largo de 2.212 km (1.374 mi) antes de desembocar en el mar de ARAL. Su curso inferior sigue el borde oriental del desierto de KIZILKUM. Es el río más largo de Asia central, pero es menos caudaloso que el AMU DARYÁ. Se utiliza intensamente para generación de energía hidroeléctrica y riego.

Syracusae ver SIRACUSA

Syracuse Ciudad (pob., 2001: 147.306 hab.) en el centro del estado de Nueva York, EE.UU. Este lugar, en el extremo sur del lago Onondaga, fue alguna vez territorio de los indios onondagas y cuartel general de la Confederación IROQUESA. Los franceses visitaron la zona en el s. XVII. La hostilidad de los indios y el terreno pantanoso impidieron los asentamientos hasta que en 1786 se estableció una factoría comercial. Pronto comenzó a operar una refinería de sal que basó su producción en los manantiales de agua salada existentes en el lugar; proporcionó la mayor parte de la producción de sal de la nación hasta 1870. Syracuse es un puerto importante del canal ERIE y funciona como centro de distribución de la región agrícola circundante. También existen industrias de productos farmacéuticos y componentes electrónicos. Es sede de la Universidad de SYRACUSE (1870) y el Everson Museum of Art (fundado en 1896).

Clinton Square, en el centro cívico de Syracuse, Nueva York, EE.UU.
© MICHAEL MELFOR

Syracuse, Universidad de Universidad privada con sede en Syracuse, N.Y., EE.UU. Fundada en 1870, cuenta con *colleges* (colegios universitarios) de artes y ciencias, artes escénicas y visuales, y de desarrollo humano, así como con escuelas de arquitectura, ingeniería, enfermería, comunicaciones (S.I. Newhouse School), trabajo social, estudios de información, administración y asuntos públicos (Maxwell School). Dentro de sus instalaciones para la investigación se cuentan los centros de gerontología, aplicaciones computacionales, y ciencia y tecnología.

Système International d'Unités ver SISTEMA INTERNACIONAL DE UNIDADES

Szczecin *alemán* **Stettin** Puerto marítimo (pob., est. 2000: 416.500 hab.), cerca de la desembocadura del río Oder, en el noroeste de Polonia. En el s. X, MIESZKO I anexó a Polonia este puerto que durante siglos fue un centro comercial y pesquero eslavo. Szczecin se unió a la Liga HANSEÁTICA en 1360. Pasó a manos de Suecia en 1648 y de Prusia en 1720, y quedó en poder de los alemanes hasta que se traspasó a Polonia después de la segunda guerra mundial. Durante el conflicto bélico, el puerto se destruyó completamente y la ciudad quedó en gran parte despoblada. Durante el gobierno polaco, tanto el puerto como la ciudad fueron reconstruidos y actualmente Szczecin forma parte del principal complejo portuario de Polonia. Es el centro cultural del oeste del país y alberga varios institutos de educación superior.

Széchenyi István, conde (21 sep. 1791, Viena, Imperio austríaco–8 abr. 1860, Döbling, cerca de Viena). Reformador y escritor húngaro. Nacido en el seno de una aristocrática familia húngara, combatió contra Napoleón y luego viajó extensamente por Europa. Regresó a Budapest para fundar la Academia nacional húngara de ciencias (1825) y escribió varias obras que abogaban por reformas económicas e instaban a la nobleza a pagar impuestos para modernizar Hungría. Encabezó proyectos que permitieron mejorar los caminos, hacer navegable el río Danubio hasta el mar Negro y construir el primer puente colgante en Budapest. En la década de 1840 sus partidarios optaron por el más radical LAJOS KOSSUTH. Al ingresar al gabinete en 1848, perdió la cordura cuando estalló el conflicto con Viena; fue trasladado a un asilo cerca de Viena y más tarde se suicidó.

George Szell.
THE BETTMANN ARCHIVE

Szell, George (7 jun. 1897, Budapest, Hungría, Austria-Hungría–30 jul. 1970, Cleveland, Ohio, EE.UU.). Director de orquesta estadounidense de origen húngaro. A los 11 años de edad hizo su debut como pianista y antes de su vigésimo cumpleaños se había presentado con la Filarmónica de Berlín en calidad de pianista, director de orquesta y compositor. Se consagró como director de ópera en distintas ciudades alemanas, entre ellas Berlín (1924–30) y Praga (1930–36). Cuando estalló la segunda guerra mundial, se estableció en EE.UU., donde fue director del Metropolitan Opera (1942–46) y después se desempeñó como director musical de la Cleveland Orchestra (1946–70). En esta agrupación impuso una severa disciplina, pero se ganó la devoción de los músicos por su dedicación tenaz. Bajo su dirección la orquesta llegó a ser conocida por su precisa ejecución y fue considerada una de las mejores del mundo.

Szent-Györgyi, Albert (16 sep. 1893, Budapest, Hungría, Austria-Hungría–22 oct. 1986, Woods Hole, Mass., EE.UU.). Bioquímico estadounidense de origen húngaro. Obtuvo el Premio Nobel en 1937 por sus descubrimientos acerca de los papeles que desempeñan ciertos compuestos orgánicos, especialmente la VITAMINA C, en la oxidación (ver OXIDACIÓN-REDUCCIÓN) de nutrientes por las células. A partir de jugos de vegetales y de extractos de glándulas suprarrenales encontró y aisló un agente reductor orgánico, y demostró que era idéntico a la vitamina C. Su trabajo acerca de los productos intermedios en la célula sentó las bases para que HANS ADOLF KREBS elucidara el ciclo del ácido tricarboxílico (ver ciclo de KREBS). Más tarde trabajó en la bioquímica de la acción muscular (demostrando el rol del ATP) y de la división CELULAR.

Szilard, Leo (11 feb. 1898, Budapest, Hungría, Austria-Hungría–30 may. 1964, La Jolla, Cal., EE.UU.). Físico estadounidense de origen húngaro. Enseñó en la Universidad de Berlín (1922–33), luego huyó a Inglaterra (1934–37) y posteriormente a EE.UU., donde trabajó en la Universidad de Chicago desde 1942. En 1929 estableció la relación entre entropía y transferencia de información, y en 1934 contribuyó a desarrollar el primer método de separación de isótopos de elementos radiactivos artificiales. Colaboró con ENRICO FERMI en realizar la primera reacción nuclear en cadena y construir el primer reactor nuclear. En 1939 fue determinante en el establecimiento del proyecto MANHATTAN, y ayudó a desarrollar la bomba atómica. Después de su utilización en Hiroshima y Nagasaki, promovió los usos pacíficos de la energía atómica y el control de las armas nucleares; fundó el Council for a Livable World, y en 1959 recibió el premio Átomos para la Paz.

Szymanowski, Karol (Maciej) (6 oct. 1882, Tymoszówka, Ucrania, Imperio ruso–29 mar. 1937, Lausana, Suiza). Compositor polaco. Nacido en el seno de una familia culta, estudió música en Varsovia. Al encontrar pocas oportunidades para la nueva música en Polonia, viajó por Europa, África y el Medio Oriente, ampliando sus gustos musicales. Después de perder todas sus posesiones en la primera guerra mundial, se convirtió en un nacionalista ferviente, estudió la música polaca autóctona y la incorporó en su propio repertorio, como en la ópera *El rey Roger* (1924). Trabajó como director del conservatorio de Varsovia (1927–29), pero tuvo que renunciar por razones de salud. Escribió cuatro sinfonías, dos conciertos para violín, un concierto para piano, un *Stabat mater* (1926), el ballet *Harnasie* (1931) y varias canciones; entre sus obras para piano figuran *Metopes* (1915), *Máscaras* (1916) y 22 mazurkas.

Szymborska, Wisława (2 jul. 1923, Bnin, Polonia). Poetisa polaca. Desde 1953 hasta 1981 Szymborska formó parte del equipo redactor del semanario *Życie Literackie* ("Vida Literaria") y cimentó su reputación como poetisa, crítica literaria y traductora de poesía francesa. En sus primeros dos volúmenes de poesía intentó ceñirse a la poética del REALISMO SOCIALISTA. Sus poemas posteriores, que destacan por su lenguaje preciso y concreto y por su imparcialidad irónica, expresan su inconformismo con la ideología comunista y exploran a la vez preocupaciones filosóficas, morales y éticas. Una amplia selección de sus poemas fue traducida al castellano bajo el título *Poesía no completa* (2002). Recibió el Premio Nobel de Literatura en 1996.

T1 Tipo de conexión de telecomunicaciones de banda ancha (ver tecnología de BANDA ANCHA) usada especialmente para conectar un PROVEEDOR DE SERVICIOS DE INTERNET a la infraestructura de internet. Desarrollada por los Laboratorios Bell en la década de 1960, el "sistema T-portador" ofrece intercambio de datos totalmente digital *full-duplex* sobre el alambre tradicional, cable coaxial, fibra óptica, relé de microondas, u otros medios de comunicación. Las líneas T1 acarrean alrededor de 1,5 megabytes de datos por segundo, mientras que la relacionada línea T3 acarrea sobre 40. Sin embargo, estos sistemas por lo general son muy caros para usuarios de redes individuales, quienes usan en su lugar líneas RDSI, MÓDEM POR CABLE, conexiones DSL, o alguna forma de sistema inalámbrico o satelital para acceder a internet de alta velocidad.

T

T4 ver TIROXINA

T Tauri, estrella Cualquiera de un tipo de ESTRELLAS muy jóvenes, con masas menores que el doble de la masa solar. Caracterizadas por cambios de brillo impredecibles, representan etapas tempranas en la evolución estelar, luego de haberse formado recientemente por condensación gravitacional de gas y polvo interestelares. La energía que les da brillo es producto de su propio colapso o contracción gravitacional. Estas estrellas jóvenes, a pesar de que ahora se contraen en forma más lenta, aún son relativamente inestables y permanecerán en este estado hasta que en su interior las temperaturas se eleven lo suficiente como para iniciar la FUSIÓN NUCLEAR y generar energía. Se han observado más de 500 estrellas T Tauri.

Ta hsüeh ver DAXUE

Taaffe, Eduard, conde von (24 feb. 1833, Viena, Austria–29 nov. 1895, Ellischau, Bohemia, Austria-Hungría). Político y primer ministro austríaco (1868–70, 1879–93). Amigo de la infancia del futuro emperador FRANCISCO JOSÉ, ingresó a la administración pública en 1852 y ascendió rápidamente, como gobernador de la Alta Austria, ministro del interior (1867, 1870–71, 1879), gobernador del Tirol (1871–79) y primer ministro. En su segundo período como primer ministro, forjó una coalición conservadora que restableció cierto orden entre las antagónicas nacionalidades del Imperio austríaco al hacer concesiones a los nacionalistas polacos y checos e incorporarlos a la burocracia de los Habsburgo.

Taal, lago *ant.* **lago Bombón** Lago del sudoeste de LUZÓN, Filipinas. Cubre una superficie de 244 km^2 (94 mi^2) y contiene un cráter volcánico situado a menos de 3 m (10 pies) sobre el nivel del mar. La isla Volcano (300 m [984 pies]), que se encuentra en el lago y que es llamada también Taal Volcano, contiene un pequeño cráter. El volcán ha hecho erupción 25 veces desde 1572, la última en 1970. Ubicado en un parque nacional, el lago es una importante atracción turística.

Cultivo de tabaco en Cuba, gran productor de cigarros puros.
FOTOBANCO.

tabaco Cualquiera de numerosas especies de plantas del género *Nicotiana*, o las hojas curadas de varias de las especies, utilizadas de diversas maneras, después de su procesamiento, para fumar, aspirar por la nariz, masticar y también para extraer la NICOTINA. Originario de América del Sur, México y las Indias Occidentales, el tabaco común (*N. tabacum*) crece de 1–2 m (4–6 pies) de alto y generalmente da flores rosadas y hojas grandes, que alcanzan 0,6–1 m (2–3 pies) de largo y la mitad de ancho, aprox. Cuando CRISTÓBAL COLÓN llegó a América, informó que los aborígenes usaban el tabaco tal como se aplica hoy y también en ceremonias religiosas. En la creencia de que el tabaco tenía propiedades medicinales, fue introducido en Europa y el resto del mundo, convirtiéndose en la principal mercancía que los colonizadores británicos intercambiaban por artículos manufacturados europeos. La conciencia de los serios riesgos que causa el tabaco en la salud, a saber, diversos tipos de cáncer y una gama de enfermedades respiratorias, ha llevado a la realización de campañas contra su consumo, pero el número de fumadores continúa aumentando a nivel mundial. La Organización Mundial de la Salud estima que el tabaquismo causa en la actualidad tres millones de muertes al año y dentro de dos décadas provocará más muertes que cualquier otra enfermedad.

Tábano, género *Tabanus*.

tábano Cualquier DÍPTERO del género *Tabanus* (familia Tabanidae). Estas moscas robustas varían desde el tamaño de una MOSCA COMÚN hasta el de un ABEJORRO. Los tábanos tienen ojos metálicos o iridiscentes. Los adultos son veloces y resistentes en su vuelo; se los encuentra por lo general cerca de torrentes, pantanos y áreas boscosas. Pueden transmitir enfermedades animales, como el ÁNTRAX, la tularemia y la tripanosomiasis. La mordedura de las hembras, chupadoras de sangre, puede ser dolorosa, y un enjambre puede succionar más de 90 ml (3 oz) de sangre diariamente a un animal. Los machos se alimentan de néctar, ligamaza y savia vegetal. Los tábanos del género *Chrysops* son más pequeños y tienen marcas oscuras en las alas.

tabaquismo Hábito de respirar el humo de materiales vegetales encendidos, especialmente de tabaco, en forma de cigarros, cigarros puros (habanos) o en pipas. El hábito de fumar tabaco es universal a pesar de los argumentos sociales y médicos en su contra. La NICOTINA y otros ALCALOIDES afines tienen efectos psicoactivos y asimismo, junto con el alquitrán (un residuo que contiene resinas y otros subproductos), efectos negativos para la salud. Estos últimos incluyen el CÁNCER DEL PULMÓN, los cánceres de la boca y la garganta, las CARDIOPATÍAS, los ACCIDENTES VASCULARES ENCEFÁLICOS, el ENFISEMA PULMONAR, la BRONQUITIS crónica y la DEGENERACIÓN MACULAR. El tabaquismo también acentúa los efectos de otros factores de riesgo (ver ASBESTOSIS). Al fumar pasivamente (respirar el humo de los cigarrillos de otras personas) aumenta el riesgo de cáncer del pulmón entre los no fumadores y, en los niños pequeños, el del síndrome de MUERTE SÚBITA INFANTIL. Para quienes desean dejar de fumar existen programas de autoayuda y otros que son dirigidos por médicos, junto con parches y gomas de mascar que suministran nicotina en dosis decrecientes. Las campañas para combatirlo han reducido en forma considerable el tabaquismo en EE.UU., aun cuando en muchos otros países este ha aumentado.

Ṭabarī, al- *p. ext.* **Abū Jaʿfar Muḥammad ibn Jarīr al-Ṭabarī** (c. 839, Amul, Irán–923, Bagdad, Irak). Erudito, comentarista del Corán e historiador musulmán. Después de estudiar en los centros académicos islámicos de Irak, Siria y Egipto, redactó el compendio *Comentarios del Corán* (ver *tafsīr*), cuyas notas al libro sagrado del Islam proporcionan todas las explicaciones jurídicas, lexicográficas e históricas transmitidas en el ḤADĪZ. Su otra gran obra fue *Crónicas de los profetas y de los reyes*, en la que describió la historia de la civilización, desde la creación hasta la caída de la dinastía OMEYA.

Tabasco Estado (pob., 2000: 1.891.829 hab.) del sudeste de México. Ocupa una superficie de 25.267 km^2 (9.756 mi^2) y su capital es VILLAHERMOSA. Entre las culturas precolombinas que ocuparon la región destacan los QUICHÉ, OLMECA, tabasca y NAHUA. Los europeos visitaron por primera vez la zona en 1518; en 1519 HERNÁN CORTÉS se enfrentó a los indios, que fueron parcialmente subyugados en las décadas de 1530–40. Tabasco se convirtió en estado en 1824. La agricultura, la explotación forestal, la apicultura, la pesca comercial y la crianza de ganado proveían gran parte de los ingresos del estado antes de que se iniciara, en la década de 1960, la explotación del petróleo. El estado es en la actualidad un importante productor de crudo.

tabernáculo En la historia judía, el santuario portátil construido por MOISÉS como lugar de culto para las tribus hebreas durante el período que anduvieron errantes antes de llegar a la Tierra Prometida. Este santuario, descrito detalladamente en el ÉXODO, se componía de una cámara exterior, el "lugar sagrado," y una cámara interior, el SANCTASANCTÓRUM, que albergaba el ARCA DE LA ALIANZA. Con la construcción del templo de JERUSALÉN, el tabernáculo dejó de usarse. Actualmente, en el CATOLICISMO y la ORTODOXIA ORIENTAL, el tabernáculo es el receptáculo sobre el altar donde se guardan los elementos consagrados de la EUCARISTÍA.

tabla Par de tambores pequeños, principal instrumento de percusión de la música indostana en el norte de India. El tambor *dahina*, de registro más alto y tocado con la mano derecha, es un tambor más o menos cilíndrico con un solo parche, normalmente de madera y afinado en la tónica del RAGA. El tambor *bahina*, tocado con la mano izquierda, es un timbal de gran profundidad normalmente hecho de cobre; su tono (altura) varía con la presión de la palma del ejecutante. Un disco de pasta negra sobre la membrana de cada tambor contribuye a su afinación al otorgarle sonidos armónicos.

Tabla, bahía de la *inglés* **Table Bay** Ensenada del océano Atlántico que forma la bahía de Ciudad de El CABO en República de Sudáfrica. Tiene 19 km (12 mi) de largo y 12 km (8 mi) de ancho. Aunque menos protegida que otras bahías de la costa, pasó a ser puerto de escala de los buques en la ruta hacia India y el Oriente debido a su disponibilidad de agua dulce. Los holandeses se asentaron en forma permanente en su litoral en 1652.

tabla periódica Conjunto organizado de todos los elementos químicos, en orden creciente, según su PESO ATÓMICO aprox. Muestran una recurrencia periódica de ciertas propiedades, descubierta en 1869 por DMITRI L. MENDELÉIEV. Aquellos elementos que están en la misma columna (grupo) de la tabla, como se tabulan a menudo, tienen propiedades similares. En el s. XX, cuando fue comprendida la estructura de los ÁTOMOS, se apreció que la tabla reflejaba en forma precisa el orden creciente del NÚMERO ATÓMICO. Los miembros del mismo grupo en la tabla tienen en sus átomos el mismo número de ELECTRONES en las capas más externas y forman enlaces del mismo tipo, por lo general con la misma VALENCIA; los GASES NOBLES con las capas externas llenas, con frecuencia no forman enlaces. La tabla periódica ha permitido profundizar la comprensión de lo que es el ENLACE y el comportamiento químico. También permitió la predicción de nuevos elementos, muchos de los cuales fueron descubiertos o sintetizados más tarde.

tablas eugubinas Conjunto de siete tablas de bronce con inscripciones escritas en UMBRO, descubiertas en 1444 en Iguvium (actualmente Gubbio, Italia). Algunas están escritas en el sistema de escritura umbra y otras en el alfabeto latino. Probablemente datan de los s. III–I AC. Las tablas registran la liturgia, los ritos sagrados y los reglamentos de una hermandad de religiosos llamados Fratres Atiedii y son de gran valor para el estudio de la religión y las lenguas ITÁLICAS antiguas.

Tabrīz Ciudad (pob., 1996: 1.191.043 hab.) del noroeste de Irán. Los terremotos e invasiones de árabes, turcos y mongoles la han dañado muchas veces. El gobernante turco TAMERLÁN la conquistó en 1392. Durante los 200 años siguientes, la ciudad cambió varias veces de manos entre los safawíes de Irán y el Imperio otomano. Lo mismo ocurrió durante los s. XVIII–XIX, pero entre los otomanos y el Imperio ruso, potencias que se disputaron el dominio de Tabrīz en la primera guerra mundial (1914–18). En ella fueron ejecutados, en la década de 1850, un líder religioso chiita cismático conocido como EL BAB ("La Puerta") y 40.000 de sus seguidores. Sufrió daños durante la guerra de IRÁN-IRAK (1980–90). Entre los lugares antiguos más destacados figuran la mezquita Azul, que data del s. XV, famosa por el esplendor de sus decoraciones de cerámica azul, y los restos de la tumba dodecagonal del líder mongol MAḤMŪD GHĀZĀN.

Mahoma cabalgando a través del cielo nocturno, miniatura de la escuela de Tabrīz atribuida al sultán Muhammad, 1539–43.

Tabrīz, escuela de Escuela de miniatura fundada por los kanes mongoles a principios del s. XIV. Las obras tempranas de Tabrīz se caracterizan por la luz, las pinceladas como plumas, el colorido suave y un intento por crear la ilusión de espacialidad, lo que refleja la penetración de las tradiciones de Asia oriental, en la pintura islámica. La escuela alcanzó su apogeo, justo cuando los kanes eran conquistados por los timuríes islámicos (1370–1506). Continuó activa durante este período, aunque fue opacada por los talleres de Shiraz y Herat.

tabú Prohibición de tocar, decir o hacer algo por temor a un perjuicio inmediato provocado por una fuerza sobrenatural. El término es de origen polinésico y el fenómeno fue observado por primera vez por el capitán JAMES COOK durante su visita a Tonga en 1771; no obstante, los tabúes han existido prácticamente en todas las culturas. Pueden contemplar la prohibición de pescar o cazar en determinadas temporadas, de comer ciertos alimentos, de interactuar con miembros de otras clases sociales, de tocar cadáveres y, para las mujeres, la prohibición de realizar determinadas actividades durante la menstruación. Aunque es posible vincular algunos tabúes a peligros evidentes para la salud y la seguridad, no hay una explicación unánimemente aceptada para la mayoría de los demás tabúes; casi todos los expertos concuerdan en que tienden a relacionarse con objetos y acciones que son importantes para el mantenimiento del orden social.

TAC ver TOMOGRAFÍA AXIAL COMPUTARIZADA

tachismo (del francés, *tache*: "mancha"). Estilo pictórico practicado en París después de la segunda guerra mundial y a lo largo de la década de 1950. Igual que su equivalente estadounidense el ACTION PAINTING, se caracteriza por el gesto intuitivo y espontáneo de la pincelada del artista. Los tachistas, entre ellos Hans Hartung y Georges Mathieu, realizaron obras de gran tamaño con pinceladas de barrido y chorreados, borrones, manchas y salpicaduras de color. El tachismo formó parte del movimiento de posguerra conocido como arte informal, inspirado en el EXPRESIONISMO ABSTRACTO estadounidense.

Tácito, Publio Cornelio (56 DC–c. 120). Orador, funcionario público e historiador romano. Tras estudiar retórica inició su carrera pública en una magistratura menor; fue ascendiendo a procónsul de Asia (112–113), por entonces el cargo de gobernador de mayor rango. En 98 escribió *Vida de Agrícola*, una biografía de su suegro, el gobernador de Britania (Inglaterra), y la *Germania*, donde describe a los pueblos que moraban en la frontera romana en el Rin. La historia romana la desarrolló tanto en las *Historias*, que tratan sobre el imperio entre el 69 y el 96, como en *Anales*, que cubren el período que se extiende del 14 a 68; en esta última obra analiza correctamente la declinación de la libertad política en Roma, que ya había descrito en las *Historias*. Ninguna de estas obras se ha preservado íntegramente. Tácito fue quizás el más grande historiador y uno de los más finos prosistas que escribieron en latín.

Tacoma Ciudad portuaria (pob., 2000: 193.556 hab.) en el oeste del estado de Washington, EE.UU. Ubicada junto a PUGET SOUND, fue colonizada en 1864 y creció hasta convertirse en ciudad portuaria y maderera. Muelles y embarcaderos bordean su puerto. La ciudad es un centro de construcción naval, y tiene también altos hornos, fundiciones y plantas electroquímicas. Constituye el acceso al parque nacional de Mount RAINIER y hay un puente que la comunica con las zonas de recreación de la península Olympic. Es sede de la Universidad de Puget Sound (1888) y de la Universidad Luterana del Pacífico (1890).

Taconic, montañas Sección del sistema de los APALACHES, en el nordeste de EE.UU. Esta cadena se extiende por 240 km (150 mi) desde el sur de Vermont hasta el norte de Nueva York. El monte Equinox (1.163 m [3.816 pies]), en el sudoeste de Vermont, es el pico más alto. En el estado de Massachusetts, estas montañas forman la sección occidental de las colinas de BERKSHIRE. El parque estatal Taconic, en Nueva York, es una zona de recreación montañosa muy visitada.

taconita Formación de HIERRO de baja ley (p. ej., en Minnesota). La recuperación del hierro requiere una molienda fina y la concentración de las fases que contengan hierro (ver tratamiento de MINERALES), a las cuales luego se da una forma de *pellets* (nódulos) apropiados para ALTOS HORNOS. A medida que los yacimientos de mineral de hierro de alta ley se han ido agotando, los yacimientos de taconita han cobrado importancia.

táctica En la actividad bélica, el arte y ciencia de combatir batallas. Se preocupa de la forma de enfocar el combate, de la ubicación de las tropas, del uso que se hace de las armas, vehículos, naves o aviones, y de la ejecución de las maniobras de ataque y defensa. En general, la táctica trata de los problemas que se presentan en el combate real. El pensamiento táctico persigue coordinar el personal con la tecnología de armas existente, y aplicarla tanto al terreno como a las fuerzas enemigas de una manera que use las fuerzas de combate con el máximo de ventaja. El despliegue de las fuerzas involucra ubicar cada tipo de arma en el punto en que puede causar el mayor daño al enemigo o proporcionar la mayor protección a las fuerzas propias. La oportunidad en el tiempo y la dirección de ataque son también consideraciones importantes. En el mar, la dirección era crucial en la época en que los buques eran propulsados por el viento. En guerras recientes, la oportunidad ha sido un factor decisivo al montar ataques aerotransportados que aprovechan el elemento sorpresa. Ver también ESTRATEGIA.

tacuarita Cualquiera de unas 11 especies de pequeñas aves canoras (género *Polioptila*) a menudo consideradas una subfamilia de la familia Sylviidae de CARRICEROS del Viejo Mundo. La tacuarita gris azulada, de 11 cm (4,5 pulg.) de largo, con su larga cola bordeada de blanco, parece un minúsculo SINSONTE. Se reproduce localmente desde el este de Canadá y California hasta Bahamas y Guatemala, e inverna desde el sur de EE.UU. hacia el mediodía. La tacuarita de cola negra vive en los desiertos del sudoeste de EE.UU.; las demás especies se encuentran en América Central y del Sur, así como en Cuba.

Tacuarita gris azulada.

Tadema, Lawrence Alma- ver Sir Lawrence ALMA-TADEMA

Tadmor ver PALMIRA

Taegu Ciudad (pob., 2000: 2.473.990 hab.) y capital de la provincia de Kyŏnsang Septentrional en el sudeste de Corea del Sur. Durante siglos el centro administrativo, económico y cultural de la región, se desarrolló durante la dinastía CHOSON (1392–1910) hasta convertirse en una de las tres grandes ciudades comerciales del país. Tiene importantes industrias textiles, pero es conocida sobre todo por sus cultivos de manzana que se exportan a todo el Oriente y el Sudeste asiático. Gran cantidad de visitantes llegan a la zona, atraídos por sus numerosos parques y pagodas antiguas y por el templo budista del s. IX que contiene el TRIPITAKA. Alberga varias universidades e institutos de educación superior.

T'aejo ver YI SONG-GYE

Taejon Ciudad (pob., 2000: 1.365.961 hab.) y capital de la provincia de Chungcheong Meridional, en el sudeste de Corea del Sur. Era una aldea pobre hasta que las conexiones ferroviarias estimularon su crecimiento a comienzos de la década de 1900. Fue la capital temporal de Corea del Sur durante la guerra de COREA (1950–53); como consecuencia el 70% de la ciudad fue destruida. Desde entonces ha sido reconstruida y se ha desarrollado la manufactura de textiles de algodón, maquinaria y químicos. En ella se encuentran la Universidad Nacional de Chungnam y varios otros establecimientos de educación superior.

taekwondo ARTE MARCIAL coreano parecido al KARATE. Se caracteriza por la adopción de una posición erguida y el despliegue de patadas en el aire, así como golpes de puño. Se practica como deporte y como método de defensa propia y desarrollo espiritual. En los entrenamientos, los golpes se detienen justo antes de impactar al rival. Basado en tempranas formas de defensa propia coreanas, fue formalizado y bautizado en 1955. En 2000 se convirtió en deporte olímpico.

Combate de taekwondo en el torneo mundial 2003, París, Francia.

Taeuber, Conrad y Barnes Taeuber, Irene *orig.* **Irene Barnes** (15 jun. 1906, Hosmer, S.D., EE.UU.–11 sep. 1999, Nashua, N.H.) (25 dic. 1906, Meadville, Mo.–24 feb. 1974, Hyattsville, Md.). Demógrafos, estadísticos y cientistas sociales estadounidenses. Cuando la pareja trabajaba para varios organismos del gobierno de EE.UU., desarrolló un método científico para los censos que contribuyó a la institución de la DEMOGRAFÍA como ciencia y transformó, a ambos, en autoridades en materia de movimientos poblacionales en dicho país. Sus libros *The Changing Population of the United States* (1958) y *The Population of Japan* (1958) se consideran clásicos en demografía.

Taewon-gun (n. 1821–m. 1898). Padre del último rey de Corea, Kojong (r. 1864–1907), y regente (1864–1873). Como tal, inició reformas orientadas a fortalecer el gobierno central. También modernizó las fuerzas armadas coreanas y se opuso a otorgar concesiones a Japón o a Occidente. Taewon-gun fue secuestrado y estuvo detenido en China por tres años, tiempo durante el cual perdió su poder y se suprimieron muchas de sus reformas.

Taff Vale, fallo (1900–01). Fallo favorable a la compañía ferroviaria Taff Vale Railway Co. en Gran Bretaña en un pleito entablado en contra del sindicato Amalgamated Society of Railway Servants (ASRS). En agosto de 1900 el ASRS inició una huelga por un aumento de salarios, pero a las dos semanas fracasó cuando la compañía intervino con rompehuelgas. La empresa demandó al sindicato por violar la ley de protección de la propiedad, y los tribunales sostuvieron que un sindicato podía ser demandado por los daños causados por una huelga, lo que la eliminó como instrumento de lucha de los trabajadores organizados. La oposición al fallo estimuló el crecimiento del PARTIDO LABORISTA y llevó a la aprobación de la ley de conflictos laborales de 1906, que anuló los efectos del fallo.

Tafilalet *o* **Tāfīlālt** Oasis del sudeste de Marruecos. Es el oasis sahariano más grande del país; cubre una superficie de 1.380 km² (533 mi²). Comprende seis aldeas fortificadas y cultivos de palmas que se extienden unos 50 km (30 mi) a lo largo del *wadi* Ziz. En el pasado su capital era la próspera fortaleza BEREBER de Siyilmasa, fundada en 757 DC en la ruta de caravanas del Sahara y que fue finalmente destruida en el s. XIX. El oasis es conocido por sus huertos de palmas datileras.

tafsīr Ciencia que permite explicar e interpretar el CORÁN. Surgió después de la muerte de MAHOMA para resolver los problemas de ambigüedad, las lecturas discrepantes, los textos imperfectos y las aparentes contradicciones en la escritura. El *tafsīr*, que empezó como una especulación meramente personal, se convirtió con el tiempo en un método de EXEGESIS sistemática del texto del Corán, que analizaba verso por verso y a veces palabra por palabra. Los primeros análisis, basados en el ḤADĪZ, dieron origen después a una forma más dogmática de *tafsīr*. La obra más amplia fue recopilada por el erudito al-ṬABARĪ. Algunos musulmanes modernistas han utilizado el *tafsīr* como un medio para transmitir ideas reformistas.

Taft, Robert A(lphonso) (8 sep. 1889, Cincinnati, Ohio, EE.UU.–31 jul. 1953, Nueva York, N.Y.). Político estadounidense. Hijo de WILLIAM H. TAFT, se desempeñó en el poder legislativo de Ohio antes de ser elegido para integrar el Senado (1939–53). Se dio a conocer como fuerte defensor del conservadurismo tradicional y se ganó el apodo de "Mr. Republican". Se opuso al poder centralizador del gobierno federal y fue copatrocinador de la ley TAFT-HARTLEY, cuyo fin era limitar la acción sindical de los trabajadores. Como aislacionista, se opuso a la participación de EE.UU. en las organizaciones internacionales de posguerra. Fue candidato presidencial predilecto de su estado en las convenciones nacionales del Partido Republicano, especialmente en las de 1948 y 1952, pero los internacionalistas del partido objetaron sus puntos de vista conservadores. Tras la elección de DWIGHT D. EISENHOWER, asumió como jefe de la mayoría en el Senado y fue el asesor principal del presidente en dicho cuerpo legislativo.

Robert A. Taft, 1940.

GENTILEZA DE LA BIBLIOTECA DEL CONGRESO, WASHINGTON, D.C.

Taft, William Howard (15 sep. 1857, Cincinnati, Ohio, EE.UU.–8 mar. 1930, Washington, D.C.). Vigésimo séptimo presidente de EE.UU. (1909–13). Se desempeñó en el tribunal superior de Ohio (1887–90), como procurador general (1890–92) y como juez de tribunal de apelaciones (1892–1900). Fue nombrado a la cabeza de la Comisión de Filipinas, cuyo objeto era instalar un gobierno civil en las islas y fue el primer gobernador civil de estas (1901–04). Ocupó el cargo de secretario (ministro) de guerra (1904–08) en el gabinete del pdte. THEODORE ROOSEVELT, quien apoyó su nominación como candidato presidencial en 1908. Ganó la elección, pero se alió con los republicanos conservadores y causó una división con los progresistas del partido. Fue candidato a la reelección en 1912, pero la separación con Roosevelt y el PARTIDO BULL MOOSE condujo al triunfo electoral de WOODROW WILSON. Posteriormente, enseñó derecho en la Universidad de Yale (1913–21), perteneció a la Junta nacional laboral de tiempos de guerra (1918) y apoyó la Sociedad de Naciones. Como presidente de la Corte Suprema (1921–30), introdujo reformas que incrementaron la eficiencia del tribunal. Fue importante su opinión en Myers-U.S. (1926) y la decisión confirmó la facultad del presidente para exonerar a los funcionarios federales.

William Howard Taft, 1909.

BIBLIOTECA DEL CONGRESO, WASHINGTON, D.C.

Taft-Hartley, ley *ofic. inglés* **Labor-Management Relations Act** (1947) Ley estadounidense que puso límites a los sindicatos. Patrocinada por el sen. ROBERT A. TAFT y el republicano Fred A. Hartley, Jr., modificó gran parte de la ley WAGNER (1935), favorable a los sindicatos, y fue aprobada por un congreso controlado por los republicanos a pesar del veto del pdte. HARRY S. TRUMAN. La norma otorgaba a los empleados el derecho de no ingresar a los sindicatos (lo que ponía fin al CLOSED SHOP) y exigía el aviso previo en caso de huelga; autorizaba la prohibición judicial federal por un lapso de 80 días si la huelga amenazaba la salud o la seguridad de la nación; hacía más estricta la definición de las prácticas laborales desleales; especificaba las prácticas desleales de los sindicatos; limitaba las contribuciones políticas de los sindicatos, y exigía que los dirigentes sindicales prometieran o juraran que no eran comunistas.

tagalo Miembro del grupo lingüístico-cultural más numeroso de Filipinas. Es la población dominante de Manila y de varias provincias circundantes. La gran mayoría son de fe católica y campesinos, dedicados al cultivo comercial de la caña de azúcar y coco. El predominio de Manila ha dado a los tagalos urbanos el liderazgo económico en Filipinas. La lengua TAGALO es la base del filipino, el idioma nacional.

tagalo Lengua AUSTRONESIA de Filipinas, lengua materna hablada por cerca de 17 millones de personas en la isla de Luzón y al menos por medio millón de emigrantes filipinos. Como lengua de Manila, la capital y principal ciudad de

Filipinas, el tagalo ha tenido importancia por largo tiempo fuera de su propia zona de uso. Con su vocabulario enriquecido con otras lenguas, ha constituido la base del filipino (antiguamente llamado pilipino), la lengua nacional. Se utiliza en la educación y los medios de comunicación, y lo comprenden en la actualidad más del 60% de la población filipina. Aun cuando en el s. XVI se empleó para el tagalo un sistema de escritura que tuvo su origen en el Asia meridional (ver sistemas de escritura ÍNDICA), toda la literatura reciente en esta lengua ha utilizado adaptaciones del alfabeto LATINO.

Tagetes Género que comprende unas 30 especies de plantas herbáceas anuales de la familia de las COMPUESTAS, originarias del sudoeste de Norteamérica. El nombre también designa a la tagetes de maceta (CALÉNDULA) y a plantas no emparentadas de varias familias. Las especies de este género comprenden plantas ornamentales de jardín muy populares, como *T. erecta* y *T. patula*, de flores rojas, anaranjadas y amarillas, simples o arracimadas, y por lo general de hojas finamente aserradas. Debido a que las hojas expelen un fuerte olor que ahuyenta a las plagas de insectos, se suelen plantar entre los cultivos de hortalizas.

Especie de *Tagetes patula*.
ROBERT BORNEMANN PHOTO RESEARCHERS.

Taglioni, Maria (23 abr. 1804, Estocolmo, Suecia–24 abr. 1884, Marsella, Francia). Bailarina italiana. Estudió con su padre, el bailarín y coreógrafo Filippo Taglioni (n. 1777–m. 1871), y debutó en Viena en 1822. Cuando bailó *La sílfide* de su padre, inaugurada en la Ópera de París en 1832, fue una de las primeras bailarinas en interpretar un ballet en *pointe* (sobre las puntas de los dedos). Creó un nuevo estilo delicado, caracterizado por los saltos flotantes y las poses en equilibrio, como el arabesque (arabesco), que caracterizaron el romanticismo de comienzos del s. XIX. Asimismo, introdujo el tutú en reemplazo de la diáfana falda blanca, que se convirtió en el vestido utilizado por la mayoría de las bailarinas clásicas. Realizó giras por Europa y, después de abandonar la Ópera de París en 1837, bailó con el Ballet del Teatro Imperial de San Petersburgo. Se retiró de las tablas en 1847.

Tagore, Debendranath (15 may. 1817, Calcuta, India–19 ene. 1905, Calcuta). Filósofo y reformador religioso hindú. Nacido en el seno de una familia de terratenientes adinerados, estudió tanto la filosofía occidental como la oriental. En su lucha por erradicar los abusos del hinduismo, se opuso en forma vehemente al SUTTEE y trató de poner la educación al alcance de todos. Participó activamente en el BRAHMO SAMAJ. En su celo por erradicar la idolatría y las prácticas antidemocráticas, rechazó los VEDAS por considerarlos deficientes en pos de definir las directrices del comportamiento humano. Al fracasar en su intento por encontrar un sendero intermedio entre el racionalismo radical y el conservadurismo brahmánico (ver BRAHMÁN), se retiró de la vida pública. Se lo llamó el Gran Sabio. RABINDRANATH TAGORE fue su hijo.

Tagore, Rabindranath (7 may. 1861, Calcuta, India–7 ago. 1941, Calcuta). Poeta, escritor, compositor y pintor bengalí. Hijo de DEBENDRANATH TAGORE. Publicó varios libros de poesía entre los 20 y 30 años de edad, como *Manasi*. Su poesía religiosa posterior se hizo conocida en Occidente al publicarse *Gitanjali* (1912). En sus numerosos viajes y conferencias alrededor del mundo, introdujo aspectos de la cultura india en occidente y viceversa. Abogó con pasión por la independencia de India; en señal de protesta por la matanza de AMRITSAR renunció al título de caballero que había recibido de la corona británica en 1915. Fundó una escuela experimental en Bengala, en la cual intentó mezclar la filosofía oriental y occidental; esta se convirtió más tarde en la Universidad de Vishva-Bharati (1921). Obtuvo el Premio Nobel de Literatura en 1913.

Rabindranath Tagore.
© ENCYCLOPÆDIA BRITANNICA, INC.

Taha Hussein *o* **Taha Husayn** (14 nov. 1889, Maghāghah, Egipto–28 oct. 1973, El Cairo). Escritor egipcio. Una enfermedad lo dejó ciego a los dos años. Profesor de literatura árabe en la Universidad de El Cairo, su osadía intelectual a menudo provocaba las iras de los religiosos islámicos conservadores. Figura sobresaliente del movimiento vanguardista, en Egipto escribió novelas, cuentos, crítica literaria y ensayos políticos y sociales. Fuera de su país se le conoce sobre todo por su autobiografía en dos partes, *Al-Ayyam* [Los días] 1929–1932, la primera obra literaria moderna de la cultura árabe en ser aclamada en Occidente.

Tahití, isla Isla (pob., 1996: 150.707 hab.) perteneciente a las islas de la SOCIEDAD en la POLINESIA FRANCESA. Ubicada en el océano Pacífico. Es la más grande de las islas de la Sociedad, en el grupo de Barlovento; ocupa una superficie de 1.042 km² (402 mi²). PAPEETE, la capital de la Polinesia Francesa, está ubicada en Tahití. El interior de la isla es montañoso, alcanzando los 2.237 m (7.339 pies) de altura en el monte Orohena; sus poblados están localizados en la costa. Habitada por polinesios por mucho tiempo, fue visitada por el capitán británico Samuel Wallis en 1767 y un año después por LOUIS-ANTOINE DE BOUGAINVILLE, quien la reclamó para Francia. Los primeros colonizadores europeos permanentes fueron misioneros ingleses que llegaron en 1797. Se convirtió en colonia francesa en 1880 y en la actualidad es parte del territorio autónomo de ultramar de Francia. La continua realización de pruebas nucleares francesas en la región ha indignado a la población y ha provocado llamados a la independencia en los años recientes. El turismo es una actividad económicamente importante.

Tahoe, lago Lago en el límite de los estados de California y Nevada, en la SIERRA NEVADA septentrional, EE.UU. El lago, que ocupa una cuenca de hundimiento, cubre una superficie de 500 km² (193 mi²). Mide 35 km (22 mi) de largo por 16 km (10 mi) de ancho y se ubica a 1.899 m (6.229 pies) sobre el nivel del mar. En las últimas décadas, el nivel del agua ha variado por las temporadas de sequía. El lago recibe las aguas de varias corrientes, y es de un intenso color azul. Junto con los bosques nacionales que lo rodean, se ha convertido en un centro turístico muy frecuentado.

tai ver THAI

tai chi chuan *chino* **taijiquan** *o* **t'ai-chi-ch'üan** Antigua técnica china de ejercicio o de ataque y defensa. Como ejercicio, está diseñada para proporcionar relajación a través del acondicionamiento del cuerpo, el que se logra, en parte, al armonizar los principios del YIN-YANG. Emplea movimientos deliberados y fluidos con posturas y posiciones cuidadosamente estudiadas. Como modalidad de ataque y defensa, se asemeja al KUNG FU y se le considera un ARTE MARCIAL propiamente tal. En esta disciplina, que data del s. III DC, existen dos grandes escuelas, el Wu y el Yang. Según la escuela, el número de ejercicios varía entre 24 y más de 100.

Tai, lago *chino* **Tai Hu** *o* **T'ai Hu** Lago ubicado en las provincias de ZHEJIANG y JIANGSU, China oriental. De forma semicircular, cubre una superficie de 2.200 km² (850 mi²). Está situado en una llanura y se alimenta de un laberinto de corrientes naturales y artificiales, algunas de ellas construidas en el s. VII DC. En el sector oriental hay varias islas que en el pasado fueron famosos lugares de veneración taoístas y budistas. La gran belleza natural de la zona atrae a numerosos turistas.

Taieri, río Río en el sudeste de la isla del SUR, Nueva Zelanda. Nace en los montes Lammerlaw y fluye por 288 km (179 mi) hacia el norte y sudeste en un gran arco que cruza llanuras y rodea los montes Rock y Pillar, hasta ingresar en el océano Pacífico cerca de Dunedin. El río discurre por varios desfiladeros en su curso superior e inferior.

taiga *o* **bosque boreal** Bosque abierto de CONÍFERAS que crece en terrenos pantanosos comúnmente cubiertos de LÍQUENES. Es la vegetación característica de la región subpolar del norte de Eurasia (principalmente Rusia, incluida Siberia y Escandinavia) y de Norteamérica septentrional, limitada por la TUNDRA más fría por el norte y la zona templada más cálida por el sur. Las especies del género PICEA y *Pinus* (ver PINO) son los árboles dominantes. Los organismos edáficos son PROTOZOOS, NEMATODOS y ROTÍFEROS; no existen invertebrados más grandes (p. ej., insectos) que descompongan los residuos vegetales, de modo que el HUMUS se acumula muy lentamente. En la taiga habitan muchos animales de piel (p. ej., la marta cibelina, el zorro y el armiño), como también alces, osos y lobos. La taiga siberiana representa el 19% del área forestada mundial y posiblemente el 25% de todo el volumen forestal. A pesar de su existencia remota, la taiga es una fuente principal de madera de construcción, y se han talado grandes extensiones de ella.

Taiga, Ike no ver IKE NO TAIGA

taijiquan ver T'AI CHI CH'UAN

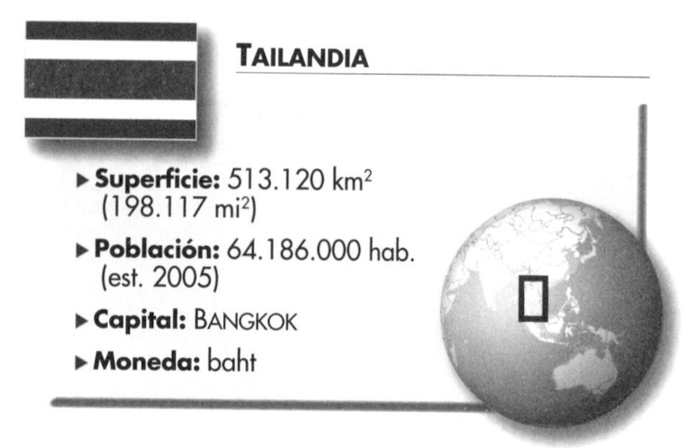

TAILANDIA

- **Superficie:** 513.120 km² (198.117 mi²)
- **Población:** 64.186.000 hab. (est. 2005)
- **Capital:** BANGKOK
- **Moneda:** baht

Tailandia *ofic.* **Reino de Tailandia** *ant.* **Siam** País situado en la zona continental del Sudeste asiático. Su población es mayoritariamente thai, con importantes minorías de chinos, JMERES y malayos. Idioma: thai (oficial). Religión: budismo (oficial). El país abarca colinas y montañas boscosas, una llanura central que contiene el delta del río CHAO PHRAYA y una meseta al nordeste. Su economía de mercado se basa principalmente en los servicios, industria liviana y agricultura. Es un gran productor de tungsteno y estaño. Entre sus principales productos agrícolas figuran el arroz, maíz, caucho, soja y ananás; la actividad manufacturera se centra en vestuario, alimentos enlatados, circuitos eléctricos y cemento. También es importante el turismo. Tailandia es una monarquía constitucional bicameral; el jefe de Estado es el rey y el jefe de Gobierno, el primer ministro. La región de Tailandia ha estado habitada en forma continua desde hace 20.000 años. Formó parte del reino MON y los reinos jmeres desde el s. IX DC.

Paisaje de piedra caliza cárstica en la península de Malaca, Tailandia.
JOHN ELK/TONY STONE IMAGES

Pueblos de lengua thai inmigraron desde China circa s. X. Durante el s. XIII surgieron dos estados thai: el reino SUJOTHAI, fundado c. 1220 tras una exitosa revuelta contra el Jmer, y CHIANG MAI (que con el tiempo se convirtió en el reino de Lan Na, con Chiang Mai como capital), fundado en 1296 después de derrotar al reino mon. En 1351, el reino thai de AYUTTHAYA sucedió al de Sujothai. Los birmanos, que fueron sus rivales más poderosos, lo ocuparon durante un breve período en el s. XVI y lo destruyeron en 1767. En 1782 llegó al poder la dinastía CHAKRI, que trasladó la capital a Bangkok y extendió su imperio a lo largo de la península de MALACA y hacia Laos y Camboya. En 1856, el imperio recibió el nombre de Siam. Aunque la influencia occidental se incrementó durante el s. XIX, los gobernantes de Siam evitaron la colonización otorgando concesiones a los países europeos; fue la única nación del Sudeste asiático capaz de hacerlo. En 1917, Siam entró en la primera guerra mundial al lado de los aliados. Tras un golpe militar en 1932, se convirtió en monarquía constitucional y en 1939 fue oficialmente denominado Tailandia. Japón ocupó el país en la segunda guerra mundial. Participó en la guerra de COREA como miembro de las fuerzas de la ONU y se alió con Vietman del Sur en la guerra de VIETNAM. Al igual que otras economías del Sudeste asiático, Tailandia se vio seriamente afectado por la crisis financiera regional que comenzó a mediados de la década de 1990.

Tailandia, golfo de *ant.* **golfo de Siam** Ensenada del mar de CHINA meridional. Aunque se extiende principalmente frente a Tailandia, su costa sudoriental corresponde a Camboya y Vietnam. Tiene 500–560 km (300–350 mi) de ancho y 725 km (450 mi) de longitud. Los principales puertos de Tailandia están en sus costas, sus aguas son importantes para la pesca y sus playas son populares destinos turísticos.

Taimir, península de Península del centro-norte de SIBERIA en Rusia septentrional. Está ubicada entre el mar de Kara, el mar de Laptev y el estrecho de Vilkitski; en ella se encuentra el cabo Cheliuskin, el punto más septentrional de Asia. Por el centro de la península fluye el río Taimira, de 644 km (400 mi) de largo. La península tiene una superficie de 400.000 km² (150.000 mi²) aprox. Los montes Birranga, situados en el centro de la península, alcanzan una altura de unos 1.150 m (3.800 pies).

Tainan *ant.* **Dainan** Ciudad (pob., est. 2002: 742.574 hab.) del sudoeste de Taiwán. Es uno de los asentamientos urbanos más antiguos de la isla. Los chinos Han se instalaron allí alrededor de 1590. Los holandeses llegaron a la ciudad en 1623 y permanecieron hasta que fueron expulsados por ZHENG CHENGGONG en 1662, quien hizo de ella su capital. Siguió siendo la capital de la isla cuando la dinastía QING restableció el control chino sobre Taiwán (1683). Bajo dominio chino en el s. XIX, se desarrolló hasta convertirse en una ciudad próspera y en el centro comercial y educacional de Taiwán. Después del traslado de la capital a TAIPEI, en 1891, pasó a ser primordialmente comercial. Se expandió durante la ocupación japonesa (1895–1945). En la actualidad es un mercado importante y un centro turístico.

Taine, Hippolyte (-Adolphe) (21 abr. 1828, Vouziers, Ardenas, Francia–5 mar. 1893, París). Pensador, crítico e historiador francés. Ya de joven concluyó que el conocimiento debía basarse en la experiencia de los sentidos, la observación y la experimentación científica, convicción que orientaría toda su carrera. Profesor de la École de Beaux-Arts de París entre 1864 y 1883, se hizo conocido como uno de los exponentes más respetados del POSITIVISMO francés del s. XIX, por sus intentos de aplicar el método científico al estudio de las humanidades. En su *Historia de la literatura inglesa* (1863–64) ofrece su interpretación de la historia cultural y literaria, y una propuesta de acercamiento científico a la crítica literaria en general. Entre sus obras se destacan *De l'intelligence* [Sobre la inteligencia] (1871), un estudio sobre psicología, y su monumental análisis histórico de *Los orígenes de la Francia contemporánea*, 3 vol. (1876–1899).

Hippolyte Taine, retrato de Leon Bonnat, 1899.
HACHETTE–J.P. ZIOLO

taino *o* **taíno** Grupo extinto de indios ARAWAK de la isla La ESPAÑOLA en el mar Caribe. También habitaban Puerto Rico y el extremo oriental de Cuba. Cultivaban mandioca y maíz, pescaban, y cazaban aves y animales pequeños. Eran hábiles en el trabajo de la piedra y la madera. Su sociedad consistía de tres niveles –nobles, plebeyos y esclavos– y eran gobernados por jefes y subjefes hereditarios; las creencias religiosas se centraban en una jerarquía de espíritus de la naturaleza y de ancestros. Se extinguieron dentro de los primeros 100 años de la conquista española.

Taipei *o* **Taibei** Ciudad, municipio especial con estatuto de provincia (pob., est. 2003: 2.638.065 hab.) y sede del gobierno de la República de China (TAIWÁN). Fundada en 1708, se convirtió en un centro importante del comercio de té a mediados del s. XIX. Poco después de que Taiwán fuese declarada provincia de China en 1886, Taipei pasó a ser la capital de la isla, rango que mantuvo durante la ocupación japonesa (1895–1945). En 1949 se transformó en el centro administrativo del gobierno nacionalista chino (ver GUOMINDANG). Recibió el rango de municipio especial en 1967. Taipei es el centro comercial, financiero, industrial y de transporte de Taiwán. Entre sus numerosas instituciones de educación superior destaca la Universidad Nacional de Taiwán (1928). El Palacio del Museo Nacional de la ciudad alberga una de las mayores colecciones de tesoros artísticos chinos del mundo.

Taiping, rebelión (1850–64). Sublevación a gran escala acaecida en China contra la dinastía QING. A fines de la década de 1840, y tras sufrir inundaciones y hambrunas, los campesinos estaban dispuestos para la rebelión, que fue encabezada por HONG XIUQUAN. Este líder tuvo visiones que lo convencieron ser el hermano menor de Jesús, situación que lo impelió a liberar a China del gobierno MANCHÚ. Predicó la hermandad (de hombres y mujeres) ante Dios y propugnó el colectivismo. La fe militante de sus seguidores aunó un ejército férreamente disciplinado que llegó a contar con más de un millón de hombres y mujeres (las militantes fueron tratadas como iguales por los rebeldes Taiping). En 1853 conquistaron Nanjing y cambiaron su nombre por el de Tianjing ("Capital celestial"). A pesar de fracasar en sus intentos por tomar Beijing, lograron triunfos durante una expedición al valle del río Yangtzé (Chang Jiang) superior. El peculiar cristianismo profesado por Hong Xiuquan entró en conflicto tanto con los misioneros occidentales como con la clase erudita china. Sin esta elite intelectual, el ejército Taiping era incapaz de gobernar las zonas rurales o de abastecer en forma eficiente sus ciudades. La jefatura perdió su austeridad inicial y se trenzó en luchas de poder que dejaron a Hong Xiuquan sin colaboradores competentes. En 1860, un intento por tomar Shanghai fue repelido por fuerzas estadounidenses y británicas y, en 1862, el ejército chino al mando de ZENG GUOFAN sitió Nanjing. La ciudad cayó en 1864, pero casi 100.000 de los rebeldes Taiping prefirieron la muerte antes que ser capturados. En otros lugares, hubo focos de resistencia esporádica hasta 1868. La rebelión asoló 17 provincias, cobró unos 20 millones de vidas y dejó al gobierno Qing imposibilitado de recuperar el control efectivo del país. Ver también LI HONGZHANG; rebelión NIAN.

Taira Kiyomori (1118, Japón–21 mar. 1181, Kioto). Líder de la poderosa familia Taira y primer miembro de la clase guerrera (SAMURÁI) en gobernar Japón. La corte imperial se había valido de los Taira para reprimir a los piratas en el mar de Japón Interior. En 1156, cuando el retirado emperador Sutoku (ver INSEI) consiguió el apoyo de la familia guerrera Minamoto en una rebelión contra el emperador reinante Go-Shirakawa, Taira Kiyomori apoyó a este último y derrotó a los Minamoto. En 1159–60 los Minamoto volvieron a la escena, pero Taira Kiyomori nuevamente los derrotó, ejecutando a todos los varones de la familia a excepción de los menores MINAMOTO YORITOMO y MINAMOTO YOSHITSUNE, quienes más tarde lo derrocarían. Victorioso temporalmente, Taira Kiyomori alcanzó el más alto rango de la corte y manejó el trono a través del casamiento de sus hijas con miembros de la familia imperial. Las fuerzas de los Taira adoptaron el estilo débil de los aristócratas y no pudieron competir con las del poderoso clan militar de los Minamoto, quienes los derrotaron en 1185. Ver también guerra GEMPEI; período KAMAKURA.

tais, lenguas ver lenguas THAIS

Taishō, era (1912–26). Período de la historia de Japón que corresponde al reinado del emperador Yoshihito Taishō (n. 1879–m. 1926). Sucesor de la era MEIJI, representó una continuidad en el ascenso de Japón en el escenario internacional y una apertura en la política interna. El país amplió la representatividad de su gobierno; redujo los requisitos tributarios para obtener el derecho a voto para aumentar el número de votantes, hasta suprimirlos definitivamente en 1925. La política partidista prosperó y se promulgaron leyes a favor de los trabajadores. Japón continuó ejerciendo presión a China para que realizara concesiones económicas y políticas, además de suscribir acuerdos con países occidentales que reconocían sus intereses en Corea, Manchuria y en el resto de China. La zonas rurales de Japón no se vieron tan beneficiadas como las urbanas; al finalizar la era Taishō, sobrevino una depresión económica que provocó grandes sufrimientos. Ver también era SHŌWA.

T'ai-tsu ver TAIZU

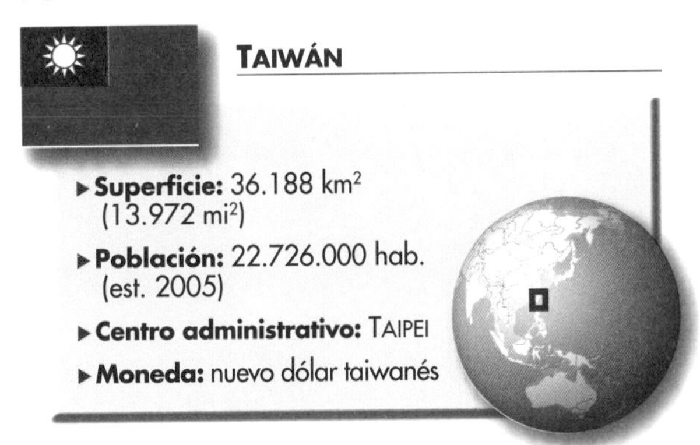

TAIWÁN

- **Superficie:** 36.188 km² (13.972 mi²)
- **Población:** 22.726.000 hab. (est. 2005)
- **Centro administrativo:** TAIPEI
- **Moneda:** nuevo dólar taiwanés

Taiwán *ant.* **Formosa** Isla ubicada frente a la costa sudoriental de China y componente principal de la República de China (que también incluye las islas de Matsu, Quemoy y Pescadores. Los chinos han constituyen prácticamente la totalidad de la población. Lenguas: chino mandarín (oficial); también se hablan los dialectos taiwanés, fukien y hakka.

Religiones: budismo, taoísmo, confucionismo, cristianismo (pequeña minoría). Situada a 160 km (100 mi) de China continental, está formada principalmente por montañas y colinas, con llanuras costeras densamente pobladas en el oeste. Tiene una de las más altas densidades demográficas del mundo y es una importante potencia industrial en el área del Pacífico, con una economía basada en la industria manufacturera, el comercio internacional y los servicios. Sus principales exportaciones abarcan maquinaria eléctrica y no eléctrica, productos electrónicos, textiles, artículos de plástico y vehículos. Es una importante productora de películas cinematográficas en lengua china. Constituye una república unicameral; el jefe de Estado es el presidente y el jefe de Gobierno, el primer ministro. Conocida por los chinos ya en el s. VII, estos la poblaron extensamente a principios del s. XVII. En 1646, los holandeses se apoderaron de la isla, pero fueron expulsados en 1661 por una gran migración de refugiados chinos, partidarios de la dinastía MING. La isla cayó en manos de los MANCHÚES en 1683 y permaneció cerrada a los europeos hasta 1858. En 1895 fue cedida a Japón después de la guerra CHINO-JAPONESA. Convertida en base militar de los japoneses durante la segunda guerra mundial, fue bombardeada con frecuencia por la aviación de EE.UU. Tras de la derrota japonesa, fue devuelta a China, entonces gobernada por los nacionalistas. Cuando los comunistas se apoderaron de China continental en 1949, el gobierno del GUOMINDANG huyó a Taiwán y la convirtió en sede de su gobierno, con el gral. CHIANG KAI-SHEK como presidente. Desde ese entonces, tanto el gobierno nacionalista como la República Popular de China consideraron a Taiwán como provincia de China. Chiang Kai-shek firmó en 1954 un tratado de defensa mutua con EE.UU, y Taiwán recibió el apoyo estadounidense durante casi tres décadas, desarrollando su economía en forma extraordinaria. Fue reconocida por la ONU como representante de China hasta 1971, cuando fue sustituida por la República Popular de China. La ley marcial, aplicada en Taiwán desde 1949, se levantó en 1987 y las restricciones para viajar a China continental fueron eliminadas en 1988. Un año después los partidos de oposición fueron legalizados. La relación con el continente se hizo más estrecha en la década de 1990, aunque volvió a tensionarse respecto al futuro estatus de Taiwán después de que Chen Shui-bian, fuera elegido presidente en 2000.

Fachada del monumental Gran Hotel de Taipei, Taiwán.
ARCHIVO EDIT. SANTIAGO

Taiwán, estrecho de *o* **estrecho de Formosa** Brazo del noroeste del océano Pacífico. Situado entre la costa de la provincia china de FUJIAN y la isla de TAIWÁN, tiene unos 185 km (115 mi) de ancho. El estrecho conecta el mar de CHINA meridional con el mar de China oriental.

Taiyuan *o* **T'ai-yüan** Ciudad (pob. est., 1999: 1.768.530 hab.) y capital de la provincia de SHANXI, China, situada a orillas del río FEN HE. Conocida desde la época de la dinastía ZHOU, fue un centro estratégico y la capital administrativa en la época de los MONGOLES (s. XII–XIV). En ella tuvo lugar en 1900, durante la REBELIÓN DE LOS BÓXERS, una masacre de misioneros extranjeros y fue uno de los primeros lugares que se opusieron al emperador en 1911. Invadida por los japoneses en 1937, fue sitiada por las fuerzas comunistas en 1948–49. Una de las ciudades industriales más grandes de China, produce cemento, hierro, acero y carbón. Es también un centro de educación superior e investigación. En las inmediaciones hay notables templos construidos en cuevas que datan de los períodos TANG y YUAN.

Taizhong *o* **Tai-chung** Ciudad (pob., est. 2002: 990.041 hab.) del centro-oeste de Taiwán. La mayor parte del pueblo antiguo fue demolido durante la ocupación japonesa (1895–1945) y reemplazado por una ciudad moderna y planificada. Ha sido un centro agrícola desde principios del s. XIX, y en la actualidad es un importante mercado para el comercio del arroz, azúcar y bananas, que se producen en los alrededores. En la década de 1970 se desarrolló un puerto internacional al oeste de la ciudad, y Taizhong quedó designada como centro procesador de exportaciones a fin de atraer inversión extranjera. Es también un centro cultural, con varias instituciones de educación superior. En 1999 sufrió uno de los peores terremotos de la historia de Taiwán.

Taizong *o* **T'ai-tsung** *orig.* **Li Shimin** (598, China–649, China). Segundo emperador de la dinastía TANG de China. Durante la campaña de su padre contra la dinastía SUI, fue el responsable de la conquista de Luoyang, la capital oriental. Allí organizó una administración regional y reunió un séquito de funcionarios talentosos. Se dice que sus hermanos habrían conspirado para darle muerte, pero logró librarse de ellos y pronto su padre abdicó en su favor. Restableció la administración civil por medio de un gobierno local unificado. Continuó con el desarrollo de las escuelas estatales creadas por su padre y emprendió la publicación de los clásicos confucianos. En la frontera luchó contra los turcos del este y del oeste, y empezó a hacer soberanía en los reinos oasis de Xinjiang. Un intento por invadir el reino KOGURYŎ de Corea fracasó, pero ganó gran prestigio para los Tang y fue ampliamente respetado.

Taizu *o* **T'ai-tsu** (927, Luoyang, China–14 nov. 976, Kaifeng). Primer emperador de la dinastía SONG, quien inició el proceso de unificación de China, y que completaría más adelante su hermano. Inicialmente fue general del fundador de la dinastía Zhou tardía (951–960), y sus soldados lo indujeron a tomar el control de la dinastía cuando esta quedó en manos de un sucesor todavía niño. Hombre ecuánime, perdonó las faltas menores de sus funcionarios, al tiempo que mantuvo a los de responsabilidad en asuntos de importancia. Exigía a sus ministros la entrega de borradores de los informes para su revisión y con frecuencia viajaba de incógnito para observar las condiciones en que vivía su pueblo. Reformó el sistema de exámenes CHINO para evitar el favoritismo y comenzó a otorgar un mayor número de grados. Gradualmente reemplazó funcionarios militares por civiles en la administración de las prefecturas. A su muerte, había establecido una base sólida para el desarrollo futuro de la dinastía.

Taj Mahal Suntuoso mausoleo en la ribera sur del río Yamuna, en las afueras de Agra, India. Fue construido por el emperador mogol SHAH JAHĀN en recuerdo de su esposa, Mumtāz Maḥal, quien falleció en 1631. Comenzado c. 1632, tomó 22 años en completarse. En su centro hay un área cuadrada con jardines rodeada por dos secciones rectangulares más pequeñas: en una se encuentra el mausoleo y en la otra un portal de entrada. El mausoleo, de mármol blanco incrustado con piedras semipreciosas, está flanqueado por dos edificios de arenisca roja, una mezquita en un lado y al otro lado un edificio idéntico para lograr equilibrio estético. El mausoleo se eleva sobre un plinto de mármol alto con un minarete en cada esquina. Tiene cuatro fachadas idénticas, cada una con un gran arco central de 33 m (108 pies) de alto, y está coronado por una doble cúpula bulbosa y cuatro quioscos abovedados. Su interior, con decoración de piedra elegante y mesurada, se centra en una cámara octagonal encerrada entre mamparas de mármol caladas, que contiene las tumbas de mármol y los sarcófagos más abajo. Considerado uno de los edificios más hermosos del mundo, fue declarado PATRIMONIO DE LA HUMANIDAD por la UNESCO en 1983. Desde finales de la década de 1990 se han tomado medidas para reducir la contaminación del aire que ha dañado la fachada del edificio.

Mausoleo del Taj Mahal en India, monumento representativo del arte mogol.
ARCHIVO EDIT. SANTIAGO

Tajo, río *portugués* **Tejo** Río más extenso de la península IBÉRICA. Nace en el centro-este de España y fluye hacia el oeste a través de España y Portugal por 1.007 km (626 mi) para desembocar en el océano Atlántico cerca de LISBOA. Cubre el corazón de ambas naciones y posee una importancia económica vital. Está provisto de embalses para el riego y la energía hidroeléctrica, que han formado grandes lagos artificiales. Es navegable por 160 km (100 mi) aprox. en su curso inferior y provee de un excelente puerto natural a Lisboa.

Tajumulco, volcán Volcán del oeste de Guatemala. Forma parte de una cadena montañosa que se extiende desde el sur de México hasta Guatemala; de 4.220 m (13.845 pies) de altura, es el pico más alto de AMÉRICA CENTRAL. Se cree que está situado sobre los restos de un volcán más antiguo.

Takebe Katahiro (1664, Edo, Japón–24 ago. 1739, Edo). Matemático japonés de la tradición *wasan* ("cálculo japonés"), quien extendió y difundió la investigación matemática de su maestro SEKI TAKAKAZU. Estuvo al servicio de dos SOGUNES sucesivos, Tokugawa Ienobu y Tokugawa Yoshimune (ver período de los TOKUGAWA). Takebe llegó a ser pupilo de Seki a la edad de 13 años, y con su hermano Kataaki permanecieron con él hasta su muerte en 1708. Los hermanos fueron los principales artífices del proyecto de Seki (lanzado en 1683) para recopilar el conocimiento matemático en una enciclopedia, *Taisei sankei* en 20 volúmenes, que fue finalmente terminado por Takebe Kataaki en 1710. Ofrece una buena muestra de la habilidad de Seki para reformular problemas, y de Takebe Katahiro para corregir, perfeccionar y extender las intuiciones de su maestro.

Takemitsu Tōru (8 oct. 1930, Tokio, Japón–20 feb. 1996, Tokio). Compositor japonés. En 1951 fundó el Laboratorio Experimental de Tokio con el fin de promover una integración de la música japonesa con las creaciones europeas contemporáneas. Pronto fue reconocido como el principal compositor de Japón. Exploró técnicas de vanguardia como el SERIALISMO, la MÚSICA ALEATORIA, la notación de gráficos y la música electrónica, combinándolas con motivos e instrumentos japoneses tradicionales (p. ej., *November Steps*, 1967, para *biwa*, *shakuhachi* y orquesta). Creó un mundo sonoro individual en el que el silencio mismo es un elemento importante.

Takfīr wa al-Hijrah (árabe: "Excomunión y huida [sagrada]"). Nombre dado por las autoridades egipcias a un grupo fundamentalista islámico autodenominado Sociedad de los musulmanes. Lo fundó en 1971 el joven agrónomo Shukrī Muṣṭafā, quien había sido arrestado en 1965 por distribuir folletos de la HERMANDAD MUSULMANA y liberado de prisión en 1971. Atrajo a quienes consideraban que la sociedad –de la cual el grupo esperaba escapar (ver HÉGIRA)– era débil, corrupta y alejada del Islam. Participó en actos terroristas e inicialmente se creyó que era responsable del asesinato de ANWAR EL- SĀDĀT. El grupo se destacó ya que sus acciones iniciaron la represión de los servicios de seguridad egipcios contra los grupos fundamentalistas a fines de la década de 1970; se disolvió pronto, en parte debido al rigor extremo de su doctrina.

Takla-makan, desierto de *chino* **Taklimakan Shamo** *o* **Takola-makan Shamo** Desierto que ocupa la mayor parte de la cuenca del TARIM, en el centro-oeste de China. Uno de los desiertos de arena más grandes del mundo, tiene unos 965 km (600 mi) de ancho y una superficie de 272.000 km^2 (105.000 mi^2). Está rodeado de elevadas cordilleras, entre ellas los montes KUNLUN, cuyos ríos penetran cerca de 100–200 km (60–120 mi) en el desierto antes de desaparecer en la arena. La cubierta de arena, frecuentemente azotada por el viento, alcanza hasta 300 m (1.000 pies) de espesor y en ella se han creado formaciones características, como dunas piramidales de hasta 300 m (1.000 pies) de altura.

Taksin *o* **Phya Tak** (17 abr. 1734, Ayutthaya–6 abr. 1782, Thon Buri). General y luego rey thai (1767–82) que reunificó Siam (Tailandia) después de que el país fue derrotado por Myanmar (Birmania). Cuando era gobernador provincial, sus tropas estuvieron entre las que fueron sitiadas por las fuerzas de Myanmar en 1766–67, pero escapó y reclutó nuevas tropas. Expulsó a los invasores y derrotó a otros pretendientes al trono; luego extendió su poder a los estados vecinos. Mejor conquistador que gobernante, fue depuesto y probablemente ejecutado en 1782.

Talbot, William Henry Fox (11 feb. 1800, Melbury Abbas, Dorset, Inglaterra–17 sep. 1877, Lacock Abbey, cerca de Chippenham, Wiltshire). Químico y fotógrafo pionero británico. En 1840 desarrolló la calotipia, un antiguo proceso fotográfico que incorporaba mejoras sobre la DAGUERROTIPIA. Dicho proceso usaba un negativo fotográfico del cual se podían hacer múltiples copias. En 1835 publicó su primer artículo documentando un descubrimiento fotográfico: el negativo en papel. Su obra *The Pencil of Nature* (1844–46) fue el primer libro con ilustraciones fotográficas. Talbot publicó también muchos artículos sobre matemática, astronomía y física.

William Henry Fox Talbot.
THE MANSELL COLLECTION

Talcahuano Ciudad (pob., est. 2002: 245.000 hab.) del centro-sur de Chile. Situada en una pequeña península que constituye la costa sudoccidental de la bahía de Concepción, es un puerto importante que alberga la principal base de la armada chilena. Es también un importante centro comercial, pesquero y manufacturero. El acorazado peruano *Huáscar*, capturado por Chile durante la guerra del PACÍFICO (1879) está anclado en el puerto.

talco SILICATO común que se distingue de casi todos los otros minerales por ser extremadamente blando. Su sensación jabonosa o grasosa es origen del nombre jabón de sastre (esteatita), que se le da a agregados compactos de talco con otros minerales formadores de roca. La esteatita ha sido usada desde la antigüedad para tallados, ornamentos y utensilios. Resistente a la mayoría de los reactivos y al calor moderado, es especialmente apta para lavaplatos y superficies de mostradores. El talco también se usa en lubricantes, en curtido de cueros, en polvos de maquillaje y en ciertos lápices para marcar; como relleno en cerámicas, pintura, papel, materiales de techumbres, plástico y caucho; como elemento portador en insecticidas, y como abrasivo suave para el pulido de granos de cereal.

Tales de Mileto (vivió s. VI AC). Filósofo griego. Ninguno de sus escritos sobrevivió y tampoco existe alguna fuente contemporánea de ellos. La afirmación de que Tales fue el fundador de la filosofía occidental se basa principalmente en ARISTÓTELES, quien escribió que Tales fue el primero en sugerir un sustrato material único para el universo, a saber, el agua. La importancia de Tales radica en su intento de explicar la naturaleza mediante la simplificación de los fenómenos y en su búsqueda de las causas dentro de la naturaleza misma antes que en los caprichos de dioses antropomórficos.

talibán Facción y milicia política y religiosa que llegó al poder en AFGANISTÁN a mediados de la década de 1990. Después de la retirada de la U.R.S.S. del territorio de Afganistán (ver guerras AFGANAS) en 1989, el movimiento talibán (persa: "estudiantes"), cuyo nombre alude a los estudiantes religiosos islámicos que fueron los principales reclutas del grupo, surgió como una reacción popular ante el caos que se apoderó del país. En 1994–95, bajo el liderazgo del Mullah Mohammad Omar, el movimiento extendió su dominio a más de la mitad del país, y en 1996 capturó KABUL e impuso un estricto régimen islámico. Aunque el talibán ya controlaba la mayor parte de Afganistán en 1999, su régimen no fue reconocido a nivel internacional debido a sus duras políticas sociales –que incluían la segregación casi completa de las mujeres de la vida pública–, y por servir de asilo para los extremistas islámicos. Entre estos extremistas estaba OSAMA BIN LADEN, el expatriado líder árabe saudí de AL-QAEDA, una red de militantes islámicos que había participado en numerosos atentados terroristas. Como el régimen talibán rehusó extraditar a Bin Laden a EE.UU. después de los ATENTADOS DEL 11 DE SEPTIEMBRE de 2001, EE.UU. decidió atacar las fuerzas talibán y de Al-Qaeda en Afganistán, logrando derrocar el régimen y obligando a los líderes de ambos grupos a ocultarse. Ver también FUNDAMENTALISMO ISLÁMICO.

talidomida Droga que se utilizó durante un tiempo como sedante y para prevenir las náuseas matutinas durante el embarazo. Sintetizada en 1954, fue introducida en unos 50 países, incluyendo Alemania Occidental e Inglaterra, donde se popularizó debido a que era efectiva y la sobredosis elevada no era fatal. En 1961 se descubrió que causaba TRASTORNOS CONGÉNITOS; cuando era consumida tempranamente en el embarazo, alrededor del 20% de los fetos presentaban focomelia (desarrollo defectuoso de las extremidades) y otras deformidades; llegaron a nacer 5.000–10.000 bebés afectados. Nunca fue distribuida para uso clínico en EE.UU. (ver HELEN BROOKE TAUSSIG). La talidomida se presenta como efectiva contra los desórdenes inflamatorios y autoinmunes, como ciertos síntomas en la etapa tardía del sida; en algunos países se ha autorizado para su uso en estos tratamientos.

Ta-lien ver DALIAN

Taliesin Residencia, y también escuela de arquitectura, de FRANK LLOYD WRIGHT. Ubicada cerca de Spring Green, Wis., EE.UU. Fue iniciada en 1911 y reconstruida luego de dos incendios, en 1914 y 1925. Taliesin Occidental, otra casa de Wright cerca de Scottsdale, Ariz., comenzó en 1938 como una residencia de invierno para él y sus estudiantes. Ambas estructuras fueron renovadas continuamente y ampliadas hasta la muerte de Wright en 1959, luego de la cual continuaron siendo ocupadas por miembros de la Fundación Wright. De ascendencia galesa, Wright las nombró en honor del célebre poeta galés de ese nombre (s. VI DC).

talk show ver programa de CONVERSACIÓN

talla de marfil Tallado del MARFIL en objetos decorativos o utilitarios. Ha existido desde tiempos prehistóricos. La mayoría de los tallados de la edad de piedra han sido encontrados en el sur de Francia, en forma de pequeñas figuras femeninas desnudas o animales. Una obra maestra del tallado egipcio temprano es una estatuilla de marfil de Khufu, el constructor de la Gran Pirámide. En China, se han encontrado tallados de marfil en las tumbas de la dinastía Shang (s. XVIII–XII AC). En Japón el principal uso artístico del marfil fue para realizar los "netsukes", abrazaderas usadas como cierres en la vestimenta masculina. Los inuit (ESQUIMALES) primitivos fabricaron objetos utilitarios como fustes de arpones y manijas de cubetas en marfil que solían grabar con diseños geométricos o curvilíneos. Ver también SCRIMSHAW.

"Fuga de amantes", caja con espejo de marfil tallado, gótico francés, s. XIV.
GENTILEZA DEL LIVERPOOL MUSEUM, INGLATERRA

Tallahassee Ciudad (pob., est. 2000: 150.624 hab.) y capital del estado de Florida, EE.UU. Originalmente una aldea de los indios apalaches, la zona atrajo a los colonizadores españoles después de la exploración de HERNANDO DE SOTO en 1539. Tallahassee se convirtió en la capital del Territorio de Florida en 1824 y en capital del estado en 1845. Durante la guerra de SECESIÓN fue la única capital confederada en el río Mississippi que no capturaron las fuerzas de la Unión. Actualmente es centro de distribución y de venta al por mayor de la industria maderera, algodonera y ganadera de la región circundante. Entre sus instituciones educacionales destaca la Universidad del Estado de Florida (fundada en 1851).

Tallchief, Maria (n. 24 ene. 1925, Fairfax, Okla., EE.UU.). Bailarina estadounidense, hija de padres de origen amerindio. Estudió con BRONISLAVA NIJINSKA antes de integrarse al BALLET RUSO DE MONTECARLO (1942–47). Se unió al NEW YORK CITY BALLET en 1948 y pasó a ser su primera bailarina, interpretando el papel principal en numerosos ballets que GEORGE BALANCHINE (su cónyuge en 1946–52) creó para ella, entre los que se cuentan *Symphonie concertante* (1947), *Caracole* (1952) y *Pas de dix* (1955). Dejó la compañía en 1965, luego asumió como directora artística del Lyric Opera Ballet de Chicago y, en 1980, fundó el Chicago City Ballet.

Maria Tallchief en *El lago de los cisnes.*
MARTHA SWOPE

Talleyrand (-Périgord), Charles-Maurice de (2 feb. 1754, París, Francia–17 may. 1838, París). Estadista francés. Ordenado sacerdote, fue nombrado obispo de Autun en 1788. Elegido para representar al clero en los ESTADOS GENERALES (1789), se convirtió en el "obispo de la Revolución" al abogar por la confiscación de la propiedad de la Iglesia para financiar al nuevo gobierno y al apoyar la CONSTITUCIÓN CIVIL DEL CLERO. Excomulgado por el papa en 1790, fue enviado a Inglaterra como emisario en 1792. Fue expulsado de Francia durante el régimen del TERROR, vivió en EE.UU. (1794–96) y luego regresó para desempeñarse en el DIRECTORIO como ministro de asuntos exteriores (1797–99). Se lo obligó a renunciar por un período, debido a su responsabilidad en escándalos de soborno, como el caso XYZ. Maestro de la supervivencia política, apoyó a NAPOLEÓN I y nuevamente sirvió como ministro de asuntos exteriores (1799–1807) y como gran chambelán (1804–07). Renunció en rechazo a la política de Napoleón hacia Rusia, pero continuó siendo su consejero y concertó su matrimonio con MARÍA LUISA de Austria. Cuando Napoleón se enfrentaba a la derrota, trabajó en forma secreta para restablecer la monarquía; en 1814 fue nombrado ministro de asuntos exteriores de LUIS XVIII y representó a Francia en el Congreso de VIENA. Obligado por los ultramonárquicos a renunciar (1815), más tarde se involucró en la REVOLUCIÓN DE JULIO de 1830 y ocupó el cargo de embajador en Gran Bretaña (1830–34).

Talleyrand, detalle de un retrato de Pierre-Paul Prod'hon, 1809; colección privada, París, Francia.

GIRAUDON—ART RESOURCE/EB INC.

Tallinn *ant. (hasta 1918)* **Revel** Ciudad y puerto marítimo (pob., 2001: 399.850 hab.), capital de Estonia. Está situada junto al golfo de Finlandia. En el lugar existía un asentamiento fortificado desde fines del I milenio AC, y la ciudad data del s. XII DC. En 1219, Tallin fue conquistada por los daneses, que construyeron en ella una nueva fortaleza. En 1825, después de unirse a la Liga HANSEÁTICA, floreció el comercio. En 1346 fue vendida a la Orden TEUTÓNICA y en 1561 pasó a manos de Suecia. Rusia la capturó en 1710 y continuó siendo una ciudad rusa hasta 1918, año en que se convirtió en capital de la Estonia independiente. De 1940 a 1991, Estonia fue una república de la Unión Soviética. Durante la segunda guerra mundial, estuvo ocupada por las fuerzas alemanas y resultó seriamente dañada. Tras su reconstrucción, se convirtió una vez más en capital de la Estonia independiente, en 1991. Es un importante puerto comercial y pesquero, un centro industrial y el corazón cultural de Estonia, con numerosos establecimientos educacionales. Entre sus construcciones históricas se cuentan una muralla medieval y una iglesia del s. XIII.

Tallis, Thomas (c. 1505–23 nov. 1585, Greenwich, Londres, Inglaterra). Compositor británico. Desde 1532 fue organista en abadías e iglesias y en 1543 trabajaba como organista y compositor en la Capilla Real. Aunque profesaba el catolicismo, fue uno de los primeros en componer himnos en inglés para la Iglesia anglicana. Durante el reinado católico de MARÍA I, compuso misas en latín, pero mantuvo el favor real después que ISABEL I subió al trono. Se considera que sus vigorosas *Lamentaciones de Jeremías* constituyen su obra maestra, en tanto su motete *Spem in alium* para 40 voces es su pieza más famosa. Además compuso tres misas y alrededor de 40 motetes más. En 1575, Tallis y su discípulo WILLIAM BYRD recibieron la primera licencia exclusiva para imprimir partituras musicales en Inglaterra.

Thomas Tallis, grabado por Niccolo Haym a partir de un retrato de Gerard van der Gucht.

GENTILEZA DEL DIRECTORIO DEL MUSEO BRITÁNICO; FOTOGRAFÍA, J.R. FREEMAN & CO. LTD.

tallo Eje vegetal que emerge de las raíces, sostiene las ramas, produce yemas y brotes con hojas, y contiene los tejidos vasculares o conductores (XILEMA y FLOEMA) que transportan agua, minerales y nutrientes a otras partes de la planta. La médula (núcleo central de tejido esponjoso) está rodeada de filamentos (en las dicotiledóneas; ver COTILEDÓN) o manojos (en las monocotiledóneas) de xilema y floema, luego del córtex y epidermis exterior o CORTEZA. El CAMBIUM (área de división celular activa) está justo debajo de la corteza. Del tallo nacen yemas y hojas laterales que crecen en los intervalos llamados nudos; los intervalos entre los nudos se denominan entrenudos. En las angiospermas, las diversas modificaciones del tallo (RIZOMA, CORMO, TUBÉRCULO, BULBO, ESTOLÓN) permiten que la planta sobreviva en estado de latencia durante años, almacene alimento o brote asexuadamente. Todos los tallos verdes realizan FOTOSÍNTESIS, tal como lo hacen las hojas; en plantas como los CACTOS y las especies del género ASPARAGUS, el tallo es el lugar principal de la fotosíntesis.

Talma, François-Joseph (16 ene. 1763, París, Francia–19 oct. 1826, París). Actor y productor de teatro francés. En 1787 debutó en la COMÉDIE-FRANÇAISE. Influenciado por el pintor JACQUES-LOUIS DAVID, se convirtió en uno de los primeros en impulsar el uso de vestuario de mayor realismo histórico, y causó sensación al presentarse en escena vestido con una toga romana. En 1789, las disputas políticas dividieron al elenco y el prorepublicano Talma fundó una compañía que después se llamaría el Teatro de la República. Desarrolló el realismo en sus montajes y perseveró con un estilo de actuación naturalista más que declamatorio. En 1799 su compañía se reintegró a la Comédie-Française, y él asumió la dirección. Fue reconocido como el mayor actor trágico de su tiempo, y logró la admiración de Napoleón.

Talmud En el JUDAÍSMO, la ampliación y el análisis sistemático de pasajes de la MISHNÁ, la Guemará (comentarios a la Mishná) y otras leyes orales, incluida la Tosefta (leyes de autoridades mencionadas en la Mishná). Existen dos versiones del Talmud, redactadas por dos grupos distintos de eruditos judíos: el Talmud babilónico (c. 600 DC) y el Talmud palestino (c. 400 DC). El Talmud babilónico es más extenso y por lo tanto goza de mayor prestigio. A través de la definición de la TORÁ y la demostración de su perfección y universalidad, ambos libros establecen una HERMENÉUTICA propia para comunicar su sistema teológico. El Talmud sigue siendo un texto de suma importancia, principalmente en el JUDAÍSMO ORTODOXO. En la actualidad, tanto en Israel como en EE.UU., se realizan estudios exhaustivos del Talmud. Ver también HALAKÁ.

Talmud Torá Estudio religioso de la TORÁ en busca del Dios que se revela en esa obra. Su objetivo es conocer el mensaje de Dios para los tiempos modernos, a través del estudio de las Escrituras hebreas o los textos de la Torá oral original del Sinaí, la MISHNÁ, el MIDRAS y los libros del TALMUD. Talmud Torá también es el nombre de la escuela primaria patrocinada por la comunidad judía donde se privilegia la educación religiosa.

talo Cuerpo vegetal de ALGAS, HONGOS y organismos vegetaloides simples similares. Un talo, compuesto de filamentos o placas celulares, oscila en tamaño desde una estructura unicelular a formas arbóreas complejas. Las células fotosintéticas y de apoyo tienden a estar organizadas linealmente, pero un talo carece de estructuras especializadas, diferenciadas, como el tallo, las hojas y el tejido conductor. La mayoría de las talofitas se clasifican comúnmente como PROTISTAS complejas.

taltuza ver RATA DE ABAZONES

talud continental Pendiente que separa la PLATAFORMA CONTINENTAL de la zona abisal. El conjunto de taludes continentales de todo el mundo suma una longitud de 300.000 km (200.000 mi) aprox. y desciende en un ángulo promedio de 4°, desde el borde de la plataforma continental hasta el inicio de la cuenca oceánica, a profundidades de 100–3.200 m (330–10.500 pies). La pendiente es más gradual desde las costas estables que no tienen grandes ríos, y es más empinada desde las costas con cordilleras jóvenes y plataformas continentales angostas. Las pendientes desde costas montañosas y plataformas angostas comúnmente tienen afloramientos rocosos. El sedimento predominante de los taludes continentales es lodo; hay una cantidad menor de arena y grava.

tamarindo Árbol siempreverde (*Tamarindus indica*) de la familia de las Cesalpiniáceas (ver LEGUMINOSA), originario de la zona tropical de África y cultivado en otras partes como ornamental y por su fruto comestible. El árbol crece hasta una altura de 24 m (80 pies) y posee hojas pinnadas. Da ramilletes pequeños de flores amarillas y vainas abultadas que no se abren. La pulpa comestible, blanda y pardusca, contiene de 1–12 semillas planas, grandes, utilizadas en alimentos, bebidas y medicinas orientales.

Tamarindo (*Tamarindus indica*).
WALTER DAWN

tamarino Cualquiera de unas 25 especies de TITÍES de colmillos largos de los géneros *Leontopithecus* (o *Leontideus*, según algunos especialistas) y *Saguinus*. Los tamarinos miden 20–30 cm (8–12 pulg.) de largo, sin contar la cola de 30 a 40 cm (12–16 pulg.). El tamarino emperador (*Saguinus imperator*) tiene pelo largo entrecano y gris, una cola bermeja y un largo bigote blanco. Las tres especies de *Leontopithecus* están en peligro de extinción. Ver también TITÍ LEÓN.

Tamaulipas Estado (pob., 2000: 2.753.222 hab.) del nordeste de México. Ubicado en el golfo de México, ocupa una superficie de 79.384 km² (30.650 mi²). Su capital es CIUDAD VICTORIA. Aunque la mayor parte del territorio es montañoso, posee extensas y fértiles llanuras en el norte y una zona costera arenosa con albuferas y lagunas. Grandes extensiones están irrigadas, y la agricultura es la principal actividad económica; produce, entre otros rubros, sorgo, soja, caña de azúcar, algodón, café y frutas. La pesca y la minería de cobre también son importantes. Produce un tercio del gas natural de México y grandes cantidades de petróleo.

Tamayo, Rufino (26 ago. 1899/1900, Oaxaca, México–24 jun. 1991, México, D.F.). Pintor y artista gráfico mexicano. Estudió en la Escuela de Bellas Artes de México, D.F. y luego enseñó en el Museo Nacional de Arqueología (1921–26). Prefirió la pintura de caballete en lugar de las proporciones monumentales y la retórica política de JOSÉ CLEMENTE OROZCO, DIEGO RIVERA y DAVID ALFARO SIQUEIROS. Su particular estilo mezclaba el CUBISMO y el SURREALISMO con temas del arte folclórico mexicano, e incluía figuras semiabstractas, naturalezas muertas y animales en colores vibrantes. Desde 1936 vivió principalmente en Nueva York. En 1950, una exposición en la Bienal de Venecia le reportó fama internacional. Diseñó murales para el Palacio de Bellas Artes de México, D.F. (1952–53) y para la sede de la UNESCO en París (1958). En 1974 donó su colección de arte prehispánico a su Oaxaca natal.

Rufino Tamayo, 1965.
CORNELL CAPA/MAGNUM

Tambo, Oliver (n. 27 oct. 1917, Bizana, cerca de Johannesburgo, Sudáfrica–24 abr. 1993, Johannesburgo). Presidente (1969–91) de la organización sudafricana CONGRESO NACIONAL AFRICANO (ANC). En 1944, junto con NELSON MANDELA y otros dirigentes, cofundó la Liga Juvenil del ANC. En 1958 se convirtió en su vicepresidente y fue obligado a partir al exilio a Zambia cuando el movimiento fue proscrito en 1960. Fue elegido presidente de la agrupación en 1969, tras la muerte de ALBERT LUTHULI. En 1990 regresó enfermo a Sudáfrica y cedió la presidencia del partido a Mandela.

tambor Instrumento musical cuyo sonido se produce por la vibración de una membrana tensada. Los tambores normalmente tienen forma cilíndrica o de vasija. El tambor es un instrumento universal muy antiguo; en Moravia se ha encontrado un tambor que data de 6000 AC. Los tambores han sido importantes en los rituales de culturas de todo el mundo. Pueden tener o no tener tono (altura) definida; la mayoría de los tambores de África, Asia meridional y sudoriental (ver TABLA) y Medio Oriente en su mayoría tienen tono, mientras que los tambores occidentales frecuentemente carecen de él. La ejecución del tambor ha alcanzado su más alto grado de desarrollo en África e India. Desde el s. XIII, los BAILES FOLCLÓRICOS en Europa eran acompañados por un solo músico que tocaba simultáneamente el pífano y el tamboril, pequeña caja de doble parche (es decir, con una membrana extendida en cada extremo del cilindro) que se tocaba con una baqueta. La caja o tambor militar tiene alambres o cuerdas de tripa llamados bordones, encordados a través del parche inferior, que vibran cuando se golpea el parche superior. El potente bombo se usa especialmente en las bandas de desfile. Los TIMBALES afinados son los tambores normales de la orquesta. Hasta el s. XVII, la parte del tambor en la música occidental era completamente improvisada. La batería que se usa en la música popular es tocada por una sola persona e incluye normalmente una caja, tom-toms, un bombo operado por pedal, PLATILLOS suspendidos y el platillo hi-hat.

tambor metálico *inglés* **steel drum** Gong afinado construido con el fondo y con parte de los lados de un barril de petróleo. Mediante el uso de un martillo se le da una forma cóncava a la superficie del fondo del barril y se delinean varias áreas haciendo ranuras con un cincel. Se calienta y tempera, y con un martillo se hacen protuberancias en las áreas delineadas; la profundidad, curvatura y tamaño de cada protuberancia determina su tono (o altura). Se pueden tocar melodías, acompañamientos complejos y CONTRAPUNTOS con macillos de goma en un solo tambor. El tambor metálico se originó en Trinidad en la década de 1940. Normalmente se toca en conjuntos llamados *steel bands* (bandas de tambores metálicos) de tamaños muy variados.

Tamerlán *o* **Timur** (1336, Kesh, cerca de Samarcanda, Transoxania–19 feb. 1405, Otrar, cerca de Chimkent). Conquistador turco de fe islámica cuyos dominios se extendieron desde India y Rusia hasta el mar Mediteráneo. Participó en campañas en Transoxania junto con Chagatai, descendiente de GENGIS KAN. (Tamerlán o Timur Lang, significa "Tamerlán el Cojo", lo que refleja las heridas que recibió en batalla.) A través de maquinaciones y traiciones se apoderó de Transoxania y se autoproclamó el restaurador del imperio MONGOL. En la década de 1380 comenzó su conquista de Irán (Persia); tomó Jurasán e Irán oriental en 1383–85, también Irán occidental hasta alcanzar Mesopotamia y Georgia en 1386–94. Ocupó Moscú durante un año. Cuando estallaron revueltas en Irán, las reprimió con violencia, masacrando a la población de ciudades enteras; igual suerte corrió India al ser invadida por Tamerlán en 1398. A continuación marchó primero rumbo a Damasco, deportando a sus artesanos a SAMARCANDA y luego a Bagdad, destruyendo todos sus monumentos. En 1404 se preparó para marchar hacia China, pero le sobrevino la muerte en el trayecto. Aunque Tamerlán procuró convertir a Samarcanda en la ciudad más esplendorosa de Asia, él mismo prefería estar siempre en conquista. Sus obras más perdurables son los monumentos arquitectónicos de Samarcanda y la dinastía que fundó, bajo la cual esta ciudad se convirtió en un centro de actividad cultural y científica.

Támesis, río *inglés* **Thames** Río principal de Inglaterra. Nace en los Cotswolds en GLOUCESTERSHIRE y serpentea 338 km (210 mi) en dirección este cruzando el centro-sur de Inglaterra, formando un gran estuario por el cual desemboca en el mar del Norte. Tiene mareas en unos 104 km (65 mi) de su curso. Conocido por los romanos y por los primeros cronistas ingleses; ha sido alabado por los poetas a lo largo de la historia. Es una de las vías fluviales comerciales más importantes del mundo, al ser navegable para embarcaciones de gran calado hasta LONDRES.

El Támesis, principal río de Inglaterra, cuyas aguas son navegables para embarcaciones de gran calado hasta Londres.

ARCHIVO EDIT. SANTIAGO

tamil Miembro de un pueblo originario de India meridional que habla TAMIL. Los tamiles tienen una larga historia de logros; los viajes marítimos, la vida urbana y el comercio parecen haberse desarrollado tempranamente entre ellos. Comerciaron con los antiguos griegos y romanos. Tienen la lengua DRAVÍDICA culta más antigua y una rica tradición literaria. Son en su mayoría hindúes (la región tamil de India es un centro del hinduismo tradicional). Sri Lanka tiene dos poblaciones tamiles diferentes, los llamados tamiles cingaleses y los tamiles indios. Las tensiones entre los tamiles cingaleses y la mayoría budista cingalesa incitaron una insurgencia guerrillera tamil en la década de 1980 que continúa en el s. XXI. La población tamil es de cerca de 57 millones de personas, de las cuales 3,2 millones viven en Sri Lanka.

tamil Lengua DRAVÍDICA hablada por más de 63 millones de personas. Es la lengua oficial del estado de TAMIL NADU en India y una de las lenguas oficiales de Sri Lanka. Numerosas comunidades de hablantes de tamil se encuentran también en Malasia y Singapur, en Sudáfrica y en las islas Reunión y Mauricio en el océano Índico. Las más antiguas inscripciones en tamil datan de c. 200 AC; la literatura en esta lengua tiene una historia de 2.000 años. El sistema de escritura del tamil desciende del sistema pallava del sur de India (ver sistemas de escritura ÍNDICA). El tamil tiene varios dialectos regionales, dialectos de castas brahmánicas y no brahmánicas, y una marcada división entre las formas literarias y familiares (ver DIGLOSIA).

Tamil Eelam, Tigres de Liberación de ver TIGRES DE LIBERACIÓN DE TAMIL EELAM

Tamil Nadu *ant.* **Madrás y Tamizhagan** Estado (pob., est. 2001: 62.110.839 hab.) del sudeste de India. Ubicado en el golfo de BENGALA, en su costa se encuentran los enclaves de PONDICHERRY y Karaikal (ambos parte del territorio asociado de PONDICHERRY); limita también con los estados de KERALA, KARNATAKA y ANDHRA PRADESH. Tamil Nadu cubre una superficie de 130.058 km^2 (50.216 mi^2) y su capital es CHENNAI (Madrás). En su interior se encuentra el fértil delta del río KAVERI. En el s. II DC la región estuvo ocupada por los reinos TAMILES. El reino hindú de VIJAYANAGAR gobernó la parte meridional de 1336 a 1565. Los portugueses ingresaron en la zona en 1498, pero fueron desplazados por los holandeses en los s. XVI–XVII. En 1611, los británicos instalaron allí un poblado que se expandió hasta transformarse en la presidencia de Madrás, que duró de 1653 a 1946. El estado de Tamil Nadu se instituyó en 1956; es uno de los más industrializados de India, que fabrica vehículos, equipamiento eléctrico y químicos.

Poblado en los montes Anaimalai, Ghates occidentales, estado de Tamil Nadu, India.

GERALD CUBITT

Tamiris, Helen *orig.* **Helen Becker** (24 abr. 1905, Nueva York, N.Y., EE.UU.–4 ago. 1966, Nueva York). Coreógrafa, bailarina y profesora de danza moderna estadounidense. En 1930 fundó su propia compañía y escuela, que dirigió hasta 1945. Muchas de sus obras, como *Walt Whitman Suite* (1934), se basaron en temas estadounidenses. En 1945–57 compuso la coreografía de varios musicales de Broadway, entre ellos *Annie Get Your Gun* [Annie busca tu pistola] (1946), *Touch and Go* [Pendiendo de un hilo] (1949, premio Tony por coreografía) y *Fanny* (1954). En 1960, junto a su marido también bailarín, Daniel Nagrin, fundaron la Tamiris-Nagrin Dance Company.

Helen Tamiris.

GENTILEZA DE LA DANCE COLLECTION, NEW YORK PUBLIC LIBRARY, FUNDACIONES ASTOR, LENOX Y TILDEN

Tammany Hall Comité ejecutivo del Partido Demócrata en la ciudad de Nueva York. El grupo se organizó en 1789, en oposición a los "aristócratas" que dirigían al PARTIDO FEDERALISTA. La sociedad de Tammany se constituyó en 1805 como organismo de beneficencia; su nombre recordaba el de una asociación anterior a la independencia que conmemoraba a un benévolo jefe indio, llamado Tammanend. El grupo se identificó con el Partido Demócrata de la ciudad. Su composición cambió radicalmente en 1817, cuando los inmigrantes irlandeses, en protesta contra la intolerancia de Tammany, impusieron a la fuerza su derecho a pertenecer a la institución y optar a sus beneficios. Más adelante, la sociedad abogó por la extensión del derecho a sufragio a los varones blancos sin propiedades. No obstante, el atractivo que sentían por ella ciertas minorías étnicas y religiosas, el reparto de donaciones a los pobres y el soborno de dirigentes de facciones políticas opositoras, entre ellos el conocido cacique WILLIAM MARCY TWEED, asimilaron el nombre de Tammany Hall a la corrupción política. Su poder culminó a fines del s. XIX y comienzos del s. XX; decayó durante la década de 1930, con las reformas del pdte. FRANKLIN D. ROOSEVELT y del alcalde FIORELLO LA GUARDIA.

Tammuz Dios mesopotámico de la fertilidad. Era hijo de Enki, el dios del agua, y de Duttur, una encarnación de la oveja. El culto de Tammuz se centraba en dos festividades anuales, una a principios de la primavera donde su matrimonio con la diosa Inanna simbolizaba la fertilidad de la naturaleza para el año siguiente, y otra durante el verano, donde se lamentaba su muerte a manos de los demonios. Se cree que fue el precursor de varias deidades posteriores vinculadas con la agricultura y la fertilidad, entre ellas, Ninsun, Damu y Dumuzi-Abzu.

Tammuz, relieve en alabastro de Ashur, c. 1500 AC; Staatliche Museen zu Berlin, Alemania.
FOTO MARBURG—ART RESOURCE/EB INC.

tamoxifeno HORMONA sintética que se comercializa con el nombre de Nolvadex; previene la unión del ESTRÓGENO a las células de CÁNCER DE MAMA sensibles al estrógeno. Inicialmente fue utilizada para impedir recurrencias de cáncer de mama después de un tratamiento exitoso y más tarde se descubrió que previene su primera aparición en mujeres en alto riesgo. El efecto secundario más serio es un incremento en el riesgo de TROMBOSIS, lo cual puede requerir que las pacientes también ingieran un ANTICOAGULANTE. Los estudios de su efectividad contra el cáncer mamario y otros tipos de cáncer aún continúan.

Tampa Ciudad (pob., 2000: 303.447 hab.) en el centro oeste del estado de Florida, EE.UU. Se ubica en el extremo nororiental de la bahía de TAMPA. En 1824, el ejército estadounidense estableció en este lugar Fort Brooke, con el fin de supervisar la expulsión de los indios SEMINOLAS. El pueblo se constituyó en 1855. Tampa se convirtió en centro de manufactura del tabaco después de que se estableció la primera fábrica tabacalera (1886). Actualmente posee una amplia gama de industrias y es un centro de distribución importante. También es un destino turístico y vacacional durante todo el año; entre sus atracciones destaca el parque temático Busch Gardens.

Vista panorámica del centro comercial y financiero de Tampa, Florida, EE.UU.
PANORAMIC IMAGES/PANORAMIC IMAGES/GETTY IMAGES

Tampa, bahía de *inglés.* **Tampa Bay** Ensenada en el golfo de México, en el oeste del estado de Florida, EE.UU. La bahía tiene 40 km (25 mi) de largo por 11–19 km (7–12 mi) de ancho. Funciona como centro de las actividades comerciales y recreativas de Saint Petersburg, en la costa occidental, y de TAMPA, en la nororiental. HERNANDO DE SOTO inició sus viajes por la región del sudeste de EE.UU. cuando llegó a la bahía de Tampa en 1539. Sobre esta bahía se extiende el puente Sunshine Skyway, de 24 km (15 mi) de largo.

Tampico Ciudad y puerto (pob., 2000: 295.442 hab.) del sudeste del estado de TAMAULIPAS, nordeste de México. Ubicada a orillas del río PÁNUCO, está prácticamente rodeada de terrenos pantanosos y lagunas. Se desarrolló alrededor de un monasterio franciscano fundado c. 1532. Destruida por piratas en 1683, no volvió a estar habitada hasta 1823. Fue ocupada durante un breve período por tropas de EE.UU. (1846) en el curso de la guerra MEXICANO-ESTADOUNIDENSE y por los franceses en 1862. Hasta 1901 era un puerto de segunda categoría, mal afamado por sus condiciones insalubres. Luego se desarrolló gracias a la rápida explotación de los recursos petroleros de las inmediaciones hasta llegar a ser uno de los principales puertos de México y el más moderno del país. Es también un balneario marítimo.

Tan Cheng Lock (5 abr. 1883, Malaca, Establecimientos de los Estrechos–8 dic. 1960, Malaca, Federación Malaya). Político y líder de la Asociación Chino Malaya. Nacido en el seno de una familia china acaudalada, hizo campaña en contra de las políticas "promalayas" y en favor de la igualdad de derechos para todos los grupos étnicos, ya sean inmigrantes o nativos. Después de la segunda guerra mundial, apoyó la propuesta británica de un estado unitario con ciudadanía común, propuesta que los malayos rechazaron. Durante la EMERGENCIA MALAYA, cooperó con los británicos para promover la unidad nacional. En 1949 fue escogido para encabezar la Asociación Chino Malaya, el primer partido político chino malayo plenamente desarrollado, de tendencia centrista, y continuó a la cabeza de este después de la independencia malaya en 1957.

Tan Malaka, Ibrahim Datuk (1894–16 abr. 1949, Blitar, Java, Indonesia). Líder comunista indonesio. Maestro de escuela, adhirió al comunismo después de regresar de Europa en 1919. Fue exiliado por los neerlandeses por tratar de incitar una huelga general en 1922, pero regresó a Java en 1944 y, compitiendo con SUKARNO por el control del movimiento nacionalista indonesio, creó una coalición que estuvo brevemente en el poder en 1946. Poco después, ese mismo año, fue encarcelado bajo el cargo de intentar un golpe de Estado. En 1948, cuando los neerlandeses e indonesios estaban en guerra, se proclamó jefe de Indonesia. Obligado a huir por los invasores neerlandeses, pocos meses después fue capturado y ejecutado por partidarios de Sukarno.

Tana, lago Lago de Etiopía. De 76 km (47 mi) de longitud y 71 km (44 mi) de ancho, es el lago más grande del país. Es la fuente del Nilo Azul (ver río NILO), que mana desde el lago sobre una barrera de lava y cae desde una altura de 42 m (138 pies) para formar las cataratas de Tisisat. Durante la Edad Media se construyeron monasterios coptos en dos de sus islas.

Tana, río Río de Kenia. El más largo del país, nace en los montes Aberdare y fluye en forma de arco en dirección nordeste, este y sur a lo largo de 708 km (440 mi) hasta el océano Índico. Es navegable por embarcaciones pequeñas en unos 240 km (150 mi) desde la desembocadura.

Tana, río *o* **río Teno** Río en el nordeste de Noruega. Discurre 360 km (224 mi) en dirección norte y nordeste desembocando en el fiordo de Tana, ensenada del océano ÁRTICO, situado en la costa nororiente de Noruega. El río constituye parte de la frontera entre Noruega y Finlandia.

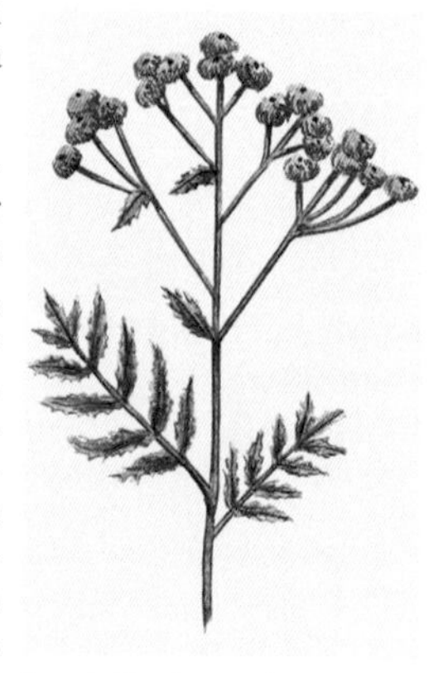
Especie *T. vulgare*, género *Tanacetum*.
© ENCYCLOPÆDIA BRITANNICA, INC.

Tanacetum Género de unas 50 especies de hierbas venenosas, de olor intenso, especialmente *Tanacetum vulgare* o *Chrysanthemum vulgare*, de la familia de las COMPUESTAS, originarias de la zona templada boreal. *T. vulgare* tiene cabezuelas abotonadas, amarillas, de flores tubulares (no radiadas) dispuestas en un ramillete truncado en la parte superior, hojas pinnatisectas y muchos tallos. A veces se cultiva en jardines de hierbas y antiguamente se utilizaba en medicinas e insecticidas. Ver también CRISANTEMO.

tanagra ver TANGARA

Tanagra Antigua ciudad de BEOCIA, en el centro-este de Grecia. Ocupada originalmente por un clan ateniense, luego se convirtió en la principal ciudad de Beocia oriental y sus territorios se extendían hasta el golfo de Eubea. Fue escenario de una victoria de los espartanos contra los atenienses en 457 AC, durante la primera guerra del PELOPONESO. Durante los años c. 340–150 AC, Tanagra se conoció por la fabricación de estatuillas en terracota finamente moldeadas, conocidas como figuras de TANAGRA, las que se exportaron a los países del Mediterráneo.

Tanagra, figuras de Cualquiera de las pequeñas figuras en terracota que datan principalmente del s. III AC. Reciben su nombre del sitio en Beocia, Grecia, donde fueron halladas. Las estatuillas, que en su mayoría corresponden a mujeres jóvenes bien vestidas, de pie o sentadas, se hicieron con moldes y originalmente estaban cubiertas con un revestimiento blanco que luego se pintaba. Cuando fueron descubiertas en el s. XIX, se hicieron muy populares y fueron hábil y ampliamente falsificadas.

Tanaka Kakuei (4 may. 1918, Kariwa, prefectura de Niigata, Japón–16 dic. 1993, Tokio). Primer ministro de Japón (1972–74). Como premier, promovió numerosos proyectos de obras civiles y fue el responsable de la recuperación económica de gran parte de Japón occidental y del restablecimiento de las relaciones diplomáticas con la República Popular de China. En 1976, siendo primer ministro, fue acusado de aceptar 2 millones de dólares de la Lockheed Aircraft Corp., para que influyera en que la All Nippon Airways comprara aviones de reacción a la Lockheed. Fue sentenciado en 1983, sin embargo, siguió activo en el Partido Liberal Democrático hasta su retiro de la política en 1990.

Tanaka Tomoyuki (16 abr. 1910, Osaka, Japón–2 abr. 1997, Tokio). Productor de cine japonés. Tanaka estuvo ligado con los estudios Toho de Japón por cerca de 60 años, para los que produjo más de 200 películas. Entre estas, las más conocidas son los 22 filmes de la serie Godzilla, que comenzó con *Godzilla, Japón bajo el terror del monstruo* en 1954 y finalizó con *Godzilla vs. Destroyer* en 1995. También produjo películas del renombrado director AKIRA KUROSAWA.

Tanana, río Río en el centro-este del estado de Alaska, EE.UU. Nace a partir de dos arroyos alimentados por glaciares a gran altura, ubicados en las montañas WRANGELL; el Tanana discurre en dirección noroeste por 885 km (550 mi) hasta confluir con el YUKÓN; principal afluente por el sur. Fue explorado por primera vez por comerciantes rusos a mediados del s. XIX. El valle fue una zona aurífera importante durante la FIEBRE DEL ORO de 1904; actualmente corresponde también a una zona de explotación forestal y a una de las regiones agrícolas más importantes del estado. La autopista de ALASKA se extiende junto al río a lo largo de casi todo su curso.

Tananarive ver ANTANANARIVO

tanatología Descripción o estudio de la muerte y del acto de morir, y de los mecanismos psicológicos para enfrentarse a ella. Un influyente modelo propuesto en 1969 por la psiquiatra Elisabeth Kübler-Ross (n.1926–m. 2004) describió cinco etapas básicas: negación, rabia, negociación, depresión y aceptación. Sin embargo, no todas las personas que agonizan siguen una clara serie de respuestas regular e identificable ante su situación. La tanatología también examina las actitudes hacia la muerte, el significado de la aflicción y del duelo, y otros temas.

Tánatos Antigua personificación griega de la muerte. Era hijo de Nix, diosa de la noche, y hermano de Hipnos, dios del sueño. Se presentaba ante los seres humanos para llevarlos al infierno cuando su tiempo, asignado por las PARCAS, había expirado. En una ocasión, Tánatos fue derrotado por HERACLES, quien luchó contra él para salvar la vida a ALCESTES, y en otra fue engañado por SÍSIFO, quien quería otra oportunidad para vivir.

Tancredo (m. 20 feb. 1194, Palermo). Rey de Sicilia (1190–94), el último de los gobernantes normandos. Se rebeló dos veces (1155, 1161) contra su tío Guillermo I de Sicilia y obtuvo el trono siciliano tras la muerte de Guillermo II. En 1191, después de que RICARDO I ocupó Messina, cedió ante las demandas de este respecto a la herencia que le había dejado Guillermo II y la devolución de la dote de su hermana Joan, viuda de Guillermo. Con el propósito de arrebatar a Tancredo el trono siciliano, el emperador ENRIQUE VI sitió a Nápoles en 1191, sin éxito, y en 1194 se lanzó de nuevo contra Sicilia. Tancredo murió antes de la llegada de Enrique y este fue coronado rey.

Tandy, Jessica ver Hume CRONYN y Jessica Tandy

Taney, Roger B(rooke) (17 mar. 1777, cond. de Calvert, Md., EE.UU.–12 oct. 1864, Washington, D.C.). Jurista estadounidense. Abogado desde 1801, se desempeñó en la legislatura de Maryland antes de ser nombrado fiscal general del estado (1827–31). Designado fiscal general de EE.UU. en 1831 por el pdte. ANDREW JACKSON, alcanzó renombre nacional al oponerse al Banco de los ESTADOS UNIDOS DE AMÉRICA. En 1833, Jackson lo designó secretario del tesoro, pero su nombramiento fue rechazado por el Senado. En 1835, Jackson lo escogió para desempeñarse como magistrado asociado en la Corte Suprema de EE.UU., y después de la muerte del presidente del tribunal, JOHN MARSHALL, Jackson buscó que él fuera confirmado como presidente. A pesar de una férrea resistencia, dirigida por HENRY CLAY, JOHN C. CALHOUN y DANIEL WEBSTER, Taney juró como presidente en marzo de 1836. Su período (1836–64) es el segundo más largo en la historia de la Corte Suprema. Es recordado principalmente por la sentencia DRED SCOTT (1857), en la cual sostuvo que los esclavos no eran ciudadanos y no podían demandar en un tribunal federal, que el congreso carecía de atribuciones para excluir la esclavitud de los territorios, y que las personas de raza negra no podían convertirse en ciudadanos. También se le conoce por su dictamen en el fallo Abelman v. Booth (1858), que les negó atribuciones a los estados para obstruir los procesos de los tribunales federales; y en el fallo Charles River Bridge v. Warren Bridge (1837), que declaró que los derechos no otorgados específicamente por unos estatutos no podían inferirse del lenguaje del documento. Consideraba la esclavitud como un mal y creía que su eliminación debería producirse en forma gradual en los estados donde existía.

Roger B. Taney, fotografía de Mathew Brady.
BIBLIOTECA DEL CONGRESO, WASHINGTON, D.C.

Tang, dinastía *o* **dinastía T'ang** (618–907). Dinastía china que sucedió a la de los SUI, de corta duración, que dio origen a una edad de oro en la poesía, la escultura y el budismo. La capital de los Tang, CHANG'AN, se transformó en una gran metrópoli internacional, frecuentada por mercaderes y embajadores provenientes de Asia central, Arabia, Persia, Corea y Japón. También existió en ella una comunidad de cristianos NESTORIANOS, mientras en Guangzhou (Cantón) se establecieron mezquitas. Durante los s. VIII–IX la economía alcanzó su esplendor con una red de mercados rurales que confluían en los de las metrópolis de Chang'an y Luoyang. El budismo experimentó gran adhesión; surgieron nuevas traducciones de escritos budistas, así como sectas autóctonas, entre ellas la de los chan (ver ZEN). La máxima expresión literaria del período fue la poesía; perduran cerca de 50.000 obras de unos 2.000 poetas. Se popularizó la danza y la música foránea y se reactivaron antiguas orquestas. El gobierno de los Tang no logró controlar totalmente la frontera, donde las tribus nómadas realizaban constantes incursiones. Las rebeliones periódicas que surgieron a partir de mediados del s. VIII también debilitaron su poder (ver rebelión de AN LUSHAN). En sus últimos años, el foco de atención del gobierno estuvo en China oriental y sudoriental más que en Asia central. Ver también TAIZONG; WUHOU.

Tanganyika, lago *o* **lago Tanganica** Lago de África central. Ubicado en la frontera entre Tanzania y República Democrática del Congo, es el lago de agua dulce más largo del mundo (660 km [410 mi]) y el segundo más profundo (1.436 m [4.710 pies]). Alimentado por varios ríos, tiende a ser salobre. En sus costas empinadas se cultivan arroz y palmeras; abundan en él hipopótamos y cocodrilos. En 1858 los europeos lo visitaron por primera vez buscando la fuente del NILO.

tangara *o* **tanagra** Cualquiera de 200–220 especies (familia Emberizidae) de aves canoras del Nuevo Mundo que habitan en bosques y jardines. La mayoría de las especies miden 10–20 cm (4–8 pulg.) de largo y poseen cuello corto. La forma del pico varía, pero todos son ganchudos y levemente dentados. Las tangaras tienen un plumaje brillante en color rojo, amarillo, verde, azul y negro, a veces formando diseños llamativos. La mayoría de las especies son arbóreas; otras tantas son frugívoras y algunas insectívoras. Las tangaras escarlata, estival y occidental se crían en las partes templadas de América del Norte, mientras que la tangara hepática, desde Arizona hasta el centro de Argentina. La mayoría de las otras especies son principalmente tropicales.

Tange Kenzō (4 sep. 1913, Imabari, Shikoku, Japón–22 mar. 2005, Tokio). Arquitecto japonés. Trabajó en la oficina de MAEKAWA KUNIO antes de establecerse en forma independiente. Entre sus primeros trabajos, el más conocido fue el Museo de la Paz, en Hiroshima (1946–56). Sus oficinas de la prefectura de Kagawa en Takamatsu (1955–58) fueron una excelente mezcla entre lo moderno y lo tradicional. En 1959, él y sus estudiantes publicaron el proyecto del puerto de Boston, fundando la escuela METABOLISTA. En la década de 1960 sus trabajos se tornaron más audaces y espectaculares, y se convirtió en maestro del manejo de formas geométricas complejas; el estadio olímpico, en Tokio (1964), es un ejemplo. En 1966–70 diseñó el plan maestro para la Exposición Mundial de Japón (Expo 70), la cual se llevó a cabo en Osaka. Sus trabajos más recientes comprenden el complejo del nuevo ayuntamiento de Tokio (1991). También influyente como escritor, profesor y arquitecto urbanista, Tange fue galardonado con el Premio Pritzker de Arquitectura en 1987.

tangente En geometría, recta que intercepta un círculo exactamente en un solo punto; en cálculo, recta que toca una curva en un punto y cuya PENDIENTE es igual a la de la curva en ese punto. Particularmente útil como aproximación a curvas en la vecindad inmediata al punto de tangencia, las rectas tangentes son la base de muchas técnicas de ESTIMACIÓN, incluyendo la APROXIMACIÓN LINEAL. El valor numérico de la pendiente de la recta tangente en cualquier punto al gráfico de una función es igual al de su DERIVADA en ese punto. Esto es uno de los fundamentos clave del CÁLCULO DIFERENCIAL. Ver también GEOMETRÍA DIFERENCIAL.

tangente ver FUNCIÓN TRIGONOMÉTRICA

Tánger *árabe* **Tanya** *antig.* **Tingis** Ciudad portuaria (pob., 1994: 521.735 hab.) del norte de Marruecos. Ubicada en el extremo occidental del estrecho de GIBRALTAR, fue en el pasado una factoría fenicia, en la que más tarde se asentaron los cartagineses y luego los romanos. Al cabo de cinco siglos de gobierno romano fue capturada sucesivamente por vándalos, bizantinos y árabes. Cayó en poder de los portugueses en 1471; después pasó a manos de los británicos, que la cedieron a Marruecos en 1684. En 1912, cuando Marruecos se convirtió en protectorado francés, se le concedió a Tánger estatus especial; en 1923 fue declarada ciudad internacional, gobernada por una comisión. Siguió en esa condición hasta 1956, año en que quedó integrada al reino independiente de Marruecos. En la década de 1960 pasó a ser puerto libre y residencia real de verano. El casco antiguo de la ciudad está dominado por una Casbah (ciudadela) y la Gran Mezquita. Es un puerto y centro comercial de gran actividad; entre sus industrias figuran el turismo, la pesca y los textiles, en especial las alfombras.

tangerina *o* **naranja mandarina** Fruto de variedad pequeña con cáscara delgada de la especie NARANJO mandarino (*Citrus reticulata deliciosa*) de la familia de las RUTÁCEAS (cítricos). Probablemente originaria del Sudeste asiático, esta especie se cultiva hoy en regiones subtropicales de todo el mundo, en especial, en el sur de Europa y EE.UU. El árbol es más pequeño que otros naranjos, de ramillas más delgadas y hojas lanceoladas. Su fruto, la tangerina o naranja mandarina, es ligeramente aplanado en ambos extremos, de cáscara anaranjada rojiza y suelta. Los gajos de pulpa tierna, jugosa y de sabor intenso, fácilmente separables, son ricos en vitamina C. El aceite de su cáscara fragante es un ingrediente característico de diversos saborizantes y licores. El cruce de tangerina con POMELO produjo el híbrido conocido como tangelo.

Tangerina o naranja mandarina (*Citrus reticulata deliciosa*).
GRANT HEILMAN–EB INC.

tango BAILE DE SALÓN que surgió en el área urbana de Buenos Aires, Argentina, adoptando sus rasgos característicos a fines del s. XIX y principios del s. XX. Anteriormente fue una forma híbrida que combinaba tanto elementos del tango andaluz como de la habanera cubana. En EE.UU., VERNON E IRENE CASTLE popularizaron el tango, y en 1915 ya se bailaba en toda Europa. Las primeras versiones eran rápidas y exuberantes; posteriormente el paso fue modificado a uno más tranquilo de baile de salón, caracterizado por pausas largas y posiciones corporales estilizadas. Es acompañado por música en compás de 4 por 4, interpretada por una orquesta típica, donde destaca el sonido del bandoneón, que otorga al tango un sello peculiar.

Bailarines de tango en el barrio de La Boca, Buenos Aires, Argentina.
ALTRENDO/GETTY IMAGES

tangut Pueblo que históricamente habitó en la Mongolia Interior meridional, en los confines de la ruta de la SEDA. Se dedicó a la agricultura de regadío y al pastoreo, y actuó como intermediario en el comercio entre Asia central y China. Los tangut adoptaron el budismo como religión de estado, crearon su propio sistema de escritura y, en 1038, proclamaron el reino de XI XIA, que perduró por unos 200 años.

Tanguy, Yves (5 ene. 1900, París, Francia–15 ene. 1955 Waterbury, Conn., EE.UU.). Pintor francés. En 1923, luego de servir en la marina mercante y sin contar con estudios artísticos formales, cobró inspiración al ver las obras de Giorgio de Chirico y comenzó a pintar. Se integró al grupo surrealista en 1925 y participó en todas sus exposiciones más importantes. Desarrolló un estilo original, que recuerda el de Salvador Dalí, que presentaba extrañas figuras amorfas y objetos no identificables situados en paisajes yermos con luz brillante y horizontes infinitos. Pese a sus suaves y esmerados detalles, sus pinturas poseen una calidad atemporal y onírica (p. ej., *The Invisibles*, 1951). Emigró a EE.UU. en 1939.

Tanimbar, islas Grupo de unas 30 islas situado en el sudeste de las Molucas, Indonesia. Comprende la isla grande de Yamdena, que tiene 113 km (70 mi) de longitud por 45 km (28 mi) de ancho y las islas cercanas de Larat y Selaru. Aunque carecen de agua dulce, en las islas se cultivan maíz, arroz, palma de cocos y frutas. Los holandeses reclamaron soberanía sobre el grupo en 1639 pero no lo gobernaron sino hasta 1900. Después de la segunda guerra mundial, las islas pasaron a formar parte de Indonesia.

tanino *o* **ácido tánico** Cualquiera de un grupo de sustancias amorfas de color entre amarillo pálido y marrón claro, ampliamente distribuidas entre las plantas y utilizadas sobre todo para curtir (ver curtido) cuero, teñir telas y fabricar tintas. Sus soluciones son ácidas y tienen un sabor astringente. Se les aísla a partir de corteza de roble, zumaque, mirobálano (un árbol asiático) y de la bilis. Los taninos dan astringencia, color y algo del sabor al té. Son empleados industrialmente para aclarar vino y cerveza, reducir la viscosidad de los lodos usados en la perforación de pozos petroleros, e impedir el sarro en el agua de calderas; también han tenido usos médicos.

Tanis *nombre bíblico* **Zoan** Antigua ciudad de Egipto. Sus restos se hallan en el delta del Nilo. Capital de una provincia del Bajo Egipto y, durante las dinastías XXI y XXII (c. 1075–c. 700 AC), de todo el país, fue importante por ser uno de los puertos más cercanos a las costas asiáticas. Varias tumbas reales intactas, que contenían ataúdes de plata, máscaras de oro y joyas de oro y plata, fueron excavadas en 1939 dentro del recinto del templo principal.

Tanizaki Jun'ichirō (24 jul. 1886, Tokio–30 jul. 1965, Yugawara). Novelista japonés. Sus primeros cuentos muestran afinidades con los relatos de Edgar Allan Poe y de los decadentistas franceses, pero más tarde se concentró en la exploración de los ideales de belleza japoneses tradicionales. Entre sus novelas se cuentan *Hay quien prefiere las ortigas* (1928–1929), una historia sobre la infelicidad conyugal que trata en realidad el conflicto entre lo viejo y lo nuevo, donde la tradición prevalece. Su obra maestra *Las hermanas Makioka* (1943–1948; película, 1983), describe el estilo pausado de la literatura clásica nipona, las incursiones en el áspero mundo moderno de la sociedad tradicional. La vena irónica y el erotismo caracterizan la escritura de Tanizaki.

Tannenberg, batalla de (15 jul. 1410). Gran victoria polacolituana sobre los caballeros de la Orden Teutónica. Librada cerca de las aldeas de Grünfelde y Tannenberg, en el nordeste de Polonia (anteriormente Prusia Oriental), la batalla marcó el fin de la expansión de la Orden a lo largo de la costa sudoriental del mar Báltico y el comienzo de la declinación de su poder.

Tannenberg, batalla de (26–30 ago. 1914). Batalla ocurrida en la primera guerra mundial entre Alemania y Rusia en el nordeste de la actual Polonia. Dos ejércitos rusos invadieron Prusia Oriental, pero quedaron separados. Fuerzas alemanas al mando de Paul von Hindenburg atacaron a uno de los aislados ejércitos y lo obligaron a batirse en retirada, lo que causó más de 30.000 bajas rusas y la captura de más de 90.000 hombres. Las bajas alemanas fueron cerca de 13.000 hombres. La batalla fue desastrosa para Rusia, pero obligó a Alemania a desviar tropas destinadas a atacar Francia.

Tanner, Henry Ossawa (21 jun. 1859, Pittsburgh, Pa., EE.UU.–25 may. 1937, París, Francia). Pintor estadounidense. Fue alumno de Thomas Eakins en la Academia de Bellas Artes de Pensilvania, donde era el único estudiante afroamericano. Se trasladó a París en 1891, y en 1894 su obra ya se exhibía en los salones anuales, donde se le otorgó una mención honrosa en 1896 por *Daniel in the Lions' Den* y una medalla, en 1897, por *Raising of Lazarus*; otra obra muy conocida es *La lección de banjo*. Obtuvo reconocimiento internacional y muchos premios por sus paisajes y su tratamiento de temas bíblicos. Fue ordenado caballero de la Legión de Honor en 1923, y en 1927 se convirtió en el primer afroamericano admitido como miembro titular de la National Academy of Design.

Tannhäuser (c. 1200 – c. 1270). Poeta lírico y legendario héroe germánico. De profesión minnesinger, estuvo al servicio de varios nobles; se han preservado algunas de sus composiciones. En la leyenda, que pervive en la balada popular "Danhauser", el héroe lleva una vida disipada hasta que, tocado por el remordimiento, va en peregrinación a Roma para solicitar la remisión de sus pecados. El papa le dice que, así como su cayado de peregrino no volverá a reverdecer, sus pecados nunca le podrán ser perdonados. Poco tiempo después, el cayado, del que Tannhäuser se ha deshecho comienza a reverdecer. El papa envía a sus mensajeros en pos del trovador, pero no lo encuentran y nunca más se vuelve a saber de él. La leyenda, muy popular entre los escritores románticos del s. XIX, inspiró la ópera *Tannhäuser* (estrenada en 1845) de Richard Wagner.

tanque Vehículo de combate con blindaje grueso y armamento pesado que se desplaza sobre dos cadenas continuas de metal llamadas orugas. A menudo está equipado con un cañón montado en una torreta giratoria, y también con armas automáticas más livianas. Los británicos desarrollaron los tanques durante la primera guerra mundial para satisfacer la necesidad de un vehículo de asalto blindado que pudiera cruzar el terreno fangoso y desnivelado de un campo de batalla de trincheras. Participaron en combate por primera vez en la batalla del Somme (1916). En la segunda guerra mundial, la fuerza de tanques de Alemania fue al inicio la más efectiva en Europa, porque estaba organizada en formaciones masivas de desplazamiento rápido con una gran potencia de combate. Después de la segunda guerra mundial, los tanques se hicieron más grandes y de armamento más pesado. La mayoría de los grandes tanques de batalla modernos pesan más de 50 t y sin embargo son capaces de alcanzar velocidades de 50–70 km/h (30–40 mi/h) en carretera. El armamento estándar principal es un cañón de 120 mm, que dispara proyectiles capaces de perforar blindaje; para ayudar a mejorar la visión y la puntería disponen de sensores de distancia de tecnología láser y dispositivos para formar imágenes de luz infrarroja.

Tanque ruso utilizado en la segunda guerra mundial.
STOCKXPERT

tántalo ELEMENTO QUÍMICO metálico, uno de los elementos de TRANSICIÓN, de símbolo químico Ta y número atómico 73. Un METAL gris plateado, denso, duro, no reactivo, con un punto de fusión extremadamente alto (2.996 °C [5.425 °F]). Es escaso, se presenta de manera natural en pocos lugares. Es difícil de separar del niobio, el elemento que está arriba de él en la TABLA PERIÓDICA, con el cual comparte muchas propiedades. Sus usos más importantes son en condensadores electrolíticos, equipos químicos resistentes a la corrosión, instrumentos dentales y quirúrgicos, herramientas, catalizadores, componentes de tubos electrónicos, rectificadores y PRÓTESIS. Sus compuestos son de relativamente poca importancia comercial; el carburo de tántalo es utilizado en máquinas herramientas y troqueles.

Tántalo En la mitología GRIEGA, rey de Lidia (o Frigia). Como era íntimo amigo de los dioses, podía cenar en su mesa, pero este privilegio se acabó cuando contó sus secretos en la Tierra y los ofendió. Otra versión del mito sostiene que asesinó a su hijo PÉLOPE y lo sirvió como alimento a los dioses. En el infierno fue sumergido en el agua hasta el cuello, pero cada vez que trataba de beber esta se escurría. Lo mismo sucedía con unas ramas que se encontraban sobre su cabeza, ya que estas se balanceaban fuera de su alcance cada vez que trataba de coger sus frutos.

tantra En algunas religiones indias, texto que aborda los aspectos esotéricos de la enseñanza religiosa. Existe profusa literatura y prácticas relacionadas con el tantra en el HINDUISMO, BUDISMO, y en menor medida, en el JAINISMO. Debido a que las prácticas tántricas corresponden por lo general a enseñanzas que se desarrollaron relativamente tarde y que incorporan elementos de distintas tradiciones, a menudo son rechazadas por los practicantes ortodoxos. En el hinduismo, los tantras abordan aspectos comunes de la religión, como conjuros, rituales y símbolos. La literatura tántrica budista, cuyo origen al parecer se remonta al s. VII o antes, hace alusión a numerosas prácticas, algunas relacionadas con la actividad sexual, que no tienen fundamento en la literatura canónica.

TANZANIA

- **Superficie:** 945.090 km² (364.901 mi²)
- **Población:** 36.766.000 hab. (est. 2005)
- **Capitales:** DAR ES SALAAM y DODOMA (designada)
- **Moneda:** chelín tanzano

Tanzania *ofic.* **República Unida de Tanzania** País de África oriental. Situado principalmente en África continental, comprende también las islas de ZANZÍBAR, Pemba y Mafia en el océano Índico. Existen en el país cerca de 120 grupos étnicos diferenciados; los sukuma, el más numeroso, constituye cerca del 20% de la población. Idiomas: swahili e inglés (ambos oficiales). Religiones: Islam, religiones tradicionales y cristianismo. Aunque la mayor parte del territorio está formado por llanuras y mesetas, alberga también altos macizos volcánicos, como el KILIMANJARO y el monte Lengai, volcán activo. Los lagos MALAWI, TANGANYIKA, VICTORIA y RUKWA están ubicados, completa o parcialmente, dentro del país, así como las cabeceras de los ríos NILO, CONGO y ZAMBEZE. El parque nacional SERENGETI es la más famosa de sus extensas reservas de vida silvestre. Posee importantes yacimientos de oro, diamantes, piedras preciosas, hierro, carbón y gas natural. La economía, centralmente planificada, se basa en la agricultura; entre los principales cultivos figuran: maíz, arroz, café, clavo de olor, algodón, sisal, anacardo y tabaco. Entre las industrias destacan procesadoras de alimentos y fábricas de textiles, cemento y cerveza. Tanzania es una república unicameral; el jefe de Estado y de Gobierno es el presidente. Habitada desde el primer milenio AC, la región estuvo ocupada en el s. X DC por mercaderes árabes e indios y pueblos de habla bantú (ver lenguas BANTÚES). Los portugueses lograron controlar el litoral a fines del s. XV, pero en las postrimerías del s. XVIII fueron expulsados por los árabes de OMÁN y Zanzíbar. En la década de 1880 llegaron colonos alemanes a la zona y en 1891 la declararon protectorado, bajo la denominación de ÁFRICA ORIENTAL ALEMANA. En la primera guerra mundial, Gran Bretaña capturó las posesiones alemanas, que en 1920 pasaron a ser un mandato británico bajo el nombre de Tanganyika. Gran Bretaña retuvo el control de la región después de la segunda guerra mundial, cuando esta fue declarada territorio en fideicomiso de la ONU (1946). Tanganyika obtuvo su independencia en 1961 y ese mismo año se transformó en república. En 1964 se unió con Zanzíbar bajo el nombre de Tanzania. En los últimos años ha experimentado conflictos económicos y políticos.

Tanzimat (turco: "reorganización") (1839–76). Período de reformas que emprendió el Imperio OTOMANO para modernizar la sociedad en términos seculares y burocráticos. La primera serie de reformas (1839) buscó secularizar al pueblo y la propiedad, como también modificar el sistema tributario y la conscripción militar. Más tarde (1856) se creó un sistema escolar secularizado y un nuevo código legal. Sin embargo, los esfuerzos por centralizar la administración del gobierno contribuyeron a concentrar la autoridad en manos del sultán, quien a menudo abusó del poder. Pese a que la constitución de 1876 prometió reformas democráticas, su objetivo real fue evitar la intervención europea. Ver también ABDÜLHAMID II; JÓVENES TURCOS.

tao *o* **dao** En la filosofía china, concepto fundamental que significa el camino verdadero o divino. En el CONFUCIANISMO, el *tao* es una forma de comportamiento moralmente correcto. En el TAOÍSMO, el concepto es más inclusivo, ya que abarca los procesos visibles de la naturaleza que permiten que todas las cosas cambien, así como el principio implícito en estos procesos. Si bien este principio, conocido como *tao* absoluto, sólo puede ser entendido a medias por el practicante, es el principio rector de la vida. Los taoístas consideran la vida y la muerte como etapas del *tao* absoluto y preconizan una forma de vida en que la persona tienda a conformarse con la naturaleza esencial.

Tao Tê-King *o* **Daodejing** Texto clásico de la filosofía china. Escrito en los s. VI–III AC, en un tiempo fue llamado el *Laozi*, por su autor tradicional LAOZI, aunque su verdadera autoría sigue en suspenso. El *Tao Tê-King* presenta un estilo de vida destinado a restaurar la armonía y tranquilidad en un reino agobiado por el desorden. Fomenta el camino de la inacción, entendida como la abstención de toda acción desnaturalizada en lugar de la pasividad absoluta, permitiendo así que el TAO resuelva las cosas en forma natural. Fue ideado como un manual para los gobernantes, quienes regirían mediante la inacción, sin imponer restricciones o prohibiciones a sus súbditos. El *Tao Tê-King* ha tenido una enorme influencia en todas las escuelas posteriores de filosofía y religión de China y ha sido el tema de centenares de comentarios.

taoísmo *o* **daoísmo** Gran tradición religiosa y filosófica china. Si bien el concepto del TAO era empleado por todas las escuelas de pensamiento chinas, el taoísmo surgió de la promoción del *tao* como ideal social. LAOZI es considerado tradicionalmente el fundador del taoísmo y el autor de su texto clásico, el *TAO-TÊ KING*. Otros textos clásicos del taoísmo son el *ZHUANGZI* (s. IV–III AC) y el *LIEZI*. En el taoísmo, el *tao* es la fuerza o principio acerca del cual nada se puede afirmar, pero que contiene latentes las formas, esencias y fuerzas de todos los fenómenos. No hay que inmiscuirse en esta sabiduría natural; el TE, o virtud superior, se adquiere a través de acciones tan cabalmente acordes con el orden natural que el autor no deja huella alguna de su paso. Según la tradición, todos los seres y las cosas son fundamentalmente uno. El enfoque del taoísmo en la naturaleza y el orden natural complementa el enfoque social del CONFUCIANISMO, y su síntesis con el BUDISMO es la base del ZEN. Ver también YIN-YANG.

tap dance ver CLAQUÉ

tapacamino *o* **chotacabras cuerprihuiu** Especie (*Caprimulgus vociferus*) de pájaro nocturno de Norteamérica, similar al CHOTACABRAS, que se caracteriza por su resonante grito que puede repetir 400 veces sin parar. Vive en bosques cerca de campo abierto, donde caza insectos al vuelo en los crepúsculos y alboradas. De día duerme en el suelo del bosque o se acuesta en una rama. El tapacamino mide cerca de 25 cm (10 pulg.) de largo, tiene un plumaje marrón moteado; el macho tiene un collar y las aristas de la cola de color blanco. Para invernar puede llegar hasta Costa Rica.

Tapajós, río Río del norte de Brasil. Formado por la confluencia de los ríos Teles Pires y Juruena, fluye hacia el nordeste hasta desembocar en el AMAZONAS justo antes de Santarém, luego de un curso de unos 650 km (400 mi). Aunque interrumpido por algunos rápidos, su curso es navegable en toda su extensión. A lo largo de sus riberas hay varias plantaciones importantes de caucho.

tapas Práctica ascética que se realiza para conseguir poder espiritual o purificación. En el HINDUISMO está asociada al YOGA como una forma de purificación preparatoria del cuerpo para los ejercicios espirituales más exigentes que llevan a la liberación. En el JAINISMO, su práctica es un medio fundamental para interrumpir el ciclo de las reencarnaciones, ya que impide que se forme el nuevo KARMA y elimina el antiguo. Esta práctica reviste distintas formas, como el ayuno, el control de la respiración y la mantención de posturas corporales difíciles y dolorosas. Los SADHUS practican las formas extremas, y la mayoría de ellos recibe limosnas por estas raras habilidades y privaciones.

Tàpies, Antoni (n. 13 dic. 1923, Barcelona, España). Pintor catalán. En 1946 abandonó sus estudios de derecho para dedicarse en forma autodidacta a la pintura. Sus primeras obras estuvieron influenciadas por el SURREALISMO y por los artistas PAUL KLEE y JOAN MIRÓ. En 1953, luego de haber visto las obras de JEAN DUBUFFET, desarrolló una singular mezcla de abstracción, ensamblaje y empaste, que consolidó su fama internacional. Ha realizado litografías e ilustraciones para libros. Su creencia en la validez de los materiales corrientes, ha tenido una influencia mundial. En 1990, se inaguró la Fundación Tàpies, en Barcelona, que alberga unas 2.000 obras de su autoría.

Antoni Tàpies, fotografía de Arnold Newman, 1964.

tapir Cualquiera de los cuatro miembros sobrevivientes (género *Tapirus*) de la familia Tapiridae, UNGULADOS robustos, imparidígitos, de 1,8–2,5 m (6–8 pies) de largo y hasta 1 m (3 pies) de alzada. Tienen orejas y patas cortas y un hocico en figura de una trompa corta. En los pies tienen tres dedos útiles. El pelo corporal suele ser corto y ralo, pero dos especies tienen una melena corta y cerdosa. El tapir malayo (*T. indicus*) tiene cabeza, patas y hombros negros, y las ancas, lomo y vientre blancos. La única especie centroamericana y las dos especies sudamericanas son de color marrón o gris liso. Los tapires habitan la profundidad del bosque o los pantanos.

Tapir sudamericano (*Tapirus terrestris*).

tapiz Paño grande, grueso y reversible tejido a mano, con diseños o figuras, generalmente en forma de colgantes o como tela para tapicería. Los tapices suelen diseñarse como un solo panel o un conjunto de paneles relacionados temática o estilísticamente para ser colgados juntos. Los tapices más antiguos que se conocen fueron hechos de lino por los egipcios. La fabricación de tapices estaba asentada en el Perú en el s. VI, y en China se fabricaron notables ejemplares de seda a comienzos de la dinastía TANG (618–907 DC). En Europa occidental, la fabricación de tapices surgió a partir del s. XIII. Entre los tapices europeos más importantes se encuentra el conjunto del s. XV *La dama y el unicornio* y el conjunto del s. XVI *Los hechos de los apóstoles*, basado en cartones de RAFAEL. El arte del tapiz fue revivido a fines del s. XIX en Gran Bretaña con el ARTS AND CRAFTS MOVEMENT. En el s. XX se realizaron tapices abstractos en la BAUHAUS, y muchos artistas, como PABLO PICASSO y HENRI MATISSE, permitieron que sus pinturas fueran la base para el arte del tapiz.

Tapso, batalla de (46 AC). Batalla decisiva librada en África del norte durante la guerra civil entre JULIO CÉSAR y POMPEYO (49–46). César había puesto sitio al puerto marítimo de Tapso, situado cerca de la actual Teboulba, Túnez. Pompeyo estaba apoyado por las legiones de su suegro, Quinto Metelo Escipión. César no pudo contener a sus tropas, y estas se abalanzaron y aplastaron al enemigo, ejecutando a unos 10.000 efectivos. Fue el golpe final que asestó César a las fuerzas de Pompeyo.

Tapti, río Río del centro-oeste de India. Fluye hacia el oeste desde las montañas de MADHYA PRADESH hasta el golfo de JAMBHAT y el mar de Arabia. De 700 km (435 mi) aprox. de longitud, es navegable sólo en pequeños tramos.

taqiyyah En el ISLAM, práctica que permite a una persona ocultar su fe y abstenerse de cumplir los deberes religiosos habituales cuando existe una amenaza de muerte o daño que se cierne sobre ella u otros fieles musulmanes. Su fundamento se encuentra en el CORÁN, y se estima que MAHOMA fue el primero en dar el ejemplo cuando optó por la HÉGIRA. Desde entonces, ha sido practicada principalmente por las minorías, en especial aquellas de la rama chiita. Existen varias reglas respecto de su aplicación, con el fin de evitar que la *taqiyyah* se convierta en una excusa para la cobardía o para no actuar en forma apropiada. Por lo general, se privilegia más la comunidad que el bienestar personal.

taqlīd En la ley canónica islámica, la aceptación incondicional del precedente legal. La interpretación del *taqlīd* varía mucho entre las principales escuelas jurídicas islámicas. El *taqlīd* es obligatorio para los CHIITAS. Los puntos de vista de las cuatro escuelas jurídicas SUNNÍES son encontrados; si bien la mayoría de los eruditos de las escuelas shāfiʿītas, mālikītas y Ḥanafītas aplica el *taqlīd*, aquellos de la escuela Ḥanbalīta no consideran que las opiniones de los primeros eruditos sean necesariamente vinculantes. El apoyo a dicha práctica se basa principalmente en la creencia de que los primeros eruditos musulmanes, por ser casi contemporáneos de MAHOMA, estaban en una posición inmejorable para inferir opiniones legales autorizadas.

taquicardia Aumento de la frecuencia cardíaca (ver CORAZÓN) sobre 100 (y hasta 240) latidos por minuto. No es peligrosa en una persona sana cuando es una respuesta normal al ejercicio o al estrés; sin embargo, si el origen es distinto se trata de una ARRITMIA. Los síntomas comprenden fatiga, desmayo, falta de aire y palpitaciones. Puede remitir en minutos u horas, sin efectos perdurables, pero en enfermedades graves del corazón, de los pulmones o de la circulación, puede preceder a una FIBRILACIÓN AURICULAR o a un ATAQUE CARDÍACO y requiere atención médica inmediata. Las taquicardias pueden tratarse enviando una descarga eléctrica al corazón (cardioversión o conversión eléctrica del ritmo), con medicamentos antiarrítmicos y con marcapasos.

taquigrafía *o* **estenografía** Sistema de ESCRITURA rápida a base de símbolos o abreviaturas en lugar de letras, palabras o frases. Empleada desde las épocas griega y romana, la taquigrafía ha sido usada en Inglaterra desde el s. XVI. Los sistemas modernos más utilizados son el Pitman, el Gregg y el Speedwriting. Muchos sistemas son fonéticos y requieren que las palabras se escriban como se pronuncian. La taquigrafía ha sido utilizada para registrar procedimientos en los tribunales y cuerpos legislativos, y en el dictado de correspondencia comercial.

taquión PARTÍCULA SUBATÓMICA hipotética cuya velocidad es siempre mayor que la de la luz. Su existencia parece consistente con la teoría de la RELATIVIDAD. Del mismo modo que una partícula ordinaria como el electrón puede existir sólo a velocidades menores que la de la luz, un taquión podría existir sólo a velocidades mayores que la de la luz. A esas velocidades, su masa sería real y positiva. Al perder energía, un taquión aceleraría; cuanto más rápido se moviera, menor sería su energía. La existencia de los taquiones no ha sido establecida en forma experimental.

Tara En el BUDISMO, diosa salvadora que se manifiesta de múltiples formas. Su culto es muy popular en Nepal, Tíbet y Mongolia. Es la contraparte femenina de AVALOKITESVARA. Tara nació cuando una de las lágrimas del dios cayó al suelo y formó un lago; de sus aguas surgió un loto, que al abrirse mostró a la diosa. Es la protectora de la navegación y los viajes terrestres, así como del viaje espiritual por el sendero que lleva a la iluminación. En el arte aparece generalmente con un loto en la mano y un tercer ojo en la frente. Se la representa de distintos colores para simbolizar los diferentes aspectos de sus poderes.

Tara blanca, estatua repujada de cobre dorado, Nepal, s. XVIII; Asian Art Museum of San Francisco, The Avery Brundage Collection, EE.UU.
GENTILEZA DEL ASIAN ART MUSEUM OF SAN FRANCISCO, THE AVERY BRUNDAGE COLLECTION; FOTOGRAFÍA, MARTIN GRAYSON

taracea Tipo de incrustación en madera. La *intarsia* italiana, o el mosaico de madera incrustado, que probablemente derivó de las incrustaciones de marfil y madera de Asia oriental, encontró su más rica expresión durante el Renacimiento en Italia (c. 1400–1600). Solía usarse en paneles, detrás de los sitiales del coro, en estudios privados y en las capillas de los príncipes.

Tarantino, Quentin (n. 27 mar. 1963, Knoxville, Tenn., EE.UU.). Director de cine y guionista estadounidense. Trabajó en un videoclub en California antes de vender dos guiones que se transformaron en las películas *Amor a quemarropa* (1993) y *Asesinos por naturaleza* (1994) de OLIVER STONE. Su debut como director fue con *Perros de la calle* (1993). La controvertida *Tiempos violentos* (1994, premio de la Academia al mejor guión) obtuvo la Palma de Oro en el festival de Cannes. Su tercer largometraje, *Jackie Brown* (1997), se destacó por su estilizada violencia, agudos diálogos y una fascinación por la cultura pop y cinematográfica. También ha desempeñado roles de actor, productor y ejecutivo de una compañía distribuidora de películas llamada Rolling Thunder. Su último trabajo fílmico lo constituye la saga *Kill Bill* (vol. 1, 2003; vol. 2, 2004).

tarántula Nombre que originalmente designaba a la ARAÑA LOBO EUROPEA, pero que ahora incluye a cualquier ARAÑA de la familia Theraphosidae. Se encuentran desde el sudoeste de EE.UU. hasta América del Sur. Muchas especies viven en madrigueras, y la mayoría tienen un cuerpo peludo y patas largas también peludas. Son predadores nocturnos de insectos y, ocasionalmente, de anfibios y ratones. Algunas tarántulas sudamericanas devoran pájaros pequeños. En el sudoeste de EE.UU. las tarántulas del género *Aphonopelma* pueden llegar a tener un cuerpo de 5 cm (2 pulg.) de largo y mide casi 12 cm (5 pulg.) de ancho con las patas extendidas. Pueden producir una picadura dolorosa si son molestadas. La especie más común de EE.UU., *Eurypelma californica*, puede vivir hasta 30 años.

Tarántula de rodillas rojas.
STOCKXPERT

tarasco *o* **purépecha** Grupo indígena del estado de Michoacán, México central. Tradicionalmente han sido agricultores, aunque, también se dedican a la pesca, caza, comercio, además de trabajar a sueldo. Cada poblado tiende a especializarse en un oficio (por ej., carpintería, tejidos, cerámica, tejido de redes, bordado o costura). Su catolicismo está superficialmente influenciado por la religión precolombina. Poco a poco se han asimilado a la cultura MESTIZA, aunque su lengua principal sigue siendo el tarasco.

Tarawa, atolón de Atolón de coral (pob., 1995: 32.354 hab.) de las islas GILBERT, Kiribati. El atolón (en el que se halla BAIRIKI, la capital del país) se compone de 15 islotes dispuestos a lo largo de un arrecife de 35 km (22 mi) de longitud. Ocupado por los japoneses durante la segunda guerra mundial, fue capturado por la infantería de marina de EE.UU. en 1943 al cabo de una sangrienta batalla. En la actualidad es un centro comercial y educacional, que exporta copra y madreperla y es sede de una filial de la Universidad del Pacífico Sur. Fue la capital de las islas GILBERT Y ELLICE hasta 1975.

Tarbell, Ida M(inerva) (5 nov. 1857, cond. de Erie, Pa., EE.UU.–6 ene. 1944, Bridgeport, Conn.). Periodista, conferencista y cronista de la industria estadounidense, pionera del periodismo investigativo. En 1891 se instaló en París, ganándose la vida como corresponsal de varias revistas estadounidenses. Su *The History of the Standard Oil Company* (1904), publicada originalmente por entregas en la revista *McClure's Magazine*, es un ejemplo clásico de investigación periodística rigurosa. En ella describía el ascenso del imperio de los Rockefeller gracias a su monopolio en la industria del petróleo. Este libro abrió el debate que culminaría en la histórica ley antimonopolios. Por su trabajo, Tarbell fue uno de los periodistas a quienes Theodore Roosevelt tildó de *muckraker*, "rastrillador de estiércol".

Tardieu, André (-Pierre-Gabriel-Amédée) (22 sep. 1876, París, Francia–15 sep. 1945, Menton). Político francés. Después de trabajar en el servicio diplomático, fue redactor de la sección internacional de *Le Temps* y elegido a la Cámara de Diputados en 1914. Como delegado en la conferencia de paz de PARÍS, participó en la redacción del tratado de VERSALLES. Partidario de GEORGES CLEMENCEAU a principios de su carrera, sirvió en varios cargos de gobierno y como líder de la centro-derecha en la Cámara de Diputados, fue dos veces primer ministro (1929–30, 1932); abogó por una política de considerable gasto fiscal. Desilusionado por los fracasos del sistema parlamentario, se retiró en 1936.

Tarento *antig.* **Tarentum** Puerto marítimo (pob., est. 2001: 201.349 hab.) de la región de APULIA, sudeste de Italia. La ciudad antigua, situada en el golfo de Tarento, se encuentra en una pequeña isla, y las zonas más nuevas, en el territorio continental adyacente. Fundada por los espartanos (ver ESPARTA) en el s. VIII AC y bautizada como Taras, se convirtió en una de las ciudades más importantes de la MAGNA GRECIA. Alcanzó su apogeo en el s. IV AC durante el reinado de ARQUITAS. Pasó a manos de Roma en 272 AC. En los s. V–XI DC fue conquistada por los godos, bizantinos, lombardos, árabes y normandos. Durante el s. XV formó parte del reino de NÁPOLES. A partir de 1815 se integró al reino de las DOS SICILIAS y luego al reino de Italia, en 1861. Durante ambas guerras mundiales, Tarento fue un importante bastión de la marina italiana. En 1940 sufrió intensos bombardeos y en 1943 fue ocupada por las fuerzas británicas. Continúa siendo una importante base naval con imponentes astilleros y una gran fundición de acero.

Targelia En la religión GRIEGA, principal festividad ateniense consagrada a APOLO, que se celebraba durante el sexto y séptimo día de Targelion (abril–mayo). Se le denominó Targelia en honor de los primeros frutos o el primer pan elaborado con el trigo nuevo. Durante el primer día, uno o dos hombres, seleccionados como CHIVOS EXPIATORIOS, eran paseados por Atenas, azotados en los genitales, y finalmente expulsados de la ciudad. Durante el segundo día, se registraban oficialmente las personas adoptadas.

tárgum Cualquiera de las numerosas traducciones de las Escrituras hebreas o de sus partes al arameo. Las primeras traducciones se realizaron después de la cautividad de BABILONIA para los judíos sin educación que no sabían hebreo. Después de la destrucción del segundo templo de JERUSALÉN (70 DC), se instituyó el uso de los *targumim* en las SINAGOGAS, donde se leían en voz alta las Escrituras y su traducción al arameo. Con el tiempo, estas lecturas incluyeron paráfrasis y comentarios. Durante el período talmúdico, los *targumim* fueron considerados textos autorizados (ver TALMUD) y en el s. V empezaron a registrarse por escrito.

tarificación al costo marginal En economía, práctica de fijar el precio de un producto igual al costo adicional (marginal) de elaborar una unidad más del producto. El productor cobra un monto igual al costo de los recursos económicos adicionales. Esta política se emplea para mantener un precio de venta bajo o para mantener un negocio funcionante durante un período de pocas ventas. Dado que los costos fijos, como el arrendamiento y el mantenimiento de un edificio, deben pagarse independientemente de que la empresa produzca o no, si esta experimenta dificultades temporales puede decidir continuar produciendo y vender el producto al costo marginal, ya que las pérdidas no superarán a las que sufriría si detuviera la producción.

Tarim, río *chino* **Talimu He** *o* **Talimu Ho** Río más importante de la región autónoma de XINJIANG, China. Formado por la confluencia de dos ríos en el extremo oeste, discurre por un curso irregular a lo largo del borde septentrional del desierto de TAKLA MAKAN antes de girar hacia el sudeste. Aunque su longitud varía debido a sus frecuentes cambios de curso, tiene un largo cercano a los 2.030 km (1.260 mi). La cuenca del Tarim está encajonada por los sistemas montañosos de TIAN SHAN, PAMIR y KUNLUN y es una de las más grandes del mundo. Es la región más árida de Eurasia.

tarjeta de crédito Pequeña tarjeta que permite que la persona individualizada en ella adquiera bienes y servicios y los cargue a su cuenta. Es distinta a la tarjeta de débito en que el dinero se deduce automáticamente de la cuenta bancaria del titular al pagar bienes o servicios. El uso de la tarjeta de crédito se originó en EE.UU. en la década de 1920. Las primeras fueron emitidas por diversas firmas (p. ej., empresas de combustibles y cadenas hoteleras) para que fueran utilizadas exclusivamente en sus establecimientos. La primera tarjeta de crédito universal, aceptada en diversos establecimientos, fue emitida por Diners' Club en 1950. En el caso de las tarjetas de pago –como American Express (emitida por AMERICAN EXPRESS CO.)– sus titulares deben pagar el total de las compras al cierre del período de facturación (generalmente en forma mensual). Las tarjetas bancarias como MasterCard y Visa permiten a los clientes pagar sólo parte de la facturación total y se devengan INTERESES sobre el saldo insoluto. Los ingresos de las empresas de tarjetas de crédito provienen de las comisiones anuales e intereses que pagan los titulares de las tarjetas y de las comisiones que pagan los comerciantes afiliados al sistema.

tarjeta de sonido *o* **tarjeta de audio** CIRCUITO INTEGRADO que produce señales de audio y las envía a los altavoces de la computadora. La tarjeta de sonido puede aceptar un sonido análogo (como de un micrófono o cinta de audio) y convertirlo en datos digitales que pueden ser almacenados en archivos de audio, o aceptar señales de audio digitalizadas (como de un archivo de audio) y convertirlas en señales análogas que pueden ser escuchadas en los altavoces de la computadora. En una computadora personal, la tarjeta de sonido a menudo está en una tarjeta de circuito separada que se inserta en la tarjeta madre, aunque en las computadoras actuales puede venir integrada.

tarjeta de vídeo CIRCUITO INTEGRADO que produce la señal de vídeo enviada a la pantalla de la computadora. La tarjeta, por lo general, está ubicada en la tarjeta madre de la computadora o está en una tarjeta de circuito separada, pero algunas veces viene incorporada en la unidad de pantalla de la computadora. Contiene un módulo de digital a análogo, así como también chips de MEMORIA que almacenan datos de la pantalla. Todas las tarjetas de vídeo (también conocidas como adaptadores de vídeo, tarjetas de vídeo y controladores de vídeo) se ajustan a un estándar de presentación, como SVGA o XGA.

Tarkington, (Newton) Booth (29 jul. 1869, Indianápolis, Ind., EE.UU.–19 may. 1946, Indianápolis). Novelista y dramaturgo estadounidense. Se le conoce por retratar con tintes satíricos, humorísticos y en ocasiones sentimentales a los habitantes del medio Oeste estadounidense. Sus obras están protagonizadas por niños o adolescentes, como en los clásicos juveniles *Penrod* (1914), *Seventeen* [Diecisiete] (1916) y *Gentle Julia* [La dulce Julia] (1922). *The Magnificent Ambersons* (1918, Premio Pulitzer; película, 1942), traza la decadencia de una familia antaño poderosa y prominente, forma parte de la trilogía *Growth* [Desarrollo] (1927). Su novela más lograda

Booth Tarkington.

es probablemente *Alice Adams* (1921; película, 1923, 1935), un penetrante estudio del carácter de una mujer.

Tarkovski, Andréi (Arsénievich) (4 abr. 1932, Moscú, Rusia, U.R.S.S.–29 dic. 1986, París, Francia). Director de cine soviético. Hijo de un poeta, estudió en la Escuela estatal soviética de cine y fue aclamado y premiado en Cannes y Venecia por su primera película, *La infancia de Iván* (1962). Sus intereses estéticos y religiosos fueron plasmados en *Andréi Rublev* (1966, estrenada en 1969), que relata la historia de un pintor de iconos medievales que se enfrenta a la brutalidad de la guerra. Sus siguientes largometrajes se destacaron por impactantes imágenes visuales, un estilo imaginario y una mínima utilización de argumentos convencionales, como en *Solaris* (1972), *El espejo* (1975) y *Stalker* (1978). Las autoridades soviéticas obstaculizaron la distribución pública de sus películas, y en 1984, después de realizar *Nostalgia* (1983), desertó a Occidente, donde filmó su último largometraje, el aplaudido *Sacrificio* (1986).

Tarn, río Río en el sudoeste de Francia. Nace en las montañas de Lozère y fluye hacia el oeste y el sudoeste 375 km (233 mi) hasta confluir con el GARONA. Sus imponentes desfiladeros, que se extienden por más de 48 km (30 mi) a través de las mesetas de piedra caliza, son famosas atracciones turísticas.

tarot Naipes utilizados para leer la suerte y para ciertos juegos de cartas. El origen de las cartas del tarot es oscuro; a fines del s. XIV aparecieron en Italia y Francia cartas semejantes a las actuales. El tarot moderno consta de 78 naipes, de los cuales 22 tienen imágenes que representan fuerzas, personajes, virtudes y vicios. Las cartas restantes se dividen en cuatro pintas: (1) bastos, (2) copas, (3) espadas y (4) oros; cada una de ellas tiene 14 naipes. Cada pinta tiene diez cartas numeradas y cuatro cartas de la corte (rey, reina, caballero y paje). Los NAIPES modernos evolucionaron a partir de estas pintas. Inicialmente usadas para jugar, las cartas del tarot se impregnaron de asociaciones esotéricas en el s. XVIII y ahora se utilizan ampliamente para leer la suerte. El significado básico de cada carta es modificado por su posición dentro de las cartas que despliega el adivino, por su orientación, y por las cartas que están cerca de ella.

La Luna, decimoctava carta de los arcanos mayores del tarot.
MARY EVANS PICTURE LIBRARY

tarpón Cualquiera de ciertos peces marinos (familia Megalopidae) que poseen el último radio de la aleta dorsal alargado y una placa huesuda en la garganta entre los costados de la prominente mandíbula inferior. Las escamas son grandes, gruesas y plateadas. El tarpón atlántico (*Tarpon atlanticus* o *Megalops atlanticus*) se encuentra en las aguas cálidas cercanas a la costa del océano homónimo, de la costa del Pacífico de América Central, y algunas veces en ríos. Habitualmente emerge para tragar aire. Crece hasta 1,8 m (6 pies) de largo y 45 kg (100 lb) o más de peso; es un pez favorito en la pesca deportiva. El tarpón del Pacífico (*M. cyprinoides*) es similar.

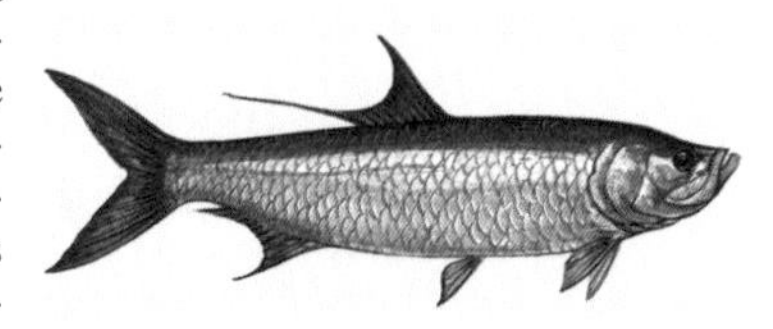
Tarpón atlántico (*Tarpon atlanticus*).
© ENCYCLOPÆDIA BRITANNICA, INC.

Tarquinia *antig. (hasta 1922)* **Corneto** Ciudad (pob., 1991: 14.000 hab.) del norte de la región del LACIO en el centro de Italia. Se desarrolló a partir de la antigua Tarracina, una de las principales ciudades de la confederación etrusca. Derrotada por Roma en el s. IV AC, se convirtió en colonia romana (Tarquinii) en el s. I AC. En los s. VI–VIII DC, después de las invasiones lombardas y sarracenas, fue trasladada a su actual ubicación. Durante la Edad Media se llamó Corneto. Entre los restos de la ciudad antigua se encuentran los cimientos de un gran templo etrusco y un conjunto de caballos alados de terracota, considerados una obra maestra del arte etrusco. En la famosa necrópolis, están las tumbas adornadas con los frescos etruscos más importantes.

tarro ver OCA

tarsero *o* **mono fantasma** Cualquiera de tres especies (género *Tarsius*, familia Tarsiidae) de PRIMATES prosimios nocturnos que se encuentran en varias islas de Asia meridional. Los tarseros tienen grandes ojos saltones y una cabeza redonda que puede rotar en 180°. Sus orejas son grandes, membranosas, y están casi siempre en movimiento. Los tarseros miden 9–16 cm (4–6 pulg.) de largo; la cola, delgada y penachuda, que casi duplica esa longitud, les proporciona equilibrio y apoyo. La piel, de gris a marrón oscuro, es gruesa y sedosa. Los tarseros se cuelgan verticalmente de los árboles y saltan de rama en rama. Tienen extremidades traseras muy alargadas y almohadillas adhesivas circulares en las yemas de los dedos. Los tarseros son principalmente insectívoros. Las crías nacen con pelaje abundante y los ojos abiertos.

Tarsero o mono fantasma (*Tarsius spectrum*).
© ENCYCLOPÆDIA BRITANNICA, INC.

Tarso Ciudad (pob., 1997: 190.184 hab.) del centro-sur de Turquía. Está cerca de la costa del Mediterráneo. Habitada desde el período neolítico, fue demolida y reconstruida c. 700 AC por el rey asirio SENAQUERIB. Más tarde tuvo períodos de dominación aqueménida y seléucida alternados con períodos de autonomía. En 67 AC fue incorporada a la nueva provincia romana de CILICIA, transformándose en su ciudad principal. En Tarso tuvo lugar, en 41 AC, la primera reunión entre MARCO ANTONIO y CLEOPATRA; fue también la cuna de san PABLO. Siguió siendo un importante centro industrial y cultural durante todo el período bizantino inicial. En los s. X–XV estuvo dominada por diversas potencias, y a comienzos del s. XVI cayó bajo el control del Imperio otomano. Tarso es hoy un próspero centro agrícola y de hilado de algodón.

tartamudez *o* **disfemia** Defecto del habla que afecta el ritmo y fluidez del lenguaje oral, con una involuntaria repetición de sonidos o SÍLABAS e interrupción o prolongación intermitente de sonidos, sílabas y palabras. Los tartamudos constantemente tienen problemas con las palabras que comienzan con CONSONANTES, las primeras palabras de las oraciones y las multisilábicas. El tartamudeo tiene una base psicológica y no fisiológica, y tiende a aparecer en los niños que son presionados a hablar en público en forma fluida. Antiguamente, los tartamudos solían ser sometidos a tormentosos procedimientos para curarlos. En la actualidad, se sabe que alrededor del 80% se recupera sin tratamiento, generalmente antes de la adultez. Es muy probable que esto ocurra por un aumento de la autoestima, la aceptación del problema y la consiguiente relajación. Ver también TERAPIA DEL HABLA.

tartán Diseño repetitivo de cuadros (o "sett") de bandas, franjas o líneas de diferentes colores y de ancho y secuencia definidas, tejidos en tela de lana, a veces con agregados de seda. Si bien estos diseños han existido durante siglos en numerosas culturas, han llegado a ser considerados fundamentalmente escoceses y emblema cuasi heráldico de familias o clanes de Escocia. A pesar de que se ha sostenido que los tartanes escoceses son muy antiguos, pocos parecen datar de antes del s. XVII e incluso del s. XVIII como emblemas de clan. La Sociedad de tartanes escoceses (fundada en 1963) mantiene un registro de todos los tartanes conocidos, los que bordean los 1.300.

Tartán de la dinastía Estuardo.
THE SCOTTISH TARTANS SOCIETY/MUSEUM

Tartaria, estrecho de Ancho paso del noroeste del océano Pacífico que conecta los mares de JAPÓN y OJOTSK. Situado entre la isla SAJALÍN y Rusia continental, es en general de poca profundidad, inferior a 210 m (700 pies). El hielo bloquea sus puertos la mitad del año.

tártaro Miembro de los pueblos de lengua turca que en la actualidad viven principalmente en el centro-oeste de Rusia, al este de los Urales, en Kazajstán y Siberia occidental. Aparecieron por primera vez en el s. V, en el nordeste de Mongolia, como tribus nómadas. Algunos de ellos se unieron a los ejércitos de GENGIS KAN. Identificados en especial con la HORDA DE ORO, se convirtieron al Islam en el s. XIV. Poco después la Horda de Oro se disgregó y formó kanatos tártaros independientes (ver KAN). Su economía se basaba en una combinación de agricultura y pastoreo, actividades que siguen siendo fundamentales en su modo de vida. Desarrollaron artesanías en madera, cerámica, cuero, tela y metal, y han sido conocidos como hábiles mercaderes. En la actualidad hay cerca de seis millones de tártaros en toda la región; constituyen cerca de la mitad de la población de la república rusa de Tatarstán. Ver también TÁRTARO.

tártaro *ant.* **lengua tártara del Volga** Lengua TURCA hablada por cerca de ocho millones de personas. Sus hablantes incluyen menos de la mitad de la población de Tatarstán en Rusia y el resto de ellos están diseminados en enclaves a través de las repúblicas rusas de Europa oriental, Siberia y Asia central. El tártaro, al igual que la lengua bashkir con el que está estrechamente relacionado, se caracteriza por un notable número de cambios vocálicos que lo diferencian (por lo menos en sus variedades más características) de todas las restantes lenguas turcas. Tiene numerosas distinciones dialectales; la división convencional se establece entre un grupo central –que incluye el tártaro de la mayor parte de Tatarstán y la lengua literaria basada en el habla de Kazán– un grupo occidental y uno oriental. El tártaro de Crimea, perteneciente al grupo sudoccidental de las lenguas turcas, como asimismo el tártaro de Chulim, perteneciente al grupo nororiental, no están estrechamente relacionados con el tártaro.

Tártaro En la mitología GRIEGA, la región más profunda del infierno. En esta región eternamente oscura, los seres perversos eran castigados después de su muerte por haber ofendido a los dioses. ZEUS confinó a los TITANES en el Tártaro, donde fueron custodiados por gigantes centímanos para que no pudieran escapar. Con posterioridad, en algunos textos los autores clásicos usaron indistintamente los términos Tártaro y HADES para referirse al infierno en su totalidad.

Tartikoff, Brandon (13 ene. 1949, Nueva York, N.Y., EE.UU.–27 ago. 1997, Los Ángeles, Cal.). Ejecutivo de televisión estadounidense. Fue un exitoso promotor de las estaciones locales de la cadena ABC antes de ser contratado por Fred Silverman como director de desarrollo de programación dramática de la ABC. En 1978 comenzaron a trabajar juntos en la NBC, y en 1980 Tartikoff fue nombrado presidente de NBC Entertainment (que en aquel entonces era la cadena de televisión con menos *rating*) y se transformó en el ejecutivo jefe de división más joven en la historia de la televisión estadounidense. Creó series dramáticas como *St. Elsewhere* y *Hill Street Blues*, así como también las populares series cómicas *Lazos familiares*, *Los años dorados*, *El show de Bill Cosby*, *Cheers* y *Seinfeld*, y encumbró a la NBC dentro de los mayores índices de sintonía televisiva. Posteriormente, Tartikoff encabezó la Paramount Pictures y New World Entertainment.

tasa de descuento *o* **tasa bancaria** Tasa de interés que cobra el BANCO CENTRAL por los préstamos de fondos de reserva a los BANCOS COMERCIALES y otros intermediarios financieros. La tasa de descuento es un indicador importante de las condiciones de la política MONETARIA de una economía. Dado que un aumento o reducción de la tasa de descuento modifica las tasas que aplican los bancos comerciales sobre los préstamos, el ajuste de la tasa de descuento se utiliza como herramienta para combatir la RECESIÓN y la INFLACIÓN.

tashbīh En el ISLAM, la comparación de Dios con la creación. La práctica de atribuir características humanas a Dios es considerada un pecado en la teología islámica, al igual que la práctica opuesta, el *ta'tīl* (despojar a Dios de todos los atributos). La dificultad al momento de abordar la naturaleza de Dios en el Islam surge de las visiones aparentemente contradictorias en el Corán, que describen a Dios como único, pero también con ojos, orejas, manos y rostro. El *tashbīh* está prohibido por temor a que dicha práctica lleve al paganismo y la idolatría; se teme que el *ta'tīl* conduzca al ateísmo.

Tashkent Ciudad (pob., est. 1998: 2.124.000 hab.), capital de Uzbekistán. Fundada alrededor del s. I AC, fue un centro de comercio importante en las rutas de caravanas hacia Europa y Asia oriental. Los árabes la conquistaron a comienzos del s. VIII; cayó en poder de los mongoles en el s. XIII y estuvo bajo control turco durante los s. XIV–XV. Capturada por los rusos en 1865, pasó a ser el centro administrativo de Turkistán en 1867, y una nueva ciudad europea creció al lado de la antigua ciudad nativa. En 1966, sufrió graves daños a causa de un terremoto. Hoy es el principal centro económico y cultural de Asia central. Entre sus numerosas instituciones de educación superior destaca la Academia de Ciencias Uzbeka (1943).

Tasman, Abel Janszoon (¿1603?, Lutjegast, Países Bajos–¿1659? Explorador holandés. Al servicio de la COMPAÑÍA HOLANDESA DE LAS INDIAS ORIENTALES, realizó viajes de exploración y comerciales a Asia meridional y sudoriental (1634–39). En 1642 fue enviado por ANTHONY VAN DIEMEN para descubrir el hipotético continente meridional del Pacífico y una posible ruta a Chile. Zarpó de Batavia (actual Yakarta), llegó a los 49° S y 94° E de donde viró al norte y descubrió el territorio que llamó Tierra de Van Diemen (Tasmania), bordeó luego la costa de Nueva Zelanda, creyendo que era el continente meridional. También descubrió Tonga y las islas Fiji. En su siguiente viaje (1644) navegó en el golfo de Carpentaria y a lo largo de las costas septentrional y occidental de Australia.

Tasmania, isla *ant.* **Tierra de Van Diemen** Isla (pob., 2001: 472.931 hab.) y estado de Australia. Ubicada frente al extremo sudoriental del continente y separado de este por el estrecho de BASS, el estado tiene una superficie de 68.000 km^2 (26.410 mi^2) que también engloba numerosas islas más pequeñas. Su capital es Hobart. La isla, originalmente habitada por aborígenes australianos, fue explorada en 1642 por Abel Janszoon Tasman, quien la llamó tierra de Van Diemen. Los británicos se apoderaron de ella a comienzos del s. XIX, la convirtieron en colonia en 1825 y la utilizaron como colonia penal auxiliar hasta la década de 1850. En 1856 se le confirió el autogobierno y se le dio el nombre de Tasmania; en 1901 se convirtió en estado de la Commonwealth de Australia. Entre sus principales actividades económicas se cuentan la extracción de cobre, cinc, estaño y tungsteno y la ganadería, especialmente la ovina, para la obtención de lana.

Tasmania, mar de Parte del sur del océano Pacífico entre el sudeste de Australia y el oeste de Nueva Zelanda. De unos 2.250 km (1.400 mi) de ancho, tiene profundidades máximas que exceden los 5.200 m (17.000 pies) en la cuenca de Tasmania. Explorado por Abel Janszoon Tasman en 1642 y por el capitán James Cook en la década de 1770, es un mar reconocidamente tempestuoso. Entre sus recursos económicos destacan la pesca y los yacimientos petrolíferos.

Tasmania, península de Península del sudeste de Tasmania, Australia. De unos 42 km (26 mi) de largo por 32 km (20 mi) de ancho, presenta acantilados e inusuales formaciones rocosas. Explorada por primera vez en 1642, permaneció deshabitada hasta 1830, año en que se estableció una colonia penal en Port Arthur. Las ruinas parcialmente restauradas de la colonia constituyen hoy una atracción turística; la península forma parte del patrimonio nacional de Australia.

tasmanio Miembro de la hoy extinta población de Tasmania. Los tasmanios, que originalmente fueron un grupo aislado de aborígenes australianos que llegaron a Tasmania hace 25.000–40.000 años, quedaron separados del continente cuando una elevación generalizada del nivel del mar inundó el estrecho de Bass hace unos 10.000 años. Basaban su subsistencia en la caza de mamíferos terrestres y marítimos y en la recolección de mariscos y vegetales. El primer asentamiento blanco permanente en Tasmania se produjo en 1803, y en 1804 los colonos provocaron una guerra. De los aproximadamente 4.000 tasmanios que había a la llegada de los europeos, sólo quedaban 200 en la década de 1830; trasladados a la isla Flinders para su protección, no sobrevivieron mucho tiempo en su nuevo hogar, y el último tasmanio genuino murió en 1876.

Tasos *o* **Thasos** Isla del norte del mar Egeo en el nordeste de Macedonia, Grecia. De 379 km² (146 mi²) de superficie, fue colonizada c. 700 AC por griegos procedentes de Paros que explotaron sus minas de oro y fundaron una escuela de escultores. Los persas se apoderaron de Tasos a principios del s. V AC. Más tarde, la isla quedó bajo el dominio de Atenas como miembro de la Liga de Delos. En 202 AC, Tasos constituía una colonia de Macedonia y en 196 AC pasó a manos de Roma. Los turcos la gobernaron desde mediados del s. XV DC hasta 1913, fecha en que fue cedida a Grecia. Entre sus industrias se destacan la construcción naval, la pesca y el turismo. Desde la década de 1970, es una base para la exploración petrolera en la costa. Se han encontrado numerosos monumentos de los s. VII–II AC.

Torquato Tasso, detalle de una pintura al óleo de Federico Zuccari, 1594; colección privada.

GENTILEZA DE L. LOCATELLI-MILESI-TOMBINI, BÉRGAMO, ITALIA

Tasso, Torquato (11 mar. 1544, Sorrento, Reino de Nápoles–25 abr. 1595, Roma). Poeta italiano. Hijo de un poeta cortesano, ingresó a la corte de Alfonso II d' Este, duque de Ferrara. En un período de intensa actividad poética escribió el drama pastoral *Aminta* (1581; estrenado en 1573), lírica idealización de la vida palaciega. En 1575 completó su celebrada obra maestra sobre la primera cruzada, *Jerusalén liberada* (1581), poema épico en octava real que mezcla acontecimientos históricos y episodios imaginarios, idílicos y románticos. Comenzó a padecer de delirio de persecución, y entre 1579 y 1586 permaneció internado en un hospital por orden del duque. *Jerusalén liberada*, traducida a numerosas lenguas europeas, fue objeto de incontables imitaciones y Tasso mismo se transformó en una leyenda literaria durante siglos. Se lo considera el poeta italiano más importante del Renacimiento.

Tate Gallery Museo de arte con sede en Londres que alberga la colección nacional de pintura y escultura británica y de arte moderno británico y europeo que data de c. 1870. Se le dio el nombre de Sir Henry Tate (n. 1819–m. 1899), un industrial azucarero e inventor del cubo de azúcar, quien donó su colección de arte victoriano a la nación en 1890. El edificio neoclásico, diseñado por Sidney R. J. Smith, fue inaugurado en 1897. En un principio, el museo fue administrado por la National Gallery y sólo en 1954 llegó a ser totalmente independiente. En 1987 se construyó la Clore Gallery para albergar la colección principal de las obras de J.M.W. Turner. En 1988 se abrió una sede en Liverpool. En 2000 se creó la Tate Modern, una planta eléctrica remodelada, destinada a albergar las colecciones de arte contemporáneo.

Tate Modern Museo de arte contemporáneo con sede en Londres, a orillas del Támesis, en el Bankside Power Station. El edificio fue construido después de la segunda guerra mundial por el destacado arquitecto británico Giles Gilbert Scott, para proporcionar electricidad a la ciudad. En 2000 se abrió este espacio, actualmente acondicionado como museo, para acoger y exhibir el arte del s. XX y las más recientes manifestaciones de las artes visuales. Su colección no está divida en escuelas sino temáticamente: paisaje, materia y entorno; historia, memoria y sociedad; naturaleza muerta, objetos y vida real; desnudo, acción y cuerpo.

Tathagata Epíteto que Buda utilizaba originalmente para referirse a sí mismo. También lo empleaba para aludir a los budas que lo habían precedido o que lo sucederían. Tathagata significa aquel que ha recorrido el camino hacia la conciencia plena y por lo tanto ha llegado al final del sufrimiento y se ha librado del samsara. Esto implica que el camino está abierto a todos aquellos que deseen recorrerlo. Posteriormente, en el budismo mahayana, el significado de la palabra pasó a ser la naturaleza esencial del buda presente en cada persona.

Tati, Jacques *orig.* **Jacques Tatischeff** (9 oct. 1908, Le Pecq, Francia–5 nov. 1982, París). Director de cine y actor francés. Se convirtió en un popular cómico de *music-hall* en la década de 1930 con una pantomima que caricaturizaba a los atletas. Después de actuar en cortos cómicos, escribió, dirigió y protagonizó una serie de largometrajes humorísticos, como *Día de fiesta* (1949), *Las vacaciones de Monsieur Hulot* (1953), *Mi tío* (1958), *Playtime* (1968), *Tráfico* (1971) y *Zafarrancho en el circo* (1974), con los cuales se hizo conocido por su genial comedia física y por el personaje de monsieur Hulot, su alter ego, propenso a sufrir diversos accidentes. En sus películas Tati se desentiende de la narración tradicional, en favor de viñetas que apelan a gags visuales, sentido del ritmo, gestualidad característica y la acción física para revelar el humor y la textura de la vida moderna. En 1979 recibió el Gran premio nacional de las artes y las letras del gobierno francés.

Tatlin, Vladímir (Yevgráfovich) (16 dic. 1885, Járkov, Imperio ruso–31 may. 1953, Moscú, U.R.S.S.). Escultor y pintor ucraniano. Luego de una visita a París (1914), se convirtió en el líder de un grupo de artistas moscovitas que buscaban aplicar técnicas de ingeniería a la construcción escultórica, movimiento que evolucionó hacia el CONSTRUCTIVISMO. Fue pionero en el uso del hierro, vidrio, madera y alambre, en construcciones no figurativas. Su *Monumento a la III Internacional*, encargado por el gobierno soviético, fue uno de los primeros edificios concebidos íntegramente en términos abstractos, y pretendía ser, con más de 400 m (1.300 pies), la estructura más alta del mundo. En 1920 se exhibió un modelo de este monumento en el Congreso soviético, pero el gobierno desaprobaba el arte no figurativo, razón por lo cual nunca se construyó. Después de 1933, Tatlin se dedicó principalmente a la escenografía.

"Monumento a la III Internacional", estructura diseñada por Vladímir Tatlin, 1920, Estocolmo, Suecia.

tatuaje Marca o dibujo permanente realizado en el cuerpo con pigmentos introducidos por medio de perforaciones en la piel. El término también se aplica libremente a la inducción de cicatrices (escarificación). El tatuaje ha sido practicado en casi todo el mundo, y se han encontrado ejemplos de ello en momias egipcias y nubias que datan de 2000 AC. La decoración es quizás el motivo más frecuente, aunque los diseños también pueden servir para identificar el rango, el nivel social o la participación en alguna sociedad o grupo; algunos también creen que otorga protección mágica contra las enfermedades o la mala suerte. La palabra proviene de Tahití, donde fue registrada por la expedición de JAMES COOK en 1769. El primer implemento eléctrico para tatuar fue patentado en los EE.UU. en 1891.

Tatum, Art(hur) (13 oct. 1909, Toledo, Ohio, EE.UU.–5 nov. 1956, Los Ángeles, Cal.). Pianista de JAZZ estadounidense. No vidente de nacimiento, recibió influencias de FATS WALLER y EARL HINES. Su música representa una síntesis de las tradiciones del piano "stride" y del piano SWING. Desarrolló un control técnico y armónico sobre el instrumento sin precedentes, siendo capaz de alcanzar una velocidad asombrosa y ejecutar intrincadas elaboraciones melódicas. En 1937 fue reconocido como el pianista más sobresaliente del jazz. En 1943 formó un trío con guitarra y contrabajo, pero solía hacer presentaciones en solitario donde exponía su singular maestría.

Tatum, Edward L(awrie) (14 dic. 1909, Boulder, Col., EE.UU.–5 nov. 1975, Nueva York, N.Y.). Bioquímico estadounidense. Trabajó con GEORGE WELLS BEADLE en la Universidad de Stanford, donde confirmaron que todos los procesos bioquímicos de los organismos son controlados finalmente por los genes, que tales procesos pueden dividirse en una serie de reacciones químicas individuales secuenciales, cada una controlada por un solo gen, y que la mutación de un gen aislado cambia la capacidad de la célula para realizar sólo una reacción química. Observaron que cada gen determina la estructura de una ENZIMA específica (la hipótesis de "un gen, una enzima"). Junto con JOSHUA LEDERBERG, descubrió la RECOMBINACIÓN genética, o el "sexo", entre ciertas bacterias. Gracias a estos investigadores, las bacterias se convirtieron en la principal fuente de información sobre el control genético de los procesos bioquímicos celulares. En 1958, Tatum, Beadle y Lederberg compartieron el Premio Nobel.

Tauern Cordillera de los ALPES orientales, en Austria. Se divide al oeste en Alto Tauern, se extiende desde la frontera italiana en el TIROL hacia el este, por 110 km (70 mi), entre sus cumbres más elevadas se cuenta el GROSSGLOCKNER, la más alta de Austria. Al este se encuentra el Bajo Tauern. La región es famosa por el alpinismo y el esquí. También se conoce con el nombre de Tohe Tauern.

Taunton Ciudad (pob., est. 1995: 55.000 hab.), capital del condado de SOMERSET, Gran Bretaña. Fundada por un rey anglosajón c. 710, su castillo fue sitiado durante las guerras civiles INGLESAS y posteriormente desmantelado. Taunton fue más tarde escenario de la rebelión del duque de MONMOUTH (1685). Es una región agrícola, pero el turismo también constituye una actividad económica importante.

Taupo, lago Lago de la isla del NORTE, Nueva Zelanda. El más grande del país, ocupa una superficie de 606 km^2 (234 mi^2) y cubre los restos de varios cráteres volcánicos. El río WAIKATO atraviesa el lago. En las orillas hay numerosas vertientes geotérmicas, que se emplean para baños termales y generación de electricidad.

Tauro (latín: "toro"). En astronomía, la constelación ubicada entre Aries y Géminis; en ASTROLOGÍA, el segundo signo del ZODIACO, que rige el período comprendido entre el 20 de abril y el 20 de mayo. Su símbolo es un toro, en alusión al mito griego en que ZEUS se transformó en un toro blanco para raptar a EUROPA.

tauromaquia *o* **corrida de toros** Espectáculo popular en España, Portugal, el sur de Francia, México, Colombia, Venezuela, Ecuador, Perú y Bolivia en que el torero (ver MATADOR) lleva a cabo dentro del ruedo un ritual en que incita a la lucha a un toro y generalmente lo mata. Los espectáculos taurinos eran comunes en Creta, Tesalia y Roma antiguas. En la era moderna se reconstruyeron y embellecieron anfiteatros romanos para usarlos como ruedos. Las plazas más grandes están en Madrid, Barcelona y Ciudad de México. La corrida, que suele constar de seis lidias, comienza con el desfile de los toreros y sus cuadrillas. Al comienzo de cada lidia, un asistente del torero (el banderillero) realiza una faena preliminar para que el matador pueda juzgar el comportamiento del animal. Luego, el torero realiza su trabajo con la capa, atrayendo al toro lo más cerca de sí que sea posible sin ser corneado. Después entran los picadores, jinetes que hieren con lanzas al toro para debilitarle los músculos del cuello y los hombros. El matador, entonces, después de la faena de muleta, mata ritualmente al animal con una espada. En la versión portuguesa, se lidia con el toro a caballo y no se lo mata en el ruedo. Las corridas han sido prohibidas en muchos países.

Tauromaquia: matador incitando a la lucha a un toro en la plaza de Madrid.

Taurus, montes Cadena montañosa en el sur de Turquía, que corre paralela a la costa del mar Mediterráneo. El sistema forma una curva desde el lago Egridir, en el oeste, hasta el curso superior del río ÉUFRATES, en el este. Muchas de sus cumbres superan los 3.000–3.700 m (10.000–12.000 pies) de altura. El paso llamado puertas de Cilicia, de 61 km (38 mi) de largo y utilizado por caravanas y ejércitos desde la antigüedad, cruza la cordillera al norte de TARSO.

Taussig, Helen Brooke (24 may. 1898, Cambridge, Mass., EE.UU.–20 may. 1986, Kennett Square, Pa.). Médica estadounidense. Se graduó en medicina en la Universidad Johns Hopkins en 1927. Como jefe de una clínica del corazón en Baltimore (1930–63), estudió "los lactantes azules" (lactantes cuyas malformaciones cardíacas producen un bajo contenido de oxígeno en la sangre) y fue pionera en el empleo de la fluoroscopia (radioscopia) y los rayos X para identificar con precisión el defecto responsable de cada conjunto de síntomas. El procedimiento quirúrgico que ideó con ALFRED BLALOCK salvó a miles de estos lactantes y sus investigaciones estimularon el desarrollo de nuevos tratamientos quirúrgicos de las cardiopatías. Su obra *Congenital Malformations of the Heart* [Malformaciones congénitas del corazón] (2 vol., 1947) describió exhaustivamente los defectos cardíacos, los medios de diagnóstico, las técnicas y los hallazgos pertinentes. También jugó un papel importante en alertar a los médicos estadounidenses sobre los peligros de la TALIDOMIDA.

tautología En LÓGICA, enunciado que no puede ser negado sin implicar inconsistencia. Así, la expresión "Todas las personas solteras son varones o no varones", se sostiene para aseverar, respecto de cualquier cosa que sea una persona soltera, que es varón o no es varón. En el CÁLCULO PROPOSICIONAL, se puede mostrar que incluso expresiones simbólicas complejas como $[(A \supset B) \wedge (C \supset \neg B)] \supset (C \supset \neg A)$ son tautologías, desplegando en una tabla de verdad cada posible combinación de V (verdadero) y F (falso) de sus argumentos A, B, C. Una tautología puede ser puramente formal (una forma de enunciado en lugar de un enunciado), y en algunos usos sólo tales verdades formales son tautologías.

tautomerismo Existencia de dos o más COMPUESTOS químicos que tienen la misma composición, pero estructuras diferentes (ISÓMEROS), y de fácil interconvertibilidad. Una clase principal de reacciones tautoméricas involucra el intercambio de un átomo de HIDRÓGENO entre otros dos átomos de la misma molécula, en ambos casos formando un ENLACE COVALENTE. Por ejemplo, en el tautomerismo ceto-enólico, el átomo de hidrógeno unido al átomo de carbono en un grupo carbonilo (ceto) (—CH—C=O; ver GRUPO FUNCIONAL) se traslada hacia el átomo de oxígeno, volviéndolo un grupo enol (—C=C—OH). La forma ceto predomina en muchos ALDEHÍDOS y CETONAS, mientras que la forma enol predomina en FENOLES. Los AZÚCARES (p. ej., GLUCOSA) exhiben tautomerismo entre formas abiertas (cadena) y formas cerradas (anillo). Ver también ISOMERISMO.

Ta-wen-k'ou, cultura ver cultura DAWENKOU

Taxco *p. ext.* **Taxco de Alarcón** Ciudad (pob., 2000: 50.488 hab.) del estado de GUERRERO, centro-sur de México. Zona de extracción de plata en la época precolombina, fue uno de los primeros centros mineros en ser habitados por los españoles. Prosperó durante el período colonial y aún es famoso por dicho mineral. Debido a su atmósfera colonial, con sus calles empedradas y la iglesia de Santa Prisca, de estilo barroco, fue declarado monumento nacional.

taxidermia Práctica de crear representaciones realistas de animales a partir de sus pieles previamente tratadas y utilizando estructuras de soporte. La taxidermia comenzó con la antigua costumbre de guardar trofeos de caza. A principios del s. XVIII, un interés creciente por la historia natural estimuló la creación de colecciones y exhibiciones de aves, bestias y curiosidades. La preservación química de pieles, pelo y plumas permitió recrear la apariencia de animales vivos mediante el relleno de la piel con heno o paja y luego cosiéndola. La construcción y esculpido de maniquíes de greda y yeso que imitan la anatomía real de los animales constituyen la base de la taxidermia moderna.

Taxila Antigua ciudad del noroeste de Pakistán. Sus ruinas, que abarcan templos y fortalezas, están situadas justo al noroeste de RAWALPINDI. Fue la capital del reino budista de Gandhra y un centro del saber. Fundada por Bharata, el menor de los hermanos de Rama, cayó bajo dominio persa y en 326 AC se rindió ante ALEJANDRO MAGNO. Gobernada por una sucesión de conquistadores, entre ellos, bactrianos y escitas, se convirtió en un importante centro budista bajo el rey ASOKA (c. 261 AC). Se dice que santo TOMÁS la visitó en el s. I DC. La prosperidad de Taxila en la antigüedad respondió a su posición convergente de tres grandes rutas de comercio. Cuando estas decayeron, la ciudad perdió toda importancia y finalmente; fue destruida por los hunos en el s. V.

taxol Compuesto orgánico con una molécula multianillo compleja presente en la corteza de los árboles TEJO del Pacífico (*Taxus brevifolia*). Es un agente activo en contra de ciertos cáncer del pulmón, ovario, mamario, cabeza y cuello, que interrumpe la división de la CÉLULA e interfiere en la separación de los CROMOSOMAS nucleares. Un proceso semisintético para fabricarlo a partir de agujas y ramas de tejo eliminó el riesgo de la destrucción masiva de los bosques de tejo, y más tarde se desarrollaron métodos de síntesis total.

taxonomía En biología, clasificación de los organismos en una jerarquía de agrupaciones que van de lo general a lo particular, y que reflejan las relaciones evolutivas y, generalmente, también morfológicas: reino, filo, clase, orden, familia, género, ESPECIE. El paro carbonero de sombrero negro, por ejemplo, es un animal (reino Animalia) con una médula espinal dorsal (filo Chordata) y plumas (clase Aves), que se posa (orden Paseriformes: pájaros posantes), y cuyo tamaño es pequeño y de pico corto (familia Paridae), de canto regular (género *Parus*) y una cabeza coronada por un "sombrero" negro (especie *atricapillus*). La mayoría de los especialistas reconocen cinco reinos: moneranos (PROCARIONTES), PROTISTAS, HONGOS, PLANTAS y ANIMALES. CARLOS LINNEO estableció a mediados del s. XVIII el esquema de usar nombres latinos genéricos y específicos; su trabajo fue ampliamente revisado por biólogos posteriores.

Tay, río Río más extenso de Escocia. Nace en la ladera septentrional de Ben Lui y atraviesa el lago Tay hasta finalmente desembocar en el mar del NORTE, al sur de DUNDEE, después de 193 km (120 mi) de recorrido. Drena 6.200 km² (2.400 mi²), la cuenca hidrográfica más grande de Escocia.

Tayikistán *ofic.* **República de Tayikistán** País del sudoeste de Asia central. La mayor parte de la población es tayiko (grupo de habla persa), aunque los uzbekos constituyen una minoría importante. Idioma: persa (tayiko; oficial). Religión: Islam (Sunní). País montañoso, cerca de la mitad de su territorio se encuentra a más de 3.000 m (10.000 pies) de altura, con el PAMIR dominando en el este. Toda la región es propensa a la actividad sísmica. Los ríos AMU DARYÁ y SYR DARYÁ cruzan el país y se utilizan en el riego. Se cría ganado y se cultiva algodón, frutas, hortalizas y cereales. La industria pesada comprende la minería del carbón, extracción de petróleo y gas natural, metalurgia y producción de fertilizantes nitrogenados. La industria ligera se compone de fábricas de algodón, procesadoras de alimentos y fábricas de textiles. Tayikistán es una república unicameral; el jefe de Estado es el presidente y el jefe de Gobierno, el primer ministro. Colonizado por los persas c. s. VI AC, forma parte del imperio creado por la dinastía persa aqueménida, y del imperio de ALEJANDRO MAGNO y sus sucesores. En los s. VII–VIII DC fue conquistado por los árabes, que introdujeron el Islam. Los uzbekos controlaron la región en los s. XV–XVIII. En la década de 1860, el Imperio ruso se apoderó gran parte de Tayikistán. En 1924 se convirtió en república autónoma bajo la administración de la República Socialista Soviética de Uzbekistán, y en 1929 obtuvo el estatus de república de la U.R.S.S. En 1991, al desintegrarse la Unión Soviética, se convirtió en república independiente. Durante gran parte de la década de 1990 se vio sacudido por una guerra civil entre las fuerzas de gobierno y una oposición compuesta principalmente de militantes islámicos. En 1997 se llegó a un acuerdo de paz.

Taylor, Dame Elizabeth (Rosemond) (n. 27 feb. 1932, Londres, Inglaterra). Actriz de cine estadounidense. Se mudó de Londres a Los Ángeles junto con sus padres estadounidenses a comienzos de la segunda guerra mundial. Su excepcional belleza fue evidente desde su niñez. Un buscador de talentos la descubrió en Beverly Hills, y a la edad de diez años debutó en el cine y en 1943 actuó en el filme *La cadena invisible*. Se consagró con *Fuego de juventud* en 1944, y durante su adultez fue una glamorosa estrella en *Un lugar en el sol* (1951), *La gata sobre el tejado de cine* (1958) y *Una mujer marcada* (1960, premio de la Academia). Posteriormente protagonizó junto a su esposo RICHARD BURTON *¿Quién teme a Virginia Woolf?* (1966, premio de la Academia), además de otras películas. Desde mediados de la década de 1970 ha actuado esporádicamente en cine, obras de teatro y películas para la televisión. Su muy publicitada vida personal (se ha casado ocho veces) a menudo tiende a opacar su carrera como actriz.

Taylor, Frederick W(inslow) (20 mar. 1856, Filadelfia, Pa., EE.UU.–21 mar. 1915, Filadelfia). Inventor e ingeniero estadounidense. Trabajó en la empresa Midvale Steel Co. (1878–90), donde introdujo el estudio de TIEMPO Y MOVIMIENTO a fin de sistematizar la administración de talleres y reducir los costos de fabricación. Aun cuando su sistema provocó el resentimiento y la oposición de los trabajadores cuando se llevaba a extremos, tuvo un impacto inmenso en el desarrollo de las técnicas de la PRODUCCIÓN EN SERIE e influyó en el desarrollo de casi todo país industrial moderno. Es considerado el padre de la administración científica. Ver también GESTIÓN DE LA PRODUCCIÓN; TAYLORISMO.

Taylor, John *llamado* **John Taylor de Caroline** (¿19 dic.? 1753, cond. de Caroline, Va.–21 ago. 1824, cond. de Caroline, Va., EE.UU.). Político estadounidense. Prestó servicios en el Ejército continental (1775–79) y en la milicia de Virginia (1781) durante la guerra de independencia de los ESTADOS UNIDOS DE AMÉRICA. Partidario firme de los DERECHOS DE LOS ESTADOS, se opuso a la ratificación de la constitución de EE.UU. Perteneció al Senado (1792–94, 1803, 1822–24) y presentó las resoluciones de VIRGINIA Y KENTUCKY ante el poder legislativo de Virginia (1798). Partidario de THOMAS JEFFERSON, escribió ensayos acerca de la importancia de mantener una democracia agraria como una defensa frente al desarrollo de un gobierno central excesivamente poderoso.

Taylor, Joseph H(ooton), Jr. (n. 24 mar. 1941, Filadelfia, Pa., EE.UU.). Físico estadounidense. Obtuvo su doctorado en la Universidad de Harvard. Mientras enseñaba en la Universidad de Massachusetts (1968–81), descubrió junto a RUSSELL ALAN HULSE el primer PULSAR binario (1974). Su descubrimiento proporcionó evidencia para apoyar la teoría relativista de la GRAVITACIÓN de ALBERT EINSTEIN, la cual sostiene que los objetos acelerados en un campo gravitacional fuerte emiten ondas gravitacionales. Con sus enormes campos gravitacionales en interacción, el pulsar binario debería emitir tales ondas, perdiendo energía y reduciendo así la distancia orbital entre las dos estrellas. En 1978, basándose en débiles variaciones en las emisiones de radio del pulsar, Taylor y Hulse demostraron que las dos estrellas giran cada vez más rápido y más cerca la una de la otra, a una tasa que coincide exactamente con la predicción de Einstein. Sus descubrimientos permitieron a ambos investigadores recibir el Premio Nobel de Física en 1993.

Taylor, Maxwell (Davenport) (26 ago. 1901, Keytesville, Mo., EE.UU.–19 ago. 1987, Washington, D.C.). Oficial de ejército estadounidense. Egresó de West Point y al comienzo de la segunda guerra mundial colaboró en la organización de la primera división aerotransportada del ejército. Estuvo al mando del asalto de paracaidistas en las campañas de NORMANDÍA y en la de las ARDENAS (1944). Fue también general al mando de las fuerzas de la ONU en Corea (1953), jefe de estado mayor del ejército de EE.UU. (1955–59) y presidente de los jefes de estado mayor conjuntos (1962–64). Ocupó el cargo de embajador en Vietnam del Sur (1964–65) y fue asesor especial del pdte. LYNDON B. JOHNSON (1965–69). Abogó por mantener la infantería convencional como una alternativa prudente al uso de armas nucleares durante la guerra.

Maxwell Taylor, 1962.
GENTILEZA DEL EJÉRCITO DE EE.UU.

Taylor, Paul (Belville) (n. 29 jul. 1930, Wilkinsburg, Pa., EE.UU.). Bailarín, coreógrafo y director de danza moderna estadounidense. En 1953 se integró a la compañía de MARTHA GRAHAM, de la que fue uno de los solistas principales hasta 1960. En 1957 fundó la Paul Taylor Dance Company. Como coreógrafo utilizó una amplia variedad de estilos de movimiento, algunos de los cuales describió como "flat" (de apariencia bidimensional), "dance scribbling" (con énfasis en la acción antes que en la forma o la línea) y "lyric" ("brazos elongados"). Entre sus obras destacan *Duet* (1957), *Aureole* (1962), *Orbs* (1966) y *Nightshade* (1979). En 1993 formó el Taylor 2, un grupo pequeño de bailarines que se presenta en escenarios más reducidos y que enseña el estilo Taylor.

Paul Taylor y Bettie de Jong en *Scudorama*.
JACK MITCHELL

Taylor, Sir Geoffrey Ingram (7 mar. 1886, Londres, Inglaterra–27 jun. 1975, Cambridge). Físico británico. Enseñó en la Universidad de Cambridge desde 1911 hasta 1952. Hizo descubrimientos importantes en MECÁNICA DE FLUIDOS, como asimismo contribuciones significativas a la teoría del esfuerzo elastoestático y de los campos de desplazamiento creados por sólidos dislocados, a la teoría cuántica de la RADIACIÓN y a la interferencia y difracción de los FOTONES.

Taylor, Zachary (24 nov. 1784, Montebello, Va., EE.UU.–9 jul. 1850, Washington, D.C.). Duodécimo presidente de EE.UU. (1849–50). Combatió en la guerra anglo-estadounidense (1812), en la guerra contra Halcón Negro (1832) y en las guerras seminolas en Florida (1835–42), con lo que se ganó el apodo de "Old rouge-and-Ready" (tosco pero eficaz) por su indiferencia ante las penurias. Fue enviado a Texas ante la perspectiva de guerra contra México; derrotó a los invasores mexicanos en las batallas de Palo Alto y Resaca de la Palma (1846). Cuando comenzó oficialmente la guerra MEXICANO-ESTADOUNIDENSE, capturó Monterrey y concedió al ejército mexicano un armisticio de ocho semanas. El pdte. JAMES K. POLK se molestó y traspasó las mejores tropas de Taylor al mando de WINFIELD SCOTT para participar en la invasión de Veracruz. Desconoció la orden de permanecer en Monterrey y marchó al sur a derrotar a una fuerza mexicana numerosa en la batalla de BUENA VISTA (1847). Se convirtió en héroe nacional y ganó la candidatura presidencial whig (1848). Enfrentó a LEWIS CASS y ganó la elección. Su breve período presidencial estuvo marcado por una controversia relativa a los nuevos territorios, que condujo al COMPROMISO DE 1850, y por un escándalo relacionado con algunos integrantes de su gabinete. Murió habiendo ejercido sólo 16 meses el cargo, probablemente de cólera. Lo sucedió MILLARD FILLMORE.

Zachary Taylor, daguerrotipo de Mathew B. Brady.

BIBLIOTECA DEL CONGRESO, WASHINGTON, D.C.

taylorismo Sistema de administración científica preconizado por FRED W. TAYLOR. Según Taylor, la tarea de la administración fabril consistía en determinar la mejor manera en que el trabajador debía realizar su trabajo, proporcionar las herramientas y capacitación adecuadas, y ofrecer incentivos para un buen desempeño. Subdividió cada labor en sus movimientos elementales, analizó estos para determinar cuáles eran esenciales y cronometró a los trabajadores en sus tareas. Eliminado el movimiento innecesario, el trabajador –siguiendo una rutina semejante a la de una máquina– llegaba a ser mucho más productivo. Ver también GESTIÓN DE LA PRODUCCIÓN; estudio de TIEMPO Y MOVIMIENTO.

Tay-Sachs, enfermedad de Trastorno metabólico hereditario recesivo que afecta principalmente a judíos ASKENAZÍ, y causa deterioro mental y neurológico progresivo y muerte alrededor de los cinco años de edad. Un LÍPIDO, el gangliosido GM_2, se acumula en el encéfalo (por actividad inadecuada de la enzima que lo descompone), con efectos neurológicos devastadores. Los lactantes parecen normales al nacer, pero pronto se vuelven inquietos, con déficit atencional, pierden las habilidades motoras y desarrollan convulsiones. La ceguera y la parálisis general preceden comúnmente a la muerte. Existen exámenes para detectar la enfermedad en el feto y el gen de la enfermedad en los portadores. No tiene tratamiento.

Tbilisi *ant.* **Tiflis** Ciudad (pob., est. 1998: 1.398.968 hab.), capital de la República de Georgia, a orillas del río KURA. Fundada c. 458 DC como capital del reino georgiano, fue capturada varias veces por distintos pueblos debido a su posición estratégica sobre las rutas comerciales entre Europa y Asia. Soportó firmemente los gobiernos sucesivos de persas, bizantinos, árabes, mongoles y turcos, hasta que cayó bajo el control del Imperio ruso c. 1801. Fue la capital de la Federación Transcaucásica en 1921, de la República Socialista Soviética de Georgia (RSS) en 1936 y en 1991 capital de la Georgia independiente. Algunas edificaciones antiguas aún perduran en la ciudad, que en la actualidad constituyen un importante centro cultural, educacional, industrial y de investigación.

Tchaikovski, Piotr Ilich ver Piotr Ilich CHAIKOVSKI

TCP/IP *sigla de* **Transmission Control Protocol/Internet Protocol** PROTOCOLOS estándares para el control de la transmisión en INTERNET, que permiten la comunicación a larga distancia de las COMPUTADORAS DIGITALES. La internet es una red de intercambio de "paquetes", en la que la información es dividida en paquetes pequeños, enviados individualmente a muchas rutas diferentes al mismo tiempo, y luego rearmados en el receptor final. El TCP es el componente que agrupa y rearma los paquetes de datos, mientras que el IP es responsable de chequear que los paquetes sean enviados a destino correcto. El TCP/IP fue desarrollado en la década de 1970 y adoptado como el protocolo estándar por ARPANET (predecesor de internet) en 1983.

te (chino: "virtud"). En el TAOÍSMO, potencialidad del *tao* que está presente en todas las cosas; en el CONFUCIANISMO, la virtud de la bondad y la corrección internas. En ambos sistemas es considerado el principio activo del *tao*, y es en consecuencia la vida o el principio moral. En el TAO-TÊ KING es definido como el funcionamiento inconsciente del yo físico, el cual puede vivir en armonía con la naturaleza. Se considera que el *te* personal florece cuando uno abandona la ambición y el ánimo contencioso por una vida de naturalidad, que lleva a concienciar la unidad subyacente que impregna el Universo.

té Bebida producida al remojar en agua recién hervida hojas nuevas y yemas foliares de la planta del té, *Camellia sinensis*, miembro de la familia Theaceae, que contiene 40 géneros de árboles y arbustos. El cultivo del té se documentó primero en China, en 350 DC; según la leyenda, se conoce desde c. 2700 AC. Se aclimató en Japón en el s. XIII y fue introducido en Java e India por los holandeses e ingleses, respectivamente, durante el s. XIX. En la actualidad, el té es la bebida que más se consume en el mundo (en forma fría o caliente), bebida por la mitad de la población mundial. Los principales tipos de té se clasifican según el método de procesamiento: el té fermentado, o negro, que produce una bebida ámbar, sin amargor, de buen sabor; el té semifermentado, o té *oolong*, que produce un líquido verde ligeramente pardusco y un tanto amargo; y el té no fermentado, o té verde, que produce una bebida suave, amarillo verdosa pálida, ligeramente amarga. La CAFEÍNA es la responsable del efecto estimulante del té. El té verde, desde antaño considerado saludable en el Lejano Oriente, ha llamado la atención favorablemente en Occidente en los últimos años, por una gama amplia de posibles efectos benéficos. Las infusiones y decocciones de hojas, corteza y raíces de muchas otras plantas no emparentadas se beben comúnmente como té medicinal o té de hierbas.

Planta del té (*Camellia sinensis*).

Te Anau, lago Lago del sudoeste de la isla del SUR, Nueva Zelanda. De 61 km (38 mi) de largo y 10 km (6 mi) de ancho, es el mayor de los lagos meridionales y una de las fuentes del río Waiau. Ubicado en un grandioso paisaje, rodeado de montañas arboladas, es conocido por la pesca deportiva y el turismo.

té, ceremonia del *japonés* **chadō** *o* **cha-no-yu** Ritual de la preparación y brebaje del TÉ que se desarrolló en Japón. Involucra a un anfitrión y uno o más invitados; el té, los utensilios y los movimientos utilizados para preparar, servir y beber el té están prescritos. Cuando el té fue introducido desde la dinastía Song de China por el monje zen Eisai (n. 1141–m. 1215), lo bebían los monjes zen para mantenerse en vigilia durante la meditación. Los laicos disfrutaban este brebaje mediante competencias de degustación que derivaron a una forma más refinada y contemplativa entre la aristocracia guerrera del s. XV. El exponente más conocido de la ceremonia del té fue Sen Rikyū (n. 1522–m. 1591), maestro de TOYOTOMI HIDEYOSHI, quien codificó un estilo conocido como *wabi*, que se inclina por el uso de tazones rústicos y toscos y por un entorno simple y frugal. Existen tres escuelas conocidas de la ceremonia del té cuyos orígenes se remontan a la de Rikyū; aunque también existen otras escuelas. En la actualidad, cultivar el arte de la ceremonia del té constituye una habilidad reconocida de una mujer joven bien educada.

Te Kanawa, Dame Kiri (Janette) (n. 6 mar. 1944, Gisborne, North Island, Nueva Zelanda). Soprano neozelandesa (de ascendencia maorí). En 1966, después de ganar diferentes concursos de canto en su país, se marchó a Londres para profundizar sus estudios y debutó en 1970 en el Covent Garden. Pronto obtuvo papeles principales y llegó a ser admirada especialmente como la condesa en *Las bodas de Fígaro*. En 1974 hizo su debut triunfal en el Metropolitan Opera, al asumir en último momento el papel de Desdémona en *Otello* de GIUSEPPE VERDI. Dotada de una rica voz, sumada a una presencia encantadora y magnífica serenidad, en 1981 fue escogida para cantar en las bodas del príncipe Carlos. Ha realizado múltiples grabaciones.

Té, ley del (1773). Ley de Gran Bretaña que concedió a la British East India Co. un monopolio sobre el té en las colonias norteamericanas y modificó los reglamentos tributarios de modo que la empresa, que estaba a punto de quebrar, pudiera vender sus grandes excedentes de té a precios inferiores a los que cobraba la competencia colonial. Los colonizadores se opusieron a la ley que constituyó otro caso de tributación sin representación. La resistencia culminó en el BOSTON TEA PARTY (motín del té).

Teagarden, Jack *orig.* **Weldon Leo Teagarden** (20 ago. 1905, Vernon, Texas, EE.UU.–15 ene. 1964, Nueva Orleans, La.). Trombón y cantante de JAZZ estadounidense. Tocó con dos de las orquestas más populares de la era temprana del SWING, la de Ben Pollack (1928–1933) y la de PAUL WHITEMAN (1933–1938). Después de dirigir su propio grupo (1938–1947), se incorporó a los All Stars de LOUIS ARMSTRONG y hasta 1951 grabó y viajó con ellos por todo el mundo. Su sello personal de carácter lánguido y melancólico se manifiesta tanto en su interpretación del trombón como en el canto, con un marcado acento tejano que parece colorear ambas expresiones.

Tradicional ceremonia del té en Japón.
FOTOBANCO

Teamsters Union *ofic.* **International Brotherhood of Teamsters, Chauffeurs, Warehousemen and Helpers of America (IBT)** *ex (hasta 1940)* **International Brotherhood of Teamsters, Chauffeurs, Stablemen and Helpers of America (IBT)** Agrupación sindical estadounidense más grande del sector privado, que representa a los camioneros y trabajadores de industrias afines, entre ellas la aviación. Se constituyó en 1903 a raíz de la fusión de dos sindicatos de conductores que, junto con los repartidores locales que usaban vehículos de tracción animal, fueron sus principales miembros hasta la década de 1930, tiempo en que empezaron a predominar los camioneros interurbanos. Entre 1907 y 1952 el sindicato estuvo presidido por Daniel J. Tobin, quien logró que el número de 40.000 miembros existente en 1907 aumentara a más de un millón en 1950. En 1957, la agrupación fue expulsada de la AFL-CIO tras revelarse la existencia de corrupción en su cúpula. Entre 1957 y 1988, tres presidentes del sindicato, Dave Beck, Jimmy Hoffa y Roy Williams, enfrentaron cargos criminales por los que fueron condenados a penas de cárcel (Hoffa está desaparecido desde 1975 y se presume muerto). Aunque en la década de 1980 esta agrupación sindical dejó de representar plenamente a los camioneros, debido al crecimiento de las empresas de camiones sin sindicatos, ganó nuevos miembros entre los trabajadores de las áreas de la tecnología, administración y prestación de servicios. En 1987, el sindicato se reincorporó a la AFL-CIO. Sus últimos presidentes, Ron Carey (1992–99) y James P. Hoffa (1999–), hijo del ex presidente sindical, se han centrado en la seguridad laboral y en los asuntos familiares.

Teapot Dome, escándalo del Arrendamiento secreto de tierras del gobierno de EE.UU. a intereses privados. En 1922, el secretario del interior, ALBERT FALL, alquiló indebidamente las reservas de petróleo de Teapot Dome, Wyo, y Elk Hills, Cal. a empresas petroleras privadas, y aceptó donativos en dinero y préstamos sin interés de dichas empresas. Cuando se supo de los alquileres, el congreso instruyó al pdte. WARREN G. HARDING para que los anulara. Una investigación posterior reveló actuaciones ilegales de diversos funcionarios públicos que, en algunos casos, fueron sancionados con multas y breves condenas de cárcel. El escándalo se convirtió en un símbolo de la corrupción gubernamental.

Teasdale, Sara *orig.* **Sara Trevor Teasdale** (8 ago. 1884, St. Louis, Mo., EE.UU.– 29 ene. 1933, Nueva York N.Y.). Poetisa estadounidense. Mientras vivía en St. Louis viajaba frecuentemente a Chicago, donde se integró al círculo literario de la revista *Poetry*, vinculada a HARRIET MONROE. Su poemario *Rivers to the Sea* [Ríos al mar] (1915) le brindó popularidad, y con *Love Songs* [Canciones de amor] (1917) ganó el primer Premio Pulitzer de poesía. Con el tiempo sus versos se volvieron más sencillos y depurados. Luego de divorciarse en 1929, se mudó a Nueva York, donde vivió prácticamente recluida. Muchos de los poemas de su último libro, *Strange Victory* [Extraña victoria] (1933), anticiparon su suicidio.

teatro Edificio o espacio en el cual se realizan representaciones ante una audiencia. Contiene un AUDITÓRIUM y un escenario. En la antigua Grecia, cuna del teatro occidental (s. V AC), los teatros eran construidos en una depresión natural del terreno. El público se sentaba en un semicírculo con gradas que daba a la orquesta, un espacio plano y circular donde se llevaba a cabo la acción. Tras la orquesta estaba el SKENE. Los teatros de la Inglaterra isabelina eran a cielo abierto; los espectadores se ubicaban en galerías de varios niveles o en un patio. Durante este período, la innovación principal fue el escenario rectangular avanzado, rodeado en tres de sus lados por espectadores. El primer teatro techado fue el Olímpico de ANDREA PALLADIO en Vicenza, Italia (1585). El teatro Farnesio en Parma (1618) fue diseñado con un auditórium en forma de herradura y tuvo el primer arco permanente sobre el PROSCENIO. Los teatros barrocos de las cortes europeas siguieron esta idea, e introdujeron varios niveles de palcos para la realeza. El Festspielhaus de RICHARD WAGNER en Bayreuth, Alemania (1876), con su planta de asientos en abanico, la orquesta en un pozo y el auditórium en la oscuridad, diverge marcadamente del concepto del teatro barroco y repone los principios clásicos, que se mantienen vigentes hasta nuestros días. El teatro con proscenio prevaleció en los s. XVII–XX; sin embargo, siendo aún popular en el s. XX, se ha complementado con otros tipos de teatro, como los de escenario avanzado y el anfiteatro. En Asia, las puestas en escena han seguido siendo simples, con los espectadores generalmente agrupados de manera informal alrededor de un espacio abierto; excepciones notables son el TEATRO NŌ y el KABUKI en Japón. Ver también ANFITEATRO; ODEÓN.

teatro Arte escénico en vivo conformado por acciones dramáticas cuyo fin es narrar una historia o representar un espectáculo. El vocablo teatro deriva del griego *theatron* ("lugar para ver"). El teatro es una de las más antiguas e importantes expresiones artísticas que se manifiesta de innumerables formas en todas las culturas alrededor del mundo. Si bien el texto es el elemento básico del hecho teatral, este también depende en diversa medida de la actuación, el canto y el baile, como también de diversas facetas técnicas de la producción, como es la ESCENOGRAFÍA. Se piensa que la génesis del teatro se halla en el rito religioso, pues a menudo representa mitos o historias que son parte fundamental del sistema de creencias de una cultura, o bien, crea comedias que parodian dichas narraciones. En la civilización occidental, el teatro surgió en la antigua Grecia y gran parte de su universo teatral fue adaptado por creadores de la época del Imperio romano; reapareció en la forma de DRAMA LITÚRGICO en la época medieval, y posteriormente floreció en el Renacimiento con la COMMEDIA DELL'ARTE italiana y en los s. XVII y XVIII con compañías estables como la COMÉDIE-FRANÇAISE. Diversas formas teatrales pueden desarrollarse con el fin de satisfacer gustos de público distintos (p. ej., en Japón, donde el KABUKI era para la gente común y el *teatro nō* para un público cortesano). En Europa y EE.UU. durante el s. XIX y comienzos del XX, el teatro constituía una de las más importantes fuentes de entretenimiento para todas las clases sociales, con una variedad de estilos que abarcaba desde el BURLESQUE y el VODEVIL hasta un teatro más profundo interpretado al estilo del Teatro del Arte de MOSCÚ. Si bien el auge de la televisión y del cine le ha restado espectadores al teatro, y su público paulatinamente se ha reducido a una elite educada, los MUSICALES de BROADWAY y las FARSAS del West End de Londres continúan atrayendo a un numeroso público. Ver también LITTLE THEATRE.

teatro cívico Sala de teatro total o parcialmente subsidiada por el gobierno local donde esta funciona. El término también se aplica a compañías de teatro comunitarias no comerciales, vale decir a grupos locales sin fines de lucro. Gran parte de los teatros cívicos en Europa son organizaciones profesionales, mientras que en EE.UU. suelen llevar el nombre de un grupo aficionado que posteriormente puede llegar a establecerse como una compañía profesional residente. El primer teatro cívico importante de EE.UU. fue fundado en Nueva Orleans en 1919.

teatro de la crueldad Teoría progresista desarrollada por ANTONIN ARTAUD, quien profesaba que el propósito del teatro era librar al público de los efectos represivos de la civilización moderna y desatar sus impulsos naturales. Su proposición consistió en representar espectáculos míticos que impactaran al público mediante gemidos, gritos, luces pulsantes y enormes marionetas. Artaud explicó el teatro de la crueldad en su libro *El teatro y su doble* (1938), y sólo una de sus obras, *Los Cenci*, fue representada de acuerdo con su teoría. Sus ideas influyeron en compañías y movimientos de vanguardia como The LIVING THEATRE y el TEATRO DEL ABSURDO.

teatro de repertorio Término que denomina la oferta de una compañía de teatro estable, que consiste en diversas representaciones durante una temporada o más. Las obras escogidas pueden ser piezas clásicas de dramaturgos famosos u obras nuevas de talentos emergentes, y las compañías que las representan suelen servir como un espacio de formación para actores jóvenes. En Gran Bretaña esta práctica, cuya intención es hacer asequible un teatro de alta calidad a un público de todo un país, comenzó a principios del s. XX. Originalmente las compañías de repertorio o compañías estables presentaban distintas obras cada noche mientras ensayaban nuevos montajes. El sistema evolucionó a la práctica actual de presentar cada pieza durante un breve y continuo período.

teatro de títeres Arte de crear y manipular títeres en un espectáculo teatral. Los títeres son figuras que se accionan mediante el esfuerzo humano, en lugar de un aparato mecánico. Pueden ser controlados por uno o más titiriteros, invisibles a la vista del público. Algunos tipos de títeres son los de guante (o de mano), de vara, de sombras y las MARIONETAS (o títeres de cuerda). El teatro de títeres tiene sus orígenes en la sociedad tribal y ha formado parte de todas las civilizaciones. En el s. XVIII, su gran popularidad produjo la construcción de teatros permanentes para los frecuentes grupos itinerantes de titiriteros. Las compañías representaban historias que gozaban de gran popularidad como las del Guignol francés, el Arlecchino italiano, el Kasperle alemán, los ingleses Punch (ver POLICHINELA) y Judy y el español Don Cristóbal. A mediados del s. XX el teatro de títeres se introdujo en la televisión con los Muppets de JIM HENSON. Ver también BUNRAKU; SERGUEI OBRAZTSOV.

teatro de variedades ver MUSIC HALL Y TEATRO DE VARIEDADES

teatro del absurdo Cuerpo de obras dramáticas de las décadas de 1950–60 que manifiesta la filosofía existencialista del sinsentido y el absurdo de la vida. Dramaturgos como ARTHUR ADAMOV, EDWARD ALBEE, SAMUEL BECKETT, JEAN GENET, EUGÈNE IONESCO y HAROLD PINTER crearon obras del absurdo que se caracterizaron por sus argumentos no convencionales y cuyos personajes se involucraban en diálogos circulares y desprovistos de sentido. *Esperando a Godot* (1953) de Beckett, que trata sobre dos vagabundos que esperan a un misterioso hombre que nunca llega, constituye un clásico del género.

teatro documental Movimiento teatral que aborda temas sociales al realzar hechos reales por sobre consideraciones estéticas. Esta forma escénica se hizo muy popular en la década de 1960, y fue el resultado de un proyecto que surgió bajo el alero de la WPA Federal Theatre Project de la década de 1930 en EE.UU., y que dio nombre a una técnica denominada "Living Newspaper". En Alemania, las obras *El vicario* (1963) de Rolf Hochhuth's, *El sumario* (1965) de PETER WEISS y *El caso Oppenheimer* (1964) de Heinar Kipphardt, exhibieron recientes acontecimientos históricos y se basaron en documentos originales como transcripciones de juicios y diversas estadísticas. El movimiento influyó en el posterior teatro político en Europa y EE.UU.

teatro épico Estilo teatral desarrollado en Alemania después de la primera guerra mundial por BERTOLT BRECHT, entre otros, y cuyo propósito era provocar una reflexión racional en lugar de crear una realidad aparente. Se caracterizó por escenas ligadas libremente y a menudo interrumpidas por discursos dirigidos al público con el fin de proporcionar argumentos, evidencias y análisis. El objetivo de Brecht era utilizar efectos de extrañamiento y técnicas de distanciamiento para impedir las reacciones emotivas del público y así forzarlos a reflexionar objetivamente sobre la obra. Los actores eran adiestrados para establecer un desapego con sus personajes y resaltar las acciones externas más que sus emociones.

teatro negro En Estados Unidos, movimiento teatral que abarca toda la producción de obras de teatro escritas por, para y sobre afroamericanos. La primera pieza teatral escrita por un afroamericano fue *King Shotaway* [El rey de la insurrección] de James Brown (1823). Tras la guerra civil, los afroamericanos comenzaron a actuar en MINSTREL SHOWS (espectáculos de variedades) y c. 1900 aparecieron los musicales escritos, producidos e interpretados íntegramente por personas de raza negra. El primer éxito resonante de un dramaturgo afroamericano lo obtuvo Angelina W. Grimké, con *Rachel* (1916). El teatro floreció durante el renacimiento de HARLEM de la década de 1920–30, y en 1940 ya se había consolidado el American Negro Theater y la Negro Playwrights' Co. Después de la segunda guerra mundial el teatro negro se hizo más militante y progresista, buscó establecer su propia mitología, abolir los estereotipos raciales e integrar a los dramaturgos afroamericanos en los circuitos teatrales de ámbito masivo. El líder del movimiento, AMIRI BARAKA, fundó el Black Arts Repertory Theatre en 1965. En la década de 1980–90 los dramaturgos afroamericanos Charles Fuller y AUGUST WILSON se adjudicaron el Premio Pulitzer.

teatro nō Estilo de teatro clásico japonés. Una de las formas teatrales existentes de mayor antigüedad, se caracteriza por tratar temas heroicos y por sus actuaciones, vestuarios y decorados altamente estilizados, además de la presencia de un coro. Sus intérpretes, todos hombres, narran a través de su apariencia visual y sus movimientos e insinúan la historia más que representarla. El teatro *nō* (que significa "talento" o "habilidad") se desarrolló a partir de antiguas formas de teatro y danza, y en el s. XIV se convirtió en un característico estilo teatral. Las cinco categorías de obras *nō* son la *kami* ("dios"), que representa una historia sagrada de un templo sintoísta (ver SINTOÍSMO); la *shura mono* ("obra de combate"), que se centra en los guerreros; la *katsura mono* ("obra sobre mujeres"), que tiene una protagonista femenina; la *gendai mono* ("obra del día presente") o *kyōjo mono* ("obra de la mujer loca"), que aborda diversos temas; y la *kiri* o *kichiku* ("final" o "demonio"), que presenta demonios y criaturas extrañas. Kanami (n. 1333–m. 1384) y su hijo Zeami (n. 1363–m. 1443) escribieron la mayoría de los más hermosos textos del teatro *nō*. Hoy más de 200 piezas permanecen en el repertorio moderno de este estilo teatral.

teatro total Movimiento teatral del s. XX que realzaba la utilización de artefactos teatrales por sobre el lenguaje naturalista del s. XIX. Se caracterizó por una actuación estilizada, un escenario dirigido hacia el público y el uso evidente de medios técnicos y convenciones escénicas. Su intención no era crear una apariencia de realidad, sino más bien señalarle al público su rol de espectadores y jueces de la obra artística que presenciaban. Diversas facetas de este movimiento formaron parte del teatro expresionista, dadaísta y surrealista de principios del s. XX y hoy continúa siendo una corriente del teatro moderno.

teatro yiddish Producciones del teatro profesional yiddish. El teatro judío europeo se originó en la Edad Media, cuando bailarines y bufones animaban las festividades del PURIM. En el s. XVI, estos espectáculos se habían convertido en elaboradas representaciones en yiddish, lengua de la mayoría de los judíos de Europa central y oriental. El teatro profesional yiddish se remonta a 1876, cuando Abraham Goldfaden (n. 1840–m. 1908) escribió una exitosa pieza corta musical en Rumania y formó una troupe para interpretar sus canciones y sus obras. En 1883, las leyes antisemitas rusas prohibieron estas obras, y obligaron a numerosos actores y dramaturgos a emigrar a Inglaterra y EE.UU. El dramaturgo Jacob Gordin (n. 1853–m. 1909) introdujo un naturalismo renovador y originales adaptaciones al teatro yiddish estadounidense, como *El rey Lear judío* (1892), que protagonizó Jacob P. Adler, y quien inició una familia de actores que participaron en montajes en yiddish y en inglés. En 1918, Maurice Schwartz fundó y dirigió el Yiddish Art Theatre, donde se formaron actores como Jacob Ben-Ami y Muni Weisenfreund (después conocido como Paul Muni). La segunda guerra mundial liquidó gran parte de la cultura yiddish de Europa oriental, y a fines del s. XX eran pocos los teatros yiddish existentes en Nueva York, Londres, Bucarest y Varsovia.

Tebaldi, Renata (1 feb. 1922, Pesaro, Italia–19 dic. 2004, República de San Marino). Soprano italiana. Después de su debut en *Mefistófeles* en 1944, consiguió un papel en La Scala y actuó bajo la dirección de ARTURO TOSCANINI, en el concierto de reapertura de dicho teatro en 1946 y durante la década siguiente. Tanto en su debut en el Covent Garden (1950) como en el Metropolitan Opera (1955) interpretó a Desdémona, y durante 17 años cantó en este teatro en papeles como Tosca, Manon Lescaut, Mimi y Violetta. Se retiró en 1976.

Tebas *griego* **Thebai** *o* **Thiva** Antigua ciudad de BEOCIA, en el centro-este de Grecia, una de las principales ciudades-estados griegas. Tradicionalmente se cree que CADMO fue su fundador. Patria del legendario EDIPO y escenario de muchas tragedias clásicas griegas, la construcción de su afamada muralla de siete puertas se atribuye normalmente a Anfión (ver ANFIÓN Y CITO). Durante la edad de bronce fue un centro del poderío MICÉNICO (c. 1500–1200 AC). Su hostilidad hacia ATENAS la llevó a tomar parte por los persas en las guerras MÉDICAS y por ESPARTA en la guerra del PELOPONESO. Tebas terminó por enfrentarse con Esparta, siendo ocupada tras el triunfo de los espartanos. Se rebeló c. 380 AC y derrotó a estos en las batallas de Tegira (375 AC) y Leuctra (371 AC). Durante los diez años siguientes fue la principal potencia militar de Grecia. Se unió a Atenas contra FILIPO II de Macedonia y compartió con ella la derrota de la batalla de QUERONEA en 338 AC. ALEJANDRO MAGNO la saqueó en 336 y finalmente pasó a manos de Roma en el s. I AC. Entre las escasas ruinas que conserva, destacan los restos de las murallas de la ciudad, el palacio micénico (c. 1450–1350 AC) y un templo de APOLO.

Tebas *nombre bíblico* **No** Antigua ciudad de Egipto. Sus restos están ubicados a orillas del Nilo. En el pasado incluía también KARNAK y LUXOR; el valle de los REYES se emplaza en sus inmediaciones. Los monumentos más antiguos de la ciudad misma datan de la XI dinastía (circa s. XXI AC), época en que los reyes de Tebas unificaron Egipto e hicieron de ella la capital del Alto Egipto. Continuó siendo la capital hasta el fin del Imperio medio (circa s. XVIII AC). Quedó eclipsada durante dos siglos bajo el dominio de diversos invasores extranjeros, después de lo cual los reyes tebanos restablecieron, en el s. XVI AC, el gobierno egipcio y nuevamente hicieron de ella su capital. Floreció como el centro político y religioso de Egipto durante todo el nuevo imperio y fue conocida por sus logros en escultura y arquitectura. Comenzó a declinar en el s. XII AC, bajo RAMSÉS III. Fue saqueada por los asirios a mediados del s. VII AC, por los persas en los s. VI–IV AC, y por los romanos c. 30 AC. Entre sus ruinas destacan grandiosos templos y tumbas, entre los que sobresalen el templo de Amón en Karnak (circa s. XX AC), la tumba de TUTANKAMÓN en el valle de los Reyes y los grandes templos funerarios de RAMSÉS II y HATSHEPSUT.

teca Árbol caducifolio grande (*Tectona grandis*) de la familia de las Verbenáceas (ver VERBENA) y su madera, una de las más valiosas y durables. La teca se ha utilizado ampliamente en la India por más de 2.000 años; algunos templos tienen vigas de teca de más de 1.000 años de antigüedad. El árbol posee un tronco recto, normalmente engrosado en la base, una copa extendida y ramillas cuadriformes. Las hojas, ásperas, son opuestas o a veces verticiladas, y las ramas terminan en muchas florecillas blancas. El duramen no curado expele una fragancia agradable, de aroma intenso y un hermoso color amarillo dorado, el cual, al curar el duramen, se oscurece tornándose pardo, moteado, con estrías más oscuras. Resistente a los efectos del agua, la madera de teca se utiliza en la construcción naval, en muebles finos, marcos de puertas y ventanas, muelles, puentes, claraboyas de torres de refrigeración, parqué y tabiques. Su gran demanda ha llevado a una tala excesiva en los bosques tropicales.

techo Cubierta de la parte superior de un edificio. Los techos se han construido en una amplia variedad de formas (planos, inclinados, abovedados, cubiertos con una cúpula o combinaciones de estas formas) de acuerdo con consideraciones regionales, técnicas y estéticas. Los techos de paja, generalmente inclinados, fueron los primeros y todavía se emplean en zonas rurales de África y en otros lugares. Los techos planos se han utilizado históricamente en climas áridos donde no reviste importancia el drenaje de agua, como en el Medio Oriente y el sudoeste de Estados Unidos. Se comenzaron a usar con mayor frecuencia en el s. XIX, cuando los nuevos materiales impermeabilizantes para techos y el uso de acero estructural y de hormigón los hicieron más prácticos. Hay varios tipos de techos inclinados. El más simple es el techo de cobertizo, que tiene solamente un agua (una vertiente o superficie inclinada). El techo de dos aguas forma un triángulo en cada extremo y se lo denomina hastial. Un techo de cuatro aguas tiene tanto sus lados como sus extremos inclinados; las aristas de encuentro se conocen como limas tesas. El techo a la holandesa presenta dos aguas, cada una con dos pendientes: la superior es menos escarpada que la inferior. El techo con mansarda posee dos pendientes en sus cuatro lados, con la parte superior menos escarpada que la inferior.

tecnecio ELEMENTO QUÍMICO metálico, uno de los elementos [illegible], de símbolo químico [illegible] y número [illegible]. Todos sus ISÓTOPOS son radiactivos (ver RADIACTIVIDAD); algunos existen en cantidades muy pequeñas en la naturaleza como productos de la FISIÓN NUCLEAR del URANIO. Su isótopo tecnecio 97 fue el primer elemento producido de manera artificial (1937; ver CICLOTRÓN). El tecnecio 99, un producto de fisión de los reactores nucleares que emite RAYOS GAMMA, es el isótopo trazador más utilizado en MEDICINA NUCLEAR. El tecnecio se asemeja al platino en apariencia, y al manganeso y renio en cuanto al comportamiento químico. También es empleado como un trazador metalúrgico y en productos resistentes a la corrosión.

tecno, música Música electrónica bailable que apareció por primera vez en EE.UU. en la década de 1980 y alcanzó popularidad mundial en la década de 1990. Tuvo su origen con discjockeys-productores de Detroit que, inspirados por el electro-pop europeo, reforzaron etéreas melodías de sintetizadores con rápidos ritmos electrónicos. Importada desde Europa, fue adoptada por la floreciente escena rave, con fiestas bailables de toda la noche (donde se consume frecuentemente el alucinógeno conocido como ÉXTASIS) y el *Love Parade* anual de Berlín se celebra al compás de esta música.

tecnología Aplicación del conocimiento a los fines prácticos de la vida del ser humano o para cambiar o manipular su entorno. La tecnología comprende el uso de materiales, herramientas, técnicas y fuentes de energía con el fin de hacer que la vida sea más fácil o más placentera y el trabajo más productivo. Mientras la ciencia se ocupa de cómo y por qué suceden las cosas, la tecnología se concentra en hacer que las cosas sucedan. La tecnología empezó a influir en el esfuerzo humano tan pronto como las personas comenzaron a usar herramientas; se aceleró con la REVOLUCIÓN INDUSTRIAL y la sustitución del trabajo animal y humano por las máquinas. El rápido desarrollo tecnológico también ha implicado costos palpables en términos de la polución del aire y del agua y otros efectos ambientales indeseables.

tectita Cualquier miembro de una clase de objetos vidriosos pequeños encontrados en la superficie terrestre, que están asociados a impactos de meteoritos. Las temperaturas y presiones extremadamente altas que se generan cuando un meteorito grande, un cometa o un asteroide impactan la Tierra, derriten la roca en el sitio de impacto, produciendo masas de gotas de roca fundida que son despedidas hacia la atmósfera terrestre y fuera de ella. Las pequeñas gotas se enfrían muy rápido formando un cuerpo vidrioso que luego cae de vuelta a la Tierra.

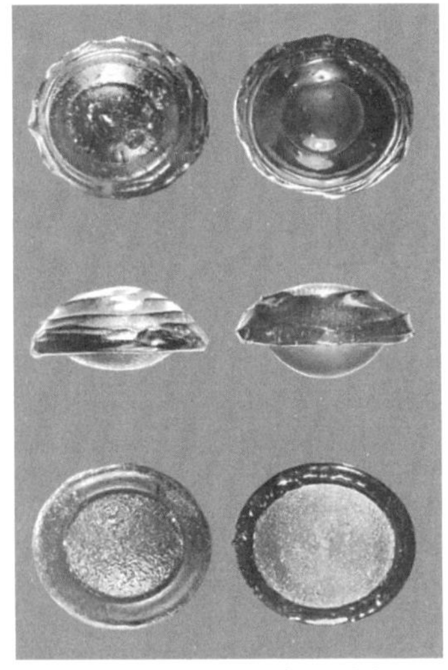

Tres tecticas australianas en forma de botón (izquierda) y tres modelos de vidrio extraídos mediante calentamiento aerodinámico (derecha); el tamaño real oscila entre 16 y 25 mm.

GENTILEZA DE DEAN CHAPMAN Y LA NATIONAL AERONAUTICS AND [illegible] CALIFORNIA, EE.UU.

tectónica Estudio científico de la deformación de las rocas que conforman la corteza terrestre y de las fuerzas que producen esa deformación. Se ocupa de los plegamientos y fallas asociados a la formación de montañas; de los movimientos ascendentes y descendentes de la corteza, graduales y a gran escala, y del desplazamiento horizontal repentino a lo largo de fallas. Otros fenómenos estudiados son los procesos ígneos y el metamorfismo. El principio fundamental que opera [illegible] concepto de TECTÓNICA DE PLACAS. Ver también DERIVA CONTINENTAL; EXPANSIÓN DEL FONDO MARINO.

tectónica de placas Teoría que sostiene que la LITOSFERA de la Tierra (corteza y parte superior del manto) está dividida en alrededor de 12 placas grandes y varias pequeñas, que flotan y se desplazan independientemente sobre la ASTENOSFERA. En la década de 1960, la teoría revolucionó las ciencias geológicas al combinar en un todo coherente la idea previa de DERIVA CONTINENTAL con el nuevo concepto de la EXPANSIÓN DEL FONDO MARINO. Cada placa está conformada por roca rígida creada a partir del magma ascendente en las DORSALES OCEÁNICAS, donde las placas divergen. Donde dos placas convergen, se forma una zona de SUBDUCCIÓN, en la cual una placa es forzada bajo la otra, y empujada hacia el interior del manto. La mayoría de los sismos y erupciones volcánicas ocurren en la superficie terrestre ubicada en los márgenes de las placas tectónicas. El interior de una placa se mueve como un cuerpo rígido, sólo con deformaciones menores, pocos sismos y actividad volcánica relativamente escasa.

tectonismo ver DIASTROFISMO

Tecumseh (1768, Old Piqua, en el actual cond. de Clark, Ohio, EE.UU.–5 oct. 1813, cerca del río Thames, Canadá Superior). Jefe indígena SHAWNEE. Siendo un niño durante la guerra de independencia de EE.UU., participó en ataques combinados de indios y británicos contra colonos estadounidenses. En 1794 luchó sin éxito contra el gral. Anthony Wayne. Finalmente estableció una confederación con miembros de las tribus CREEK y otras. En 1811, el ataque de su hermano a las tropas de WILLIAM H. HARRISON en TIPPECANOE, Ind., terminó en una derrota. Cuando se aproximaba la guerra anglo-estadounidense de 1812, congregó a sus seguidores bajo el estandarte británico y capturó Detroit. Una sucesión de éxitos menores culminaron con su muerte en el río Thames, actual Ontario, hecho que marcó el fin de la resistencia indígena en el Viejo Noroeste (como a veces se llamaba a los estados del nordeste central).

Tedder (de Glenguin), Arthur William Tedder, 1er barón (11 jul. 1890, Glenguin, Stirling, Escocia–3 jun. 1967, Banstead, Surrey, Inglaterra). Mariscal del aire británico. Ingresó al ejército británico en 1913, fue transferido al

Royal Flying Corps en 1916 y después de la primera guerra mundial dirigió una rama de la ROYAL AIR FORCE (RAF). Como comandante supremo de la RAF en Medio Oriente durante la segunda guerra mundial, dirigió las operaciones aéreas aliadas en África del norte e Italia, y en 1944 fue nombrado jefe de las operaciones aéreas aliadas en Europa occidental. Su política de bombardear el sistema alemán de comunicaciones y de proporcionar un estrecho apoyo aéreo a las operaciones terrestres contribuyó en forma significativa al éxito de la campaña de Normandía y del avance aliado en Alemania. Posteriormente se convirtió en el primer jefe del estado mayor de las reales fuerzas aéreas en tiempo de paz (1946–50).

Tees, río Río en el norte de Inglaterra. Nace al norte de los montes PENINOS y recorre 110 km (70 mi) en dirección este hasta el mar del Norte. En su curso hay cascadas y embalses. Teesside, la zona urbana situada en la desembocadura del río, ha experimentado un desarrollo industrial a gran escala desde la llegada del ferrocarril en 1825.

teflón Marca comercial de un POLÍMERO del tetrafluoroetileno fluorocarbono (politetrafluoroetileno [PTFE]). El teflón es un compuesto orgánico duro, ceroso, no inflamable, con una superficie resbaladiza, que es atacado por muy pocos productos químicos y de carácter estable en un amplio rango de temperaturas. Sus cualidades lo hacen útil para empaquetaduras, descansos (apoyos) deslizantes, recubrimientos de contenedores y tuberías, aislación eléctrica, partes para válvulas y bombas utilizadas para fluidos corrosivos, así como para recubrimientos protectores antiadherentes en utensilios de cocina, hojas de sierras y otros artículos. Un polímero de fluorocarbono cercanamente relacionado, el etileno-propileno fluorado (FEP, de la sigla *fluorinated ethylene-propylene*), posee propiedades y aplicaciones similares a las del teflón.

Tegea Antigua ciudad del este de ARCADIA, sur de Grecia. Perteneció a los espartanos desde mediados del s. VI AC hasta que TEBAS venció a ESPARTA en la batalla de Leuctra c. 371 AC. Posteriormente, se unió a diversas ligas y a principios del s. I DC se había convertido en la única ciudad importante de Arcadia. En 395–396 sobrevivió a la invasión de los godos y prosperó durante los reinados bizantino y franco. En ella se emplazaba el templo de Atenea Alea, construido por el fundador de la ciudad, Aleo, y reconstruido en el s. IV AC por el escultor ESCOPAS.

Tegernsee, lago Lago en el sur de BAVIERA, sudeste de Alemania. Situado en las colinas al pie de los ALPES, cubre 9 km^2 (3,5 mi^2) de superficie. Está rodeado de montañas boscosas y es un conocido centro vacacional y área de recreación. En su ribera oriental yace el castillo de Maximiliano I.

Tegucigalpa Ciudad (pob., 2001: 769.061 hab.), capital de Honduras. Ubicada en una zona de colinas rodeada de montañas, fue fundada en 1578 como centro de extracción de oro y plata. En 1880 pasó a ser la capital permanente de Honduras. Produce textiles y azúcar. Entre sus principales edificios destacan el palacio presidencial y el palacio legislativo, la Universidad Nacional de Honduras (1847) y la catedral, que data del s. XVIII.

Teherán Ciudad (pob., 1996: 6.758.845 hab.), capital de Irán. Está ubicada en los faldeos meridionales de los montes ELBURZ. Originalmente era un suburbio de la antigua ciudad de RHAGES, que fue destruida por los mongoles en 1220 y más tarde albergó a varios monarcas SAFAWÍES de Persia (s. XVI–XVIII). Ganó prominencia después de su captura por Āgā Muḥammad Kan, fundador de la dinastía QAJAR, que en 1785 la convirtió en capital de Persia. Se modernizó con rapidez a partir de 1925 y en especial después de la segunda guerra mundial (1939–45). Allí se celebró en 1943, la conferencia de TEHERÁN. En 1979, después de la revolución islámica en Irán, la embajada de EE.UU. fue captu-

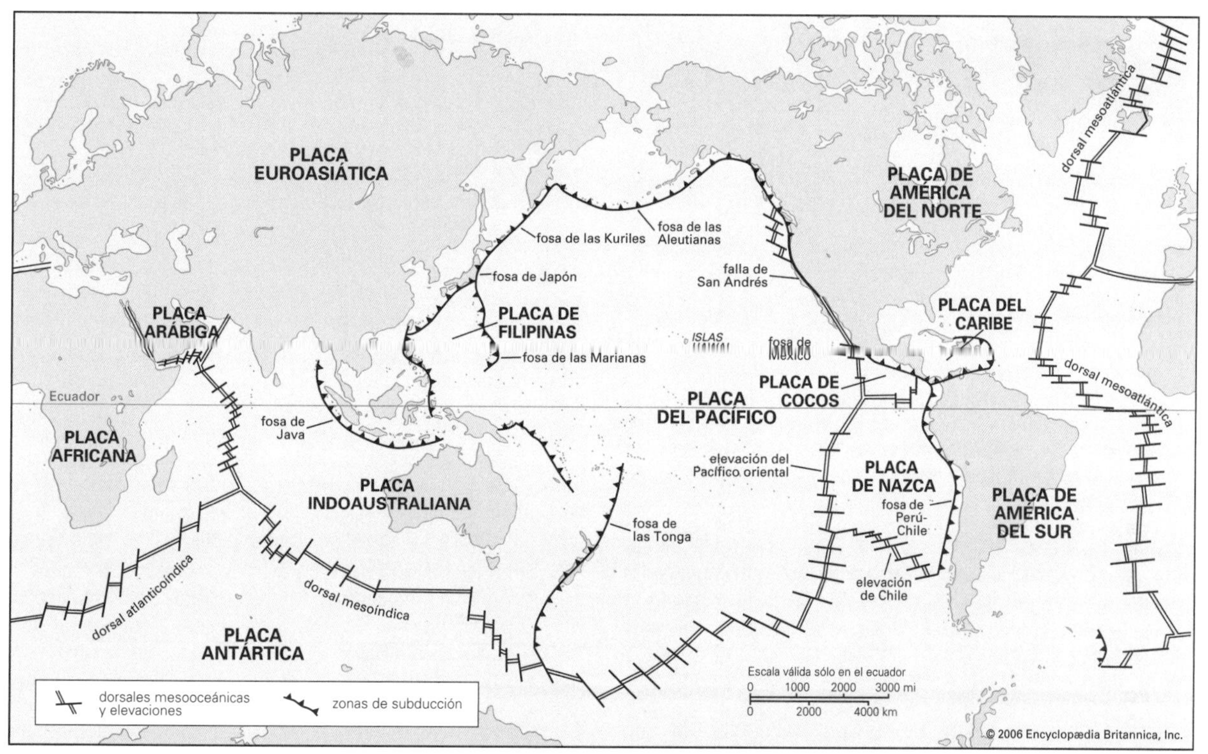

Principales tectónicas de la litosfera terrestre. La nueva litosfera se crea a partir del flujo ascendente del magma en ciertos límites de las placas, llamados centros de distribución o dorsales oceánicas, donde las placas divergen. En otros límites, llamados zonas de subducción, las placas convergen hasta que una es forzada bajo la otra (subducida) y se hunde en la astenosfera. Los continentes forman un bloque con sus placas respectivas y se mueven al mismo tiempo que ellas, unos pocos centímetros al año.

rada y sus integrantes hechos rehenes por los militantes iraníes (ver crisis de los rehenes en IRÁN). Es un centro industrial y de transporte que produce más de la mitad de los bienes manufacturados del país. Es sede de varias instituciones de educación superior, entre ellas la Universidad de Teherán (1934).

Teherán, conferencia de (28 nov.–1 dic. 1943). Reunión entre los principales líderes aliados FRANKLIN D. ROOSEVELT, WINSTON CHURCHILL y STALIN en Teherán, durante la segunda guerra mundial para debatir asuntos políticos y de estrategia militar. Stalin estuvo de acuerdo en lanzar una ofensiva militar desde el este que coincidiera con los planes de invasión desde el oeste de la Francia ocupada por Alemania. También debatieron, pero sin establecerlas, las fronteras de posguerra de Europa del este, incluida la situación de Polonia, y la formación de una organización internacional.

Tehuantepec, golfo de Ensenada del océano Pacífico situada en el sudeste de México. Se extiende unos 500 km (300 mi) entre los estados de OAXACA y CHIAPAS; la boca tiene un ancho de 160 km (100 mi). En sus costas hay numerosas lagunas, el río del mismo nombre y numerosos riachuelos desembocan en él. Su costa meridional forma el istmo de Tehuantepec.

Teide, pico del Cumbre volcánica en la isla de Tenerife en las CANARIAS. Con sus 3.718 m (12.198 pies) de altura, es el punto más alto del territorio español. A través de las aberturas que posee en el cráter y en las laderas, expulsa gases calientes. El pico se encuentra en la cúspide de un cono volcánico situado en los tramos superiores de El Teide, un conjunto de varios volcanes. Su última erupción fue en 1789. Se encuentra dentro de un parque nacional. En las cercanías se localiza un observatorio solar internacional.

Pierre Teilhard de Chardin.

Teilhard de Chardin, (Marie-Joseph-) Pierre (1 may. 1881, Sarcenat, Francia–10 abr. 1955, Nueva York, N.Y., EE.UU.). Filósofo y paleontólogo francés. Ordenado sacerdote jesuita en 1911, enseñó geología desde 1918 en el Instituto Católico de París. En 1929 dirigió las excavaciones que permitieron descubrir los restos del hombre de Pekín en ZHOUKOUDIAN. Este y otro trabajo geológico lo hicieron merecedor de altos honores, aunque estas actividades fueron desaprobadas por la orden jesuita. Su filosofía estaba fuertemente documentada por su trabajo científico, que a su juicio contribuía a probar la existencia de Dios. Es conocido por su teoría de que la humanidad está evolucionando, mental y socialmente, hacia una unidad espiritual final que llamó punto Omega. Aunque sus principales obras filosóficas, *El ambiente divino* (1957) y *El fenómeno humano* (1955), fueron escritas en los años veinte y treinta, los jesuitas prohibieron su publicación en vida de Teilhard.

teísmo Creencia de que todos los fenómenos observables dependen de un ser supremo, pero a la vez son distintos de él. Generalmente, dicha creencia conlleva la idea de que Dios rebasa la comprensión humana, y es perfecto y autosuficiente, pero también que participa de forma peculiar en el mundo y sus acontecimientos. Los teístas fundamentan su creencia en la argumentación racional y la voz de la experiencia. Los principales argumentos para probar la existencia de Dios son de cuatro tipos: cosmológicos, ontológicos, teleológicos o morales. Uno de los problemas centrales del teísmo es conciliar a Dios, generalmente visto como omnipotente y perfecto, con la existencia del mal. Ver también AGNOSTICISMO; ATEÍSMO; DEÍSMO; MONOTEÍSMO; POLITEÍSMO; TEODICEA.

tejedora Máquina para producir TEXTILES y prendas de vestir. Las máquinas pueden ser accionadas en forma manual o mecánica; seleccionando el color, el tipo de punto, el diseño de las levas y el dispositivo Jacquard (ver telar JACQUARD), es posible lograr una variedad casi ilimitada de telas. Las máquinas circulares modernas pueden tener 100 alimentadores, permitiendo que cada aguja tome 100 hilos por revolución. Se usan agujas de ganchillo (inventadas c. 1589) y también agujas de lengüeta (inventadas en 1847), siendo estas últimas las más comunes. Cada dos agujas hay insertas pequeñas unidades parecidas a láminas (platinas) para encajar y sujetar la tela terminada. Las máquinas pueden tener ruedas de diseño que controlan la acción de las agujas para producir puntos especiales, y también un mecanismo Jacquard. Ver también WILLIAM LEE.

tejedora de medias TEJEDORA inventada en 1589 que producía un punto de media. Las telas de tejido de punto se fabrican mediante el entrelazado de una serie de lazos hechos de uno o más HILOS, con los lazos de la hilera anterior; la tejedora de medias producía una hilera completa de lazos de una vez. La industria moderna del tejido de punto, con su maquinaria sumamente sofisticada, surgió de este simple dispositivo.

tejedura Producción de una tela entrelazando dos series de HILOS de modo que se entrecrucen, normalmente en ángulos rectos, lograda con frecuencia mediante un TELAR manual o mecánico. En la tejedura, los hilos en sentido longitudinal se llaman urdimbre y los hilos en sentido transversal se llaman trama. La mayoría de las telas tejidas se hacen con sus bordes externos terminados de tal manera que no se deshilachen (porque el hilo de trama da la vuelta en vez de terminar en el extremo). Estos bordes u orillas son los que corren en sentido longitudinal, paralelos a los hilos de urdimbre. Las tres texturas básicas del tejido son la lisa o tafetán (los hilos de trama pasan alternativamente por sobre un hilo de urdimbre y luego por debajo del siguiente), la SARGA y el SATÉN. Los tejidos de fantasía, como el terciopelo, el Jacquard, el de lizos y el de gasa de vuelta, requieren telares más sofisticados o con accesorios especiales. Ver también textil NAVAJO.

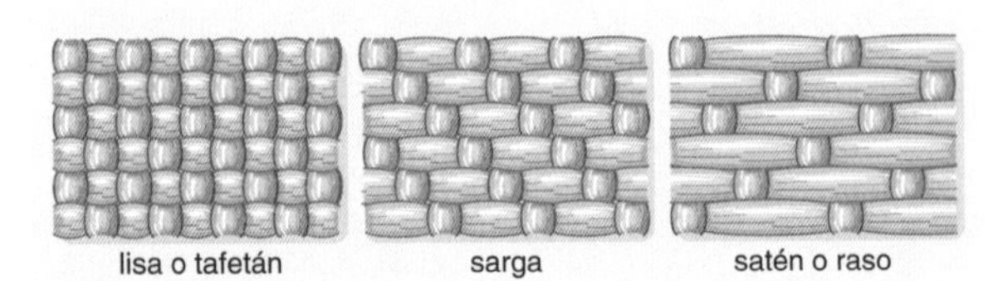

Tres tipos de tejedura.

tejido adiposo *o* **tejido graso** TEJIDO CONECTIVO constituido mayormente por células adiposas, especializado en sintetizar y almacenar grandes glóbulos de GRASA dentro de una malla estructural de fibras. Se encuentra principalmente bajo la piel, pero también en depósitos entre los músculos, en los intestinos y sus pliegues membranosos, alrededor del corazón y en otros lugares. La grasa almacenada en este tejido proviene de la dieta o bien es producida por el organismo. Sirve de reserva de combustible para épocas de hambruna o de grandes esfuerzos físicos, ayuda a conservar el calor corporal y forma cojinetes entre los órganos.

tejido conectivo Tejido orgánico que mantiene la forma del cuerpo y de sus órganos y les proporciona cohesión y soporte interno: comprende los HUESOS, LIGAMENTOS, TENDONES, CARTÍLAGOS, TEJIDO ADIPOSO y aponeurosis. Sus componentes principales son distintas clases de células, fibras extracelulares y una sustancia fundamental, cuya consistencia varía de un tenue gel a una estructura rígida. Las diferentes clases de tejido conectivo están formadas por distintas combinaciones de estos elementos. Las enfermedades del tejido conectivo son ya sea trastornos genéticos que afectan a uno de los componentes (p. ej., síndrome de MARFAN), o bien enfermedades adquiridas inflamatorias o del sistema inmune (p. ej., ARTRITIS REUMATOIDE, OSTEOARTRITIS, LUPUS ERITEMATOSO sistémico y FIEBRE REUMÁTICA).

tejido linfoide Células, tejidos y órganos que componen el sistema INMUNE, integrado por la MÉDULA ÓSEA, el TIMO, el BAZO y los GANGLIOS LINFÁTICOS. Los componentes más organizados son el timo y los ganglios linfáticos y los menos organizados son las células que circulan por los espacios del TEJIDO CONECTIVO laxo, bajo las membranas que revisten la mayoría de los sistemas corporales, donde pueden establecer nódulos linfáticos (centros locales de producción de LINFOCITOS) en respuesta a los ANTÍGENOS. El linfocito es la célula más común del tejido linfoide. Otras son los macrófagos, que engloban las materias extrañas y probablemente las modifican para iniciar la respuesta inmune, y las células reticulares, que producen y mantienen finas mallas de fibras como armazón para la mayoría de los órganos linfoides. Ver también INMUNIDAD; sistema LINFÁTICO.

tejido mieloide ver MÉDULA ÓSEA

Tejo (*Taxus baccata*): hoja y árbol.

tejo Cualquiera de unas ocho especies de plantas ornamentales siempreverdes del género *Taxus*, de la familia Taxaceae, distribuidas en todo el hemisferio norte. Dos especies son siempre arbustivas, pero las otras pueden alcanzar alturas de 25 m (77 pies). Las plantas tienen muchas ramas, cubiertas de hojas aciculares. La madera de tejo es dura, de fibra fina, pesada, con savia blanca o cremosa y duramen ámbar a pardo. Antiguamente era común usarla en ebanistería, implementos y arcos de ballesta, pero en la actualidad se usa más para artículos tallados o torneados. Otros árboles llamados tejos, aunque no de esta familia, son el tejo ciruelo (familia Cephalotaxaceae) y el tejo Príncipe Alberto (familia Podocarpaceae).

tejo, juego del *inglés* **shuffleboard** Juego en que dos o cuatro competidores utilizan tacos de mango largo para empujar discos o tejos hacia zonas de puntuación demarcadas en una superficie plana y lisa de 1,8 × 15,8 m (6 × 52 pies). Era popular en Inglaterra ya en el s. XV, especialmente entre la aristocracia; después se practicó en la cubierta de barcos de pasajeros y trasatlánticos. La forma actual del juego se definió en 1924 en St. Petersburg, Fla., EE.UU.

tejón Cualquiera de ocho especies de carnívoros macizos (familia Mustelidae) que poseen una glándula odorífera anal, mandíbulas poderosas, y garras grandes y pesadas en sus patas delanteras. La mayoría de las especies se encuentran en el sur de Asia y son de color marrón, negro o gris, con marcas en la cara o en el cuerpo. Los tejones cavan en busca de alimento y para construir madrigueras y vías de escape. El tejón del Labrador (*Taxidea taxus*), la única especie americana, vive en tierras áridas y a campo abierto en el oeste de América del Norte. Los tejones se alimentan principalmente de animales pequeños, en especial roedores. Las especies miden 23–30 cm (9–12 pulg.) de alzada y 33–81 cm (13–32 pulg.) de largo, sin contar la cola, de 5 a 23 cm (2–10 pulg.), y pesan de 1 a 22 kg (2–48 lb). Los tejones pueden ser luchadores fieros.

tejuela Pieza delgada de madera, material asfáltico, pizarra, metal o concreto, que se coloca en hileras traslapadas para que escurra el agua. Las tejuelas se utilizan ampliamente como revestimiento de techo en edificios residenciales y a veces también para REVESTIMIENTO EXTERIOR (ver estilo SHINGLE). No se recomienda el uso de tejuelas de madera en lugares secos, pues se rajan y tuercen. En todo caso, es conveniente impregnarlas con aceite para asegurar su durabilidad.

Tel Aviv–Jaffa *o* **Tel Aviv–Yafo** Ciudad (pob., est. 1999: 348.100 hab.) y puerto principal de Israel. La ciudad se formó en 1950 al unir dos núcleos urbanos distintos, el antiguo puerto de Jaffa con Tel Aviv. Esta última se fundó en 1909 y fue la capital de Israel (1948–50). Creció con la inmigración judía de comienzos del s. XX y en 1936 era ya la ciudad más grande e importante de Palestina. Jaffa era una antigua ciudad cananita capturada por Egipto en el s. XV AC y ocupada por los reyes israelitas DAVID y SALOMÓN. A lo largo de los siglos estuvo gobernada por tolomeos, sirios y romanos, fue capturada por los cruzados y arrasada por los mamelucos. Los británicos la ocuparon en 1917, y se rindió ante las fuerzas militares israelíes en la primera guerra ÁRABE-ISRAELÍ (1948). El principal centro de negocios, comunicaciones y cultural de Israel, alberga más de la mitad de las plantas industriales del país, la bolsa de comercio, la Universidad de Tel Aviv (1953) y la Universidad Bar-Ilan (1953).

tela vaquera ver MEZCLILLA

telar Máquina para tejer (ver TEJEDURA) de antigua data y existente en numerosas culturas. Los primeros telares, que datan del quinto milenio AC, se componían de barras o maderos (enjulios) que formaban un bastidor para sujetar varios hilos paralelos en dos conjuntos alternados. Al levantar un conjunto de estos hilos (que juntos forman la urdimbre), era posible hacer cruzar un hilo transversal (trama o hilo de trama) entre ellos. Una LANZADERA llevaba el hilo de trama a través de la urdimbre. Aunque la operación fundamental del telar se ha mantenido invariable, a lo largo de los siglos se introdujeron muchas mejoras tanto en Asia como en Europa. El telar de lizos, probablemente inventado en Asia para tejer SEDA, tenía un medio para levantar los hilos de urdimbre en grupos, según lo requería el diseño del tejido. En el s. XVIII, JACQUES DE VAUCANSON y

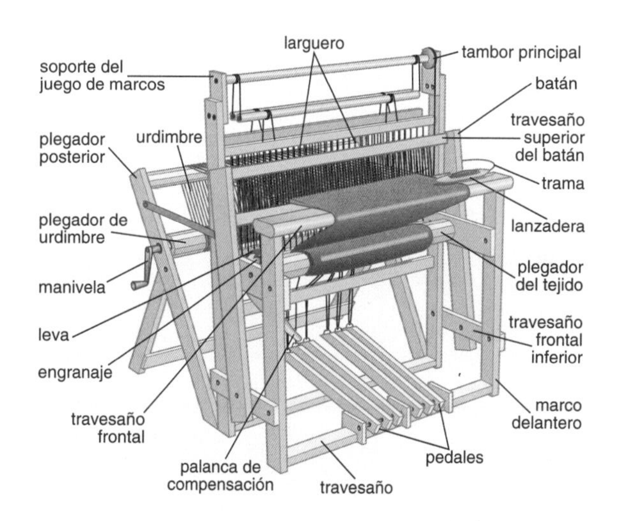

Partes principales de un telar manual tradicional.

J.-M. JACQUARD mecanizaron esta función mediante el uso ingenioso de tarjetas perforadas; las tarjetas programaban el telar de lizos mecánico, ahorrando mano de obra y eliminando errores (ver telar JACQUARD). En Inglaterra, los inventos de JOHN KAY (LANZADERA VOLANTE), EDMUND CARTWRIGHT (accionamiento por mando mecanizado) y otros contribuyeron al advenimiento de la REVOLUCIÓN INDUSTRIAL, en la cual el telar y otras maquinarias TEXTILES desempeñaron un papel central.

Telecom Italia SpA Ex monopolio de telecomunicaciones del gobierno de Italia. Actualmente es el primer operador de telefonía fija e inalámbrica de Italia, esta última a través de Telecom Italia Mobile SpA (TIM), de la cual posee el 55% de la propiedad. La compañía ofrece servicios de transmisión de datos, telefonía de corta y de larga distancia, comunicación satelital, acceso a la internet y servicios de teleconferencia. Además, opera el ISP líder de Italia. A través de su subsidiaria TIM opera en mercados del exterior, especialmente en Europa (Grecia y Turquía) y América Latina (Brasil). Telecom Italia fue el monopolio estatal italiano de telecomunicaciones, cuyos orígenes se remontan a 1933, cuando Benito Mussolini decidió nacionalizar la industria de las telecomunicaciones. En 1999, OLIVETTI & C. SPA adquirió en una compra agresiva el 55% de la empresa. La fusión de ambas empresas finalizó en agosto de 2003. Las oficinas centrales de la compañía se encuentran en Roma.

telecomunicaciones Comunicación entre partícipes separados por una distancia, a través de señales electrónicas o electromagnéticas. Los sistemas de telecomunicación modernos, capaces de transmitir señales de TELÉFONO, FAX, datos, RADIO o TELEVISIÓN, pueden transmitir grandes volúmenes de información a largas distancias. La transmisión digital se emplea para lograr alta confiabilidad con el mínimo ruido, o interferencia, y porque puede transmitir cualquier tipo de señal, digital o análoga. Para la transmisión digital, las señales análogas deben ser sometidas a un proceso de conversión análogo a digital; la mayor parte de las comunicaciones de televisión, radio y voz son análogas y deben ser digitalizadas antes de la transmisión. Esta puede realizarse mediante cables, sistemas relevadores de radio inalámbricos o enlaces vía satélite.

Telefónica S.A. Empresa española, uno de los líderes en el mundo del sector de las telecomunicaciones. Es el principal operador en los mercados de habla hispana y portuguesa. Telefónica brinda una amplia gama de servicios para un extenso grupo de actividades, entre ellas telefonía fija y móvil, internet y banda ancha, contenido, directorios, aplicaciones, administración de relaciones con clientes, además de otros servicios. Fue creada en 1924 con el nombre de Compañía Telefónica Nacional de España (CTNE), cuyo accionista era la INTERNATIONAL TELEPHONE AND TELEGRAPH CORPORATION (ITT) de Nueva York. No obstante haber sido nacionalizada en 1945, en la actualidad es una compañía totalmente privada. Telefónica, cuyo nuevo nombre fue adoptado en 1988, tiene una presencia significativa en 15 países y operaciones en aproximadamente 40. Con fuerte presencia en América Latina, la empresa opera en ocho países y es en esta zona donde concentra su mayor crecimiento. Sus oficinas centrales se encuentran en Madrid.

teléfono Instrumento diseñado para transmisión y recepción simultánea de la voz humana. Trabaja transformando las ondas de sonido de la voz en pulsos de corriente eléctrica, transmitiendo la corriente, y luego convirtiéndola nuevamente en sonido. La patente estadounidense, concedida a ALEXANDER GRAHAM BELL en 1876 por el desarrollo de un dispositivo para transmitir el sonido de conversaciones por cables eléctricos, es a menudo calificada como la patente más valiosa otorgada. Dentro de los primeros 20 años, el teléfono adquirió una forma que ha permanecido fundamentalmente inalterable por más de un siglo. El advenimiento del TRANSISTOR (1947) condujo a circuitos livianos y compactos (ver teléfono CELULAR). Los avances en la electrónica han permitido la introducción de un número de características "inteligentes", como la remarcación automática, llamada en espera, identificación de llamada y reenvío de llamada. Los sistemas telefónicos son también una ruta de acceso primaria a INTERNET.

teléfono móvil ver teléfono CELULAR

telégrafo Dispositivo electromagnético de comunicación. En 1832, SAMUEL F.B. MORSE esbozó ideas para un sistema de comunicación eléctrica a distancia, y en 1835 desarrolló un código para representar las letras y los números (código MORSE). En 1837 le fue otorgada la patente por un telégrafo electromagnético que transmitía señales por un alambre. Ese mismo año unos inventores británicos patentaron un sistema de telégrafo que activaba cinco punteros para que señalasen letras y números específicos en su placa de montaje. El uso público del sistema de telégrafo de Morse comenzó en 1844 y perduró más de 100 años. A fines del s. XX, el telégrafo había sido reemplazado en la mayoría de las aplicaciones en países desarrollados por sistemas digitales de transmisión de datos, basados en la tecnología computacional. Ver también WESTERN UNION.

Teleki Pál, conde (1 nov. 1879, Budapest, Hungría, Austria-Hungría–3 abr. 1941, Budapest). Político húngaro. Eminente geógrafo, fue miembro del Parlamento húngaro desde 1905 y delegado en la conferencia de paz de PARÍS (1919) después de la primera guerra mundial. Sin embargo, en 1921 se retiró de la política partidaria. Luego enseñó en la Universidad de Budapest hasta su regreso a la política como ministro de educación (1938–39) y primer ministro (1939–41). Con la esperanza de usar el poder de Alemania para recuperar los territorios perdidos por el tratado de TRIANÓN (1920), inicialmente cooperó con ADOLF HITLER. En 1941, atrapado entre las exigencias de apoyo de los alemanes tras la invasión de Yugoslavia (con la que Hungría había firmado un tratado de amistad en 1940) y las amenazas británicas para que no lo hiciera, se suicidó.

Telemann, Georg Philipp (14 mar. 1681, Magdeburgo, Brandeburgo–25 jun. 1767, Hamburgo). Compositor alemán. A los 10 años de edad tocaba ya varios instrumentos y a los 12 había compuesto una ópera, pero su familia no aprobaba su intención de dedicarse profesionalmente a la música. Mientras estudiaba derecho en la Universidad de Leipzig, organizó grupos musicales estudiantiles y se convirtió en el director musical de la Ópera de Leipzig (1702), organista de la Iglesia Nueva (1704) y maestro de capilla de un conde (1705). Al trasladarse a Eisenach (c. 1708), donde conoció a JOHANN SEBASTIAN BACH, compuso música instrumental en el estilo francés y música sacra en el estilo alemán. Se trasladó a Gotha (1717) y después a Hamburgo (1721), donde trabajó como director musical de la Ópera (1722–38), para la que compuso varias decenas de obras con influencia italiana. Escribió cerca de 600 cantatas y un total aprox. de 2.000 piezas, gran parte de ellas de alta calidad.

telemetría Proceso de comunicaciones altamente automatizado en el cual los datos son recolectados desde instrumentos ubicados en puntos remotos o inaccesibles y transmitidos a equipos receptores para mediciones, monitoreo, visualización y grabación. La transmisión de los datos puede hacerse a través de cables o más comúnmente por RADIO. La técnica es muy usada para el monitoreo y sistemas de control de las tuberías de petróleo, en oceanografía y meteorología. La telemetría para cohetes y satélites se desarrolló en la década de 1950 y ha continuado su crecimiento en complejidad y variedad de aplicaciones. Los datos pueden ser transmitidos desde el interior de motores de combustión interna durante pruebas, desde turbinas de vapor en operación, y desde naves espaciales tripuladas y no tripuladas. Grandes aplicaciones científicas incluyen investigación biomédica y observación remota de operaciones con materiales altamente radiactivos.

telémetro Instrumento utilizado para medir la distancia desde el instrumento hasta un punto u objeto seleccionado. El telémetro óptico, utilizado principalmente en las CÁMARAS, se compone de un conjunto de LENTES y PRISMAS dispuestos en cada extremo de un tubo. La distancia al objeto se determina midiendo los ÁNGULOS formados por una línea de mira en cada extremo del tubo; cuanto menores sean los ángulos, mayor será la distancia, y viceversa. Desde mediados de la década de 1940, el radar reemplazó a los telémetros ópticos para el control de tiro de armas de largo alcance, y el telémetro de rayos láser, desarrollado en 1965, reemplazó en gran medida a los telémetros ópticos para TOPOGRAFÍA y al radar en ciertas aplicaciones militares.

telenovela *o* **radionovela** Serial dramática o cómica que se emite a través de una cadena de televisión o radio, que se caracteriza por un elenco permanente de actores, una historia continua, enredosas situaciones entre los personajes y un estilo sensiblero o melodramático. Las radionovelas comenzaron a principios de la década de 1930 con episodios de 15 minutos de duración y en la década de 1950 se iniciaron las transmisiones de las telenovelas, con capítulos de 30 minutos que después se extendieron a una hora. En general, se programaban durante el día y eran dirigidas a la dueña de casa. En un principio, la temática abordaba la vida familiar de la clase media, pero durante la década de 1970 los contenidos comenzaron a ampliarse, introduciéndose una extensa gama de novedosos personajes y situaciones y escenas de mayor expresividad sexual. En la década de 1980 este estilo de telenovelas, con ejemplos como *Dallas* y *Dinastía*, comenzaron a exhibirse en horarios estelares. Ver también IRNA PHILLIPS.

teleología Causalidad en que el efecto se explica por un fin (griego, *telos*) a realizar. De este modo, la teleología difiere esencialmente de la causalidad eficiente, en la que un efecto depende de acontecimientos anteriores. Según el tratamiento aristotélico de la teleología, la explicación plena de una cosa debe considerar su causa final esto es, el propósito para el cual la cosa existe o fue producida. Siguiendo a Aristóteles, muchos filósofos han creído que los procesos biológicos implican la operación de un fin rector. La ciencia moderna ha tendido a recurrir sólo a causas eficientes en sus investigaciones. Ver también MECANICISMO.

teleósteo ver PEZ ÓSEO

telescopio Instrumento óptico que recoge imágenes amplificadas de objetos distantes; es sin duda la herramienta de investigación más importante en ASTRONOMÍA. Los primeros telescopios enfocaban la luz visible refractándola (ver REFRACCIÓN) mediante LENTES; los instrumentos posteriores usaron la REFLEXIÓN de la luz en espejos curvos (ver ÓPTICA). La invención del telescopio se atribuye tradicionalmente a Hans Lippershey (n. ¿1570?– m. ¿1619?), quien adaptó el uso de lentes en MICROSCOPIOS desarrollado por A. VAN LEEUWENHOEK. Entre los primeros telescopios cabe mencionar los llamados "galileanos", siguiendo el modelo de los instrumentos simples construidos por GALILEO, quien fue el primero en usar telescopios para estudiar los cuerpos celestes. En 1611, JOHANNES KEPLER propuso una versión mejorada que se transformó en la base de los instrumentos refractantes modernos. El telescopio reflectante se consolidó después de que William Herschel (ver familia HERSCHEL) usó uno para descubrir el planeta URANO en 1781. Desde la década de 1930 los RADIOTELESCOPIOS han sido empleados para detectar y generar imágenes a partir de las ondas de radio emitidas por los objetos celestes. Más recientemente, se han diseñado telescopios para observar objetos y fenómenos de otras partes del ESPECTRO ELECTROMAGNÉTICO (ver ASTRONOMÍA DE RAYOS GAMMA; ASTRONOMÍA DE RAYOS X; ASTRONOMÍA INFRARROJA; ASTRONOMÍA ULTRAVIOLETA). Los vuelos espaciales han permitido situar telescopios en órbita terrestre para evitar los efectos de dispersión y absorción de la luz provocados por la atmósfera (p. ej., el telescopio espacial HUBBLE). Ver también BINOCULARES; OBSERVATORIO.

teletipo Instrumento telegráfico que fue muy utilizado en el s. XX para transmitir y recibir mensajes y datos impresos vía cable telefónico o sistemas relevadores de radios. Los aparatos para escribir teletipos (o impresoras de teletipos) llegaron a ser de uso comercial en la década de 1920. En 1924, la Teletype Corp. introdujo una serie de máquinas para escribir teletipos tan populares que el nombre Teletipo llegó a ser sinónimo de la impresora de teletipo en EE.UU. Los esquemas de códigos utilizados en las impresoras de teletipos incluían una variación del código Baudot (década de 1920) y ASCII (decenio de 1960). (Ver ÉMILE BAUDOT). Con la aparición de la TRANSMISIÓN DE DATOS de alta velocidad en la década de 1980, el teletipo fue reemplazado por el CORREO ELECTRÓNICO y el FAX.

televangelismo Predicación del evangelio a través de programas religiosos que se exhiben en televisión. Dichos programas son generalmente conducidos por ministros protestantes fundamentalistas, quienes dirigen los servicios religiosos, y en forma habitual solicitan donaciones. En la década de 1950, Billy Graham comenzó a ser conocido en todo el mundo por sus programas especiales de televisión. Otros televangelistas prominentes han sido Oral Roberts, Jerry Falwell y Pat Robertson.

Televisa *ofic.* **Grupo Televisa** Cadena de TELEVISIÓN mexicana, fundada por el empresario Emilio Azcárraga Vidaurreta. Surgió en 1973 tras la fusión de Telesistema Mexicano y Televisión Independiente de México. Ese mismo año asumió como director su hijo, Emilio Azcárraga Milmo, quien internacionalizó la compañía en 1988 al crear el primer servicio informativo en español vía satélite, la cadena ECO, con transmisión en directo a 47 países (México, América Latina y Europa). Encabeza el CONGLOMERADO del mismo nombre, el cual controla un amplio número de medios de comunicación en Latinoamérica.

televisión (TV) Sistema electrónico para la transmisión de sonido e imágenes fijas o en movimiento a receptores que reproducen las imágenes en un tubo o pantalla, a la vez que recrean el sonido. Las primeras versiones (1900–20) del TUBO DE RAYOS CATÓDICOS, los métodos de amplificación de una señal electrónica y la formulación teórica del principio de escaneo electrónico, se convirtieron con posterioridad en la base de la TV moderna. En 1932, la RCA probó el primer modelo electrónico de televisión. Le siguieron la TV en color (en la década de 1950), los sistemas de TELEVISIÓN POR CABLE (introducidos en el decenio de 1960), y máquinas grabadoras y reproductoras

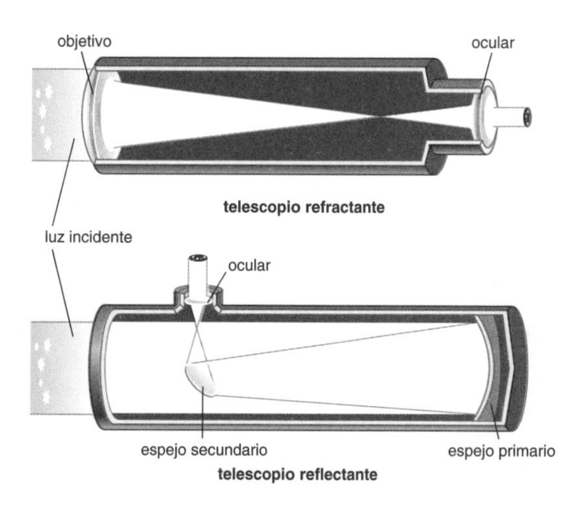

Los telescopios refractantes forman una imagen al enfocar la luz de un objeto distante por medio de lentes. Los telescopios reflectantes utilizan espejos para enfocar la luz. Ambos tipos usan lentes en el ocular para ampliar la imagen que se forma.

(en la década de 1980; ver VCR). En la década de 1990, los sistemas digitales de alta definición entregaron imágenes más claras y nítidas, sonido con muy poca interferencia u otras imperfecciones, y con el potencial de integrar funciones de TV con otras computacionales.

televisión de alta definición (TVAD) Cualquier sistema que produzca una resolución de imagen significativamente mayor que la de la pantalla de TELEVISIÓN corriente de 525 líneas (625 líneas en Europa). La televisión convencional transmite señales en forma análoga. Los sistemas digitales TVAD, en cambio, transmiten imágenes y sonidos en la forma de datos digitales. Estos datos numéricos se transmiten utilizando las mismas radiofrecuencias altas que transmiten ondas análogas; un procesador en el aparato de televisión digital decodifica los datos. La TVAD digital puede suministrar imágenes y sonidos más claros y más nítidos, con muy poca interferencia u otras imperfecciones. Quizás más importante es el hecho de que los equipos de televisión digital son potencialmente capaces de enviar, almacenar y manipular imágenes, como asimismo recibirlas, fusionando así las funciones del televisor y de la computadora.

televisión por cable Sistema que distribuye señales de TELEVISIÓN por medio de CABLE COAXIAL o FIBRA ÓPTICA. Los sistemas de televisión por cable se originaron en EE.UU. a comienzos de la década de 1950 para mejorar la recepción en áreas remotas y con colinas, donde la transmisión de señales era débil. En la década de 1960 fueron introducidos en grandes áreas metropolitanas donde la recepción algunas veces se degrada por la reflexión de las señales en edificios altos. Desde mediados de la década de 1970 ha habido una proliferación de sistemas de cable que ofrecen servicios especiales, por los cuales generalmente se carga una tarifa mensual. Además de proveer señales de alta calidad, algunos sistemas pueden entregar cientos de canales. Otra característica ofrecida cada vez más por los operadores de cables es la comunicación interactiva de dos vías por la cual los espectadores pueden, por ejemplo, participar en encuestas de opinión pública así como también conectarse a INTERNET. Los operadores de cable también se involucran en el desarrollo de compresión de vídeo, transmisión digital y TELEVISIÓN DE ALTA DEFINICIÓN.

télex Servicio internacional de transferencia de mensajes telegráficos que consiste en una red de impresoras de teletipos. Los suscriptores a un servicio de télex pueden intercambiar comunicación de texto y de datos directamente entre ellos. Los sistemas de télex se originaron en Europa a comienzos de la década de 1930 y fueron ampliamente usados por varias décadas. La capacidad de conducir comunicaciones digitales de alta velocidad por líneas telefónicas regulares condujo a que el uso del télex decayera, pero aún es usado como un servicio de transmisión de datos para aplicaciones en las cuales las velocidades de transmisión altas no son necesarias o en áreas donde no están disponibles los equipos modernos de transmisión de datos.

Telford, Thomas (9 ago. 1757, cerca de Westerkirk, Dumfries, Escocia–2 sep. 1834, Londres, Inglaterra). Ingeniero civil escocés. Construyó los canales de Ellesmere, Caledonia y Göta y los muelles de St. Katherine en Londres. Su logro culminante fue el diseño y construcción (1819–26) del gran puente colgante de Menai, en Gales. En total construyó unos 1.200 puentes, más 1.600 km (1.000 mi.) de caminos y muchos edificios. Fue el primer presidente del Instituto británico de ingenieros civiles (fundado en 1818).

Puente colgante en Conwy, Gales, diseñado por Thomas Telford, 1822–26.

A.F. KERSTING

Tell el-Amarna ver Tell el-AMARNA

Tell, Guillermo *alemán* **Wilhelm Tell** Héroe nacional suizo cuya existencia real es objeto de controversia. Según la tradición, en el s. XIII o a principios del s. XIV desacató la autoridad austríaca y fue obligado por el odiado gobernador a disparar una flecha con una ballesta a una manzana puesta sobre la cabeza de su hijo desde una distancia de 80 pasos. Posteriormente emboscó y dio muerte al gobernador, hecho que, según se dice, hizo estallar la rebelión contra el dominio austríaco. Es mencionado por primera vez en una crónica de 1470. La prueba del tirador está ampliamente difundida en el folclor, y la historia de Guillermo Tell guarda semejanza con los mitos fundacionales de otras naciones.

Guillermo Tell disparando una flecha a una manzana puesta sobre la cabeza de su hijo.

FOTOBANCO

tellem, figura Pequeña imagen de devoción tallada en madera o piedra, probablemente usada para cultos privados a los antepasados en sociedades primitivas. Las figuras tellem se conocen desde el noroeste de Nueva Guinea y en el arte DOGON de Sudán. Se conservan muy pocas muestras de estas figuras, quizás debido a que tenían menor valor intrínseco que las estatuas hechas más cuidadosamente y utilizadas en ceremonias formales de cultos a los antepasados.

Teller, Edward *orig.* **Ede Teller** (15 ene. 1908, Budapest, Hungría, Imperio austro-húngaro–9 sep. 2003, Stanford, Cal., EE.UU.). Físico nuclear estadounidense de origen húngaro. Nacido en una próspera familia judía, obtuvo un doctorado en la Universidad de Leipzig (1930) antes de abandonar la Alemania nazi (1933) y establecerse en EE.UU. (1935). En 1941 se incorporó al equipo de ENRICO FERMI, para producir la primera reacción nuclear autosustentada, y en 1943, J. ROBERT OPPENHEIMER lo reclutó para el proyecto MANHATTAN. Al final de la guerra, Teller propiciaba que se desarrollara una bomba de fusión y después de alguna resistencia inicial del gobierno, consiguió permiso para hacerlo. Junto con STANISLAW ULAM desarrolló en 1952 una BOMBA DE HIDRÓGENO operacional. El mismo año, colaboró en el establecimiento del Laboratorio Lawrence, de Livermore Cal., el cual se convirtió en la principal fábrica estadounidense de armas nucleares. En 1954 se unió a la oposición a que Oppenheimer continuara gozando de acreditación de seguridad. Un decidido anticomunista, dedicó mucha energía a su cruzada para mantener a EE.UU. por delante de la Unión Soviética en armas nucleares; se opuso a los tratados sobre armas nucleares, y fue el principal responsable en convencer al pdte. Ronald Reagan sobre la necesidad de desarrollar la INICIATIVA DE DEFENSA ESTRATÉGICA. En 2003 se le concedió la Medalla presidencial de la libertad de EE.UU.

Edward Teller.

GENTILEZA DEL LAWRENCE BERKELEY LABORATORY, UNIVERSIDAD DE CALIFORNIA, BERKELEY, CAL., EE.UU.

Telloh ver LAGASH

Telmex S.A. Compañía propietaria y operadora de gran parte del sistema de telecomunicaciones de México. La empresa brinda servicios de líneas de telefonía fija y servicios de telefonía de larga distancia nacional e internacional, además de acceso a la internet. Fue creada en diciembre de 1990 tras la privatización de la entonces compañía estatal de teléfonos, si bien la creación de esta se remonta a principios del s. XX, cuando inversionistas privados apoyados por AT&T CORP. y Ericsson ganaron separadamente concesiones para operar en Ciudad de México. Tras nacionalizaciones y aperturas de la propiedad de la compañía durante los primeros años, finalmente en 1972, el gobierno compró el 51% de las acciones de la compañía. En 1990, la empresa fue privatizada, quedando mayoritariamente bajo el control del Grupo Carso, relacionado con el empresario mexicano Carlos Slim. Sus oficinas centrales se encuentran en Ciudad de México.

telugu Lengua DRAVÍDICA hablada por más de 66 millones de personas en el sur de India y por comunidades de inmigrantes en otros lugares. Es la lengua oficial del estado de ANDHRA PRADESH. La inscripción más antigua impresa íntegramente en telugu data del s. VI; los textos literarios comienzan en el s. XI. La escritura telugu, que deriva de la empleada por la dinastía CHALUKYA, está íntimamente emparentada con el sistema de escritura kannada (ver sistemas de escritura ÍNDICA). Al igual que otras lenguas dravídicas principales, el telugu presenta notables diferencias entre los registros formales o literarios y los registros coloquiales, como también entre los dialectos sociales.

Temístocles (c. 524–c. 460 AC). Político y estratega naval ateniense. En calidad de ARCONTE (493), construyó defensas en El Pireo. En 483 persuadió a la asamblea de que incrementara la flota, convencido de que era la mejor forma para Atenas de detener las invasiones persas. Cuando se produjo la invasión de JERJES I, una fuerza naval griega sucumbió ante los persas en Artemision, pero Temístocles logró atraer con engaños a las restantes naves persas y las destruyó en la batalla de SALAMINA. A pesar de su victoria y de ser un ferviente demócrata, Atenas lo desterró en 472, cuando la política de la ciudad se volvió reaccionaria. Después Esparta lo acusó de complicidad con Persia y huyó del Peloponeso; desde entonces hasta su muerte, fue gobernador de algunas ciudades griegas de Asia que aún estaban bajo dominio persa.

Tempe, valle de *griego* **Témbi** Valle angosto situado entre los montes OLIMPO y Ossa, en el nordeste de TESALIA, Grecia. El río PENEO fluye a través de este valle de 10 km (6 mi) de largo antes de desembocar en el mar Egeo. En la antigüedad, los griegos dedicaron Tempe al culto de APOLO. Según la mitología, este valle apareció cuando POSEIDÓN golpeó el suelo con su tridente; los geólogos lo atribuyen a la acción de una corriente de agua. Esta vía de acceso al valle de Tesalia, desde la costa griega, ha sido tradicionalmente una ruta de invasión. Sus principales atractivos son las ruinas de los castillos y fortificaciones, construidos desde el período romano hasta la Edad Media.

temperamento En el estudio psicológico de la PERSONALIDAD, inclinación o modo de respuesta emocional que es característico o habitual en un individuo. La noción de temperamento en este sentido se originó con GALENO, que la desarrolló a partir de una teoría anterior relativa a los cuatro "humores": sangre, flema, bilis negra y bilis amarilla. En el s. XX, ERNST KRETSCHMER y algunos teóricos posteriores, entre ellos MARGARET MEAD, retomaron el problema. En la actualidad, los investigadores enfatizan en los procesos fisiológicos (entre ellos los asociados al sistema ENDOCRINO y el sistema NERVIOSO) y la CULTURA y el APRENDIZAJE como factores del temperamento.

temperamento ver AFINACIÓN Y TEMPERAMENTO

temperatura Medidad del grado o cantidad de calor de un cuerpo expresado en términos de cualquiera de varias escalas arbitrarias, como las de Fahrenheit, Celsius o Kelvin. El calor fluye de un cuerpo más caliente a otro más frío, hasta que ambos alcanzan la misma temperatura o equilibrio térmico. La temperatura es una medida de la energía media de las moléculas de un cuerpo, mientras que el calor es una medida de la cantidad total de ENERGÍA TÉRMICA contenida en un cuerpo. Por ejemplo, mientras la temperatura de una taza con agua hirviendo es la misma que la de un gran recipiente con agua hirviendo (100 °C o 212 °F), el recipiente tiene más calor o energía térmica. Se requiere más energía para hacer hervir el recipiente que la taza. Las escalas de temperaturas más comunes se basan en puntos fijos elegidos en forma arbitraria. La escala Fahrenheit fija una temperatura de 32 °F para el punto de congelación del agua, y 212 °F para el punto de ebullición del agua (a presión atmosférica normal). La escala Celsius define el punto triple del agua (en el que coexisten las tres fases, sólido, líquido y gas, en equilibrio) para el valor de 0,01 °C, y el punto de ebullición del agua para el valor de 100 °C. La escala Kelvin, utilizada principalmente para propósitos científicos y de ingeniería, asigna el valor cero al punto del CERO ABSOLUTO y una diferencia de un grado Kelvin equivale a una diferencia de un grado en la escala Celsius.

Tempietto Pequeño monumento construido en 1502 para señalar el lugar donde fue crucificado san Pedro en Roma. Diseñado por DONATO BRAMANTE, es una construcción circular, abovedada y sin decoración, obra maestra del alto Renacimiento. Su fachada externa está rodeada de una columnata de ORDEN toscano. Debido a sus proporciones, el templete ostenta la majestad de un gran monumento.

"La batalla de Bocquée" detalle, fresco de un caballero templario, s. XII.
FOTOBANCO

templario *o* **caballero templario** Miembro de una Orden militar y religiosa de caballería fundada durante las CRUZADAS. En sus inicios (c. 1119), el grupo contaba con ocho o nueve caballeros franceses quienes se dedicaban a proteger a los peregrinos que viajaban a Jerusalén de los guerreros musulmanes. Se les asignó un cuartel cerca del lugar donde se encontraba el antiguo templo de JERUSALÉN: de ahí su nombre. Hacían votos de pobreza y castidad, y servían con valor a los necesitados. El número de caballeros aumentó rápidamente, en parte debido al escrito propagandístico de BERNARDO DE CLARAVAL, quien también redactó su regla de vida. Durante su etapa de prosperidad que duró dos siglos, se expandieron a otros países, llegaron a sumar 20.000 miembros y adquirieron grandes fortunas y propiedades. En 1304 fueron perseguidos debido a algunos rumores, probablemente falsos, sobre prácticas impías y blasfemias. En 1307, FELIPE IV de Francia y el papa CLEMENTE V iniciaron la ofensiva que culminó con la supresión definitiva de la Orden en 1312, la confiscación de todas sus propiedades, y el encarcelamiento o ejecución de varios de sus miembros; su último líder Jacques de Molay (n. 1243–m. 1314) fue quemado en la hoguera.